ACCESO GRATIS *a la Lectura en la Nube*

Para visualizar el libro electrónico en la nube de lectura envíe junto a su nombre y apellidos una fotografía del código de barras situado en la contraportada del libro y otra del ticket de compra a la dirección:

ebooktirant@tirant.com

En un máximo de 72 horas laborales le enviaremos el código de acceso con sus instrucciones.

Estado de Derecho y reforma constitucional

ESTADO DE DERECHO Y REFORMA CONSTITUCIONAL

IGNACIO GONZÁLEZ GARCÍA

(Director)

Mª PILAR GARCÍA ROCHA

(Coordinadora)

tirant lo blanch
Valencia, 2021

"Proyecto financiado por la Comunidad Autónoma de la Región de Murcia a través de la convocatoria de Ayudas a Proyectos para la Generación de Nuevo Liderazgo Científico "Jóvenes Líderes en Investigación", incluidas en el Programa Regional de Fomento de la Investigación Científica y Técnica (Plan de Actuación 2018) de la Fundación Séneca-Agencia de Ciencia y Tecnología de la Región de Murcia".

© Ignacio González García
(Director)

Mª Pilar García Rocha
(Coordinadora)

© TIRANT LO BLANCH
EDITA: TIRANT HUMANIDADES
C/ Artes Gráficas, 14 - 46010 - Valencia
TELFS.: 96/361 00 48 - 50
FAX: 96/369 41 51
Email:tlb@tirant.com
www.tirant.com
Librería virtual: www.tirant.es
DEPÓSITO LEGAL: V-1495-2021
ISBN: 978-84-1378-705-3

Si tiene alguna queja o sugerencia, envíenos un mail a: atencioncliente@tirant.com. En caso de no ser atendida su sugerencia, por favor, lea en www.tirant.net/index.php/empresa/politicas-de-empresa nuestro procedimiento de quejas.

Responsabilidad Social Corporativa: http://www.tirant.net/Docs/RSCTirant.pdf

Contenido

**El refuerzo de la jurisdicción constitucional en España desde la
perspectiva de la legitimidad de ejercicio**
ITZIAR GÓMEZ FERNÁNDEZ

**De leyes desbocadas a leyes deslocalizadas:
El Parlamento ante la externalización de la producción normativa**
ÁNGEL ADAY JIMÉNEZ ALEMÁN

**La evolución de la forma de gobierno en Italia y España:
¿Una reforma constitucional implícita?**
SABRINA RAGONE Y ARMANDO DE CRESCENZO

Una Constitución analógica ante el fenómeno digital
ARGELIA QUERALT JIMÉNEZ

Las consecuencias sociales de la gran recesión. Un análisis político-constitucional con perspectiva de futuro
CARMEN MONTESINOS PADILLA

La supresión de la disposición transitoria cuarta de la Constitución
IGNACIO GONZÁLEZ GARCÍA

La derogación del prescindibleartículo 153 de la Constitución
IGNACIO GONZÁLEZ GARCÍA

Reformar la Constitución Española en lectura única: ¿es siempre posible?
Mª PILAR GARCÍA ROCHA

Presentación

Esta obra recoge varios de los resultados de investigación correspondientes al Proyecto 20639/JLI/18P financiado por la Comunidad Autónoma de la Región de Murcia a través de la convocatoria de Ayudas a Proyectos para la Generación de Nuevo Liderazgo Científico "Jóvenes Líderes en Investigación", incluidas en el Programa Regional de Fomento de la Investigación Científica y Técnica (Plan de Actuación 2018) de la Fundación Séneca-Agencia de Ciencia y Tecnología de la Región de Murcia, del que el autor de estas líneas es Investigador Principal y en el que participan constitucionalistas de hasta ocho Universidades diferentes.

Podría parecer al lector, a primera vista, que los objetos abordados no tienen conexión entre sí, más allá de ser piezas fundamentales a atender en un eventual escenario de futura reforma constitucional. Sin embargo, todos ellos están anudados por una idea común: la creciente *huída* de los poderes públicos de las exigencias propias del Estado de Derecho y, consecuentemente, de la propia Constitución. En la fase de investigación preliminar advertimos que existían muchos fenómenos de este tipo. Multitud de escenarios muy distintos donde los actores tendían a *huir* de la Constitución para afrontar nuevos retos (y también otros muy antiguos, pero todavía sin resolver) en lugar de plantear abierta y honestamente su reforma, lo que conecta en el contexto actual la reforma de la Constitución y la garantía del Estado de Derecho de modo casi inescindible.

Lógicamente, no hemos podido abordarlos todos. Quedan pendientes para una nueva fase de la investigación el análisis de otros objetos que comparten la misma condición. Hemos seleccionado aquí los que hemos entendido más relevantes y de mayor actualidad, intentando cubrir la mayor parte de los sectores de la disciplina implicados. De este modo, encontrará el lector estudios referidos a:

Apuntes para una reforma constitucional mirando a Europa: recoge concretas propuestas para mejorar el actual encaje constitucional de la participación de nuestro país en el proceso de integración europeo. Años después del informe del Consejo de Estado sobre la reforma constitucional y reformados de forma sustantiva los Tratados constitutivos a través del Tratado de Lisboa procedía volver a reflexionar sobre las tales propuestas y actualizarlas teniendo en cuenta el avance del proyecto europeo.

Organismos internacionales y reformas institucionales de calado constitucional. El GRECO y su potencial influencia en la promoción de la calidad democrática española: en un escenario de continuo socavamiento de la confianza ciudadana en las instituciones y depauperación permanente la calidad democrática de nuestro sistema, se analizan -con la vista puesta en una eventual reforma constitucional- las propuestas del GRECO relativas a la confianza en la independencia de los parlamentarios y ausencia de corrupción; y a la independencia e imparcialidad en los nombramientos de los jueces y magistrados, y su comportamiento conforme a unos estándares éticos.

El refuerzo de la jurisdicción constitucional en España desde la perspectiva de la legitimidad de ejercicio: durante la última década la imagen del Tribunal Constitucional español de cara a la opinión pública y también a la opinión académica se ha ido deteriorando progresivamente. Pero un sistema constitucional no puede permitirse el lujo de que uno de los pilares fundamentales de ese sistema pierda su legitimidad sin responder ante ello, porque esa situación alimenta los discursos corrosivos contra el propio sistema. El trabajo aporta concretas propuestas para su reforzamiento.

De leyes desbocadas a leyes deslocalizadas. El Parlamento ante la externalización de la producción normativa: se denuncia la aparente aceptación pacífica de la huida del Derecho Constitucional hacia el Derecho transnacional y hacia los centros externos de producción normativa. Se presta especial atención a determinados votos particulares de los fallos de nuestro Tribunal Constitucional que insisten en denunciar las inercias de las "concepciones decimonónicas" que conducen hacia un *status quo* insatisfactorio.

La evolución de la forma de gobierno en Italia y España: ¿Una reforma constitucional implícita?: se aborda, desde una óptica comparada, las profundas torsiones sufridas en las formas de Gobierno de ambos países durante los años de la crisis económica, cuyos efectos se estaban difuminando, hasta la llegada de la pandemia de COVID-19. Se reflexiona acerca de hasta qué punto nos estamos acercando al fenómeno de la mutación constitucional.

Una Constitución analógica ante el fenómeno digital: se analiza el impacto que para la Constitución y para su eventual reforma supone la *super digitalización* en la que vivimos inmersos ya varios lustros. Se detalla de qué modo la Constitución debe reconocer el fenómeno digital como realidad que afecta a las instituciones del Estado y a los derechos de los ciudadanos.

Las consecuencias sociales de la gran recesión. Un análisis político-constitucional con perspectiva de futuro: la Gran Recesión y la forma de afrontarla nos han vuelto a situar ante la ya recurrente disyuntiva sobre la conveniencia o no de una reforma constitucional. Se estudian las alternativas al art. 135 CE; la constitucionalización de los principios de universalidad, indivisibilidad e interdependencia de los derechos; así como el alcance de la irreversibilidad de los derechos sociales.

La supresión de la disposición transitoria cuarta de la Constitución y *La derogación del prescindible artículo 153 de la Constitución*: se aborda la necesidad de prescindir, por motivos diferentes, de dos preceptos constitucionales que carecen hoy de toda eficacia en nuestro sistema. La derogación del artículo 153 no sería más que depurar un precepto superfluo. En el caso de la disposición transitoria cuarta se justifica que cesó en su vigencia con la aprobación de la LORAF-NA, su supresión expresa evitaría debates políticos estériles sobre su eventual aplicación.

Reformar la Constitución Española en lectura única, ¿es siempre posible?: las dos reformas constitucionales habidas hasta la fecha, artículos 13 y 135, se han articulado a través del procedimiento legislativo abreviado en lectura única. Se analiza si es posible o no utilizar esta vía procedimental para la aprobación de reformas constitucionales y si, en caso afirmativo, se podría usar para cualquier tipo de reforma de la Constitución, independientemente de su contenido.

Ignacio González García

Apuntes para una reforma constitucional mirando a Europa[1]

María Díaz Crego[2]

I. INTRODUCCIÓN

La necesidad de reformar la constitución española para actualizar su texto y reflejar la relevancia que tiene nuestra pertenencia a los dos grandes proyectos europeos, la Unión Europea y el Consejo de Europa, tanto desde el punto de vista jurídico como social es ya un lugar

---

[1] Este trabajo se ha realizado en el marco del Proyecto "Reforma constitucional: dimensión institucional y territorial" (20639/JLI/18) financiado por la Fundación Séneca-Agencia de Ciencia y Tecnología de la Región de Murcia a través de la convocatoria Jóvenes Líderes en Investigación del Subprograma de Apoyo y Liderazgo Científico y la Transición a la Investigación Independiente (Programa Fomento de la Investigación Científica y Técnica 2018).

[2] La autora es personal del Servicio de Estudios del Parlamento Europeo (Policy Analyst), el servicio interno de investigación y think tank del Parlamento. El trabajo no expresa la opinión oficial del Parlamento Europeo, sino la personal de la autora. La autora es también Profesora Titular de Derecho Constitucional en la Universidad de Alcalá.

común en la doctrina española[3]. Como es bien sabido, en la única ocasión en la que el ejecutivo nacional barajó seriamente realizar una reforma más o menos extensa de la Constitución (2004)[4], más allá de las dos puntuales que se llevaron a cabo en 1992 y 2011[5], la agenda incluía una modificación en clave europea, que sólo se refería a la participación de España en la Unión Europea y no al Consejo de Europa.

En este sentido, el entonces gobierno español de Rodríguez Zapatero consultó al Consejo de Estado tres cuestiones: cómo plasmar la

---

[3]   Entre los trabajos más relevantes sobre la cuestión, cabe citar: J. García Roca. *Pautas para una reforma de la Constitución. Un informe para el debate*, Aranzadi, Cizur Menor, 2014, pp. 29-37; VVAA. "Encuesta sobre la reforma constitucional", *Teoría y Realidad Constitucional*, n° 29, 2012, pp. 41, 44, 46, 47; J. Tajadura Tejada. "Reforma constitucional e integración europea", *Claves de razón práctica*, n° 216, 2011, pp. 20-28; E. Alberti Rovira. "La cláusula europea en la reforma de la Constitución española", en J. Álvarez Junco y F. w Llorente. *El informe del Consejo de Estado sobre la reforma constitucional: texto del informe y debates académicos*, CEPC y Consejo de Estado, Madrid, 2006, pp. 457-482: C. Escobar Hernández. "La cláusula europea en la Constitución española: algunas reflexiones para una eventual reforma constitucional", en J. Álvarez Junco y F. Rubio Llorente, op. cit, pp. 483-499; R. Alonso García. "Reforma constitucional: la recepción en la Constitución del proceso de construcción europea", en J. Álvarez Junco y F. Rubio Llorente, op. cit, pp. 557-561; A. Mangas Martin. "La reforma del art. 93 de la Constitución española", en J. Álvarez Junco y F. Rubio Llorente, op. cit, pp. 533-556; P. Cruz Villalón. *Hacia la europeización de la Constitución española. La adaptación de la Constitución española al marco constitucional de la Unión Europea*. Fundación BBVA, Bilbao, 2006; N. García Gestoso. "Algunas consideraciones sobre la reforma de la Constitución española de 1978 derivadas de la integración europea", *Parlamento y Constitución (Anuario)*, n°. 8, 2004, pp. 101-136; J.F. López Aguilar. "La reforma de la Constitución: opciones constitucionales ante la ratificación de los Acuerdos de Maastricht", *Revista de derecho político*, n° 36, 1992, pp. 439-457.

[4]   Ver los elementos centrales cuya reforma barajó el ejecutivo en el *Informe sobre modificaciones de la Constitución española* del Consejo de Estado, febrero 2006, p. 47.

[5]   La primera reforma que se refería solo al art. 13.2 CE se realizó el 28 de agosto de 1992 (BOE núm. 207, de 28 de agosto de 1992) y vino provocada por la Declaración del TC de 1 de julio de 1992 (DTC 1/1992, de julio), por la que se exigía la modificación de ese precepto para la ratificación del Tratado de la Unión Europea. La segunda reforma afectó únicamente al art. 135 CE y se produjo en medio de la crisis económica y financiera que comenzara en 2008 (BOE núm. 233, de 27 de septiembre de 2011). Para entender el contexto y las consecuencias de esta reforma, mucho más compleja, ver los trabajos incluidos en el monográfico sobre la reforma de la revista *Teoría y Realidad Constitucional*, n° 29, 2012.

voluntad del pueblo español de participar en el proceso de integración europeo, qué cláusula de integración del Derecho de la Unión Europea en el sistema de fuentes procedía incorporar y qué procedimiento específico de ratificación de los Tratados de la Unión cabía prever, incluyendo eventuales límites a ese proceso de integración[6]. El Informe del Consejo de Estado planteó la oportunidad de modificar el Preámbulo de la Constitución española para poner de manifiesto la voluntad del pueblo español de participar en el proceso de integración, e introducir un nuevo Título en el texto constitucional (que podría ser el VII bis o el VIII bis) específicamente dedicado a la integración en la Unión Europea, en el que se reiteraría esa voluntad de participación en la construcción de Europa, se recogerían los límites constitucionales al proceso de integración (con remisión al Título Preliminar), el procedimiento para ratificar los Tratados constitutivos (mayoría absoluta en ambas Cámaras y, si no se alcanzase en el Senado, 3/5 en el Congreso) y se reconocería expresamente la validez y eficacia interna de las normas de la Unión conforme a los principios establecidos por el Tribunal de Justicia de la Unión Europea, siempre que respetasen los límites constitucionales al proceso introducidos en el texto constitucional[7].

La propuesta indicaba también qué otros tres aspectos habían de ser abordados al hilo de una eventual reforma constitucional, en concreto, la participación de las Comunidades Autónomas en la toma de decisiones a nivel europeo, el papel institucional del Parlamento frente al Gobierno en ese proceso de toma de decisiones, y la modificación en la atribución de funciones del Tribunal Constitucional y los tribunales ordinarios operada como consecuencia de la integración de España en la Unión. El Consejo de Estado analizaba estas cuestiones como cuestiones conexas, pero sin formalizar una propuesta de reforma constitucional que las incluyera, quizás dado el limitado alcance de las preguntas formuladas por el gobierno[8].

---

[6] Consejo de Estado. *Informe sobre modificaciones de la Constitución española*, febrero 2006, p. 47
[7] Ibid, pp. 106-107.
[8] Ibid, pp. 107-128.

Transcurridos varios años desde que el Consejo de Estado formulara su propuesta y tras la entrada en vigor de la reforma de los Tratados constitutivos operada por el Tratado de Lisboa (2009) parece necesaria una nueva reflexión al respecto de esta cuestión. Evidentemente, este trabajo no podrá agotar todos los aspectos que tal reforma debería abordar. En mi opinión, tal reforma no podría de hecho reducirse a una sola cláusula europea, sino a una reforma más sustantiva de la Constitución que tuviera en cuenta las transformaciones profundas que el proyecto europeo (o mejor, los proyectos europeos) han supuesto para nuestro Estado. En esa lógica, entiendo que varios preceptos constitucionales deberían acomodarse a la realidad que hoy supone nuestra pertenencia a la Unión (el Preámbulo, para recoger la voluntad de España de participar en la construcción de una Europea unida y solidaria; el Título Preliminar, para hacer constar nuestra pertenencia a la UE y recoger quizás los objetivos fundamentales de ese proyecto; el art. 13 CE para dar cuenta de la existencia de una ciudadanía de la UE, que transforma radicalmente la dicotomía nacional/extranjero, atribuyendo derechos concretos, inclusive políticos, a todos los ciudadanos de la UE; etc.) y al Consejo de Europa (especialmente, el Título I para acomodar algunos de nuestros derechos fundamentales a los reconocidos por el Convenio Europeo de Derechos Humanos y la Carta Social Europea).

Dada la imposibilidad de abordar todos los aspectos que se consideran necesarios, este trabajo adoptará una postura de mínimos, reflexionando sobre algunos de los aspectos más relevantes que habría de tener en cuenta tal reforma constitucional desde la perspectiva de nuestra participación en la Unión Europea, véase, el procedimiento de ratificación de los tratados de la Unión, la forma de articular las relaciones entre el Derecho de la Unión y el interno, la extensión de los límites constitucionales al proceso de integración y la participación del Parlamento español en la toma de decisiones a nivel europeo.

No se tratará en detalle, aunque sí se harán algunas reflexiones al respecto, la participación de las Comunidades Autónomas en el proceso de construcción europea y ello en tanto las propuestas de reforma constitucional en ese sentido habrían de depender - a mi entender- del contenido de una eventual reforma del Título VIII de la Constitución. No obstante, se observará al hilo de estos apuntes que esta autora privilegiaría la participación de las Comunidades Autónomas en asuntos europeos a través del Senado, siempre que éste representara de forma adecuada los intereses autonómicos. Otras cuestiones también relevantes, como podrían ser la adecuación de nuestro catálogo de derechos a la Carta de derechos fundamentales de la UE, el reflejo de las modificaciones en las competencias de nuestro poder judicial/ Tribunal Constitucional, o la articulación de nuestro modelo de gobernanza económica y el europeo, quedan en el tintero. Igualmente quedan en el tintero eventuales reflexiones sobre la posibilidad de reformar nuestra Constitución para acomodarla a los desafíos que plantea nuestra participación en el Consejo de Europa.

Los aspectos cuyo estudio se abordará se analizarán desde una perspectiva comparada, teniendo en cuenta que cada vez más de nuestros socios europeos han modificado sus textos constitucionales para hacer mención expresa a su participación en la UE. El análisis se centrará, en todo caso, en las modificaciones introducidas de forma expresa en el texto constitucional de cada Estado y no tanto en la evolución de la interpretación del texto constitucional. A pesar de que es evidente que se han producido cambios o mutaciones constitucionales implícitas bien como consecuencia de la interpretación realizada por los tribunales constitucionales o supremos de los Estados o por otros mecanismos y que algunos estudios defienden que esos cambios implícitos son las más habituales en los Estados miembros[9], el interés de este trabajo es delimitar los elementos claves a tener en cuenta para reformar el texto constitucional español en clave europea y, de ahí que el análisis se centre en las reformas expresamente incluidas en el texto constitucional de cada Estado miembro.

II. LA REFORMA DE LA CONSTITUCIÓN EN CLAVE EUROPEA: ¿UNA NECESIDAD?

La primera cuestión a determinar desde el punto de vista de una eventual reforma constitucional en clave europea es si procede tal reforma, tal y como de hecho planteó el gobierno español en 2004,

---

[9]   C. Karlsson. "Comparing Constitutional Change in European Union Member States: In Search of a Theory", *Journal of Common Market Studies*, Volume 52, nº 3. pp. 566–581.

o si hablamos de una necesidad. Como es bien sabido, el actual art. 93 de la Constitución (CE) viene sirviendo de base para nuestra participación en la UE desde 1986, de modo que la perentoriedad de tal cambio podría cuestionarse. Sin embargo, entiendo que varias razones hacen tal reforma más que aconsejable.

En primer lugar, es evidente que la participación en el proyecto europeo ha transformado radicalmente el sentido de buena parte de los preceptos de nuestra Constitución sin que el texto constitucional recoja esas transformaciones. Esas alteraciones han afectado a la distribución horizontal de poderes a nivel estatal (especialmente entre el ejecutivo y el legislativo nacional), pero también a la distribución vertical de competencias entre Estado y Comunidades Autónomas. Sin ánimos de exhaustividad, podría reseñarse, por ejemplo, que el sentido del art. 66.2 CE, que atribuye a las Cortes Generales las funciones legislativas, de aprobación del presupuesto y de control al gobierno, difícilmente puede encajarse con la realidad actual de nuestro Estado, en el que el presupuesto es verificado por la UE antes de ser presentado por el gobierno a las Cortes y en el que numerosas materias son objeto de regulación directamente a través de actos de la UE, en cuya tramitación la intervención de las Cortes es testimonial (Protocolo núm. 2, principio de subsidiariedad) mientras que la del ejecutivo es notable al sustanciarse a través del Consejo de la UE, co-legislador con el Parlamento Europeo en sede europea[10].

Lo mismo cabe afirmar en relación con la distribución de competencias entre las Comunidades Autónomas y el Estado, en la medida en que parte de las competencias transferidas a la UE son, de hecho, competencias autonómicas, lo que ha supuesto el consecuente acre-

---

[10] Entre otros, ver: M. Delgado-Iribarren G.ª-Campero. "El Parlamento Español en la Unión Europea (1985-2015). Evolución y perspectivas", en E. Nasarre Goicoechea y F. Aldecoa Luzárraga, *Treinta años de España en la Unión Europea. El camino de un proyecto histórico*, Marcial Pons, 2015, pp. 179-196; J. A. Camisón Yagüe. *La participación directa e indirecta de los parlamentos nacionales en los asuntos de la Unión Europea*, Secretaría General del Senado, Madrid, 2010; E. Albertí Rovira y E. Roig Molés, "El nuevo papel de los Parlamentos nacionales entre Derecho Constitucional nacional y Derecho Constitucional europeo", en M. Cartabia, B. de Witte y P. Pérez Tremps (eds.), Constitución Europea y constituciones nacionales. Tirant lo Blanch, Valencia, 2005; C. Storini, *Parlamentos nacionales y Unión Europea*, Tirant lo Blanch, Valencia, 2005.

centamiento de poderes del ejecutivo nacional, que es el que representa a nuestro Estado en el Consejo de la UE a pesar de los cambios introducidos por la Ley 2/1997, de 13 de marzo, por la que se regula la Conferencia para Asuntos Relacionados con las Comunidades Europeas, cuestión ésta sobre la que han corrido ríos de tinta en nuestro país[11]. Y, lo mismo podría decirse, por indicar un último ejemplo, de la notable transformación de las funciones de nuestro poder judicial, habilitado por el Derecho de la UE a inaplicar cualquier norma interna contraria a ese Derecho, inclusive las aprobadas por el legislador nacional, un función alejada del papel de mero aplicador de la legalidad vigente que en principio le atribuía nuestro modelo de control de constitucionalidad, cuestión ésta en la que también ha ahondado la doctrina española[12].

En segundo lugar, parece también claro que el propio art. 93 CE ha sufrido una notable transformación en cuanto a su significado, pareciendo necesario operar un cambio que recoja expresamente esa sustancial alteración. Como ha explicado bien la doctrina española, el Tribunal Constitucional (TC) ha ido concretando en sus sucesivas decisiones sobre las relaciones entre el ordenamiento de la UE y el interno el sentido de ese precepto, derivando de él no solo consecuencias positivas, en tanto es el que permite la apertura de nuestro ordenamiento al Derecho de la UE, sino también límites al proceso de integración europeo que se derivarían del propio texto constitucional español. Si la imposibilidad de reformar la Constitución vía la ratifi-

---

[11] Entre otros muchos: J. Martín y Pérez de Nanclares. "Comunidades Autónomas y Unión Europea tras la entrada en vigor del Tratado de Lisboa. Sobre los riesgos de una reforma del Estado Autonómico sin reforma de la Constitución", *Revista Española de Derecho Europeo*, n.º 33, 2010, pp. 45-90; P. Biglino Campos. "El Senado: Cámara de conexión entre las Comunidades Autónomas y la Unión Europea", en J. Álvarez Junco y F. Rubio Llorente, op. cit, pp. 733-750; J. A. Montilla Martos. *Derecho de la Unión Europea y comunidades autónomas: el desarrollo normativo del derecho de la Unión en el Estado autonómico*, CEPC, Madrid, 2005; J. De Miguel Bárcena. "La reforma constitucional del Senado ante la Unión Europea", en M.A. Garcia Herrera y J.M Vidal Beltrán, *El Estado Autonómico: integración, solidaridad, diversidad*, Colex, INAP, 2005, pp. 409-426.

[12] Entre otros muchos: P. Pérez Tremps. "La jurisdicción constitucional y la integración europea", *Civitas. Revista Española de Derecho Europeo*, n.º 29, 2009, pp. 19-48; R. Alonso García. *El juez español y el derecho comunitario. Jurisdicciones constitucional y ordinaria frente a su primacía y eficacia*, Consejo General del Poder Judicial, Madrid, 2003.

cación de un tratado internacional *ex* art. 93 CE parece desprenderse de la lectura conjunta de ese precepto, el art. 95 CE, el Título X y las competencias del TC, los límites al proceso de integración europeo que el TC dedujo del art. 93 CE en la Declaración 1/2004, de 13 de diciembre, en la que se verificaba la adecuación del Tratado constitucional de la UE a nuestro texto constitucional, no parecen claramente derivarse de ningún precepto de la CE.

Estas motivaciones, unidas al manifiesto apego de los ciudadanos españoles al proyecto europeo,[13] recomiendan acomodar nuestro texto constitucional a la transformación ya sufrida como consecuencia de la participación de España en la UE. De hecho, esta es la opción mayoritaria en el resto de los Estados miembros. Quince de los actuales veintisiete Estados miembros manifiestan de forma expresa en su texto constitucional la voluntad de participar en el proyecto europeo[14], mientras el resto de Estados fundan su pertenencia a la UE en cláusulas genéricas que permiten bien la trasferencia de competencia estatal a organizaciones o instituciones internacionales, al modo en que lo hace la Constitución española (ej. Polonia), bien la limitación de la soberanía estatal para lograr determinadas finalidades (ej. Italia).

---

[13]   Ver el ultimo Eurobarómetro publicado (*Eurobarómetro Standard*, Otoño 2019) en el que el 86% de los españoles entrevistados afirmaban sentirse ciudadanos de la UE y el 69 % afirmaban sentirse unidos a la UE.

[14]   Véase art. 50 de la Constitución austriaca; art. 4.3 de la Constitución búlgara; art. 143 de la Constitución croata; la enmienda a la Constitución estonia introducida el 14.09.2003; la Sección 1 de la Constitución finesa; el art. 88-1 de la Constitución francesa; el art. 23 de la Constitución alemana; el art. E) de la Constitución húngara; el art. 29.4 de la Constitución irlandesa; art. 68 de la Constitución letona; la Ley constitucional de la República de Lituania sobre pertenencia a la UE; art. 7 de la Constitución portuguesa; art. 148 de la Constitución rumana; art. 7.2 de la Constitución eslovaca y art. 10 del Capítulo 1 del Instrumento de Gobierno sueco. Para una primera aproximación a estas disposiciones constitucionales ver los excelentes trabajos de M. Claes, "Constitutionalizing Europe at its Source: The 'European Clauses' in the National Constitutions: Evolution and Typology", en *Yearbook of European Law*, Vol. 24, n°. 1; y A. Albi. "Europe articles in the Constitutions of Central and Eastern European countries", *Common Market Law Review*, n° 42, 2005, pp. 399-423, así como los informes nacionales incluidos en la obra colectiva A.E. Kellermann y otros (eds), *EU Enlargement: The Constitutional Impact at EU and National Level*, The Hague, T.M.C. Asser Press, 2001.

La mayoría de los Estados miembros originarios siguen basando su pertenencia a la UE en ese tipo de cláusulas genéricas (Bélgica, Holanda, Luxemburgo e Italia), a pesar de que en algunos casos han introducido reformas constitucionales con miras a reforzar el anclaje constitucional de su participación en el proceso europeo. Tal es el caso, por ejemplo, de Bélgica, que comenzó su andadura europea sin una cláusula constitucional que permitiera la transferencia de competencias a instituciones internacionales y reformó su Constitución en 1970 para introducir ese anclaje constitucional, pero lo hizo sin mencionar de forma expresa a la UE[15]. De entre los Estados miembros originarios, tan solo Francia y Alemania han reformado sus textos constitucionales para introducir una mención expresa de su pertenencia a la UE, perfilar un procedimiento específico a seguir para transferir competencias a la UE, y atribuir ciertas competencias al Parlamento nacional en el marco del proceso de integración[16]. Además, en el caso alemán, la reforma retomaba la jurisprudencia Solange I y II[17] del Tribunal Constitucional federal, insertando en el nuevo art. 23 de la Constitución alemana límites constitucionales al proceso de integración expresos, y fijaba ciertos mecanismos de participación de los Länder en el proceso de integración. Ambos textos constitucionales fueron modificados para introducir una referencia expresa a la UE al hilo del proceso de ratificación del Tratado de Maastricht, pero han sufrido reformas ulteriores en lo que respecta a sus cláusulas europeas[18].

---

[15]   Ver art. 25 bis introducido por la Const. de 20 de julio de 1970, articulo único. Sobre el caso belga, ver: M. Claes, op. cit, p. 86; B. De Witte. 'Constitutional Aspects of European Union Membership in the Original Six Member States: Model Solutions for the Applicant Countries?', en A.E. Kellermann y otros (eds), op. cit., pp. 65–79.

[16]   Ver el art. 23 de la Constitución Federal alemana y el Titulo XIV, especialmente arts. 88-1 y 88-4, de la Constitución francesa, introducido a través de la Loi constitutionnelle n° 92-554 du 25 juin 1992 ajoutant à la Constitution un titre : « Des Communautés européennes et de l'Union européenne. Sobre la lectura de ambos textos se han escrito numerosos trabajos, entre ellos ver : B. De Witte, op. cit.; E. Vranes, "Reports on Germany and France", en National Constitutional Law and European Integration. Directorate General for Internal Policies, European Parliament, 2011.

[17]   BVerfGE 37, 271 2 BvL 52/71 (Solange I); BVerfGE 73, 339 (Solange II)

[18]   Sobre esos cambios, ver los informes nacionales incluidos en National Constitu-

Si entre los Estados miembros originarios, la mayoría sigue articulando su pertenencia a la UE sobre la base de cláusulas constitucionales genéricas, entre los Estados que se fueron adhiriendo *a posteriori* al proyecto de integración, las cláusulas constitucionales que hacen mención expresa al proyecto europeo son más habituales. Irlanda fue el primer Estado miembro que incorporó una cláusula europea expresa a su Constitución en los momentos previos a su adhesión a la Unión (1972)[19]. A partir de ese momento, y a través de sucesivas reformas constitucionales, operadas en su mayoría bien al hilo del proceso de ratificación del Tratado de Maastricht (por ej. Portugal[20]) o antes de la adhesión del Estado a la UE (por ej. Austria, Suecia, Eslovaquia, Estonia, Letonia, Rumania o Bulgaria[21]), la mayoría de los Estados miembros integraron en sus textos constitucionales cláusulas que ponen de manifiesto la voluntad del Estado de participar en el proceso de integración y le habilitaban a trasferir competencias a la UE. Tal y como se explicará en las siguientes líneas, esas reformas han ido en ocasiones más allá, contemplando otros aspectos relevantes del proceso de integración. España se sitúa así en la línea minoritaria de Estados miembros que no recogen expresamente esa participación en el proyecto europeo en su texto constitucional.

---

tional Law and European Integration. Directorate General for Internal Policies, European Parliament, 2011.

[19]   Third Amendment of the Constitution Act, 8 June 1972, por el que se introdujo el Art. 29 de la Constitución, modificado *a posteriori* en sucesivas ocasiones (Tenth Amendment of the Constitution Act, 1987; Eleventh Amendment of the Constitution Act, 1992; Eighteenth Amendment of the Constitution Act, 1998; Twenty-sixth Amendment of the Constitution Act, 2002; Twenty-Eighth Amendment of the Constitution (Treaty of Lisbon) Act 2009).

[20]   Art. 7.6 de la Constitución lusa, introducido a través de una reforma operada al hilo de la ratificación del Tratado de Maastricht. Sobre el proceso de reforma, ver: R.M. Moura Ramos. 'The Adaptation of the Portuguese Constitutional Order to Community Law', en A.E. Kellermann y otros (eds), op. cit., pp. 131-139.

[21]   Para el estudio de todos estos casos nacionales, ver los trabajos citados en la nota a pie 12.

III. LA MANIFESTACIÓN DE LA VOLUNTAD DE PARTICIPAR EN EL PROCESO DE INTEGRACIÓN EUROPEO Y SUS LÍMITES: PRIMER ELEMENTO DE LA REFORMA

En línea con el compromiso europeísta de la ciudadanía española y siguiendo a la mayoría de nuestros socios europeos parece conveniente, por tanto, introducir una clausula constitucional específica que ponga de manifiesto la voluntad de España de participar en la UE. Tal y como indicaba ya el Consejo de Estado en su informe sobre la reforma constitucional, cabría una reforma del actual art. 93 CE en ese sentido, pero dado que el precepto ha sido utilizado para transferir competencias a otras instituciones internacionales[22], parece más conveniente introducir una cláusula adicional manteniendo el actual art. 93 CE. En cuanto al contenido de esa cláusula, varios elementos habrían de ser tenidos en cuenta.

En primer lugar, debe reflexionarse sobre si la cláusula europea de nuestro texto constitucional debe reconocer la mera posibilidad de nuestro país de participar en ese proceso, tal y como hacen algunos Estados miembros (por ej. ver art. 7.6 de la Constitución lusa o art. 7.2 de la Constitución eslovaca), o ir más allá en línea con el compromiso expreso que manifiestan otros Estados miembros y convertir la participación de nuestro país en el proceso de integración en un fin impuesto por el texto constitucional (por ej. art. 4.3 Constitución de Bulgaria, Art. 143 de la Constitución de Croacia, Sección 1 Constitución de Finlandia, Art. 88-1 Constitución de Francia, Art. 23.1 Constitución de Alemania, Art. e) 1 Constitución de Hungría, Art. 29.4 Constitución de Irlanda). En ese último caso, parecería conveniente unir tal obligación constitucional a la voluntad de construir un proyecto europeo asentado en ciertos valores/principios y que persiga fines compatibles y alineados con los que se reflejan en el Preámbulo y el Título Preliminar de nuestro texto constitucional. Sin duda la participación de nuestro Estado en el proceso de integración no es indiferente al contenido concreto de ese proyecto europeo, pero si la posibilidad se convierte en obligación constitucional, el contenido del proyecto resulta todavía más relevante.

---

[22] Ver la Ley Orgánica 6/2000, de 4 de octubre, por la que se autoriza la ratificación por España del Estatuto de la Corte Penal Internacional.

De hecho, así queda reflejado expresamente en algunos de los textos constitucionales de nuestro entorno, en los que al compromiso constitucional de participar en el proceso de integración se une una mención expresa de ciertos valores/principios y/o objetivos que ha de perseguir ese proyecto. En este sentido, algunas Constituciones nacionales se centran esencialmente en los primeros, condicionando la participación del Estado en el proyecto europeo al respeto de una serie de principios estructurales. El bien conocido art. 23.1 de la Constitución alemana hace referencia expresa a una serie de principios, incluyendo los principios democrático, social, federal, el Estado de Derecho, el principio de subsidiariedad y la garantía de una protección de los derechos fundamentales que sea equivalente a la garantizada por la propia Constitución federal. Aunque la interpretación de esa cláusula es compleja y su análisis detallado queda lejos del objeto de este trabajo, es de señalar que esos principios son entendidos como obligaciones que se imponen a las autoridades internas (y no tanto a las europeas) cuando actúan en el marco del proceso de integración, aunque también constituyen límites al proceso de integración, en la medida en que, si la UE dejara de respetarlos, el país no podría seguir participando en el proceso de integración[23]. El inciso final del mismo precepto y la remisión que realiza al art. 79.3 de la Constitución imponen también límites constitucionales al proceso de integración, pero aplicables incluso en supuestos de reforma constitucional implícita vía el procedimiento previsto en el art. 23. 1, inciso final, de la Constitución. La remisión es a la cláusula de intangibilidad de la Constitución alemana (art. 79.3), y, por tanto, a la división de la Federación en Länder y su participación en el proceso legislativo, así como a los principios recogidos en los artículos 1 (dignidad y derechos humanos inviolables e inalienables) y 20 (Estados social y democrático de Derecho y principio federal) del texto constitucional[24].

En una línea un tanto distinta, otros Estados miembros han optado por vincular la obligación constitucional de participar en el proceso de integración a la persecución por parte de la UE de una serie de objetivos o finalidades, independientemente de que también puedan

---

[23] E. Vranes, "Germany", en *National Constitutional Law and European Integration*, op. cit., pp. 53 y ss.

[24] Ibidem.

hacer mención a los principios/valores sobre los que ha de fundarse la UE, y que actuarían como límites constitucionales al proceso de integración. Así, por ejemplo, el artículo 29.4 de la Constitución irlandesa señala como objetivos necesarios del proceso de integración la promoción de la paz, de los valores comunes y del bienestar de los pueblos de la UE. En una línea semejante, el artículo 143 de la Constitución croata refleja que el país participa en la construcción europea para asegurar la paz, la libertad, la seguridad y la prosperidad, así como otros objetivos comunes, y siempre que se respeten los principios y valores fundamentales de la UE. Esa mención a los principios y valores de la UE no parece sino una remisión a los propios Tratados constitutivos (arts. 2-5 Tratado de la Unión Europea, TUE), en línea con la mención que la Constitución irlandesa hace a los valores comunes de la Unión (art. 2 TUE).

Dado que tanto los principios sobre los que se asienta la UE, como los objetivos o finalidades concretas que persigue el proceso de integración, constituyen un elemento esencial de la decisión de todo Estado de participar en él, esta segunda aproximación parece más adecuada, especialmente si se opta por plasmar la obligación constitucional de nuestro Estado de formar parte de la UE[25]. En ese sentido, entiendo que nuestro texto constitucional habría de hacer mención expresa de ambos y que un buen punto de partida para una reflexión al respecto de la lista de elementos a incluir la encontramos en los propios Tratados constitutivos y en nuestro actual texto constitucional.

En cuanto a los primeros (finalidades de la integración), no parece procedente la inclusión de la lista completa de objetivos plasmada en los actuales artículos 1 y 3 TUE, en la medida en que el enunciado de este último es excesivamente prolijo y se hacen referencias concretas a políticas de la UE (mercado interior, especio de libertad, seguridad y justicia), lo que limitaría de forma excesiva el devenir futuro del proceso de integración. Sin embargo, una mención expresa a las finalidades, también reseñadas en esos preceptos, de construir una unión cada vez más estrecha entre los pueblos europeos (art. 1 TUE), y promover la paz y el bienestar de los pueblos de Europa (art. 3.1 TUE), sí

---

[25]   En una línea semejante, ver: A. Mangas Martin, op. cit., pp. 545-547; E. Alberti Rovira, op. cit., pp. 465-466.

parecen adecuadas al identificarse con el corazón mismo del proyecto e ir en línea con la voluntad pacifista y de cooperación internacional que refleja el Preámbulo de nuestro texto constitucional. Guiños que vaya en la línea de extender esa voluntad pacifista más allá de las fronteras europeas (promover la paz en el contexto mundial) y que subrayen el compromiso con el medio ambiente y el desarrollo sostenible, deberían también valorarse, en la medida en que ya constituyen objetivos esenciales del proceso de integración a la luz de los actuales Tratados constitutivos (art. 3.3 y 3.5 TUE) y parecen en sintonía con el Preámbulo de nuestro texto constitucional.

En cuanto al listado de principios que actuarían como límites constitucionales al proceso de integración, la cuestión parece también compleja y los Estados miembros que recogen expresamente esos límites han optado por varias fórmulas. Además de la fórmula alemana, ya indicada brevemente, otros textos constitucionales de Estados miembros recogen como límites constitucionales al proceso de integración, los derechos fundamentales reconocidos por el texto constitucional o por el Convenio Europeo de Derechos Humanos (art. 6, Capítulo 10 del Instrumento de Gobierno Sueco) y/o ciertos principios estructurales básicos como serían, por ejemplo, el principio democrático (Sección 94 de la Constitución finlandesa, arts. 7.6 y 8.4 de la Constitución portuguesa), el Estado de Derecho (arts. 7.6 y 8.4 de la Constitución portuguesa) o, de forma más global, el conjunto de principios constitucionales bajo los que se gobierna el Estado (art. 6, Capítulo 10 del Instrumento de Gobierno Sueco, § 1 de la Ley de enmienda de la Constitución estonia aprobada el 14 de septiembre de 2003). Además de la Constitución alemana, la Constitución portuguesa también enuncia el principio de subsidiariedad entre sus límites constitucionales al proceso de integración (art. 8.4). Y, de forma bastante más discutible, el artículo E). 2 de la actual Constitución húngara se refiere no solo a los derechos y libertades fundamentales reconocidos en el texto constitucional, sino también al "derecho inalienable de Hungría de determinar su territorio, su población, su forma de gobierno y la estructura del Estado", como uno de los límites constitucionales al proceso de integración europeo.

La propuesta de reforma constitucional formulada en 2006 por el Informe del Consejo de Estado sugería establecer los límites constitucionales al proceso de integración por remisión al Título Preliminar de nuestro texto constitucional[26]. Esa propuesta, coherente con los que son los principios estructurales básicos sobre los que se asienta nuestro texto constitucional, plantea dudas en relación con la consideración de los derechos fundamentales como un límite constitucional al proceso de integración. Aunque la fórmula sugerida señalaba que la Unión en la que España participaba había de estar comprometida con el Estado de Derecho, la democracia y los derechos fundamentales, parecía dudoso que tal referencia pudiera interpretarse en el sentido de que nuestro catálogo de derechos fundamentales pudiera entenderse, de algún modo, como un límite constitucional al proceso de integración. Por el contrario, tal referencia parecía establecer de forma mucho más genérica finalidades al propio proceso de integración. Para evitar tales dudas, parece conveniente incluir expresamente en el listado de límites constitucionales al proceso de integración la garantía de los derechos fundamentales reconocidos por el texto constitucional. En relación con este límite constitucional al proceso de integración habría de plantearse, igualmente, la posibilidad de flexibilizar la exigencia constitucional requiriendo que el Derecho de la UE respete el contenido absoluto o básico de los derechos fundamentales reconocidos en nuestro texto constitucional y no exactamente el mismo estándar de protección de los derechos fundamentales que se impone en el ámbito interno. Esta flexibilización parece más en línea con nuestra jurisprudencia constitucional[27], así como con la jurispru-

---

[26] La propuesta exacta era la siguiente: *1. España participa en el proceso de integración europea y, con este fin, el Estado español, sin mengua de los principios consagrados en el Título Preliminar, coopera con los demás Estados miembros a través de instituciones comunes en la formación de una unión comprometida con el Estado de Derecho, la democracia y los derechos fundamentales* (Consejo de Estado, op. cit. p. 107).

[27] Recuérdese que el TC distingue entre el estándar de protección de los derechos fundamentales que se impone en el ámbito exclusivamente interno y el contenido que se impone "ad extra", mas flexible y delimitado sobre la base del contenido absoluto de los derechos fundamentales reconocidos en la CE (entre otras, STC 26/2014, de 13 de febrero). Sobre esta jurisprudencia, ver entre otros muchos: R. Punset Blanco. "Derechos Fundamentales y Primacía del Derecho Europeo Antes y después del Caso Melloni", *Teoría y Realidad Constitucional*, núm. 39, 2017, pp. 189-212; A. Torres Pérez. "Melloni in three acts: From dialogue to monologue", en *European Constitutional Law Review*, Vol. 10, N°. 2, 2014, pp. 308-331; L.I Gordillo Perez y A. Tapia Trueba. "Diálogos, Monólogos y Tertulias. Reflexiones A Propósito del Caso Melloni", *Revista de Derecho Constitucional*

dencia de otras Cortes Constitucionales de Estados miembros[28], y evitaría imponer a la UE una exigencia que sería difícil de gestionar si se extendiera al conjunto de los Estados miembros, dado que cada uno cuenta con sus propio catálogo de derechos fundamentales.

Finalmente, la definición de estos límites constitucionales al proceso de integración debe tener en cuenta la fórmula a emplear a fin de arbitrar las relaciones entre el Derecho de la UE y el Derecho interno. Como es bien sabido, la jurisprudencia de Tribunal de Justicia de la UE (TJUE) ha ido definiendo progresivamente los principios sobre los que se asientan esas relaciones, haciéndolas girar esencialmente sobre los principios de autonomía, eficacia directa y primacía del Derecho de la UE sobre el Derecho interno, inclusive el de alcance constitucional[29]. No es este lugar para analizar con detalle los problemas que esta jurisprudencia ha planteado desde la perspectiva interna, esencialmente en lo que se refiere a su articulación con el principio de supremacía constitucional. Sin embargo, sí que parece relevante señalar que nuestro Tribunal Constitucional, como otros tribunales constitucionales europeos, parecen haber reconocido progresivamente los principios establecidos por el TJUE en su jurisprudencia, fijando a la par ciertos límites constitucionales al proceso de integración europeo[30]. Cabría así reflexionar, al hilo de una eventual reforma constitucional, si pro-

---

Europeo, n° 22, 2014, pp. 245-270.

[28] Sobre la jurisprudencia de los tribunales constitucionales nacionales y como éstos han ido definiendo los límites constitucionales al proceso de integración o una suerte de identidad constitucional nacional, ver entre otros muchos: R. Arnold, M. Sellers y J. Maxeiner. *Limitations of National Sovereignty through European Integration*, Dordrecht: Springer Netherlands, 2016; A. Celotto y T. Groppi. "Diritto UE e diritto nazionale: primauté vs controlimiti", *Rivista italiana di diritto pubblico comunitario*, n° 6, 2004, pp. 1309-1384; A-M. Slaughter, A. Stone Sweet, y J.H.H. Weiler, *The European Court and national courts-- doctrine and jurisprudence: legal change in its social context*. Hart, Oxford, 1998.

[29] Entre los múltiples trabajos que se pueden consultar sobre la materia, ver: L.I Gordillo y G. Martico. *Historias Del Pais De Las Hadas: La jurisprudencia constitucionalizadora del Tribunal De Justicia*, Cuadernos Civitas, 2015; J. H. H. Weiler, "Van Gend en Loos: The individual as subject and object and the dilemma of European legitimacy", *International Journal of Constitutional Law*, Vol. 12, n° 1, 2014, pp. 94–103; M. Dawson, B. De Witte y E. Muir. *Judicial Activism at the European Court of Justice*, Edward Elgar, 2013; J. H. H. Weiler, "The Transformation of Europe", *Yale Law Journal*, n° 100, 1991.

[30] Ver autores citados en la nota a pie n° 26.

cedería reconocer expresamente en el texto constitucional español el modo en que se articulan las relaciones entre el Derecho de la UE y el Derecho interno, tal y como de hecho han hecho otros Estados miembros (ej. art. 145 Constitución croata, art. 2 Ley constitucional de la República de Lituania sobre pertenencia a la UE, art. 8.4 Constitución de Portugal, art. 148.2 de la Constitución rumana, art. 29.4.6 Constitución irlandesa, art. 7.2 de la Constitución eslovaca).

En relación con esta última cuestión, entiendo acertada la propuesta formulada por el Informe del Consejo de Estado en 2006, en la que sugería la inclusión de un inciso que remitía al Derecho de la UE y, por tanto, a los principios establecidos en la jurisprudencia del TJUE a fin de determinar el valor y la eficacia de las normas de la UE en el ámbito interno (por ej. Croacia, Portugal). Si bien cabría pensar en otras posibilidades y reconocer, por ejemplo, el valor supraconstitucional o supralegal de las normas de la UE, tal y como hacen algunos textos constitucionales de Estados miembros (por ej. Irlanda, Eslovaquia, Lituania, Rumania), parece más adecuada una remisión al propio Derecho de la UE, que asegura una mejor correlación entre la jurisprudencia del TJUE y la interna y permite la evolución futura de la primera[31], siempre que tal apertura se acompañe de los correspondientes límites constitucionales al proceso de integración en línea con lo indicado en los párrafos anteriores[32].

IV. EL PROCEDIMIENTO PARA LA MANIFESTACIÓN DE LA VOLUNTAD DE PARTICIPAR EN EL PROCESO DE INTEGRACIÓN: SEGUNDO ELEMENTO DE LA REFORMA

Más allá de las dos cuestiones analizadas, la nueva cláusula europea ha de prever el procedimiento para participar en las futuras fases del proceso de integración y ratificar las próximas reformas de los Tratados constitutivos. Como es bien sabido, el actual art. 93 CE pre-

---

[31]   En esta misma línea: J. Garcia Roca, op. cit. pp. 30 y ss.
[32]   En esta misma línea, ver por ej. el art. 8.4 de la Constitución portuguesa que remite al Derecho de la UE para determinar la eficacia interna y la posición del Derecho de la UE en el ordenamiento interno, exigiendo a la par que el mismo respete también los principios básicos de un Estado democrático de Derecho.

vé la aprobación mediante ley orgánica de toda transferencia de competencias a una institución u organización internacional, lo que exige una mayoría absoluta en el Congreso, pero no en el Senado. El procedimiento no reconoce un claro papel a las Comunidades Autónomas, a pesar de la incidencia en sus competencias que tiene el proceso de integración; y exige una mayoría parlamentaria que parece insuficientemente reforzada si se tiene en cuenta la trascendencia constitucional que tiene nuestra participación en el proceso de integración europeo. Además, nuestro texto constitucional no contempla que los actuales Tratados constitutivos prevén distintos procedimientos de reforma (art. 48 TUE: ordinario, simplificado), a los que se añade la posibilidad de utilizar distintas cláusulas pasarela para modificar los Tratados, y que cada uno de esos procedimientos tiene un alcance diferente, pareciendo conveniente prever también distintos procedimientos de ratificación de tales reformas en el ámbito interno.

En esa lógica, la primera cuestión que ha de plantearse al hilo de una eventual reforma constitucional en clave europea es qué procedimiento de ratificación habría de utilizarse en el ámbito interno en aquellos supuestos en que se lleve a cabo una reforma ordinaria de los Tratados constitutivos, en línea con lo previsto en los arts. 48. 2-4 TUE, o una reforma simplificada, en línea con lo previsto en el art. 48.6 TUE. Dado que la primera es la más compleja (puede implicar incluso la creación de una Convención constitucional) y es la que tiene potencialmente mayor incidencia en la transferencia de competencias por parte de los Estados miembros, ya que permite la reforma de cualquier parte de los Tratados para ampliar o reducir las competencias de la UE, mientras la segunda solo permite la reforma de la parte tercera del Tratado de funcionamiento de la UE (TFUE) y no permite ampliar las competencias de la UE, parece poder pensarse en un procedimiento interno de ratificación que no sea idéntico y que tenga en cuenta la incidencia potencial de ambas reformas en la esfera interna de competencias. Veamos esta posibilidad con más calma.

4.1. El procedimiento de ratificación de las reformas ordinarias de los Tratados

Sin distinguir entre un procedimiento de reforma y otro, ya que es anterior a la entrada en vigor del Tratado de Lisboa, el informe del Consejo de Estado de 2006 proponía un procedimiento de ratificación de los Tratados de la UE que implicaba la aprobación por mayoría absoluta en Congreso y Senado y, si no hubiera acuerdo en ambas Cámaras, por el Congreso con una mayoría de 3/5[33]. Tal propuesta daba voz a las Comunidades Autónomas en el procedimiento de ratificación, en la medida en que se preveía una paralela reforma del Senado para convertirlo en una auténtica cámara de representación autonómica; y, a ojos del Consejo de Estado, permitía diferenciar el procedimiento de ratificación de los Tratados constitutivos de los procedimientos de reforma constitucional, cerrando la puerta a reformas constitucionales implícitas y salvaguardando el principio de supremacía del texto constitucional español. En esta propuesta, si la ratificación de los Tratados exigía una reforma constitucional, había de seguirse el procedimiento de reforma constitucional que resultara aplicable, bien el previsto en el art. 167 ó 168 CE, mientras que, si no se producía una colisión "textual y directa" entre el texto constitucional y el nuevo Tratado, en línea con la jurisprudencia constitucional española[34], habría de exigirse la mayoría absoluta en ambas Cámaras o, en caso de desacuerdo, 3/5 en el Congreso.

En caso de seguirse esta propuesta, España se mantendría entre los Estados miembros que prevén un procedimiento diferente para la ratificación de las reformas a los Tratados constitutivos de la Unión y la reforma constitucional[35], y que diferencian a su vez el procedimiento de ratificación de los Tratados de la UE del procedimiento ordinario de ratificación de Tratados internacionales[36], en el entendimiento que este último requiere de mayorías especialmente reforzadas. Es de señalar, no obstante, que muchos Estados miembros exigen mayorías parlamentarias más amplias que la mayoría absoluta propuesta por

---

[33]   Informe del Consejo de Estado, pp. 95-100.

[34]   Ver especialmente la Declaración del Tribunal Constitucional 1/1992, de 1 de julio, especialmente par. 4.

[35]   Entre los Estados que equiparan el procedimiento de ratificación con el de reforma constitucional, al menos en ciertos casos, estarían, por ejemplo, Irlanda, Suecia, Alemania, aunque con sustanciales diferencias entre ellos. Para más detalles, ver: M. Claes, op. cit. pp. 108 y ss.

[36]   Algunos Estados miembros siguen manteniendo el procedimiento ordinario de ratificación de Tratados también para los Tratados de la UE, este es el caso, por ejemplo, de Francia, Bélgica, o Italia. En este sentido, ver: M. Claes, op. cit. p. 108 y ss.

el Consejo de Estado en aras de transferir competencias a la UE (2/3, por ej. en Austria[37], Bulgaria[38], Finlandia[39], Hungría[40], Letonia[41], Luxemburgo[42], Polonia[43], Rumanía[44], Eslovenia[45]; ¾, en Suecia[46]; 3/5 en Grecia[47] y Eslovaquia[48]; 5/6 en Dinamarca[49]) y que varios Estados miembros prevén expresamente en la Constitución la posible intervención directa de la ciudadanía a través de referéndum (e.j. Polonia[50], Eslovenia[51], Dinamarca[52]), y en otros casos esa intervención se deduce de la jurisprudencia (por ej. Irlanda[53]).

---

[37] Art. 50.4 de la Constitución austriaca.

[38] Art. 85.2 de la Constitución búlgara.

[39] Sección 94 de la Constitución finlandesa.

[40] Art. E de la Ley Fundamental.

[41] Art. 68 de la Constitución letona.

[42] Arts. 49 bis y 114 alinea 2 de la Constitución nacional.

[43] Art. 90.2 de la Constitución nacional, aunque el art. 90.3-4 de la Constitución también permite la ratificación de tratados que transfieran competencias a una organización o institución internacional a través de referéndum nacional. Es el *Sejm* (Cámara Baja) el que decide cuál de los dos procedimientos se utilizará para la ratificación de estos tratados y lo hace por mayoría absoluta con un quorum de al menos la mitad de sus miembros.

[44] Arts. 1481 y 3 de la Constitución nacional.

[45] Art. 3a de la Constitución eslovena.

[46] Art. 6, Capitulo 10 del Instrumento de Gobierno.

[47] Art. 28.2-3 de la Constitución nacional.

[48] Art. 7.2 y 84.4 de la Constitución eslovaca.

[49] Sección 20, Subsección 2 de la Constitución nacional.

[50] Ver nota a pie 41.

[51] De acuerdo con el art. 3a de la Constitución eslovena, la Asamblea Nacional puede decidir convocar un referéndum para la ratificación de tratados internacionales por los que se transfieran competencias a organizaciones internacionales.

[52] De acuerdo con la Sección 20, Subsección 2 de la Constitución nacional, la ratificación de un tratado por el que se deleguen competencias en organizaciones internacionales requerirá la celebración de un referéndum si no se alcanza la mayoría de 3/5 de los miembros del *Folketing* para su aprobación, pero sí se alcanza la mayoría suficiente para aprobar una ley y el gobierno decide mantener la propuesta de ratificación del tratado.

[53] En el caso de Irlanda, la necesidad de celebrar un referéndum a fin de ratificar las modificaciones relevantes de los Tratados constitutivos se deriva, con carácter general, de la jurisprudencia sentada por el Tribunal Supremo en el caso *Crotty* (Crotty v An Taoiseach [1987] 2 C.M.L.R. 666; [1987] 4 WLUK 100 (Sup Ct (Irl)). En relación con esta jurisprudencia, ver: G. Barrett. "Building a Swiss

En esta lógica y teniendo en cuenta, tal y como se indicaba en el apartado anterior, que la participación en el proceso de integración europeo supone de hecho una apertura de nuestro ordenamiento al de la UE, que prevalece sobre el interno, incluso si éste tiene rango constitucional, cabría pensar en la oportunidad de reforzar la mayoría absoluta en ambas Cámaras que proponía el Consejo de Estado, haciendo coincidir el procedimiento de reforma constitucional *ex* art. 167 CE, que exige una mayoría de 3/5 en ambas Cámaras, con el de ratificación de las reformas ordinarias a los Tratados[54]. Si bien esto supondría reconocer la posibilidad de que se introdujeran reformas constitucionales implícitas, el reenvío al Derecho de la UE en aras de determinar los principios que rigen las relaciones entre ese Derecho y el interno, tal y como sugería el Consejo de Estado en 2006 y se explicó en el anterior apartado, abre de hecho ya esa posibilidad, en la medida en que sería perfectamente factible que una norma de Derecho derivado contraviniera algún precepto constitucional y, aun así, primara sobre el Derecho interno. Por ello, parece quizás más realista asumir tal posibilidad exigiendo directamente la aplicación del procedimiento de reforma de la Constitución del art. 167 CE. Adicionalmente, podría pensarse en modificar las materias a las que se aplica el procedimiento agravado de reforma de la Constitución (art. 168 CE) haciéndolas coincidir con los límites constitucionales al proceso de integración europeo, que ellos sí no podrían ser objeto de una reforma constitucional implícita, requiriéndose una reforma constitucional expresa *ex.* art. 168 CE antes de la eventual ratificación de una reforma de los tratados que les afectara[55].

Chalet in an Irish Legal Landscape? Referendums on European Union Treaties in Ireland & the Impact of Supreme Court Jurisprudence", *European constitutional law review*, 2009-02, Vol.5 (1), pp.32-70.

[54] Propone un procedimiento de ratificación con idénticas mayorías, pero sin remisión al art. 167 CE: C. Escobar Hernandez, op. cit., pp. 492. A. Mangas Martin, op. cit., p. 540-541 propone una mayoría de 2/3 para autorizar la ratificación de estos tratados dadas las transformaciones constitucionales que producen.

[55] En este sentido, ver: R. Alonso Garcia. "Reforma constitucional: la recepción en la Constitución del proceso de construcción europea", op. cit, pp. 560-561.

4.2. El procedimiento de ratificación de las reformas simplificadas y especiales de los Tratados

Tal y como se ha indicado más arriba, debería reflexionarse igualmente sobre si resultaría conveniente aplicar ese procedimiento especialmente reforzado tan solo a las reformas ordinarias de los Tratados constitutivos adoptadas *ex* art. 48. 2-5 TUE o si procedería aplicar el mismo procedimiento también a las reformas simplificadas llevadas a cabo *ex* art. 48.6 y 48.7 TUE (cláusulas pasarelas generales) o a las reformas llevadas a cabo a través de algún otro de los procedimientos especiales previstos en los Tratados[56]. En relación con estas últimas podría quizás pensarse en prever un procedimiento menos exigente que el previsto para las reformas ordinarias de los Tratados desde el punto de vista de la mayoría parlamentaria exigida para autorizar su entrada en vigor a fin de no dificultar en exceso el desarrollo futuro del proceso de integración, pero que permita a la vez un control parlamentario de la reforma y la participación de las Comunidades Autónomas, al menos en aquellas materias en que éstas gocen de competencias legislativas[57].

De hecho, esa es la solución que se siguió en la ratificación por parte de nuestro país de la única reforma de los Tratados hasta la fecha efectuada *ex* art. 48.6 TUE, reforma realizada en el marco de la crisis financiera que comenzó en 2008 y que afectó, como es bien sabido, al art. 136 TFUE, introduciendo el apartado tercero de ese precepto[58]. Las Cortes Generales autorizaron la entrada en vigor de

---

[56] Sobre las distintas formas de reformar los Tratados constitutivos, ver: S. Peers. "The Future of EU Treaty Amendments". *Yearbook of European Law*, Vol. 31, No. 1, 2012, pp. 17–111; J-C. Piris. *The Lisbon treaty: a legal and political analysis*. Cambridge University Press, Cambridge, 2010, p. 361

[57] E. Alberti Rovira, op. cit. p. 470 también planteaba la necesidad de prever el modo de participación de las Cortes en estas decisiones, aunque lo hacía a la luz del texto del Tratado constitucional de la UE.

[58] Decisión del Consejo Europeo 2011/199/UE, de 25 de marzo de 2011, que modifica el artículo 136 del Tratado de Funcionamiento de la Unión Europea en relación con un mecanismo de estabilidad para los Estados miembros cuya moneda es el euro. Esa reforma dio origen al Tratado Constitutivo del Mecanismo Europeo de Estabilidad (MEDE) entre el Reino de Bélgica, la República Federal de Alemania, la República de Estonia, Irlanda, la República Helénica, el Reino de España, la República Francesa, la República Italiana, la República

la Decisión del Consejo Europeo por la que se aprobó esa reforma en aplicación de lo previsto en el art. 94.1 CE (autorización de las dos Cámaras del Parlamento por mayoría simple)[59], al entender que no se transfería competencia adicional alguna a la UE y, que por tanto, no resultaba de aplicación el art. 93 CE. Algunos Estados miembros que contemplan procedimientos especiales para ratificar reformas de los Tratados constitutivos de la UE o tratados de transferencia de competencias soberanas a organizaciones o instituciones internacionales adoptaron posturas semejantes y decidieron no aplicar ese procedimiento especial, sino los procedimientos previstos para la ratificación de otros tratados internacionales, normalmente menos exigentes desde el punto de vista de las mayorías parlamentarias necesarias para su adopción, en la medida en que permitían, en la mayor parte de los casos, la aprobación por mayoría simple (ej. Bulgaria[60], Finlandia[61],

---

de Chipre, el Gran Ducado de Luxemburgo, Malta, el Reino de los Países Bajos, la República de Austria, la República Portuguesa, la República de Eslovenia, la República Eslovaca y la República de Finlandia, hecho en Bruselas el 2 de febrero de 2012.

[59] Cortes Generales, Diario de Sesiones del Congreso de los Diputados, Sesión plenaria núm. 30, celebrada el jueves 17 de mayo de 2012; Cortes Generales, Diario de Sesiones del Senado, Sesión núm. 12 celebrada el miércoles, 6 de junio de 2012.

[60] En Bulgaria, en lugar de autorizar la entrada en vigor de la reforma del art. 136 TFEU por el procedimiento especial previsto en el art. 85.2 de la Constitución para tratados por los que se transfieran competencias a la UE (mayoría de 2/3 en la Asamblea Nacional), se siguió el procedimiento previsto en el 85.3, que no requiere mayoría cualificada alguna. Ver: Mihail Vatsov. "Constitutional Change through Euro Crisis Law: Bulgaria". European University Institute, 2015.

[61] En Finlandia, en lugar de autorizar la entrada en vigor de la reforma del art. 136 TFEU por el procedimiento especial previsto en la Sección 94 de la Constitución para la ratificación de tratados por los que se transfieran poderes a la UE que sean relevantes desde el punto de vista de la soberanía estatal (mayoría de 2/3 en el Parlamento), se entendió que la reforma no ampliaba las competencias de la UE y que era suficiente la aprobación por el Parlamento con una mayoría simple, como prevé el mismo precepto constitucional para otros tratados. Ver: Päivi Leino-Sandberg and Janne Salminen. "Constitutional Change Through Euro Crisis Law: Finland" European University Institute, 2015.

Grecia[62], Letonia[63], Países Bajos[64], Polonia[65], Eslovaquia[66], Suecia[67]).

---

[62] En Grecia, en lugar de autorizar la entrada en vigor de la reforma del art. 136 TFEU por el procedimiento especial previsto para las transferencias de competencias/ o limitaciones de soberanía a la UE ex art. 28.2-3 de la Constitución (3/5 para trasferencia de competencias), se recurrió a lo previsto en el art. 28.1 de la Constitución, que exige la ratificación mediante ley. Ver: Afroditi-Ioanna Marketou and Michail Dekastros. "Constitutional Change through Euro Crisis Law: Greece". European University Institute, 2015.

[63] En Letonia, en lugar de autorizar la entrada en vigor de la reforma del art. 136 TFEU por el procedimiento especial previsto para los tratados por los que se transfieren competencias a una institución internacional (2/3 de los votos en el Parlamento, con un quorum de 2/3), se aplicó el procedimiento ordinario de ratificación de tratados internacionales, que exige aprobación por mayoría simple (Art. 68 de la Constitución letona). Ver: Zane Rasnača. "Constitutional Change Through Euro Crisis Law: "Latvia"" European University Institute, 2014.

[64] En Holanda, tampoco se aplicó el procedimiento especial previsto en el art. 91.3 de la Constitución (mayoría de 2/3 en ambas Cámaras del Parlamento) para autorizar la entrada en vigor de la reforma del art. 136 TFUE, al entenderse que no era un tratado de transferencia de competencias que entrara en conflicto con la Constitución o pudiera conllevar tal conflicto. En su lugar, se aplicó el procedimiento ordinario que requiere autorización por ambas Cámaras sin exigir ninguna mayoría cualificada (art. 91.1 Constitución). Ver: Jotte Mulder. "Constitutional Change Through Euro Crisis Law: The Netherlands" European University Institute, 2014.

[65] En Polonia, tampoco se aplicó el procedimiento especial previsto en el art. art. 90 de la Constitución (mayoría de 2/3 en ambas Cámaras o referéndum nacional) para autorizar la entrada en vigor de la reforma del art. 136 TFUE, al entenderse que no se transferían nuevas competencias a la UE, y se siguió el procedimiento previsto en el art. 89 de la Constitución, que exige el consentimiento del Parlamento a través de una ley sin exigir ninguna mayoría cualificada. Ver: Katarzyna Granat. "Constitutional Change through Euro Crisis Law: "Poland"". European University Institute, 2014.

[66] En Eslovaquia no se siguió para autorizar la entrada en vigor de la reforma del art. 136 TFEU el procedimiento especial previsto en el art. 84.4 de la Constitución (mayoría de 3/5 de los miembros del Parlamento), sino el procedimiento de ratificación previsto en el art. 84.3 de la Constitución (mayoría absoluta de los miembros del Parlamento), al entenderse que la reforma no ampliaba las competencias de la UE. Ver: Tomas Dumbrosky. "Constitutional Change through Euro Crisis Law: Slovakia". European University Institute, 2014.

[67] En Suecia no se siguió para autorizar la entrada en vigor de la reforma del art. 136 TFEU el procedimiento especial previsto en el art. 6 del Capítulo 10 del Instrumento de Gobierno (mayoría de ¾ de votos emitidos que representen al menos la mitad de los miembros del *Riksdag* han de votar a favor), sino el procedimiento previsto en el art. 7 Capitulo 4, que exige una mayoría simple. Ver: Anna Södersten. "Constitutional Change Through Euro Crisis Law: Sweden".

Sin embargo, otros Estados miembros sí aplicaron el procedimiento especial previsto para ratificar tratados internacionales de transferencia de competencias a la UE a la reforma del art. 136 TFUE dado que el ordenamiento interno prevé expresamente la aplicación de ese procedimiento también para las reformas simplificadas de los Tratados o fue interpretado en ese sentido durante el proceso de autorización interna para la entrada en vigor de la reforma (ej. Hungría[68], Luxemburgo[69]).

Entre los Estados miembros que prevén expresamente la aplicación del mismo procedimiento para la ratificación de las reformas ordinarias de los tratados y las reformas simplificadas *ex* art. 48.6 TUE se encuentra, por ejemplo, Rumanía, cuya Constitución interna prevé un procedimiento específico (mayoría de 2/3 de las dos Cámaras del Parlamento nacional en una sesión conjunta) para la ratificación de tratados por los que se trasfieran competencias a la UE o se ejerzan competencias en común con otros Estados miembros (art. 148.1 Constitución), que es también de aplicación a todo acto de modificación de los Tratados constitutivos (art. 148.3 Constitución).

En una línea semejante, el art. 23.i (4) de la Constitución austriaca, aplicable al procedimiento de revisión simplificada previsto en el art. 48.6 TUE, remite al procedimiento previsto para la ratificación de cualquier reforma de los Tratados constitutivos de la UE (art. 50.4 Constitución), véase aprobación por el Consejo Nacional con el con-

---

European University Institute, 2014.

[68] Aunque la Constitución húngara no indica expresamente que los procedimientos simplificados de reforma de los Tratados deban seguir idéntico procedimiento que los ordinarios en el ámbito interno, la autorización para la entrada en vigor de la reforma del art. 136 TFUE se realizó por mayoría de 2/3, tal y como prevé el art. E. 4 de la Constitución interna para los tratados por los que se ejercen competencias con otros Estados miembros a través de las instituciones de la UE. Ver: Dalma Dojcsák. "Constitutional Change Through Euro Crisis Law: Hungary". European University Institute, 2014.

[69] Los artículos 49bis, 37 (2) y 114 (2) de la Constitución de Luxemburgo establecen un procedimiento específico para ratificar los tratados por los que se transfieren competencias a una organización internacional (2/3 mayoría en el Parlamento) y ese procedimiento fue utilizado para autorizar la entrada en vigor de la Decisión del Consejo Europeo que modificó el art. 136 TFUE. Ver: Malte Kroeger. "Constitutional Change Through Euro Crisis Law: Luxembourg" European University Institute, 2014.

sentimiento del Consejo Federal, siempre que ambos se pronuncien por mayoría de 2/3 con un quorum de al menos la mitad de sus miembros.

Alemania también ha adoptado una solución pareja, en la medida en que los procedimientos especiales para la trasferencia de competencias a la UE previstos en el art. 23 de la Constitución federal (transferencia mediante ley federal adoptada con el consentimiento del *Bundesrat* o procedimiento de reforma constitucional del art. 79.2 de la Constitución, según los casos) se aplican también a una reforma simplificada *ex* art. 48.6 TUE como consecuencia de las exigencias derivadas de la decisión del Tribunal Constitucional Federal alemán referida al Tratado de Lisboa[70]. En este último caso, la Constitución federal no prevé de forma expresa la aplicación de su artículo 23. a) a los supuestos de reforma de los Tratados *ex* art. 48.6 TUE, pero sí lo hace la ley que regula la participación del *Bundesrat* y el *Bundestag* en asuntos europeos, modificada tras la decisión indicada del Tribunal Constitucional federal[71].

Aunque podría pensarse en prever expresamente el mismo procedimiento interno para ratificar las reformas ordinarias de los Tratados constitutivos y autorizar las reformas simplificadas *ex* art. 48.6 TUE en línea con los ejemplos austríaco, alemán o rumano, entiendo que es más adecuado prever un procedimiento diferenciado para ambos supuestos. Hay que recordar que, aunque los Tratados constitutivos exijan para la entrada en vigor de las reformas *ex* art. 48.6 TUE la autorización de todos los Estados miembros siguiendo el procedimiento previsto por su texto constitucional, las reformas simplificadas realizadas a través de este precepto solo pueden afectar a la Parte III TFUE, en la que se desarrollan de forma muy prolija cada una de las políticas de la UE. Aunque esa reforma sí podría reducir las competencias atribuidas a la UE o incidir en la forma de ejercerlas, la relevancia constitucional de tales cambios parece menor que en el caso

---

[70]   BVerfG, 2 BvE 2/08 (30 de junio de 2009). Para un análisis de esta decisión, ver los trabajos incluidos en: A. Fischer-Lescano, C. Joerges C. y A. Wonka (eds), *The German Constitutional Court's Lisbon Ruling*, ZERP-Diskussionspapier 1/2010.

[71]   Section 2, Act on the Exercise by the Bundestag and by the Bundesrat of their Responsibility for Integration in Matters concerning the European Union (Responsibility for Integration Act) of 22 September 2009.

de las reformas ordinarias, al no poder ampliar la transferencia de competencias a la UE, lo que parece justificar un procedimiento interno diferenciado y menos exigente para la ratificación. En esta lógica, se podría modificar el texto constitucional para prever expresamente el recurso al procedimiento previsto en el art. 94 CE en relación con toda reforma de los Tratados operada *ex* art. 48.6 TUE, en la medida en que tal procedimiento exige la aprobación por ambas Cámaras del Parlamento por mayoría simple, permitiendo así un control parlamentario de las reformas de los tratados en el que intervendría no solo el Congreso, sino también el Senado, permitiendo la participación de las Comunidades Autónomas en el procedimiento una vez que este último se convirtiera en una cámara de representación de los intereses autonómicos.

En aras de adecuar el texto constitucional español a las distintas posibilidades de reforma que ofrecen los Tratados constitutivos de la UE en la actualidad, entiendo necesario también prever de forma diferenciada y expresa el modo en que el Parlamento español participará en aquellos supuestos en que las instituciones europeas decidan introducir reformas concretas en los Tratados *ex* art. 48.7 TUE (cláusulas pasarela generales) o a través de alguna de las otras seis cláusulas pasarela especiales que recogen los Tratados constitutivos (arts. 153.2 TFUE (política social), 192.2 TFEU (medio ambiente), 81.3 TFUE (Derecho de familia con implicaciones transfronterizas), 312.2 TFUE (Marco Financiero Plurianual), 31.3 TUE (Política Exterior y de Seguridad Común) y 333 (1) TFEU (cooperación reforzada)).

Como es bien sabido, las cláusulas pasarela permiten el paso de la unanimidad a la mayoría cualificada y de un procedimiento legislativo especial al ordinario en determinados ámbitos de actuación de la UE, modificando así el modo en que han de ejercerse determinadas competencias atribuidas a la UE[72]. Aunque las cláusulas pasarela no exigen que los Estados ratifiquen esa reforma de los tratados constitutivos o autoricen la entrada en vigor de la Decisión del Consejo Europeo o del Consejo (según los casos) por la que se introduce la

---

[72]   Para un análisis detallado de las cláusulas pasarela especiales y generales, ver: R. Böttner y J. Grinc, *Bridging Clauses in European Constitutional Law. Legal Framework and Parliamentary Participation.* Springer, 2018.

modificación de los Tratados, y solo prevén la intervención de los Parlamento nacionales, a través de un posible veto, en relación con ciertas cláusulas pasarela (art. 48.7 TUE -dos cláusulas pasarela generales- , y 81.3 TFUE - cláusula especial aplicable al ámbito del Derecho de familia con implicaciones transfronterizas), sería conveniente desde una perspectiva interna valorar la posibilidad de que la Constitución aclare expresamente qué intervención tendría el Parlamento nacional en caso de hacerse uso de tal procedimiento de reforma de los Tratados. En este sentido, hay que recordar que, aunque la reforma de los Tratados constitutivos a través de alguna de las clausulas pasarela no implicaría una nueva transferencia de competencias a la UE, sino una modificación en la forma de ejercerlas, esa modificación implicará normalmente una pérdida del derecho de veto del Estado en determinadas políticas de la UE, de modo que no está desprovista de significación constitucional.

En la actualidad, la Constitución no prevé expresamente nada al respecto y el art. 8 de la Ley 8/1994, de 19 de mayo, por la que se regula la Comisión Mixta para la Unión Europea, se limita a regular el procedimiento por el que el Parlamento nacional puede ejercer su derecho de veto en relación con las dos cláusulas pasarela que contemplan expresamente esa posibilidad, véase las dos cláusulas generales previstas en el art. 48.7 TUE y la especial aplicable al Derecho de familia transfronterizo prevista en el art. 81.3 TFUE. La Ley, desarrollada a través de la Resolución de las Mesas del Congreso de los Diputados y del Senado, de 21 de septiembre de 1995[73], prevé que los plenos de ambas Cámaras se pronuncien sobre la posibilidad de ejercer ese veto, a propuesta de la Comisión Mixta para la UE, entendiéndose que se requiere una mayoría simple en Congreso y Senado (y no solo en una de las Cámaras) para que la propuesta de veto sea aprobada. Sin embargo, esta regulación se refiere solo a las cláusulas pasarela anteriormente citadas y no a todas las que aparecen recogidas en los Tratados y, además, no obliga necesariamente al Parlamento español

---

[73]   Ver apartado décimo de la Resolución de las Mesas del Congreso de los Diputados y del Senado, de 21 de septiembre de 1995, sobre desarrollo de la Ley 8/1994, de 19 de mayo, por la que se regula la Comisión Mixta para la Unión Europea. (modificada por Resolución de las Mesas del Congreso de los Diputados y del Senado, de 27 de mayo de 2010).

a pronunciarse sobre una reforma de los Tratados operada por esta vía, en la medida en que podría no presentarse ninguna propuesta de veto, ya que la iniciación del procedimiento corresponde bien a dos grupos parlamentarios, bien a 1/5 parte de los miembros de una de las Cámaras, y debe presentarse en el plazo máximo de cuatro meses desde que se remitió la iniciativa a las Cámaras[74]. Si no se presentara propuesta alguna en el plazo fijado o se presentara, pero transcurriera el plazo que tiene el Parlamento español para formular su veto sin que se produjera el voto en ambas Cámaras, el Consejo Europeo o el Consejo, según el caso, podrían adoptar la decisión de pasar de la unanimidad a la mayoría cualificada o de un procedimiento legislativo especial al ordinario sin pronunciamiento del Parlamento nacional. Queda la duda, en este sentido, de si sería aplicable a esta reforma de los Tratados el procedimiento previsto en el art. 94.1 CE. Sin embargo, la cuestión parece más que dudosa, en la medida en que los Tratados constitutivos prevén que la reforma se realice mediante una decisión del Consejo o del Consejo Europeo (según los casos) cuya entrada en vigor no depende de la autorización de todos los Estados miembros siguiendo sus procedimientos constitucionales internos.

Para evitar estas dudas y asegurar a la par un control parlamentario de decisiones que suponen una modificación de los Tratados constitutivos, parece conveniente ir mas allá de la posibilidad de veto parlamentario que ofrecen los propios Tratados y nuestro ordenamiento actual y exigir una autorización parlamentaria previa a la manifestación de voluntad del representante español en el Consejo o el Consejo Europeo. Aunque se ha defendido que exigir una autorización parlamentaria previa podría ser contrario a los propios Tratados, que regularían de forma exhaustiva el papel de los parlamentos nacionales circunscribiéndolo a la posibilidad de vetar el uso de algunas (no todas) las cláusulas pasarela[75], tal postura sería equivalente a reconocer al Derecho de la UE la posibilidad de incidir de forma clara

---

[74] Apartado décimo, par. 2 de la Resolución de las Mesas del Congreso de los Diputados y del Senado, de 21 de septiembre de 1995, modificada por resolución de 27 de mayo de 2010.

[75] L. F. M. Besselink y B. van Mourik. "The Parliamentary Legitimacy of the European Union: The Role of the States General within the European Union," *Utrecht Law Review 8*, no. 1, 2012, p. 40, especialmente nota a pie 46.

en las relaciones gobierno-parlamento nacional, lo que parece contradecir la obligación de la UE de respetar las estructuras fundamentales políticas y constitucionales de los Estados miembros (art. 4.2 TUE), y debilitaría además el control democrático de los ejecutivos de los Estados miembros, exigido por el art. 10.2 TUE[76].

En esa lógica, además de prever el procedimiento para ejercer el derecho de veto parlamentario previsto en los arts. 48.7 TUE y 81.3 TFUE[77], algunos Estados miembros prevén ya, bien en sus textos constitucionales (ejs. Austria[78], Irlanda[79]), bien en normas infra-constitucionales (ejs. Alemania[80], Polonia[81], Malta[82], Dinamar-

---

[76]   En la misma línea, ver: R. Böttner y J. Grinc, op. cit., p. 62.

[77]   Sobre las distintas opciones que encontramos en Derecho comparado, ver: R. Böttner y J. Grinc, op. cit., pp. 64 y ss.

[78]   El art. 23.i (1) de la Constitución austriaca exige la autorización del Consejo Nacional, con el consentimiento del Consejo Federal (ambos por una mayoría de 2/3 y un quorum de la mitad de los miembros) para que el representante del Estado en el Consejo Europeo puede votar afirmativamente una propuesta de modificación de los tratados ex art. 48.7 TUE.

[79]   El art. 29.4. 8 de la Constitución irlandesa exige la autorización de las dos Cámaras del Parlamento nacional (*Dáil Éireann* y *Seanad* Éireann) para que el representante del Estado en el Consejo o el Consejo Europeo pueda comprometer al Estado bajo cualquiera de las cláusulas pasarela (generales o especiales).

[80]   En Alemania se aplican el procedimiento previsto en el art. 23.1 de la Constitución (especial para los Tratados UE) no solo a las reformas simplificadas de los Tratados ex art. 48.6 TUE, sino también al control parlamentario previo al voto afirmativo o la abstención del representante nacional en el Consejo Europeo o en el Consejo cuando se vaya a adoptar una decisión bajo las cláusulas pasarela generales del art. 48.7 TUE y la especial del art. 81.3 TFUE. Para el resto de las clausulas pasarelas especiales se exige autorización del *Bundestag* y, en ciertos supuestos en que las competencias de los Lander se ven afectadas, también del *Bundesrat* (Secciones 4-6, Act on the Exercise by the Bundestag and by the Bundesrat of their Responsibility for Integration in Matters concerning the European Union (Responsibility for Integration Act) of 22 September 2009).

[81]   Los arts. 14 y 15 del Act of 8 October 2010 on the cooperation of the Council of Ministers with the Sejm and the Senate in matters relating to the Republic of Poland's membership of the European Union prevén que el Parlamento polaco ha de consentir mediante una ley la posición del Estado en relación con el uso de cualquiera de las cláusulas pasarela.

[82]   El art. 2 (2) de la European Union Act (Act V of 2003, as amended by Act III of 2006 and Act VII of 2012) trata de idéntico modo las reformas ordinarias de los tratados constitutivos y las reformas realizadas a través de una Decisión del Consejo Europeo, entre las que se incluirían no solo las reformas ex art. 48.6 TUE, sino también las reformas ex art. 48.7 TUE (cláusulas pasarela generales)

ca[83], Republica Checa[84]), la necesidad de que el parlamento nacional autorice al representante del Estado a votar afirmativamente (o a abstenerse, en algunos casos) en el Consejo o el Consejo Europeo cuando se esté adoptando la decisión de utilizar bien las cláusulas pasarelas generales, bien algunas o todas las especiales. En este sentido, algunos Estados miembros equiparan el procedimiento a seguir para autorizar el voto del representante del Estado en el Consejo Europeo o el Consejo al procedimiento a seguir para la ratificación de las reformas ordinarias de los Tratados (ej. Alemania y Austria, aunque solo para el uso del art. 48.7 TUE), mientras que otros establecen procedimiento diferenciados, menos gravosos, para autorizar el uso de todas o algunas de las cláusulas pasarela (ej. Irlanda, Polonia, Dinamarca, Republica Checa). Igualmente, algunos Estados distinguen entre la utilización de las cláusulas pasarela generales del art. 48.7 TUE y la utilización de todas o algunas de las cláusulas pasarela especiales (ej. Alemania, Malta), mientras que otros Estados miembros aplican el mismo procedimiento para todas las cláusulas pasarela (ej. Irlanda, Polonia, República Checa).

En línea con los Estados miembros que ya han optado por exigir ese control parlamentario previo entiendo procedente incluir en una eventual reforma constitucional en clave europea la exigencia de que el Parlamento español autorice al ejecutivo nacional a votar de forma

---

y ex arts. 312.2 TFUE (Marco Financiero Plurianual) y 31.3 TUE (Política Exterior y de Seguridad Común), que recogen dos de las cláusulas pasarela especiales. Para estos casos se requiere la aprobación de la modificación del Tratado por el Parlamento.

[83] De acuerdo con la Sección 1(2) de la Ley 321, de 30 de abril de 2008, sobre ratificación del tratado de Lisboa, el Gobierno danés no puede votar afirmativamente una decisión del Consejo Europeo propuesta al amaro del art. 48.7 TUE sin el consentimiento del parlamento nacional.

[84] El art. 109i de las Reglas de procedimiento de la Cámara Baja checa (*Poslanecké sněmovna*) prevé que no se puede prestar el consentimiento del Estado checo para adoptar una reforma de los tratados constitutivos ex arts. 48.6 y 7 TUE o en aplicación de alguna de las cláusulas pasarela especiales si no se cuenta con la aprobación previa de la Cámara. Los arts. 119 k y 119 m y n de las Reglas del procedimiento del Senado checo prevén también la necesaria autorización de la Cámara alta para las reformas de los Tratados llevadas a cabo por cualquiera de los procedimientos arriba indicados.

afirmativa (o abstenerse) una eventual propuesta de reforma de los Tratados constitutivos *ex* art. 48.7 TUE o a través de cualquier otra clausula pasarela especial. El procedimiento a seguir para obtener tal autorización debería tener en cuenta la relevancia relativa de las reformas que se pueden introducir en los Tratados constitutivos por esa vía y, en esa lógica, se podría pensar en utilizar la misma fórmula que se ha propuesto para la reforma simplificada de los Tratados *ex* art. 48.6 TUE, véase el procedimiento previsto en el art. 94 CE, en tanto solo se exigiría la aprobación por una mayoría simple de cada Cámara. Esa fórmula permitiría, además, y siempre que el Senado se convierta en una cámara de representación de los intereses autonómicos, la participación de las Comunidades Autónomas en ese proceso que tendría lógica en la medida en que la variación en la fórmula de adopción de decisiones a nivel UE se refiriera al ejercicio de competencias normalmente atribuidas por la Constitución a las Comunidades Autónomas. En ese sentido, podría también pensarse en un procedimiento diferenciado del previsto en el art. 94 CE, que requiriera siempre la autorización del Congreso de los Diputados y la autorización de un Senado convertido en Cámara autonómica solo en aquellos casos en que la decisión europea afecte a las competencias autonómicas. En todo caso, la opción por uno u otro modelo habría de tener en cuenta la eventual composición futura de la Cámara alta, así como las competencias atribuidas a las Comunidades Autónomas.

Finalmente, entiendo que una eventual reforma constitucional en clave europea debería también abordar la participación del Parlamento español en los llamados procedimientos de reforma de los Tratados constitutivos especiales y, en relación con aquellas decisiones del Consejo o el Consejo Europeo que sin ser siempre y en puridad reformas de los Tratados tiene una clara relevancia constitucional y, por ese motivo, los propios Tratados vinculan su entrada en vigor con la autorización prestada por todos los Estados miembros siguiendo sus respectivas exigencias constitucionales. Entre las llamadas reformas especiales de los Tratados suelen ubicarse los tratados de adhesión de nuevos Estados miembros (art. 49 TUE), que por su trascendencia para el devenir del proyecto europeo podrían seguir el mismo procedimiento de ratificación que se prevea para las reformas ordinarias de los Tratados constitutivos[85], como de hecho ha ocurrido hasta la fecha, haciéndose uso del actual art. 93 CE[86].

Además de ese procedimiento, una serie de preceptos de los Tratados prevén la modificación de varios Protocolos anexos a los mismos por procedimientos distintos a los recogidos en el art. 48 TUE[87]; los arts. 82.2.d, 83.1 y 86.4 TFUE prevén la posibilidad de extender las competencias de la UE incluyendo nuevas áreas del Derecho procesal penal o Derecho penal sustantivo que podrían ser objeto de armonización por la UE, así como la extensión de las competencias de la Fiscalía Europea, respectivamente, por procedimientos distintos a los recogidos en el art. 48 TUE; y una serie de preceptos de los Tratados prevén la necesidad de que los Estados miembros autoricen la entrada en vigor de ciertos actos de la UE siguiendo sus respectivas exigencias constitucionales, aunque no se trate de reformas de los Tratados *stricto sensu*[88]. La cuestión que se plantea en relación con esta última

---

[85] Algunos Estados miembros prevén incluso procedimientos especialmente onerosos para este tipo de tratados. Un caso paradigmático es Francia, que exige la celebración de un referéndum nacional, o la aprobación de la iniciativa por ambas Cámaras del Parlamento por una mayoría de 3/5 siguiendo el procedimiento previsto para la reforma de la Constitución nacional (art. 88-5 y 89 de la Constitución francesa).

[86] Ver, por ejemplo, Ley Orgánica 6/2012, de 30 de octubre, por la que se autoriza la ratificación por España del Tratado de Adhesión a la Unión Europea de la República de Croacia.

[87] Entre los más importantes se encuentran: art. 281 TFUE, Protocolo que recoge el Estatuto del TJUE: art. 129.3 TFUE, Protocolo que recoge el Estatuto del Banco Central Europeo, también modificable por el procedimiento previsto en el propio art. 40.2 del Estatuto; art. 308 TFUE, Protocolo que recoge el Estatuto del Banco Europeo de Inversiones; art. 126.14 TFUE, Protocolo sobre el procedimiento de déficit excesivo; art. 6 del Protocolo sobre los criterios de convergencia económica, que prevé el procedimiento para reformar el propio Protocolo; art. 6 del Protocolo sobre la exportación de petróleo de las Antillas neerlandesas, que prevé el procedimiento para modificar partes del mismo. Para un estudio detallado ver: S. Peers, op. cit., pp. 64 y ss.

[88] Las disposiciones de los Tratados que prevén la necesidad de que se produzca esa autorización a nivel nacional son: art. 42(2) TUE (establecimiento de una defensa común - unanimidad en el Consejo Europeo y aprobación por EM siguiendo el procedimiento previsto en su Derecho constitucional); art. 25 TUE (ampliación de los derechos de los ciudadanos de la UE - unanimidad en el Consejo con aprobación por EM siguiendo sus respectivas normas constitucionales); art. 218 (8) TFUE (celebración del acuerdo de adhesión de la UE al CEDH- decisión del Consejo por unanimidad a aprobar por todos los EM de conformidad con sus

serie de supuestos es si procede introducir en el texto constitucional español un procedimiento especifico que permita al Parlamento nacional pronunciarse sobre la correspondiente reforma de los Tratados o la decisión con especial trascendencia constitucional y cuál sería el procedimiento apropiado para ello.

En este sentido, entiendo que una reforma constitucional en clave europea debería contemplar un procedimiento especifico que permita participar a nuestro Parlamento en aquellas decisiones respecto de las cuales los propios Tratados prevén una autorización nacional siguiendo el procedimiento previsto en las normas constitucionales internas. Aunque esas decisiones no conlleven una reforma de los Tratados, su trascendencia constitucional es innegable, al referirse a cuestiones tan esenciales como el procedimiento electoral a aplicar en las elecciones europeas, los recursos propios de la UE, el establecimiento de una defensa común o la adhesión de la UE al Convenio Europeo de Derechos Humanos, lo que justifica el control parlamentario a nivel nacional. En este caso, la autorización parlamentaria habría de otorgarse una vez adoptada la decisión a nivel europeo en línea con lo previsto en los propios Tratados y podría tomar como modelo el procedimiento previsto en el actual art. 94 CE, aunque podría pensarse en exigir unas mayorías más amplias, coincidentes con las exigidas para la ratificación de las reformas ordinarias de los Tratados, para autorizar la entrada en vigor de alguna de estas decisiones, en función de su trascendencia constitucional.

Igualmente, entiendo que se justifica ese control parlamentario previo a la entrada en vigor en relación con la eventual utilización de los arts. 82.2.d, 83.1 y 86.4 TFUE, en la medida en que estos preceptos

---

normas constitucionales); art. 223(1) TFUE (disposiciones sobre la elección de los miembros del Parlamento Europeo, a adoptar por el Consejo por unanimidad y aprobar por los EM siguiendo el procedimiento previsto en sus respectivas normas constitucionales); art. 262 TFUE (atribución al TJUE de competencia para resolver litigios relativos a la aplicación de los actos adoptados sobre la base de los Tratados por los que se crean títulos europeos de propiedad intelectual o industrial- aprobación por el Consejo por unanimidad y entrada en vigor cuando hayan sido aprobadas por los EM de conformidad con sus respectivas normas constitucionales); y art. 311 TFUE (decisión que establezca las disposiciones aplicables al sistema de recursos propios de la Unión - aprobación de decisión por unanimidad del Consejo y entrada en vigor una vez que haya sido aprobada por los EM de conformidad con sus respectivas normas constitucionales).

permiten la extensión de las competencias de la UE (y la correspondiente pérdida de competencias de nuestro Parlamento) en un ámbito especialmente sensible, el Derecho penal, por medio de una decisión unánime del Consejo o el Consejo Europeo (según los casos). En estos supuestos, dado que los Tratados no prevén expresamente que la decisión entre en vigor tras ser autorizada por los Estados siguiendo los procedimientos previstos en las normas constitucionales internas, la autorización parlamentaria habría de producirse antes de que el representante español pronunciara su voto en el Consejo o el Consejo Europeo, en línea con lo indicado para las clausulas pasarela. También en esa línea podría pensarse en aplicar el procedimiento del art. 94 CE a la autorización parlamentaria previa al voto en el Consejo o el Consejo Europeo, aunque teniendo en cuenta que las Comunidades Autónomas no gozan actualmente de competencias legislativas en Derecho penal, podría pensarse en exigir la autorización únicamente del Congreso, aunque esta cuestión dependería nuevamente de que la reforma en clave europea fuera o no acompañada de una reforma que afectara a nuestra organización territorial y al contenido de la misma.

Más dudoso me parece, por el contrario, la necesidad de exigir un control previo de nuestro Parlamento en relación con todas y cada una de las posibles reformas de los Protocolos anexos a los Tratados que admiten ser reformados por un procedimiento especial. Hay que señalar que los Protocolos que admiten tales cambios recogen, en su mayor parte, normas muy detalladas sobre algunas instituciones u órganos de la UE o sobre políticas concretas de la UE, cuyos aspectos fundamentales se recogen en los Tratados mismos y habrían de ser objeto de algún otro de los procedimientos de reforma de los Tratados ya estudiados y que sí serían objeto de control parlamentario a la luz de las propuestas realizadas. Aunque se podría pensar en un procedimiento especifico que permita algún tipo de control parlamentario en sede nacional, parece dudoso que se justifique una reforma constitucional al efecto.

V. EL PAPEL DEL PARLAMENTO NACIONAL EN EL PROCESO DE INTEGRACIÓN EUROPEO: TERCER ELEMENTO DE LA REFORMA

Finalmente, el último elemento esencial de una eventual reforma constitucional en clave europea que abordara este trabajo se refiere al papel del Parlamento nacional en el proceso de integración, que se justifica debido a la disminución de competencias que han sufrido en general los parlamentos nacionales como consecuencia del proceso de integración y al correspondiente acrecentamiento de los poderes de los ejecutivos, que participan en el proceso legislativo europeo a través del Consejo, tal y como ya se ha indicado[89]. Este último apartado se abordará dejando de lado el complejo debate sobre el papel que el propio Derecho de la UE atribuye a los parlamentos nacionales y sobre si ese papel debe ampliarse o reducirse, en favor o detrimento del papel institucional del Parlamento Europeo, debate en el que algunos analizan la relación entre la institución parlamentaria europea y los parlamentos nacionales como una suerte de juego de suma cero en el que toda atribución de competencias al Parlamento Europeo se hace en detrimento de las competencias de los parlamentos nacionales, mientras otros entienden sus relaciones en términos de colaboración y cooperación a fin de fortalecer la legitimación democrática del proceso de toma de decisiones europeo[90].

Las propuestas de reforma que se presentarán asumen, por tanto, el rol que los actuales Tratados constitutivos atribuyen a los parlamentos nacionales en el entramado institucional de la UE, y parten del entendimiento de que el papel fundamental de los parlamentos nacionales ha de centrarse en el control democrático de las decisiones de los ejecutivos nacionales que tienen una dimensión europea, en línea con lo que se desprende del art. 10.2 TUE, especialmente allí donde se ha producido una merma de las competencias del parlamento en favor del ejecutivo nacional. La pretensión es, por tanto, reforzar en la esfera interna el papel del parlamento nacional en el proceso de construcción del proyecto europeo.

---

[89]   Ver los autores citados en la nota a pie núm. 8.

[90]   Entre otros, ver: P. Haroche. 'The inter-parliamentary alliance: how national parliaments empowered the European Parliament,' en *Journal of European Public Policy* 25:7, 2018, pp. 1010-1028; C. Lord. 'The European Parliament: A working parliament without a public?', en *Journal of Legislative Studies* 24/1, 2018, pp. 34-50; T. Winzen. Constitutional Preferences and Parliamentary reform. Explaining national parliaments' adaptation to European integration. Oxford University Press, 2017, especialmente, pp. 72 y ss.; House of Lords, European Union Committee. *The role of the national parliaments in the European Union,* Ninth Report, 11 Marzo 2014.

En este sentido, habría que comenzar indicando que, aunque la Constitución española tan solo contempla la participación del parlamento nacional en lo que se refiere a la ratificación de las reformas de los tratados constitutivos, en línea con lo que se ha explicado en el apartado anterior, la vigente Ley 8/1994, de 19 de mayo, por la que se regula la Comisión Mixta para la Unión Europea, prevé la intervención del parlamento nacional en el proceso de integración a través de otros mecanismos. Aunque este no es lugar para analizar con detalle el contenido de la norma y si ha sido eficaz a la hora de asegurar la participación del parlamento español en el proceso de integración europeo[91], sí es necesario recordar que la ley prevé la creación de un Comisión Mixta de ambas Cámaras para la UE, como órgano que centraliza el estudio de todas las iniciativas europeas en el seno de ambas Cámaras, y al que se atribuyen una serie de competencias, esencialmente: de recepción de información sobre asuntos europeos; de análisis y debate (incluyendo la propuesta para debates plenarios) de las iniciativas legislativas presentadas a nivel UE; de elaboración de informes sobre asuntos europeos, incluidos los referidos a iniciativas legislativas; de nexo de conexión con otros parlamentos nacionales y con el propio Parlamento Europeo; de toma de decisiones en relación con la aplicación del principio de subsidiariedad; y de propuesta para que ambas Cámaras del Parlamento decidan sobre un posible veto de una reforma de los tratados constitutivos llevada a cabo a través del art. 48.7 TUE (cláusulas pasarela generales) o del art. 81.3 TFUE (cláusula pasarela aplicable al Derecho de familia trasfronterizo), tal y como se explicó en el apartado anterior.

Esta atribución competencial permite ya ver que la participación del Parlamento español en la toma de decisiones respecto de iniciativas europeas es muy limitada, en la medida en que más allá de ratificar las revisiones ordinarias de los tratados, las revisiones simplificada *ex* art. 48.6 TUE, y los tratados de adhesión, su participación posible se limita a la aplicación del Protocolo núm. 2 sobre los principios de subsidiariedad y proporcionalidad, y a la posibilidad de vetar el uso

---

[91]   Sobre la materia, ver: C. Ferrer Martín de Vidales "La Comisión Mixta para la Unión Europea. Sus nuevas competencias tras el Tratado de Lisboa y la influencia de los factores constitucionales del Estado español en su eficacia", *Revista de Derecho Comunitario Europeo*, nº 17, 2013, pp. 631-658.

de las cláusula pasarela generales y una de las especiales (art. 81.3 TFUE). El resto de sus competencias actuales son puramente informativas, de análisis o de informe, permitiéndole controlar la acción del gobierno en sede europea con limitaciones, pero no predeterminar el contenido de la postura española en las instituciones de la UE. La limitación de las competencias atribuidas al Parlamento español, junto a la posible falta de impulso político, llevaban al Consejo de Estado a afirmar en 2006 que la intervención de nuestro Parlamento en cuestiones europeas no era equiparable a la de los parlamentos nacionales que más atribuciones tenían en relación con la toma de decisiones a nivel UE[92]. De hecho, el Parlamento español no suele aparecer como ejemplo de un escrutinio estricto de los asuntos europeos en los estudios de Derecho comparado, figurando habitualmente alejado de aquellos parlamentos nacionales que, como el danés, el británico (hasta la fecha en que el Reino Unido abandonó la UE), el austriaco, el fines o el sueco, entre otros, ejercen un control más incisivo[93].

El análisis exhaustivo de las distintas fórmulas utilizadas por los parlamentos de otros Estados miembros para participar en asuntos europeos queda lejos del alcance de este estudio[94], ocupado únicamente con aquellos elementos de esa intervención parlamentaria que son más relevantes y que resultaría quizás procedente incluir en el texto constitucional español, independientemente de que tendrían que ser después concretados en la correspondiente norma de desarrollo. En ese sentido, y más allá de la oportunidad de prever los modos de participación del Parlamento nacional en los distintos procesos de

---

[92]   Consejo de Estado, op. cit., p. 111.

[93]   T. Winzen, op. cit, especialmente, pp. 82-84; Casalena, Lupo y Fasone. "Protocol num. 1 on the role of national parliaments in the European Union", en H-J. Blanke y S. Mangiameli, *The Treaty on European Union (TEU) : A Commentary*, Springer Berlin / Heidelberg, 2013, pp. 1529-1634 ; T. Winzen. "European integration and national parliamentary oversight institutions", en *European Union Politics* 14(2), 2012, pp. 297–323; J. Karlas. "National Parliamentary Control of EU Affairs: Institutional Design after Enlargement", en *West European Politics*, 35:5, 2012, pp. 1095-1113.

[94]   Ver los trabajos citados en la nota precedente, ademas de: K. Auel (ed.). *After Lisbon: national parliaments in the European Union*, Taylor & Francis, 2016; P. Kiiver. *The national parliaments in the European Union: a critical view on EU Constitution-building*, The Hague: Kluwer Law International, 2006; E. Albertí Rovira y E. Roig Molés, op. cit.

reforma de los Tratados y en relación con las decisiones europeas de dimensión constitucional a las que hicimos referencia en el apartado anterior, cabe pensar en la oportunidad de incluir en nuestro texto constitucional alguna previsión referida al modo en que el Parlamento intervendrá en la toma de otras decisiones a nivel europeo, especialmente en el procedimiento legislativo europeo y en el procedimiento dirigido a adoptar otros actos de la UE que, por su incidencia en los poderes internos del Parlamento nacional, merezca someter a algún tipo de intervención parlamentaria.

En este sentido, es de destacar que, más allá de la participación de los parlamentos nacionales en los procesos de reforma de los Tratados, las Constituciones de algunos Estados miembros imponen a los ejecutivos nacionales determinadas obligaciones de informar al parlamento nacional sobre cuestiones europeas, prevén la posibilidad de que el parlamento nacional indique su opinión al respecto al ejecutivo y, en algunos casos, imponen al ejecutivo la obligación de defender la postura aprobada por el parlamento nacional en sede europea, permitiéndole separarse de la misma tan sólo cuando se cumplan ciertas condiciones o explicando en sede parlamentaria los motivos que justifican tal separación (por ej. art. 23.e.3 y 4 de la Constitución austriaca). Además, varias Constituciones nacionales hacen referencia expresa al procedimiento por el que el parlamento nacional aplica el Protocolo num. 2 sobre los principio de subsidiariedad y proporcionalidad (por ej. art. 23 g de la Constitución austriaca, art. 88-6 de la Constitución francesa, art. 23.1.a de la Constitución alemana, art. 20 del Capítulo 9 de la Ley del *Riksdag*) y a la necesaria intervención del parlamento nacional en ciertos nombramientos UE (por ej. art. 23 c de la Constitución austriaca). Veamos con calma cada una de estas cuestiones.

5.1. *La participación del Parlamento español en la toma de decisiones a nivel europeo*

En relación con la eventual imposición de una obligación al ejecutivo nacional de informar al Parlamento de iniciativas europeas, es de reseñar que algunas Constituciones nacionales imponen tal obligación tan solo en relación con iniciativas legislativas o con iniciativas dirigidas a la adopción de otros actos (no legislativos) de la UE (por ej. art. 144 de la Constitución croata, art. 88-4 de la Constitución francesa, art. 3 de la Ley constitucional de la República de Lituania sobre pertenencia a la UE, art. 3a de la Constitución de Eslovenia), mientras otras imponen obligaciones mucho más genéricas de informar sobre propuestas europeas (por ej. art. 23.e y 23f de la Constitución austriaca, art. 105.4 de la Constitución búlgara, arts. 96 y 97 de la Constitución finesa, art. 23.2 de la Constitución alemana, art. 70 de la Constitución griega, art. 19 de la Constitución húngara, art. 10 del Capítulo 10 del Instrumento de Gobierno sueco).

Igualmente, algunas Constituciones nacionales extienden tal obligación no solo a la provisión de información en relación con la propuesta europea, sino también en relación con la posición del ejecutivo nacional frente a tal propuesta (por ej. art. 23f de la Constitución austriaca, art. 97 de la Constitución finesa, art. 19 de la Constitución húngara art. 3a de la Constitución de Eslovenia, art. 22 del Capítulo 9 de la Ley del *Riksdag*), lo que parece mucho más interesante en la medida en que los parlamentos nacionales reciben ya todas las iniciativas legislativas de la UE (arts. 3 y 4 del Protocolo núm. 2, sobre la aplicación de los principios se subsidiariedad y proporcionalidad) y numerosa información, inclusive sobre propuestas que no son de carácter legislativo, de manos de las propias instituciones europeas (ver Protocolo núm. 1, sobre el cometido de los Parlamentos nacionales en la UE).

Sin embargo, las posiciones de los gobiernos nacionales en relación con esas propuestas no suelen ser tan transparentes, como tampoco lo es el procedimiento legislativo a nivel UE cuando se está negociando la posición común que defenderá el Consejo de la UE ante el Parlamento Europeo y cuando ambas instituciones están negociando un texto común a través de los conocidos como "trílogos"[95]. Esta opacidad puede predicarse también de la toma de decisiones a nivel del Consejo Europeo: en relación con esta institución, hay que recordar brevemente que, a pesar de que los tratados no le atribuyen competencias legislativas (art. 15.1 TUE), su incidencia en el proceso legislativo es clara,

---

[95] En este sentido, ver, por ejemplo: House of Lords, European Union Committee. *The role of the national parliaments in the European Union*, Ninth Report, 11 Marzo 2014, especialmente capitulo 4.

dada su composición y su capacidad para negociar acuerdos al más alto nivel[96], y reconocida expresamente por los tratados en ciertos supuestos (ver los arts. que recogen las clausula pasarela, así como los arts. 48, 82.3, 83.3, 87.3 TFUE), lo que hace pensar en la necesidad de prever algún mecanismo por el que los parlamentos nacionales tengan conocimiento no solo de la agenda y las conclusiones de cada sesión, sino también del contenido de la posición nacional respecto de las cuestiones a tratar.

Nuestra legislación actual no parece tener adecuadamente en cuenta estos elementos y tan solo requiere al gobierno que remita a las Cámaras un informe sobre el contenido de las propuestas legislativas europeas que tengan repercusión para España (art. 3.b. Ley 8/1994), la información que posea sobre las actividades de las instituciones de la UE (art. 3.d. Ley 8/1994), y que informe a las Cámaras sobre las líneas inspiradoras de su política en el seno de la Unión Europea, así como sobre las decisiones y acuerdos del Consejo de la UE (art. 3.e) Ley 8/1994). Igualmente, con anterioridad a cada Consejo Europeo ordinario, el gobierno debe remitir un informe sobre la evolución de los acontecimientos en la UE durante la Presidencia del Consejo correspondiente (art. 3.e) Ley 8/1994). Además, al final de cada Presidencia de la UE, el Ministro de Asuntos Exteriores o el Secretario de Estado para la UE deberán comparecer ante la Comisión Mixta para dar cuenta de los progresos realizados durante la Presidencia (art. 9 Ley 8/1994) y la Mesa de la Comisión Mixta podrá decidir qué miembros del gobierno deberán comparecer ante la Comisión antes de una reunión del Consejo para explicar la posición del gobierno sobre los asuntos que se tratarán en la reunión (art. 8 Ley 8/1994). Aunque estas previsiones garantizan que las Cámaras puedan tener conocimiento (si se pide una comparecencia) de la posición del gobierno sobre los asuntos a tratar en el Consejo, no ocurre lo mismo necesariamente con los asuntos a tratar por el Consejo Europeo (en relación con los cuales el gobierno deberá únicamente enviar un in-

---

[96] Sobre las interferencias del Consejo Europeo en el proceso legislativo incluso cuando los Tratados constitutivos no le atribuyen expresamente tal papel, ver: D. Dinan, *Relations between the European Council and the European Parliament: institutional and political dynamics*, European Parliamentary Research Service, 2018, especialmente pp. 18 y ss.

forme genérico "sobre la evolución de los acontecimientos" en la UE y tan solo respecto de las reuniones ordinarias, no las extraordinarias del Consejo Europeo). Además, puesto que la comparecencia en la que el ejecutivo explica su posición sobre los asuntos a tratar en el Consejo es oral queda la duda de si el parlamento recibe información detallada sobre la posición del ejecutivo, lo que parece difícil a través de una comparecencia oral cuando los puntos a tratar por el Consejo sean iniciativas legislativas complejas.

En este sentido, cabría pensar en la posibilidad de que el texto constitucional no se limite únicamente a imponer una obligación genérica del gobierno de informar a las Cortes sobre las iniciativas presentadas a nivel UE, sino de proporcionar una información detallada sobre la posición que defenderá el representante español en el Consejo y el Consejo Europeo, al menos cuando el Consejo debata sobre propuestas de reforma de los Tratados (ver apartado anterior) o iniciativas legislativas y el Consejo Europeo debata sobre eventuales reformas de los Tratados constitutivos (ver apartado anterior), adopte decisiones en el marco de un procedimiento legislativo u otro tipo de actos vinculantes. Por supuesto, habría que dejar margen al legislador ordinario para que fuera más allá de esas obligaciones constitucionales mínimas, aunque siempre garantizando que la información que se reciba sea completa y en unos plazos que permitan al parlamento examinar la iniciativa y la posición gubernamental y poder plasmar su opinión al respecto.

En esa misma línea, la reforma constitucional habría de reconocer la competencia del Parlamento nacional para plasmar su opinión respecto de las iniciativas provenientes de la UE[97], y lo que sería más interesante, en tanto supondría una innovación respecto de la situación actual, la obligación del ejecutivo de tener en cuenta tal opinión. Efectivamente, en la actualidad, la Comisión Mixta para la UE puede examinar iniciativas legislativas europeas, celebrar debates sobre las mismas en Pleno o Comisión con participación de los miembros del ejecutivo y emitir informes, no solo sobre iniciativas legislativas europeas, sino en general sobre cualquier cuestión relativa a la actividad de la UE que pueda considerar de interés (arts. 3.b), c) y f) de la Ley

---

[97]   En este sentido: E. Alberti Rovira, op. cit., p. 468.

8/1994, apartados 1-7 de la Resolución de las Mesas del Congreso de los Diputados y del Senado, de 21 de septiembre de 1995). Sin embargo, el ejecutivo nacional no tiene obligación alguna en relación con tales informes, lo que devalúa claramente la labor de las Cortes en este ámbito. Para evitar que el trabajo realizado por nuestro Parlamento caiga en saco roto, paliar la merma en sus competencias como consecuencia del proceso de integración y reforzar el escrutinio del ejecutivo en la toma de decisiones a nivel europeo, cabría pensar en un modelo que exigiera al ejecutivo al menos tener en cuenta la opinión emitida por el Parlamento nacional, imponiéndole la obligación de acudir al Parlamento explicando sus motivos en caso de apartarse de la opinión del Parlamento.

Algunos Estados miembros prevén ya esa obligación, recogiendo la posibilidad de que los Parlamentos adopten "mandatos" dirigidos a sus ejecutivos, que tienen obligaciones variadas en relación con ellos, desde tenerlos en cuenta (por ej. art. 144 de la Constitución croata, arts. 96 y 97 de la Constitución finlandesa, art. 88-4 de la Constitución francesa, arts. 23.3-5 de la Constitución alemana, art. 19 de la Constitución húngara, art. 3 de la Ley constitucional de la República de Lituania sobre pertenencia a la UE, art. 3a de la Constitución de Eslovenia), a estar obligados a seguirlos salvo cuando un apartamiento se justifique por determinados motivos (por ej. art. 23.e.3 y 4 de la Constitución austriaca).

En tanto la negociación a nivel del Consejo Europeo y del Consejo es compleja y ha de tener en cuenta múltiples factores, parece conveniente seguir un modelo que equilibre esa realidad y, por tanto, garantice a la par una cierta flexibilidad en la posición del Estado y un control parlamentario sustantivo. En esa lógica, la obligación de ejecutivo de tener en cuenta la posición del Parlamento nacional parece suficientemente flexible en tanto permitiría al ejecutivo apartarse de tal posición, pero se compensaría con la obligación de justificar ese apartamiento ante el Parlamento en un momento ulterior. Igualmente, podría pensarse en la posibilidad de atribuir esta competencia al Congreso o a un eventual Senado que representara los intereses autonómicos en función de la materia sobre la que versara la iniciativa legislativa europea y la distribución de competencias interna. De este modo, podría atribuirse esta competencia al Senado en aquellos casos en los que la iniciativa europea incidiera en ámbitos en los que las Comunidades Autónomas gozaran de competencias legislativas, atribuyéndose al Congreso en aquellos casos en que la competencia legislativa fuera del Estado, en línea con lo previsto por ej. en los arts. 23.e).3 y 4 de la Constitución austriaca. No obstante, esta posibilidad debería analizarse a la luz del contenido de una eventual reforma del Título VIII de nuestra Constitución.

5.2. La participación del Parlamento español en la aplicación del Protocolo núm. 2: el control del respeto del principio de subsidiariedad

Finalmente, una eventual reforma de la Constitución española en clave europea debería incluir al menos los principales elementos del procedimiento a seguir por el Parlamento nacional para emitir un dictamen motivado sobre el respeto del principio de subsidiariedad en relación con las iniciativas legislativas europeas en aplicación de lo previsto en el Protocolo núm. 2 anexo a los Tratados. Nuevamente, esta cuestión está hoy regulada en los arts. 5-7 de la Ley 8/1994 (apartados 8-9 de la Resolución de las Mesas del Congreso de los Diputados y del Senado, de 21 de septiembre de 1995), que, sin ánimos de ser exhaustiva, prevé la adopción de tales dictámenes en nombre de ambas Cámaras por la Comisión Mixta para la UE, salvo que se decida la avocación al pleno; la intervención de las Cámaras autonómicas en el procedimiento; y el procedimiento a seguir para que las Cámaras insten al gobierno a interponer un recurso de anulación contra un acto legislativo de la UE cuando estimen que éste no respeta el principio de subsidiariedad. La reforma constitucional podría ser un buen momento para constitucionalizar los elementos fundamentales de esta vía de participación del Parlamento español en la toma de decisiones a nivel europeo y repensar algunos de los elementos sobre los que se asienta nuestro modelo actual.

En esa lógica, cabría reflexionar sobre si sería necesaria la intervención de los parlamentos autonómicos en el procedimiento en el caso de que el Senado se convirtiera en una cámara de representación de los intereses autonómicos. Si bien es necesario que las Comunidades Autónomas tengan voz en este procedimiento cuando la iniciativa legislativa europea afecte a sus competencias legislativas, la transformación del Senado en una cámara de representación de las Comunidades Autónomas podría dejar de justificar la intervención directa de los parlamentos autonómicos, que por otro lado es muy compleja dada la escasez de tiempo con la que cuentan en el actual esquema para remitir su eventual dictamen motivado al Congreso o al Senado (apenas 4 semanas, según el art. 6 de la Ley 8/1994).

En la misma línea, el eventual reflejo de este procedimiento en el texto constitucional podría servir para reflexionar sobre la forma de participación de nuestro Parlamento en el planteamiento de un eventual recurso de anulación contra un acto legislativo de la UE que no respete el principio de subsidiariedad. El actual art. 8 del Protocolo núm. 2 indica que el TJUE será competente para conocer de recursos de anulación interpuestos por Estados miembros contra actos legislativos por vulneración del principio de subsidiariedad o también para conocer de los transmitidos por los Estados miembros "de conformidad con su ordenamiento jurídico en nombre de su Parlamento nacional o de una cámara del mismo". La dicción del precepto europeo ofrece dudas sobre si el ejecutivo nacional está obligado o no a interponer un recurso de anulación cuando así lo pida el Parlamento nacional o una Cámara del mismo[98]. El legislador español ha hecho una interpretación negativa, entendiendo que no existe esa obligación y que el gobierno tan solo está obligado a motivar su negativa a interponer tal recurso (art. 7.3 de la Ley 8/1994).

Otros ordenamientos nacionales han optado por lecturas mucho más garantistas, imponiendo tal obligación al ejecutivo nacional (por ej., art. 23.h).2 de la Constitución austriaca, 88-6 de la Constitución francesa o 23.1.a) de la Constitución alemana), e incluso, en algunos casos, permitiendo la adopción de tales decisiones por mayorías inferiores a las habitualmente exigidas para la adopción de decisiones por las Cámaras (art. 23.1.a) de la Constitución alemana). Cabría así reflexionar sobre el actual modelo español al hilo de la reforma constitucional, teniendo en cuenta que un modelo que impusiera tal obligación al ejecutivo nacional paliaría en parte la perdida de competencias por parte del legislador nacional y los autonómicos (si el

---

[98]   Blanke, Lupo, Fasone, Mangiameli, Colasante y Iacoviello. "Protocol num. 2 on the application of the principles of subsidiarity and proportionality", en H-J. Blanke y S. Mangiameli, op. cit., pp. 1722 y ss.

Senado se convirtiera en cámara de representación autonómica) permitiéndoles iniciar uno de los escasos procedimientos que pueden llevar a la declaración de nulidad de un acto legislativo de la UE por no respetar el principio de subsidiariedad, principio que recordemos no busca sino que la UE no se exceda en el ejercicio de sus competencias, dejando en manos de las autoridades nacionales, regionales o locales todas aquellas acciones que no justifiquen una acción concertada de los Estados miembros a nivel UE (art. 5 TUE).

VI. CONCLUSIONES

Las breves notas que preceden no pretenden sino aportar algunas consideraciones que entiendo relevantes para mejorar el actual encaje constitucional de la participación de nuestro país en el proceso de integración europeo. Años después del informe del Consejo de Estado sobre la reforma constitucional y reformados de forma sustantiva los Tratados constitutivos a través del Tratado de Lisboa parecía procedente volver a reflexionar sobre las propuestas que formulara en su día el Consejo de Estado y actualizarlas teniendo en cuenta el avance del proyecto europeo.

En este sentido, y aunque esta propuesta de reforma constitucional en clave europea no pretende ser exhaustiva, se sugiere la inserción de una cláusula europea que ponga de manifiesto la voluntad de nuestro Estado de participar en el proceso de integración no como una opción, sino como una obligación constitucional en tanto ese proyecto persiga determinadas finalidades, entre otras promover la paz y asegurar una unión más estrecha entre los pueblos de Europa. Igualmente, se propone reconocer la apertura de nuestro ordenamiento al Derecho de la UE, asumiendo que la eficacia interna y la posición de este último en nuestro sistema de fuentes vendrá determinada por el propio Derecho de la UE, siempre que éste respete una serie de límites constitucionales al proceso de integración, límites entre los que han de figurar no sólo los principios recogidos en el Título Preliminar de la Constitución, tal y como proponía el Consejo de Estado, sino también los derechos fundamentales reconocidos por el texto constitucional.

En esa línea de apertura condicionada, se propone arbitrar distintos procedimientos internos para la ratificación de la reforma de los Tratados constitutivos en función del procedimiento de reforma que se siga en sede europea y a la luz del alcance posible (y, por tanto, del impacto constitucional) de esa reforma. Puesto que se reconoce la primacía del Derecho de la UE sobre las normas internas, inclusive las constitucionales y a salvo de los límites constitucionales al proceso de integración arriba indicados, se entiende que las reformas ordinarias de los tratados constitutivos, que tienen potencialmente un alcance mayor al permitir la transferencia de nuevas competencias a la UE y poder introducir sustanciales reformas institucionales, deben tener un respaldo democrático parejo al de la propia reforma constitucional. Se propone así que la ratificación de las reformas ordinarias de los Tratados se haga siguiendo el procedimiento del art. 167 CE, y que se hagan coincidir las materias en relación con las cuales procedería una reforma agravada del art. 168 CE con los límites constitucionales al proceso de integración, de forma que quede vedada una reforma constitucional implícita en relación con esos límites por la vía de ratificar reformas de los Tratados constitutivos.

En relación con las reformas simplificadas y especiales de los Tratados constitutivos, se proponen procedimientos de participación del Parlamento nacional diferenciados en función del alcance posible de la reforma y del modo en que ésta se puede producir. De forma muy general, se propone que el Parlamento nacional apruebe la entrada en vigor de las reformas realizadas *ex* art. 48.6 TUE (simplificada) por el procedimiento previsto en el actual art. 94 CE, y aplicar un procedimiento semejante también a las decisiones del Consejo o el Consejo Europeo que permiten introducir reformas de los Tratados constitutivos a través de alguna de las llamadas cláusulas pasarela o algún otro de los procedimientos especiales previstos en los Tratados. Se entiende que el procedimiento a seguir en vía interna en estos casos no ha de ser tan gravoso como el previsto para ratificar las reformas ordinarias de los Tratados, en la medida en que este tipo de reforma de los Tratados se circunscribe a materias muy concretas y no permite, con carácter general, la ampliación de competencias de la UE, sino la modificación en la forma de ejercerlas. Aun así, el control democrático que ejercería el Parlamento nacional parece esencial, en la medida en que muchos de estos cambios supondrán de hecho la pérdida del derecho de veto del Estado español en relación con determinadas decisiones europeas.

En línea con esa idea de reforzar el control democrático en la toma de decisiones a nivel europeo, se propone también incluir en el texto constitucional algunos elementos esenciales que garanticen la participación del Parlamento español en otras decisiones europeas. Se propone así incluir en el texto constitucional la obligación del ejecutivo nacional de informar a las Cortes sobre las iniciativas presentadas a nivel europeo y sobre la posición del ejecutivo en relación con las mismas, al menos cuando sean iniciativas de reforma de los tratados y legislativas. En la misma línea, se reconocería constitucionalmente el derecho del Parlamento nacional a fijar su posición sobre estas iniciativas, obligando al gobierno a tenerla en cuenta y, en caso de no hacerlo, a informar debidamente a las Cámaras. Se propone también elevar a rango constitucional algunos aspectos esenciales del procedimiento a seguir en vía interna por el Parlamento nacional para emitir un dictamen motivado sobre el cumplimiento del principio de subsidiariedad *ex* Protocolo núm. 2.

Otros posibles aspectos de una eventual reforma constitucional quedan en el tintero, entre ellos, la participación de las Comunidades Autónomas en ese proceso, eventuales modificaciones que reflejen la alteración en las funciones del Tribunal Constitucional nacional y los tribunales ordinarios o la adecuación de nuestro catálogo de derechos a la Carta de derechos fundamentales de la UE.

VII. BIBLIOGRAFÍA

Albertí Rovira, E. "La cláusula europea en la reforma de la Constitución española", en J. Álvarez Junco y F. Rubio Llorente. *El informe del Consejo de Estado sobre la reforma constitucional: texto del informe y debates académicos*, CEPC y Consejo de Estado, Madrid, 2006, pp. 457-482.

Albertí Rovira E. y Roig Molés E., "El nuevo papel de los Parlamentos nacionales entre Derecho Constitucional nacional y Derecho Constitucional europeo", en M. Cartabia, B. de Witte y P. Pérez Tremps (eds.), Constitución Europea y constituciones nacionales. Tirant lo Blanch, Valencia, 2005.

Albi, A., "Europe articles in the Constitutions of Central and Eastern European countries", *Common Market Law Review*, n° 42, 2005, pp. 399-423.

Alonso García, R., "Reforma constitucional: la recepción en la Constitución del proceso de construcción europea", J. Álvarez Junco y F. Rubio Llorente. *El informe del Consejo de Estado sobre la reforma constitucional: texto del informe y debates académicos*, CEPC y Consejo de Estado, Madrid, 2006, pp. 557-561.

Alonso García, R., *El juez español y el derecho comunitario. Jurisdicciones constitucional y ordinaria frente a su primacía y eficacia*, Consejo General del Poder Judicial, Madrid, 2003.

Arnold, R., M. Sellers y J. Maxeiner. *Limitations of National Sovereignty through European Integration*, Dordrecht: Springer Netherlands, 2016.

Auel, K.. (ed.). *After Lisbon: national parliaments in the European Union*, Taylor & Francis, 2016.

Miguel Bárcena, J. De, "La reforma constitucional del Senado ante la Unión Europea", en M.A. Garcia Herrera y J.M Vidal Beltrán, *El Estado Autonómico: integración, solidaridad, diversidad*, Colex, INAP, 2005, pp. 409-426.

Biglino Campos, P., "El Senado: Cámara de conexión entre las Comunidades Autónomas y la Unión Europea", en J. Álvarez Junco y F. Rubio Llorente. *El informe del Consejo de Estado sobre la reforma constitucional: texto del informe y debates académicos*, CEPC y Consejo de Estado, Madrid, 2006, pp. 733-750

Böttner, R. y Grinc, J., *Bridging Clauses in European Constitutional Law. Legal Framework and Parliamentary Participation*. Springer, 2018.

Camisón Yagüe, J.A., *La participación directa e indirecta de los parlamentos nacionales en los asuntos de la Unión Europea*, Secretaría General del Senado, Madrid, 2010.

Casalena, Lupo y Fasone. "Protocol num. 1 on the role of national parliaments in the European Union", en H-J. Blanke y S. Mangiameli, *The Treaty on European Union (TEU) : A Commentary*, Springer Berlin / Heidelberg, 2013, pp. 1529-1634

Celotto, A. y Groppi, T., "Diritto UE e diritto nazionale: primauté vs controlimiti", *Rivista italiana di diritto pubblico comunitario*, n° 6, 2004.

Claes, M., "Constitutionalizing Europe at its Source: The 'European Clauses' in the National Constitutions: Evolution and Typology", *Yearbook of European Law*, Vol. 24, n°. 1.

Cruz Villalón, P., *Hacia la europeización de la Constitución española. La adaptación de la Constitución española al marco constitucional de la Unión Europea*. Fundación BBVA, Bilbao, 2006.

Dawson, M., Witte, B. De y Muir, E., *Judicial Activism at the European Court of Justice*, Edward Elgar, 2013.

Delgado-Iribarren, M., G.ª-Campero. "El Parlamento Español en la Unión Europea (1985-2015). Evolución y perspectivas", en E. Nasarre Goicoechea y F. Aldecoa Luzárraga, *Treinta años de España en la Unión Europea. El camino de un proyecto histórico*, Marcial Pons, 2015, pp. 179-196

Escobar Hernández, C., "La cláusula europea en la Constitución española: algunas reflexiones para una eventual reforma constitucional", en J. Álvarez Junco y F. Rubio Llorente. *El informe del Consejo de Estado sobre la reforma constitucional: texto del informe y debates académicos*, CEPC y Consejo de Estado, Madrid, 2006, pp. 483-499.

Fischer-Lescano, A., Joerges C. y Wonka, A., (eds), *The German Constitutional Court's Lisbon Ruling*, ZERP-Diskussionspapier 1/2010.

García Gestoso, N., "Algunas consideraciones sobre la reforma de la Constitución española de 1978 derivadas de la integración europea", en *Parlamento y Constitución (Anuario)*, n° 8, 2004, pp. 101-136.

García Roca, J., *Pautas para una reforma de la Constitución. Un informe para el debate*, Aranzadi, Cizur Menor, 2014.

Gordillo, L.I., y Martico, G., *Historias Del Pais De Las Hadas: La jurisprudencia constitucionalizadora del Tribunal de Justicia*, Cuadernos Civitas, 2015

Gordillo Perez, L.I., y Tapia Trueba, A., "Diálogos, Monólogos y Tertulias. Reflexiones A Propósito del Caso Melloni", *Revista de Derecho Constitucional Europeo*, n° 22, 2014.

Karlsson, C., "Comparing Constitutional Change in European Union Member States: In Search of a Theory", *Journal of Common Market Studies*, Volume 52, n° 3. pp. 566–581.

Kellermann, A.E., y otros (eds), *EU Enlargement: The Constitutional Impact at EU and National Level*, The Hague, T.M.C. Asser Press, 2001.

Kiiver, P., *The national parliaments in the European Union: a critical view on EU Constitution-building*, The Hague: Kluwer Law International, 2006

López Aguilar, J.F., "La reforma de la Constitución: opciones constitucionales ante la ratificación de los Acuerdos de Maastricht", *Revista de derecho político*, n° 36, 1992.

Mangas Martin, A., "La reforma del art. 93 de la Constitución española", en J. Álvarez Junco y F. Rubio Llorente. *El informe del Consejo de Estado sobre la reforma constitucional: texto del informe y debates académicos*, CEPC y Consejo de Estado, Madrid, 2006, pp. 533-556.

Martín y Pérez de Nanclares, J., "Comunidades Autónomas y Unión Europea tras la entrada en vigor del Tratado de Lisboa. Sobre los riesgos de una reforma del Estado Autonómico sin reforma de la Constitución", *Revista Española de Derecho Europeo*, n.º 33, 2010.

Montilla Martos, J.A., *Derecho de la Unión Europea y comunidades autónomas: el desarrollo normativo del derecho de la Unión en el Estado autonómico*, CEPC, Madrid, 2005.

Peers, S., "The Future of EU Treaty Amendments". *Yearbook of European Law*, Vol. 31, No. 1, 2012, pp. 17–111.

Pérez Tremps, P., "La jurisdicción constitucional y la integración europea", en *Civitas. Revista Española de Derecho Europeo*, n.º 29, 2009.

Piris, J-C., *The Lisbon treaty: a legal and political analysis*. Cambridge University Press, Cambridge, 2010.

Punset Blanco, R., "Derechos Fundamentales y Primacía del Derecho Europeo Antes y después del Caso Melloni", *Teoría y Realidad Constitucional*, nº 39, 2017.

Slaughter, A-M., Stone Sweet, A., y Weiler, J.H.H., *The European Court and national courts-- doctrine and jurisprudence: legal change in its social context*. Hart, Oxford, 1998.

Storini, C., *Parlamentos nacionales y Unión Europea*, Tirant lo Blanch, Valencia, 2005.

Tajadura Tejada, J., "Reforma constitucional e integración europea", *Claves de razón práctica*, nº 216, 2011.

Torres Pérez, A., "Melloni in three acts: From dialogue to monologue", *European Constitutional Law Review*, Vol. 10, nº 2, 2014.

VVAA. "Constitutional Change through Euro Crisis Law". European University Institute, 2015.

VVAA. "Encuesta sobre la reforma constitucional", *Teoría y Realidad Constitucional*, nº 29, 2012.

Weiler, J. H. H., "Van Gend en Loos: The individual as subject and object and the dilemma of European legitimacy", *International Journal of Constitutional Law*, Vol. 12, nº 1, 2014.

Winzen, T., Constitutional Preferences and Parliamentary reform. Explaining national parliaments' adaptation to European integration. Oxford University Press, 2017.

Organismos internacionales y reformas institucionales de calado constitucional. El Greco y su potencial influencia en la promoción de la calidad democrática española[1]

Mario Hernández Ramos

SUMARIO: I. INTRODUCCIÓN Y PLANTEAMIENTO. II. EL CONSEJO DE EUROPA Y SU INFLUENCIA EN LA CALIDAD DEMOCRÁTICA DE LOS PODERES PÚBLICOS. UNA LABOR EXTRA CONSTITUCIONAL DE CALADO CONSTITUCIONAL. III. EL GRUPO DE ESTADOS CONTRA LA CORRUPCIÓN (GRECO). 3.1. OBJETIVO. 3.2. FUNCIONAMIENTO. 3.3. MATERIAS SOBRE LAS QUE TRABAJA EL GRECO. IV. LAS RECOMENDACIONES DEL GRECO SOBRE ÓRGANOS CONSTITUCIONALES: PARLAMENTARIOS Y JUECES. 4.1. Informes de evaluación y cumplimiento: reconduciendo casi una década de balance insatisfactorio. 4.2. Recomendaciones sobre miembros del Congreso de los Diputados y del Senado. 4.3. Recomendaciones sobre los miembros del Poder Judicial, jueces y magistrados. V. LA TEÓRICA INFLUENCIA POSITIVA DEL GRECO EN LA CALIDAD DE LA DEMOCRACIA EN ESPAÑA. ¿QUÉ HAY DE LA PRÁCTICA? VI. A MODO DE CONCLUSIÓN. VII. BIBLIOGRAFÍA CITADA

I. INTRODUCCIÓN Y PLANTEAMIENTO

En la memoria del proyecto de investigación "Reforma constitucional: dimensión institucional y territorial" que motiva el presente trabajo, se señala que "a partir de 2006 han confluido en nuestro país, retroalimentándose, tres gravísimas crisis: la económica, la ins-

[1] Este trabajo se ha realizado en el marco del Proyecto "Reforma constitucional: dimensión institucional y territorial" (20639/JLI/18) financiado por la Fundación Séneca-Agencia de Ciencia y Tecnología de la Región de Murcia a través de la convocatoria Jóvenes Líderes en Investigación del Subprograma de Apoyo y Liderazgo Científico y la Transición a la Investigación Independiente (Programa Fomento de la Investigación Científica y Técnica 2018).

titucional y la territorial. La eclosión de todas ellas en los últimos años ha puesto en jaque a nuestro sistema constitucional y ha acentuado sus insuficiencias e imperfecciones." Esta afirmación, tan tajante como cierta, cobra mayor relevancia, si cabe, en la actual situación creada por la Covid 19, dejando en evidencia aún más claramente que el funcionamiento institucional a todos los niveles (ejecutivo, legislativo y judicial) y la coordinación territorial en España no ha estado a la altura de estas tremendas circunstancias.

El punto de partida de este trabajo es un punto común en el estudio de la crisis institucional de nuestro país: el descrédito de las instituciones políticas, y la pérdida de confianza por parte de la ciudadanía en el sistema democrático representativo.

No hay duda de que España es una democracia consolidada, de que el Estado de Derecho en todas sus expresiones está presente en el funcionamiento de las instituciones públicas, y de que se respetan de manera generalizada los derechos fundamentales. La Constitución española prevé un andamiaje jurídico que establece su existencia y permite y obliga su desarrollo y aplicación. Sin embargo, su mera existencia y consolidación no implica *per se* un óptimo funcionamiento, y tras varias crisis durísimas y un bloqueo político persistente, la calidad de la democracia y de las instituciones se está resintiendo de manera significativa.

Por eso, en la actualidad no se discute si en España funciona la democracia, sino su calidad, y cómo mejorarla[2]; no se trata de cuestionar la existencia del Estado de Derecho, sino de estar alerta sobre posibles malos funcionamientos, previéndolos y evaluándolos; tampoco se trata de reducir el interés de los ciudadanos a unos pocos derechos fundamentales estáticos sino de un disfrute efectivo y real de los derechos.

Es necesario, por tanto, realizar reformas orgánicas e institucionales que contribuyan a restablecer la confianza de la ciudadanía en

---

[2]   Esta afirmación ha sido reiteradamente señalada por la doctrina. Véase, por todos, R. Bustos Gisbert, *Calidad democrática. Reflexiones constitucionales desde la teoría, la realidad y el deseo*, Marcial Pons/Fundación Gimenez Abad, 2017, quien lanza una serie de líneas de actuación concretas y desde nuestro punto de vista acertadas para garantizar una democracia de calidad bajo la Constitución española de 1978.

el sistema democrático y en el Estado de Derecho. Pero, ¿cuáles y en qué sentido?

Sin duda, todas aquellas que conduzcan a restablecer la confianza de la ciudadanía en la democracia y en las instituciones.

Desde el mundo del Derecho suele recurrirse a la opción de la reforma constitucional como solución, sin duda en un exceso de ingenuidad. No por desacertada jurídicamente, sino por lo imposible en lo político. En España, el problema de la reforma constitucional no es un problema jurídico, sino político, "la capacidad de una mayoría de encontrar aliados y erigir un pacto constitucional", puesto que "la reforma es una decisión política"[3]. Dada la atávica polarización política y partidista en nuestra realidad política, incrementada si cabe en los últimos años, la opción de la reforma constitucional es poco realista.

Sin embargo, cobran cada vez más importancia los informes y estudios de organismos internacionales sobre los problemas de nuestro sistema institucional y democrático, no tanto por su calidad o infalibilidad, sino sobre todo por su objetividad. El panorama de bloqueo político se ve superado por la actividad de organizaciones internacionales que desempeñan cotidianamente sus funciones implementando los compromisos a los que España se obligó internacionalmente, exigiendo reformas legales e institucionales para darles cumplimiento. En el ámbito de la democracia, del Estado de Derecho y de la confianza en el sistema institucional, el Consejo de Europa es un referente[4].

En este trabajo, nos centraremos en un Grupo de Trabajo muy concreto, el Grupo de Estados Contra la Corrupción del Consejo de Europa (GRECO), cuyo cometido principal es devolver la confianza de los ciudadanos en sus instituciones luchando contra la corrupción[5].

---

[3]   J. García Roca, "De la revisión de las constituciones: constituciones nuevas y viejas", *Teoría y Realidad Constitucional*, nº 40, 2017, pp. 181-222.

[4]   Por supuesto, no el único y quizá no el principal. Este puesto lo ocuparía la UE, que ha motivado las dos únicas reformas constitucionales (arts. 13.2 CE y 135 CE), además del cambio de concepto mismo de constitución, de una restringida al Estado nacional a una Constitución plural debido al proceso de integración europeo y a la importancia del Convenio Europeo de Derechos Humanos.

[5]   Por ejemplo, y como se estudiará más adelante, sendos códigos de conducta que se han elaborado en España fruto de las recomendaciones del GRECO (el Código de Conducta de los Señores Diputados y los Principios de Ética Judicial)

El concepto de corrupción puede entenderse en un sentido penal técnico jurídico, o en un sentido constitucional, centrado en la quiebra de confianza entre el representante y representados por perseguir los intereses partidistas de aquel en lugar de los confiados por los representados[6].

En consecuencia, en este trabajo se atenderá al calado constitucional de estudios, informes, propuestas de reforma legislativa, o incluso infra-legal que hasta hace poco eran objeto de atención exclusiva de penalistas y que habían pasado un tanto desapercibidos para el Derecho Constitucional. En concreto se estudiarán los elaborados para España enfocados en la promoción de su calidad democrática y las reformas institucionales que se han llevado a cabo para dar respuesta a las sugerencias realizadas por el GRECO.

De esta manera, y volviendo a la memoria del proyecto, el presente trabajo se centrará en los objetivos generales propuestos de "diagnóstico de las carencias, déficits e incorrecciones técnicas del modelo institucional que consagra la Constitución de 1978", y la "delimitación de aquéllas que podrían abordarse tan sólo con reformas legislativas sin necesidad de reforma constitucional", concretando en el "Diagnóstico de carencias, déficits e incorrecciones técnicas del régimen constitucional de Congreso y Senado (tanto en su composición como en sus funciones) (objetivo específico 1.C) y "Diagnóstico de carencias, déficits e incorrecciones técnicas del régimen constitucional del Poder Judicial (tanto en su composición como en sus funciones) (objetivo específico 1.D).

Para ello, en primer lugar, se abordará la influencia del Consejo de Europa en la calidad democrática de los poderes públicos, llevando a cabo una labor de calado indudablemente constitucional (1); en segundo lugar, se estudiará el GRECO, concretamente su objetivo, funcionamiento y las materias sobre las que trabaja (2); en tercer lugar se atenderá a las recomendaciones que el GRECO ha realizado sobre

---

pretenden "mantener y reforzar la confianza de los ciudadanos en los miembros de la Cámara", y en la Justicia, respectivamente.

[6]   Se sigue este concepto desarrollado por el profesor Bustos Gisbert en diversos artículos. Véase, entre otros, R. Bustos Gisbert, "Corrupción política: un análisis desde la teoría y la realidad constitucional", *Teoría y Realidad Constitucional*, nº 25, 2010, pp, 69-109.

parlamentarios y jueces, analizando los informes y las reformas institucionales llevadas a cabo en respuesta a esos informes (3); y se terminará
con la conclusión de que, al menos en el plano teórico, el GRECO ha
ejercido una influencia positiva en la calidad de la democracia de España al motivar una serie de reformas institucionales de calado constitucional, pero existen serias dudas en el plano práctico por parte de la
actitud de los actores políticos respecto de su rendición de cuentas (4).

II. EL CONSEJO DE EUROPA Y SU INFLUENCIA EN LA CALIDAD DEMOCRÁTICA DE LOS PODERES PÚBLICOS. UNA LABOR EXTRA CONSTITUCIONAL DE CALADO CONSTITUCIONAL

Dada la ausencia de herramientas constitucionales específicas
para hacer frente a la problemática de calidad democrática y buen
funcionamiento de las instituciones para preservar la confianza de la
ciudadanía, cobra especial importancia para España organismos internacionales centrados en la garantía y promoción de la democracia,
el Estado de Derecho y los derechos fundamentales, como el Consejo
de Europa[7].

El Consejo de Europa se formó con el firme propósito de defender
y fomentar la democracia pluralista, los derechos humanos y el Estado de Derecho. Sin lugar a dudas, la corrupción es una amenaza que
corroe los fundamentos mismos de estos valores, socavando la buena
gobernanza, la justicia social, distorsiona la competencia, obstaculiza
el desarrollo económico y pone en peligro la estabilidad de las instituciones democráticas y los fundamentos morales de la sociedad,
por lo que el Consejo de Europa ha tomado una serie de iniciativas
específicas para combatirla[8]. Como ha afirmado la Secretaria General
Marija Pejčinović Burić "La corrupción socava la confianza de los

---

[7]   Como ya se apuntó en la introducción, sería muy difícil agotar todos los organismos internacionales que pueden tener un efecto positivo en el diseño o funcionamiento de las instituciones españolas, ya sea dentro de la Unión Europeo o en el
ámbito universal de Naciones Unidas.

[8]   https://www.coe.int/en/web/greco/about-greco/priority-for-the-coe, consultado el
3 de septiembre de 2020.

ciudadanos en la democracia y en las instituciones democráticas. Por consiguiente, la aplicación de medidas eficaces contra la corrupción y la promoción de la integridad y la transparencia deben ser una prioridad para las autoridades públicas en todo momento. Los Estados han hecho progresos, pero deben intensificar sus esfuerzos para aplicar plenamente las recomendaciones del GRECO."[9]

Este combate se ha abordado por parte del Consejo de Europa realizando una pluralidad de actividades que se interrelacionan entre sí, desde el establecimiento de normas y estándares europeos, hasta la supervisión del cumplimiento de las normas, pasando por ofrecer a países y regiones capacitación a través de programas de cooperación técnica.

En concreto, el Consejo de Europa ha desarrollado una serie de instrumentos jurídicos que abordan problemáticas esenciales como la penalización de la corrupción en los sectores público y privado, la responsabilidad e indemnización por los daños causados por la corrupción, la conducta de los funcionarios públicos y la financiación de los partidos políticos. Estos instrumentos tienen por objeto mejorar la capacidad de los Estados para luchar contra la corrupción tanto a nivel nacional como internacional, cuyo seguimiento del cumplimiento está a cargo de una serie de Comités especializados o Grupos de trabajo a los que se hará referencia más adelante.

Dada la dificultad de utilizar las herramientas de reforma constitucional para mejorar el sistema institucional y democrático, cobra especial importancia para España organismos internacionales centrados en la garantía y promoción de la democracia, el Estado de Derecho y los derechos fundamentales como el Consejo de Europa. De hecho, son varias las reformas legislativas, muchas de ellas de calado constitucional, las llevadas a cabo debido a las recomendaciones efectuadas a España por diversos grupos, actuando como verdaderos mecanismos de control.

Esto se debe a que, cuando un país se incorpora al Consejo de Europa como un nuevo miembro, acepta estar sujeto a mecanismos de control independientes que evalúan el respeto a los derechos humanos y la observancia de las prácticas democráticas en su territorio. Máxime

---

[9]   https://www.coe.int/en/web/greco/publications, consultado el 3 de septiembre de 2020.

cuando en algunos casos dichos mecanismos se han establecido en el marco de un tratado[10].

Hay una serie de grupos de trabajo que velan por los derechos humanos como el Comité Europeo para la Prevención de la Tortura y de las Penas o Tratos Inhumanos o degradantes (CPT)[11], el Grupo de expertos en la lucha contra la trata de seres humanos (GRETA)[12], el Comité Europeo de Derechos Sociales (ECSR)[13], el Comité de Lanza-

---

[10]   https://www.coe.int/es/web/about-us/values, consultado el 3 de septiembre de 2020.

[11]   El CPT, creado en virtud de Convenio Europeo para la Prevención de la Tortura y de las Penas o Tratos Inhumanos o Degradantes, que entró en vigor en 1998, realiza periódicamente visitas sin previo aviso a lugares de detención en los 47 Estados miembros (centros penitenciarios, comisarías de policía y centros de detención para nacionales extranjeros) con el fin de evaluar el trato que se dispensa a las personas privadas de libertad. Para más información, véase https://www.coe.int/en/web/cpt/home, consultado el 3 de septiembre de 2020.

[12]   GRETA publica periódicamente informes en los que evalúa las medidas adoptadas por los Estados con el fin de poner en práctica las medidas previstas en el Convenio sobre la Lucha contra la Trata de Seres Humanos, que entró en vigor en 2008. Si bien se basa en los instrumentos internacionales existentes, el Convenio va más allá de las normas mínimas acordadas en ellos y refuerza la protección que se ofrece a las víctimas, teniendo un ámbito de aplicación amplio, que abarca todas las formas de trata (ya sea nacional o transnacional, vinculada o no a la delincuencia organizada) y abarcando a todas las personas que son víctimas de la trata (mujeres, hombres o niños). Las formas de explotación contempladas en el Convenio son, como mínimo, la explotación sexual, los trabajos o servicios forzados, la esclavitud o las prácticas análogas a la esclavitud, la servidumbre y la extracción de órganos. Para más información, véase https://www.coe.int/en/web/anti-human-trafficking, consultado el 3 de septiembre de 2020.

[13]   El Comité Europeo de Derechos Sociales, compuesto por 15 miembros independientes e imparciales elegidos por el Comité de Ministros por un periodo de 6 años renovable una vez, vigila el cumplimiento de la Carta Social Europea, mediante dos mecanismos complementarios: a través de las quejas colectivas presentadas por los interlocutores sociales y otras organizaciones no gubernamentales (Procedimiento de quejas colectivas), y a través de los informes nacionales elaborados por las Partes Contratantes (Sistema de Informes). El Comité verifica que los Estados respetan el derecho a la vivienda, la salud, la educación, el empleo y la libertad de circulación garantizados por la Carta Social Europea. La Carta Social Europea es un tratado del Consejo de Europa que garantiza los derechos sociales y económicos fundamentales como homóloga del Convenio Europeo de Derechos Humanos, que se refiere a los derechos civiles y políticos. Garantiza una amplia gama de derechos humanos cotidianos relacionados con el empleo, la vivienda, la salud, la educación, la protección social y el bienestar. Para más información véase https://www.coe.int/en/web/european-social-charter, consultado el 3 de septiembre de 2020.

rote o Comité de las Partes para el Convenio de Lanzarote (Convenio para la protección de los niños contra la explotación y el abuso sexual (Comité Lanzarote)[14], la Comisión Europea contra el Racismo y la Intolerancia (ECRI)[15], el Comité Consultivo del Convenio Marco para la Protección de las Minorías Nacionales[16] y el Comité de Expertos de la Carta Europea de las Lenguas Regionales o Minoritarias[17].

---

[14]   El Convenio para la protección de los niños contra la explotación y el abuso sexual "requiere la penalización de todo tipo de delitos sexuales contra los niños. Establece que los Estados en Europa y fuera de ella deben adoptar una legislación específica y tomar medidas para prevenir la violencia sexual, para proteger a las víctimas infantiles y para procesar a los perpetradores de dichos delitos" El Comité Lanzarote es el órgano encargado de vigilar si los estados parte implementan efectivamente el Convenio Lanzarote, identificar buenas prácticas. Para más información, véase https://www.coe.int/en/web/children/lanzarote-convention, consultado el 3 de septiembre de 2020.

[15]   La Comisión Europea contra el Racismo y la Intolerancia (ECRI) es "un órgano de vigilancia de derechos humanos única que se especializa en cuestiones relativas a la lucha contra racismo, discriminación (por motivos de "raza", origen étnico/nacional, color, ciudadanía, religión, idioma, orientación sexual e identidad de género), xenofobia, antisemitismo y la intolerancia en Europa, que prepara informes y recomendaciones para los estados miembro. Evalúa regularmente los problemas de racismo, la discriminación racial, la xenofobia, el antisemitismo y la intolerancia en los 47 Estados miembros, y formula recomendaciones dirigidas a los gobiernos nacionales. Para más información, véase https://www.coe.int/en/web/european-commission-against-racism-and-intolerance/, consultado el 3 de septiembre de 2020.

[16]   El Comité Consultivo es el comité de expertos independientes encargado de evaluar la aplicación de la Convención Marco en los Estados Partes, concretamente la protección de las minorías nacionales, en particular su derecho a la libertad de reunión, de expresión, de conciencia, de religión y de acceso a los medios de comunicación y a su idioma, además de asesorar al Comité de Ministros. El Convenio Marco para la Protección de las Minorías Nacionales es uno de los tratados más completos destinados a proteger los derechos de las personas pertenecientes a minorías nacionales. Los resultados de esta evaluación consisten en opiniones detalladas sobre cada país, adoptadas siguiendo un procedimiento de supervisión. Este procedimiento implica el examen de los informes de los Estados y otras fuentes de información, así como reuniones sobre el terreno con interlocutores gubernamentales, representantes de las minorías nacionales y otros agentes pertinentes. Para más información, véase https://www.coe.int/en/web/minorities/home, consultado el 3 de septiembre de 2020.

[17]   La Carta Europea de las Lenguas Regionales o Minoritarias es el convenio europeo para la protección y promoción de las lenguas utilizadas por las minorías tradicionales. Junto con el Convenio Marco para la Protección de las Minorías Nacionales constituye el compromiso del Consejo de Europa con la protección de las minorías nacionales. La Carta es el único tratado del mundo que promue-

Pero en este trabajo nos centraremos en los Comités que trabajan para proteger y mejorar la democracia y el Estado de Derecho a través de optimizar el funcionamiento de las instituciones y organismos públicos, contribuyendo así a mejorar la calidad democrática de los estados miembro. En el Consejo de Europa existen el Comité Especial de Expertos sobre evaluación de medidas contra el blanqueo de dinero y la financiación del terrorismo (MONEYVAL)[18], la Comisión Europea para la Eficacia de la Justicia (CEPEJ)[19] y el Grupo de Estados contra la Corrupción (GRECO).

---

ve las lenguas regionales o minoritarias tradicionales. En la Carta se prevé un mecanismo de vigilancia para evaluar la forma en que se aplica en un Estado Parte con miras a, cuando sea necesario, formular recomendaciones para mejorar su legislación, política y práctica. El elemento central del mecanismo de vigilancia es el Comité de Expertos, que es independiente y se estableció de conformidad con el Artículo 17 de la Carta. El Comité verifica que los Estados partes pongan en marcha las medidas necesarias para promover el uso de estas lenguas en todos los ámbitos de la vida pública Para más información, véase https://www.coe.int/en/web/european-charter-regional-or-minority-languages/home, consultado el 3 de septiembre de 2020.

[18] El Comité Especial de Expertos sobre evaluación de medidas contra el blanqueo de dinero y la financiación del terrorismo (MONEYVAL) es un "órgano de vigilancia permanente del Consejo de Europa encargado de evaluar el cumplimiento de las principales normas internacionales de lucha contra el blanqueo de dinero y la financiación del terrorismo y la eficacia de su aplicación, así como de formular recomendaciones a las autoridades nacionales sobre las mejoras necesarias de sus sistemas. Mediante un proceso dinámico de evaluaciones mutuas, el examen por homólogos y el seguimiento periódico de sus informes, MONEYVAL tiene por objeto mejorar la capacidad de las autoridades nacionales para luchar más eficazmente contra el blanqueo de dinero y la financiación del terrorismo." Para más información, véase https://www.coe.int/en/web/moneyval/home, consultado el 3 de septiembre de 2020.

[19] La labor de la Comisión Europea para la Eficacia de la Justicia (CEPEJ) se centra en diseñar instrumentos de gestión, directrices y mejores prácticas para mejorar la calidad y la eficacia de los sistemas judiciales de los estados miembro. Publica periódicamente un informe sobre la evaluación de cada uno de ellos teniendo como objetivo mejorar la eficiencia y el funcionamiento de la justicia y desarrollar la aplicación de los instrumentos adoptados por el Consejo de Europa con este fin. Concretamente, la CEPEJ analiza los resultados de estudios de sistemas judiciales identificando las dificultades con las que se encuentran, definen formas concretas de mejorar la evaluación de sus resultados y el funcionamiento de los sistemas, prestando asistencia a los Estados miembro que la soliciten, y proponen a las instancias competentes del Consejo de Europa las esferas en las que sería conveniente elaborar un nuevo instrumento jurídico. Para más información, véase https://www.coe.int/en/web/cepej/ consultado el 3 de septiembre de 2020.

Como se expondrá a continuación más en detalle, a través de evaluaciones periódicas, el GRECO detecta deficiencias en las políticas nacionales contra la corrupción y solicita a los Estados que emprendan reformas legislativas, institucionales o administrativas, basando su evaluación en varios convenios y normas del Consejo de Europa[20]. De hecho, desde 2012, casi la mitad de los Estados miembros del GRECO han llevado a cabo reformas constitucionales siguiendo sus recomendaciones[21].

En este trabajo se analizará el trabajo de este grupo en la reforma de normas e instituciones de calado constitucional, en aras de una profundización de la calidad democrática, sin que sea necesaria la reforma constitucional.

III. EL GRUPO DE ESTADOS CONTRA LA CORRUPCIÓN (GRECO)

3.1. Objetivo

En 1999 el Consejo de Europa creó el Grupo de Estados contra la Corrupción (GRECO)[22] con el objetivo de supervisar el cumplimiento

---

[20] L. Bachmaier Winter, "La lucha contra la corrupción y la contribución del Consejo de Europa a través del GRECO: ¿un modelo a seguir?", en *El proceso penal en la encrucijada: homenaje al Dr. César Cisóstomo Barrientos Pellecer*, Universitat Jaume I, Alicante, 2015, pp. 115-141; X. Deop Madinabeita, "La lucha contra la corrupción en el Consejo de Europa", *Revista Electrónica de Estudios Internacionales*, nº 2, 2001, pp. 1-13.

[21] https://www.coe.int/en/web/greco/publications, consultado el 3 de septiembre de 2020. No es el caso de España en cuanto a reformas constitucionales, pero sí en cuanto a legislación o medidas normativas e institucionales con una clara dimensión constitucional.

[22] A raíz de las recomendaciones de la 19ª Conferencia de Ministros de Justicia celebrada en La Valeta en 1994, se aprobó en 1996 un plan de acción contra la corrupción, pasando a ser uno de los campos de acción prioritarios del Consejo de Europa. Poco más tarde se aprobó por el Comité de Ministros como Acuerdo Parcial y Ampliado el Grupo de Estados contra la Corrupción (GRECO), encargado de supervisar el cumplimiento de los 20 Principios Directores para la Lucha contra la Corrupción y de los tratados internacionales adoptados como consecuencia del Plan de Acción (COMMITTEE OF MINISTERS. *Resolution (99) 5 establishing the Group of States Against Corruption (GRECO)*, 1 May 1999). Sobre los antecedentes del GRECO, véase https://www.coe.int/en/web/greco/about-us/background, consultado el 3 de septiembre de 2020.

por parte de los Estados de las normas anticorrupción de la citada organización internacional contenidas en los siguientes instrumentos: el Convenio penal sobre la corrupción[23], el Convenio Civil sobre la Corrupción[24], el Protocolo Adicional al Convenio penal sobre corrupción[25], "Los 20 Principios Rectores contra la Corrupción"[26], la Recomendación sobre Códigos de Conducta para funcionarios[27]; y la Recomendación sobre Reglas Comunes contra la Corrupción en la financiación de partidos políticos y campañas electorales[28].

El objetivo del GRECO "es mejorar la capacidad de sus miembros para luchar contra la corrupción mediante el control de su cumplimiento de las normas anticorrupción del Consejo de Europa a través de un proceso dinámico de evaluación mutua y presión entre iguales. Ayuda a identificar las deficiencias de las políticas nacionales de lucha contra la corrupción, impulsando las reformas legislativas, institucio-

---

[23] Convenio número 173 del Consejo de Europa, hecho en Estrasburgo el 27 de enero de 1999, publicado en el BOE el 28 de julio de 2010, en vigor para España desde el 1 de agosto de 2010. Véase https://www.coe.int/en/web/conventions/full-list/-/conventions/treaty/173?_coeconventions_WAR_coeconventionsportlet_languageId=en_GB, consultado el 3 de septiembre de 2020.

[24] Convenio número 174 del Consejo de Europa, hecho en Estrasburgo el 4 de noviembre de 1999, publicado en el BOE el 31 de marzo de 2010, en vigor para España desde el 1 de abril de 2010. Véase https://www.coe.int/en/web/conventions/full-list/-/conventions/treaty/174?_coeconventions_WAR_coeconventionsportlet_languageId=en_GB, consultado el 3 de septiembre de 2020.

[25] Convenio número 191 del Consejo de Europa, hecho en Estrasburgo el 15 de mayo de 2003, publicado en el BOE el 7 de marzo de 2011, en vigor para España desde el 1 de mayo de 2011. Véase https://www.coe.int/en/web/conventions/full-list/-/conventions/treaty/191/signatures?p_auth=eKKgWy3A, consultado el 3 de septiembre de 2020.

[26] Resolución (97) 24, adoptada por el Consejo de Ministros el 6 de noviembre de 1997, https://rm.coe.int/CoERMPublicCommonSearchServices/DisplayDCTMContent?documentId=09000016806cc17c, consultado el 3 de septiembre de 2020.

[27] Recomendación No. R(2000)10 adoptada por el Comité de Ministros el 11 de mayo de 2000, https://rm.coe.int/CoERMPublicCommonSearchServices/DisplayDCTMContent?documentId=09000016806cc1ec, consultado el 3 de septiembre de 2020.

[28] Recomendación Rec(2003)4 adoptada por el Consejo de Ministros el 8 de abril de 2003, https://rm.coe.int/CoERMPublicCommonSearchServices/DisplayDCTMContent?documentId=09000016806cc1f1, consultado el 3 de septiembre de 2020.

nales y prácticas necesarias. Además, el GRECO también proporciona una plataforma para compartir las mejores prácticas en la prevención y detección de la corrupción."[29]

España es uno de los 17 miembros fundadores del GRECO[30]. La pertenencia al GRECO no se extiende ni se limita a los Estados miembros del Consejo de Europa. Cualquier Estado que haya participado en la elaboración del Acuerdo Parcial Ampliado[31] podrá adherirse notificándolo al Secretario General del Consejo de Europa. Además, todo Estado que se adhiera a las Convenciones de Derecho Penal o Civil sobre la Corrupción se adhiere automáticamente al GRECO y a sus procedimientos de evaluación. En la actualidad, el GRECO está integrado por 50 Estados miembros (48 Estados europeos, Kazajistán y los Estados Unidos de América). El GRECO ha otorgado el estatus de observador a la Organización para la Cooperación y el Desarrollo Económico (OCDE) y a las Naciones Unidas, representada por la Oficina de las Naciones Unidas contra la Droga y el Delito (ONUDD).

---

[29]   https://www.coe.int/en/web/greco/about-greco/what-is-greco, consultado el 3 de septiembre de 2020.

[30]   Los otros 16 miembros fundadores fueron Alemania, Bélgica, Bulgaria, Chipre, Estonia, Finlandia, Francia, Grecia, Islandia, Irlanda, Lituania, Luxemburgo, Rumanía, Eslovaquia, Eslovenia y Suecia.

[31]   Los Acuerdos Parciales son desarrollados por el Consejo de Europa para avanzar entre los Estados interesados en la cooperación en ámbitos concretos, cuya pertenencia no es obligatoria para todos los Estados miembro del Consejo de Europa y, sin embargo, en ocasiones, están abiertos a Estados no miembros. Además del GRECO, destacan la importante Comisión de Venecia (Acuerdo Parcial Ampliado de la Democracia a través del Derecho) y el Grupo Pompidou (Grupo de Cooperación para combatir el abuso de las drogas y su tráfico ilícito), entre otros. Puede consultarse la lista completa en http://www.exteriores.gob.es/RepresentacionesPermanentes/ConsejodeEuropa/es/quees2/Paginas/Acuerdos-Parciales.aspx, consultado el 3 de septiembre de 2020.

3.2. Funcionamiento[32]

El GRECO funciona a través de rondas de evaluación en la que todos los miembros participan y se someten sin restricciones a través de un proceso dinámico de evaluación mutua de presión por pares[33].

Las evaluaciones se dedican a la prevención de la corrupción en sectores específicos, concretamente ámbitos susceptibles de ser o de convertirse en focos de corrupción[34], que se desarrollará más adelante.

El seguimiento del GRECO comprende dos procedimientos sucesivos; en primer lugar, un procedimiento de evaluación "horizontal", en el que todos los miembros son evaluados en el marco de una ronda de evaluación valorando su situación y proponiendo mejoras y recomendaciones destinadas a promover las reformas legislativas, institucionales y prácticas necesarias; en segundo lugar, un procedimiento de control de cumplimiento destinado a evaluar las medidas adoptadas para aplicar las recomendaciones, a través de varios informes sucesivos[35]. Este procedimiento es sin duda una de las fortalezas del monitoreo del GRECO.

La mecánica seguida en las rondas es siempre la misma. En primer lugar, el GRECO designa un equipo de expertos para evaluar a cada Estado miembro en particular. En segundo lugar, se analiza la situación de cada país en base a las respuestas escritas a un cuestionario y a la información reunida en reuniones con funcionarios públicos y

---

[32]   https://www.coe.int/en/web/greco/about-greco/how-does-greco-work, consultado el 3 de septiembre de 2020.

[33]   Dicho procedimiento está regulado en las Reglas 22-34 de las *Reglas de Procedimiento del GRECO*: https://rm.coe.int/rules-of-procedure-adopted-by-greco-at-its-1st-plenary-meeting-strasbo/168072bebd; un buen resumen del proceso en castellano puede consultarse en J.A. Camisón Yagüe, S. Soriano Moreno. "Informes de Resultados de 2016 y 2017 sobre recomendaciones propuestas por el GRECO para la prevención de la corrupción judicial en España: crónica de incumplimientos", *Teoría y Realidad Constitucional*, n° 41, 2018, pp. 339-343.

[34]   https://www.coe.int/en/web/greco/evaluations, consultado el 3 de septiembre de 2020.

[35]   La transparencia en el funciomiento del GRECO es una máxima y todos los Informes de Evaluación se cuelgan y pueden consultarse en abierto en la página web del GRECO, tanto por rondas de evaluación como por países en los idiomas oficiales del Consejo de Europa: https://www.coe.int/en/web/greco/evaluations, consultado el 3 de septiembre de 2020.

representantes de la sociedad civil durante una visita *in situ* al país. Tras la visita *in situ*, el equipo de expertos redacta un informe que se comunica al país examinado para que formule observaciones antes de que se presente finalmente al GRECO para su examen y aprobación. Una vez aprobado, en este *"Informe de Evaluación"* (*Evaluation Report*) se examina a cada Estado sobre aspectos concretos y específicos en relación con la corrupción y su prevención, analizando la situación existente de cada Estado, incluyéndose las medidas y recomendaciones *ad hoc* que el Estado debería implementar para prevenir y solucionar los problemas relativos que se hubieran detectado. Las conclusiones pueden dar lugar a recomendaciones que requieren la adopción de medidas en un plazo de 18 meses o a observaciones que los miembros deben tener en cuenta, pero sobre las que no están formalmente obligados a informar en el procedimiento de cumplimiento posterior.

A continuación, el Estado evaluado[36] ha de remitir al GRECO un *"Informe de Situación"* en donde explique qué medidas está tomando para implementar las recomendaciones sugeridas. Acto seguido, el GRECO elabora un segundo informe, denominado *"Informe de Cumplimiento"* (*Compliance Report*) que valora el grado de cumplimiento e implementación de las recomendaciones, centrándose particularmente en la actividad del Estado evaluado en relación con cada una de las medidas propuestas en el Informe de Evaluación.

En función del grado de cumplimiento por parte del Estado de cada recomendación, el GRECO otorga una calificación que puede ser "medida implementada de forma satisfactoria", "parcialmente implementada", o "no implementada"[37]. En el caso de las dos últimas, el Estado ha de volver a someterse a un nuevo proceso de control de cumplimiento sobre las medidas recomendadas[38], por lo que tendrá que elaborar un segundo "Informe de Situación" que dará pie, a su vez, a otro "Informe de Resultados", denominado en realidad *"Informe de Resultados Provisional" (Interim Complience Report)*. En

---

[36]   En España, corresponde al Ministerio de Justicia el papel de coordinación e interlocución con otros departamentos ministeriales e instituciones, a quienes pueda corresponder la competencia para realizar las actuaciones que permitan dar cumplimiento a las recomendaciones formuladas.

[37]   Regla 31.8.1 de las Reglas de Procedimiento del GRECO.

[38]   Regla 31.8.2 de las Reglas de Procedimiento del GRECO.

este segundo informe, se puede requerir al Estado para que aporte más información, con la que se elaborará un "Segundo Informe de Resultados Provisional", o en cambio, el GRECO puede considerar "globalmente insatisfactorio" el cumplimiento de las recomendaciones, instando a comenzar el procedimiento de sanción, una suerte de "medidas de presión internacional y un seguimiento especial de la implementación de las recomendaciones recibidas por el GRECO"[39].

Por último, las Reglas de Procedimiento prevén que si el GRECO recibiera información fiable que indicara que una reforma institucional, una iniciativa legislativa o un cambio de procedimiento en un Estado miembro pudiera dar lugar a una violación grave de una norma anticorrupción del Consejo de Europa que haya sido objeto de una ronda de evaluación, el GRECO podría iniciar un procedimiento *ad hoc* con respecto a dicho Estado miembro[40]. Hasta el momento se han iniciado cuatro procedimientos, contra Grecia, Polonia, Rumanía y Eslovenia[41].

3.3. Materias sobre las que trabaja el GRECO

Cada una de las rodas o ciclos en los que trabaja el GRECO cubre temas concretos, muchos de los cuales son específicos del Derecho Penal, pero otros, además de un sustrato constitucional, inciden en la esencia de instituciones constitucionales, como las inmunidades (primera ronda), financiación de los partidos políticos (tercera ronda) o la independencia judicial (cuarta ronda).

Hasta la actualidad, el GRECO ha lanzado cinco rondas de evaluación que tratan de las disposiciones específicas de "Los 20 Principios Rectores contra la Corrupción" y las disposiciones de la Convención Penal sobre Corrupción[42], pudiendo destacarse en cuanto a la

---

[39]   J.A. Camisón Yagüe, S. Soriano Moreno. "Informes de Resultados de 2016 y 2017 sobre recomendaciones propuestas por el GRECO para la prevención de la corrupción judicial en España: crónica de incumplimientos", *Teoría y Realidad Constitucional*, n° 41, pp. 341-342, 2018.

[40]   Regla 34 de las *Reglas de Procedimiento del GRECO*.

[41]   https://www.coe.int/en/web/greco/ad-hoc-procedure-rule-34-, consultado el 3 de septiembre de 2020.

[42]   Como la independencia, especialización y medios de que disponen los organis-

prevención de la corrupción de los miembros del Parlamento, de los jueces y de los fiscales principios éticos y normas de conducta, conflictos de intereses, la prohibición o restricción de ciertas actividades, la declaración de activos, ingresos, pasivos e intereses, la aplicación de las normas sobre conflictos de intereses y la concienciación de esta problemática (*awareness*).

La primera ronda de evaluación del GRECO[43] (1 de enero de 2000- 31 de diciembre de 2002) trató de la independencia, especialización y medios de los organismos nacionales dedicados a la prevención y lucha contra la corrupción. También se ocupó del alcance de las inmunidades de los funcionarios públicos en materia de detención, enjuiciamiento, etc.

La segunda ronda de evaluación[44] (iniciada el 1 de enero de 2003) se centró en la identificación, incautación y confiscación del producto de la corrupción, la prevención y detección de la corrupción en la administración pública y la prevención de que las personas jurídicas (empresas, etc.) sean utilizadas como escudos contra la corrupción, incluyendo los sistemas de auditoría, los conflictos de intereses, la legislación fiscal y financiera para combatir la corrupción, y los vínculos entre la corrupción, la delincuencia organizada y el blanqueo de dinero.

---

mos nacionales de prevención y lucha contra la corrupción; alcance de las inmunidades; identificación, incautación y confiscación del resultado de la corrupción; administración pública y corrupción (sistemas de auditoría; conflictos de intereses); eficiencia y transparencia en materia de corrupción; prevención de la utilización de personas jurídicas como escudos contra la corrupción; legislación fiscal y financiera para combatir la corrupción; vínculos entre la corrupción, la delincuencia organizada y el blanqueo de dinero; las incriminaciones previstas en la Convención de Derecho Penal sobre la Corrupción, su Protocolo Adicional y el Principio Rector 2; la transparencia de la financiación de los partidos, tal como se entiende en la Recomendación del Comité de Ministros sobre normas comunes contra la corrupción en la financiación de los partidos políticos y las campañas electorales (Rec(2003)4).

[43] https://www.coe.int/en/web/greco/evaluations/round-1, consultado el 3 de septiembre de 2020.

[44] https://www.coe.int/en/web/greco/evaluations/round-2, consultado el 3 de septiembre de 2020.

La tercera ronda de evaluación[45] (iniciada el 1 de enero de 2007) aborda, por una lado, las incriminaciones previstas en el Convenio Penal sobre la Corrupción, su Protocolo Adicional y el Principio Rector 2; y, por otro lado, la transparencia de la financiación de los partidos con referencia a la Recomendación del Comité de Ministros a los Estados miembros sobre normas comunes contra la corrupción en la financiación de los partidos políticos y las campañas electorales.

La cuarta ronda[46], (iniciada el 1 de enero de 2012) es la que tiene un interés constitucional mucho más acentuado. Ha abordado la prevención de la corrupción en relación con los parlamentarios, jueces y fiscales, incidiendo en los principios éticos y normas de conducta; en conflicto de intereses, en la prohibición o restricción de ciertas actividades, en la declaración de activos, ingresos, pasivos e intereses, en la aplicación de las normas sobre conflictos de intereses y en la concienciación.

Por último, la quinta ronda[47], iniciada el 20 de marzo de 2017, se ocupa de la prevención de la corrupción y de la promoción de la integridad en los gobiernos centrales (funciones ejecutivas de alto nivel) y en los organismos encargados de hacer cumplir la ley.

Este trabajo se centra en la cuarta ronda sobre España, pues las recomendaciones del GRECO señalan mejoras y reformas en el comportamiento de los miembros de determinados órganos constitucionales, como los parlamentarios nacionales, los jueces y los fiscales, y por tanto dar efectividad a los mandatos constitucionales que, en muchas ocasiones, desgraciadamente, son objeto de inobservancia por parte de los actores políticos e institucionales.

---

[45]   https://www.coe.int/en/web/greco/evaluations/round-3, consultado el 3 de septiembre de 2020.

[46]   https://www.coe.int/en/web/greco/evaluations/round-4, consultado el 3 de septiembre de 2020.

[47]   https://www.coe.int/en/web/greco/evaluations/round-5-new, consultado el 3 de septiembre de 2020.

IV. LAS RECOMENDACIONES DEL GRECO SOBRE ÓRGANOS CONSTITUCIONALES: PARLAMENTARIOS Y JUECES

4.1. Informes de evaluación y cumplimiento: reconduciendo casi una década de balance insatisfactorio

En el *informe de evaluación* de la cuarta ronda sobre España "Prevención de la corrupción respecto de miembros de Parlamentos nacionales, jueces y fiscales" de 6 de diciembre de 2013[48], el GRECO sugirió 11 recomendaciones concretas, 4 sobre parlamentarios y 4 sobre jueces, que serán objeto de atención en el siguiente apartado, y 3 sobre fiscales.

Tras el preceptivo *informe de situación* presentado por España a raíz del cuestionario[49], el GRECO aprobó el *informe de cumplimiento* el 1 de julio de 2016[50] en el que determinó que ninguna de las 11 recomendaciones contenidas en el *informe de evaluación* había sido ejecutada o aplicada de forma satisfactoria por España, concluyendo que el resultado era "globalmente insatisfactorio". En concreto, 5 de las recomendaciones fueron parcialmente cumplidas y 6 no cumplidas

En consecuencia, el GRECO solicitó que se presentara un informe sobre los avances respecto de las recomendaciones sugeridas[51] que fueron objeto de otros dos informes de evaluación, el *Primer Informe Intermedio de cumplimiento (Interim Compliance Report)* de 8

---

[48]   Greco Eval IV Rep (2013) 5E; aprobado en el 62º plenario del GRECO celebrado del 2 al 6 de diciembre de 2013, hecho público el 15 de enero de 2014. La versión oficial del informe puede consultarse en https://rm.coe.int/CoERMPublicCommonSearchServices/DisplayDCTMContent?documentId=09000016806ca048, pero también está publicada una versión en castellano, aunque no es oficial: https://rm.coe.int/CoERMPublicCommonSearchServices/DisplayDCTMContent?documentId=09000016806ca049 , consultados el 3 de septiembre de 2020.

[49]   *Revised Questionnaire on Corruption Prevention in respect of Members of Parliament, Judges and Prosecutors, Fourth Evaluation Round*, GRECO (2012)22E, Estrasburgo, 19 de octubre 2012. https://rm.coe.int/CoERMPublicCommonSearchServices/DisplayDCTMContent?documentId=09000016806cbdfe, consultado el 3 de septiembre de 2020.

[50]   GrecoRC4(2016)1; aprobado en el 72º Plenario del GRECO, celebrado el 27 de junio a 1 de julio de 2016.

[51]   En aplicación de la Regla 32 de las Reglas de Procedimiento del GRECO.

de diciembre de 2017[52], en el que 7 recomendaciones fueron parcialmente cumplidas y 4 cumplidas; y el *Segundo Informe Intermedio de cumplimiento (Second Interim Compliance Report)* de 21 de junio de 2019[53], en el que se estableció que dos recomendaciones fueron cumplidas, 8 parcialmente cumplidas y 1 no cumplida.

Han sido necesarios tres informes de cumplimiento para que el GRECO considere el nivel de cumplimiento de las recomendaciones como "globalmente satisfactorio"[54], y sacar a España del procedimiento de la Regla 32 relativa a los Estados respecto de los que se haya comprobado que no cumplen las recomendaciones obtenidas en el informe de evaluación[55].

Sin embargo, España ha de presentar otro informe antes del 30 de junio de 2020 sobre las medidas adoptadas para cumplir con las nueve recomendaciones pendientes y demostrar que, tras más de siete años sin lograrlo, ha conseguido satisfacer los estándares que demanda el GRECO en la lucha contra la corrupción y calidad democrática.

Las recomendaciones se centraban básicamente en la elaboración de un código de conducta para los parlamentarios, la adopción de normas que regulen la relación de los miembros del Congreso y del Senado con grupos de interés y la revisión de los actuales formularios de declaración de intereses, especialmente los de naturaleza económica.

- Recomendación i: "*El GRECO recomendó para cada cámara del Parlamento, i) que se desarrolle y adopte un código de conducta con la participación de sus miembros y sea fácilmente accesible al público (incluyendo orientaciones sobre,*

---

[52] GrecoRC4(2017)18; https://rm.coe.int/fourth-evaluation-round-corruption-prevention-in-respect-of-members-of/1680779c4d, consultado el 3 de septiembre de 2020.

[53] GrecoRC4 (2019) 12, https://rm.coe.int/fourth-evaluation-round-corruption-prevention-in-respect-of-members-of/168098c67d, consultado el 3 de septiembre de 2020.

[54] *Segundo Informe Intermedio de cumplimiento,* párrafo 79.

[55] Para un estudio centrado en la independencia del Poder Judicial, véase en J.A. Camisón Yagüe, S. Soriano Moreno. "Informes de Resultados de 2016 y 2017 sobre recomendaciones propuestas por el GRECO para la prevención de la corrupción judicial en España: crónica de incumplimientos", *Teoría y Realidad Constitucional,* n° 41, pp. 337-356, 2018.

por ejemplo, la prevención de conflictos de intereses, regalos y otras ventajas, actividades accesorias e intereses financieros y requisitos de declaración de intereses); ii) que se complementen con medidas prácticas para su aplicación, en particular mediante una fuente institucionalizada de asesoramiento confidencial que proporcione a los parlamentarios orientación y consejo sobre cuestiones éticas y posibles conflictos de intereses, así como actividades de formación específicas."[56]

La adopción de un código de conducta que oriente el comportamiento de los integrantes de los diferentes poderes del Estado y servidores públicos, siguiendo la experiencia de democracias más consolidadas como la británica, ha sido una demanda lanzada por sectores significados de la doctrina española[57], pero que ha obtenido muy poco eco en la práctica. Partiendo del famoso Informe Nolan o "Los Siente principios de la vida pública" (*The Seven Principles of Public Life*)[58] para dar respuesta a la crisis de credibilidad de la clase política surgida en el Reino Unido en la década de los noventa, las diferentes ramas del Estado tienen códigos de conducta inspirados por estos siete principios[59], la ejemplaridad de los servidores públicos y la presunción de culpabilidad política[60]. En este sentido son ampliamente conocidos el Código Ministerial (*Ministerial Code*)[61], que establece las normas de conducta que se espera de los ministros y la forma en que cumplen sus obligaciones, los Códigos de Conducta de los parlamentarios, tanto

---

[56]   *Informe de evaluación*, Greco Eval IV Rep (2013) 5E, párrafo 35.

[57]   Principalmente, R. Bustos Gisbert, *La responsabilidad política del gobierno: ¿realidad o ficción? La necesaria reformulación de un principio esencial del sistema parlamentario*, COLEX, 2001.

[58]   https://www.gov.uk/government/publications/the-7-principles-of-public-life, consultado el 5 de septiembre de 2020.

[59]   https://webarchive.nationalarchives.gov.uk/20131205101339/http://www.archive.official-documents.co.uk/document/parlment/nolan/nolan.htm, consultado el 5 de septiembre de 2020.

[60]   Sobre este particular, véase el imprescindible R. Bustos Gisbert, "Las reglas de conducta de los políticos: evolución en el Reino Unido", *Revista Vasca de Administración Pública*, n° 104-II, 2016, pp. 267-292.

[61]   https://www.gov.uk/government/publications/ministerial-code, consultado el 5 de septiembre de 2020.

de la *House of Lords*[62] como de la *House of Commons*[63], y la Guía de la conducta judicial (*Guide to Judicial Conduct*)[64], conteniendo todas ellas, por supuesto, normas para evitar conflictos de intereses, orientación y consejo sobre cuestiones éticas.

En España, la primera norma de estas características fue el *Código de Buen Gobierno de los miembros del Gobierno y de los altos cargos de la Administración General del Estado*, de febrero de 2005[65], respondiendo "fielmente a las líneas directrices de la Organización para la Cooperación y el Desarrollo Económicos (OCDE) y otras organizaciones internacionales," como el mismo Acuerdo explica[66]. No obstante la buena intención de esta norma, sus escuetas dos páginas no podían compararse en absoluto con los códigos de conducta británicos señalados, tanto en el detalle de las normas como en lo prolijo de la casuística que contiene.

Un segundo paso lo constituyó la Ley 19/2013, de 9 de diciembre, de transparencia, acceso a la información pública y buen gobierno. A pesar del importante salto que supuso contar, por fin, con una ley de transparencia, no supuso un acierto mezclar en la misma ley cuestiones relativas al buen gobierno y a los principios éticos y de actuación de los miembros del Gobierno y altos cargos de las Administraciones Públicas, y mucho menos consagrarlas en una ley en lugar de un código de conducta, pues la primera es más rígida y su aplicación en última instancia corresponde a los jueces (sobre todo de las sanciones), mientras que los códigos son mucho más adaptables a las realidades cotidianas, corresponde a los actores y a los ciudadanos su conocimiento y juicio, y no necesita del legislador,

---

[62]   https://www.parliament.uk/business/lords/whos-in-the-house-of-lords/house-of-lords-members-conduct/, consultado el 5 de septiembre de 2020.

[63]   https://www.parliament.uk/mps-lords-and-offices/standards-and-financial-interests/parliamentary-commissioner-for-standards/code-of-conduct-and-rules-of-the-house/, consultado el 5 de septiembre de 2020.

[64]   https://www.judiciary.uk/publications/guide-to-judicial-conduct/, consultado el 5 de septiembre de 2020.

[65]   Acordado por el Consejo de Ministros de 18 de febrero de 2005 y publicado en el BOE el lunes 7 de marzo de 2005.

[66]   De nuevo, el referente internacional es imprescindible para la adopción de este tipo de instrumentos.

órgano con pies de barro, para su actualización y adaptación a la cambiante realidad política[67].

Por ello, ha supuesto toda una buena noticia que, por fin, el 28 de febrero de 2019, el Congreso de los Diputados adoptó un Código de Conducta para sus miembros[68], que será de aplicación a todos los miembros del Congreso de los Diputados a partir de la XIII Legislatura[69].

El Código incluye disposiciones sobre principios éticos (art. 2), conflictos de intereses (art. 3), registro de intereses mejorado respecto de la anterior regulación (art. 4), regalos y obsequios (art. 5), publicación de agenda institucional (art. 6), asistencia a misiones de observación electoral en el extranjero (art. 7); infracciones y sanciones (art. 9); y, por último, mayores exigencias en materia de transparencia. El Código también establece una autoridad especializada para su aplicación, a la que se confían funciones de asesoramiento y supervisión, es decir, la Oficina de Conflictos de Intereses (art. 8). Esta última debe publicar un informe anual sobre su actividad, que incluya recomendaciones para mejorar el marco de aplicación del Código, en caso necesario.

El GRECO considera que esta recomendación está parciamente cumplida a la espera de la puesta en marcha y aplicación efectiva en los próximos meses de las medidas previstas en el Código.

---

[67] La preferencia por un código de conducta frente a una ley está inspirada por los mismos argumentos que diferencian la responsabilidad política de la responsabilidad jurídica. Por todos, véase R. Bustos Gisbert, "Responsabilidad política y responsabilidad penal: dos conceptos radicalmente distintos", *Jueces para la democracia*, n° 60, 2007, pp. 56-69.

[68] http://www.congreso.es/portal/page/portal/Congreso/Congreso/Hist_Normas/Norm/NormRes/28022019_CodConducta, consultado el 5 de septiembre de 2020.

[69] Hasta el momento de elaboración de este capítulo, el Senado no había aprobado ningún código de conducta. Sin embargo, con posterioridad a la elaboración pero previamente a la publicación concretamente el 1 de octubre de 2020 las Mesas del Congreso y del Senado aprobaron conjunamene el "Código de Conducta de las Cortes Generales", con el objetivo de que los principios y estándares éticos sean comunes a los miembros del Congreso y del Senado. Acuerdo publicado en el BOCG, número 70, de 8 de octubre de 2020, https://www.congreso.es/web/guest/cem/01102020-codconductaCCGG.

- Recomendación ii: *"El GRECO recomendó la introducción de normas sobre cómo los miembros del Parlamento se relacionan con los representantes de los grupos de interés y otros terceros que tratan de influir en el proceso legislativo."*[70]

El Código de conducta del Congreso de los Señores Diputados prevé que los diputados hagan pública su agenda institucional en el portal de transparencia de esa Cámara[71]. Además, en tanto no se produzca la reforma del reglamento del Congreso relativa a la regulación de los grupos de interés, incluye una definición de estos: "aquellas personas físicas o jurídicas o entidades sin personalidad jurídica que se comuniquen de forma directa o indirecta con titulares de cargos públicos o electos o personal a su cargo en favor de intereses privados, públicos, particulares o colectivos, intentando modificar o influir sobre cuestiones relacionadas con la elaboración, el desarrollo o la modificación de iniciativas legislativas" (art. 6.2 Código de Conducta).

El GRECO considera esta recomendación como parcialmente cumplida a la espera de evaluar la aplicación en la práctica de estas normas.

- Recomendación iii: *"revisión de los actuales formularios de declaración de intereses aplicables a los miembros de ambas cámaras, a fin de incrementar las categorías y el nivel de detalle de la información a proporcionar."*[72]

---

[70]   *Informe de evaluación*, Greco Eval IV Rep (2013) 5E, párrafo 51.

[71]   Art. 6.2 Código de Conducta: *"Asimismo, el Diputado deberá hacer pública su agenda institucional en el Portal de Transparencia del Congreso, incluyendo en todo caso las reuniones mantenidas con los representantes de cualquier entidad que tenga la condición de grupo de interés. A estos efectos, y en tanto no se produzca la reforma del Reglamento del Congreso de los Diputados relativa a la regulación de los grupos de interés, tendrán la consideración de grupo de interés, lobby o lobista, aquellas personas físicas o jurídicas o entidades sin personalidad jurídica que se comuniquen de forma directa o indirecta con titulares de cargos públicos o electos o personal a su cargo en favor de intereses privados, públicos, particulares o colectivos, intentando modificar o influir sobre cuestiones relacionadas con la elaboración, el desarrollo o la modificación de iniciativas legislativas."* La página web del Congreso ya ofrece a los Diputados la posibilidad de publicitar su agenda institucional, siendo un número creciente de representantes los que hacen uso de esta herramienta de transparencia.

[72]   *Informe de evaluación*, Greco Eval IV Rep (2013) 5E, párrafo 56.

Esta revisión está prevista en el Código de conducta del Congreso, pues incluye como anexo la declaración de intereses económicos. Las personas elegidas como miembros de la Cámara en la XIII Legislatura han estado obligadas a cumplimentarlo en el plazo establecido al efecto por la Mesa de la Cámara. La declaración de Intereses Económicos recoge tres categorías de datos que deben ser suministrados: (i) actividades que haya desempeñado en el pasado y que le hayan proporcionado ingresos económicos; (ii) donaciones, obsequios y beneficios no remunerados obtenidos con anterioridad a la toma de posesión y (iii) otros intereses a declarar. Además, el contenido de esta declaración ha de ponerse en relación con lo establecido en los artículos 3 (conflicto de interés), 4 (Registro de intereses), 5 (Regalos y obsequios) y 6 (Datos biográficos y agenda) del Código de Conducta, que prevén la información que habrá de ser aportada por los Diputados.

En el Senado, el grupo de trabajo ha propuesto realizar una serie de modificaciones: en primer lugar, la LOREG en lo que se refiere a las declaraciones de actividades y de bienes patrimoniales y rentas; en segundo lugar, el Reglamento del Senado en lo relativo a las declaraciones de actividades y de bienes patrimoniales y rentas; en tercer lugar, las normas de las Mesas del Congreso y del Senado en materia de declaraciones de actividades y de bienes patrimoniales y rentas de los parlamentarios; y, en último lugar, el modelo de declaración de actividades.

De igual manera que las dos anteriores recomendaciones, el GRECO la considera parcialmente cumplida a la espera de que se aporten evidencias de la aplicación de estas normas.

- Recomendación iv: *"que se tomen las medidas oportunas para garantizar una supervisión y un control del cumplimiento efectivo de los requisitos de declaración existentes y pendientes y otras normas de conducta de los parlamentarios."*[73]

El Código de Conducta de los Señores Diputados crea una Oficina de Conflicto de Intereses (art. 8), configurándose como un órgano asesor de los diputados y diputadas, y de los órganos rectores de la

---

[73] *Informe de evaluación*, Greco Eval IV Rep (2013) 5E, párrafo 64.

Cámara sobre cualquier duda de interpretación que pueda surgir en la aplicación del Código de Conducta. Por otro lado, y con la finalidad de realizar un seguimiento del cumplimiento de las disposiciones del presente Código, se encomienda a esta Oficina la elaboración de un informe anual que será remitido a la Mesas del Congreso de los Diputados y que podrán contener las oportunas recomendaciones cuando se consideren necesarias.

Por otro lado, se ha previsto un procedimiento disciplinario en caso de infracción del Código de Conducta. Uno de sus principales cometidos es proporcionar publicidad de las posibles vulneraciones, siendo el Presidente de la Cámara el órgano encargado de iniciar el procedimiento. La investigación se encomienda a la Comisión del Estatuto del Diputado y el procedimiento debe permitir la audiencia del diputado afectado. Por último, la recomendación que elabore la Comisión ha de ser publicada.

Por su parte, la propuesta de Código de Conducta del Senado también preveía un régimen sancionador en el caso de incumplimiento de las obligaciones que integran el Código.

El GRECO expresó su satisfacción de que existiera un Código de Conducta y un mecanismo específico para su aplicación en el Congreso de los Diputados, a través de la Oficina sobre los Conflictos de Intereses, considerando que la recomendación podría considerarse como "parcialmente cumplida", a la espera de comprobar la aplicación real del mismo y de la actuación de la Oficina, pues hasta la actualidad la web del Congreso no ha registrado ningún indicio de actividad.

4.3. *Recomendaciones sobre los miembros del Poder Judicial, jueces y magistrados*

El GRECO emitió cuatro recomendaciones sobre prevención de la corrupción respecto de jueces, centradas en la evaluación de un marco legislativo que rige el Consejo General del Poder Judicial y sus efectos sobre la independencia real y percibida por la ciudadanía de este órgano respecto de cualquier influencia indebida, así como la necesidad de que se establecieran en la ley criterios objetivos y requisitos de evaluación para el nombramiento de altos cargos en el Poder Judicial.

- Recomendación v: "*Realizar una evaluación del marco legislativo que rige el Consejo General del Poder Judicial y de sus efectos que tiene sobre la independencia de este órgano cualquier influencia indebida, real y aparente, con objeto de corregir cualquier deficiencia que se detecte.*"[74]

En este punto se llega a una de las cuestiones más discutidas y discutibles de las recomendaciones del GRECO de la cuarta ronda. En opinión del GRECO, se debería excluir la intervención del Parlamento u otras autoridades políticas en cualquier etapa del nombramiento de los 12 vocales del CGPJ de extracción judicial, alegando que esa participación podría propiciar sospechas en la ciudadanía de que el órgano de gobierno del Poder Judicial no sea imparcial e independiente, teniendo un impacto inmediato y negativo en la prevención de la corrupción y en la confianza pública en la equidad y efectividad del ordenamiento jurídico del país.

Para esta postura, el GRECO se apoya en la *Recomendación (2010)12 del Comité de Ministros a los Estados miembro sobre los jueces: independencia, eficiencia y responsabilidades de los jueces*[75], según la cual, al menos la mitad de los miembros de los Consejos han ser de extracción judicial y deben ser elegidos exclusivamente por jueces y magistrados atendiendo al pluralismo dentro del Poder Judicial, con el objetivo de que estén libres de influencias políticas o corporativas.

La elección de los doce vocales de origen judicial, de los veinte que forman la totalidad del Consejo, exclusivamente por parte de los propios jueces fue propuesta en el Parlamento durante la tramitación de la reciente Ley Orgánica 4/2018, de 28 de diciembre, de reforma de la Ley Orgánica 6/1985, de 1 de julio, del Poder Judicial. La propuesta fue rechazada por un estrecho margen (52% frente a 48%).

A pesar del rechazo parlamentario a dicha modificación, la citada Ley Orgánica 4/2018 contiene otras disposiciones que contribuyen a mejorar la imagen de independencia del CGPJ[76] y que revierten la re-

---

[74]   *Informe de evaluación*, Greco Eval IV Rep (2013) 5E, párrafo 80.

[75]   https://search.coe.int/cm/Pages/result_details.aspx?ObjectID=09000016805a-fb78 , consultado el 5 de septiembre de 2020.

[76]   Así se destaca en la misma exposición de Exposición de Motivos: "Por su parte,

forma operada por la Ley Orgánica 4/2013, de 28 de junio otorgando mayor protagonismo al Pleno del CGPJ recuperando competencias antes transferidas a la Comisión Permanente (art. 599, 601, 602 LOPJ) y con ello la exigencia de mayores consensos en un amplio número de sus vocales (art. 630 LOPJ), en lugar de residenciar las decisiones en la Comisión Permanente de carácter ejecutivo; aclarando causas de abstención y recusación (art. 580 LOPJ); consagrando la dedicación a tiempo completo, sin compatibilidad con otras actividades, de todos los vocales del CGPJ (art. 579 LOPJ); endureciendo el *quorum* para la elección del Presidente del CGPJ y del Tribunal Supremo, con exigencia de tres quintos de los vocales (art. 586 LOPJ); designando con mayor transparencia los altos cargos del Poder judicial; estableciendo medidas específicas para la integración de la igualdad entre hombres y mujeres, como una representación paritaria de género en el CGPJ y la formación inicial sobre igualdad de género, incluyendo en las pruebas de entrada preguntas específicas sobre igualdad y no discriminación, formación inicial (obligatoria), así como una formación posterior y continua sobre igualdad de género.

En este asunto el GRECO siempre ha mantenido que la recomendación no se ha cumplido[77], insistiendo que "la creación de Consejos del Poder Judicial tiene por objeto, en general, garantizar mejor la independencia del Poder judicial, en apariencia y en la práctica. Lamentablemente, el resultado en España sigue siendo el contrario (…) en lo que ha demostrado ser , en los ojos de los ciudadanos, el talón de Aquiles de la judicatura española: su *supuesta* politización"[78]

- Recomendación vi: "*Estipular por ley los criterios objetivos y los requisitos de evaluación para el nombramiento de altos cargos en la judicatura, por ejemplo, Jueces presidentes de*

---

esta Ley Orgánica también acoge aquellas reformas que se consideran adecuadas a fin de que el órgano plenario del Consejo General del Poder Judicial encarne más fielmente las funciones que el artículo 122 de la Constitución encomienda a aquel Consejo General."

[77] *Segundo Informe Intermedio de cumplimiento*, GrecoRC4 (2019) 12, párrafo 36.

[78] En sentido contrario, el GRECO ha sido muy claro sobre la independencia de los jueces, afirmando que no cabe duda de la independencia e imparcialidad de los jueces en el desempeño de sus funciones", Segundo Informe Intermedio de cumplimiento, GrecoRC4 (2019) 12, párrafo 34.

las Audiencias Provinciales, de los Tribunales Superiores de Justicia, Audiencia Nacional y Tribunal Supremo, con el fin de garantizar que estos nombramientos no pongan en tela de juicio la independencia, imparcialidad y transparencia de este proceso.[79]

La citada Ley Orgánica 4/2018 llevó a cabo numerosas y significativas reformas en la LOPJ para abordar esta recomendación[80] consiguiendo establecer, al menos en apariencia, un halo de independencia e imparcialidad en el nombramiento de jueces y magistrados, a través de un proceso transparente.

En primer lugar, se ha reformado el <u>procedimiento</u> de ascenso y promoción de los jueces y magistrados, exigiendo ahora un triple requisito: primero, una convocatoria pública de candidaturas que especifique los requisitos y criterios; segundo, una audiencia pública; y, tercero, una motivación razonada por escrito de la decisión de nombramiento[81].

En segundo lugar, y de manera convergente al punto anterior, se modifican las reglas relativas a los <u>nombramientos</u> por el CGPJ de los Presidentes de Sala de la Audiencia Nacional y de los tribunales Superiores de Justicia (art. 333 LOPJ), Presidencia de la Audiencia Nacional (art. 335 y 336 LOPJ) y Presidentes de las Audiencias Provinciales (art. 337 LOPJ), estableciendo la obligatoriedad de fijar bases, ponderación separada de méritos orgánicos y jurisdiccionales, motivación individualizada de cada mérito, distinta de la valoración global, comparecencia en audiencia pública, y publicidad, así como informe motivado en materia de igualdad efectiva de hombres y mujeres (art. 326 LOPJ), limitando los mandatos a dos periodos de cinco años y exigiendo transparencia asimilada a los altos cargos, como una declaración de bienes como la exigida a los vocales del CGPJ.

---

[79] *Informe de evaluación*, Greco Eval IV Rep (2013) 5E, párrafo 89.

[80] Así lo expresó el legislador orgánico en la Exposición de Motivos: "Asimismo, se incorporan al estatuto de los integrantes de la carrera judicial las reformas que vienen impuestas por compromisos internacionales, en materia de transparencia y lucha contra la corrupción, y señaladamente las referentes al régimen de los cargos de nombramiento discrecional."

[81] Art. 326 LOPJ.

En tercer lugar, se endurecen los requisitos para la elección de Presidentes de Sala y Magistrados del Tribunal Supremo, Presidente de la Audiencia Nacional y Presidentes de los Tribunales Superiores de Justicia, exigiendo una mayoría cualificada de tres quintos de los miembros presentes del CGPJ para su nombramiento (art. 630 LOPJ).

En cuarto y último lugar, y para atajar el fenómeno popularmente conocido como puertas giratorias, se amplían los supuestos de abstención y recusación respecto de los jueces que hayan desempeñado funciones como cargos políticos o de confianza, o cargos públicos representativos (art. 351.f) LOPJ) e incluso aunque solo se hayan presentado como candidato a elecciones para acceder a dichos cargos públicos representativos (art. 356.f) LOPJ).

Por todo ello, el GRECO ha considerado esta recomendación cumplida parcialmente[82].

- Recomendación vii: *"(i)Adoptar un código de conducta para jueces y de fácil acceso para el público, y (ii) que se complemente con servicios de asesoramiento especializados sobre posibles conflictos de intereses y demás materias relacionadas con la integridad."*[83]

El pleno del CGPJ de 20 de diciembre de 2016 adoptó los Principios de Ética Judicial, que constituyen el Código de conducta para la judicatura[84]. Fueron redactados por representantes de las cuatro asociaciones judiciales, jueces y juezas no asociados y miembros de la sociedad civil, y aspiraba a recoger los valores y reglas de conducta compartidos por la judicatura española, sirviendo de pauta de comportamiento en el desempeño de la jurisdicción y fortalecer la confianza de la ciudadanía en la Justicia.

Este texto se compone de dos partes diferenciadas:

La Parte I abarca los principios generales como la independencia (Capítulo I), la imparcialidad (Capítulo II) y la integridad (Capítulo

---

[82] *Segundo Informe Intermedio de cumplimiento*, GrecoRC4 (2018) 12, párrafo 44.

[83] *Informe de evaluación*, Greco Eval IV Rep (2013) 5E, párrafo 101.

[84] http://www.poderjudicial.es/cgpj/es/Temas/Transparencia/Buen-Gobierno--Co-digo-etico-y-Comision-de-Etica-Judicial/Codigo-Etico/, consultado el 15 de septiembre de 2020.

III), y el comportamiento en la prestación de la Justicia como prestación de un servicio, tales como la cortesía, la diligencia y la transparencia (Capítulo IV).

La Parte II establece la Comisión de Ética Judicial[85], cuyas funciones principales son emitir dictámenes sobre consultas relativas a casos concretos que le hagan jueces en activo y asociaciones judiciales[86], promover la difusión y el conocimiento de los principios y proposiciones de ética judicial, contribuir a la coordinación y colaboración con otras comisiones judiciales de ética del CGPJ y excepcionalmente elaborar informes sobre asuntos de interés general relacionados con el comportamiento ético que se espera de los jueces y juezas a instancia de las Salas de Gobierno de los Tribunales, Juntas de Jueces o Asociaciones Judiciales, sin que la actuación de la Comisión pueda interferir en el ejercicio de la potestad disciplinaria ni en la determinación de la responsabilidad civil o penal de los jueces y juezas (art. 1). Está compuesta por 7 miembros, 6 de ellos de origen judicial, y una persona de reconocido prestigio y acreditada trayectoria en el mundo académico de la Ética, la Filosofía del Derecho o la Filosofía Moral. De los 6 miembros de procedencia judicial, uno tendrá la categoría de juez, tres la de magistrado y los otros dos la de magistrado del Tribunal Supremo (art.2). Pueden ser candidatos todos los jueces y magistrados que se encuentren en servicio activo desde el día siguiente al de la convocatoria del proceso electoral y mantengan esa situación en los días señalados para la votación (art. 3).

Estos Principios se inspiran en los "Principios de Bangalore sobre la Conducta Judicial de Naciones Unidas"[87] recogiendo sus mismos valores (independencia, imparcialidad integridad, corrección, igualdad, competencia y diligencia). Sin embargo, no llega a constituir un manual detallado de comportamiento por parte de los jueces como cuentan, por ejemplo, en el Reino Unido con su "Guía a la Conduc-

---

[85]   http://www.poderjudicial.es/cgpj/es/Temas/Comision-de-Etica-Judicial/, consultado el 15 de septiembre de 2020.

[86]   Que son objeto de publicación en la web del CGPJ: http://www.poderjudicial.es/cgpj/es/Temas/Comision-de-Etica-Judicial/Dictamenes/, consultado el 15 de septiembre de 2020.

[87]   https://www.unodc.org/documents/ji/training/19-03891_S_ebook.pdf, consultado el 14 de septiembre de 2020.

ta Judicial" (*Guide to Judicial Conduct*)[88] que, además de consagrar los mismos principios de independencia, imparcialidad e integridad, incluye una guía para abordar problemas específicos, como actividades fuera del tribunal tales como actividades comerciales, actividades sociales y políticas, intervención en medios de comunicación, conflictos de intereses, etc, incluyendo toda la doctrina relativa a lo que se conoce en el mundo anglosajón como *judicial accountability*,[89], por la que no solo se busca preservar la independencia e imparcialidad de los jueces, sino también su apariencia, cuya ausencia puede levantar sospechas y socavar la confianza del ciudadano en el justicia.

El GRECO ha considerado esta recomendación como cumplida.

- Recomendación viii: *"Ampliar el plazo de caducidad de los procedimientos disciplinarios."*[90]

Conforme al art. 425 LOPJ, modificado por la Ley Orgánica 4/2018, el plazo de caducidad de los procedimientos disciplinarios dirigidos contra jueces se ha ampliado de seis meses a un año y, en consecuencia, se ha ajustado al plazo aplicable en los procedimientos dirigidos contra letrados de la Administración de Justicia y funcionarios que trabajan en la Administración de Justicia.

El GRECO ha considerado esta recomendación como cumplida.

---

[88]   https://www.judiciary.uk/publications/guide-to-judicial-conduct/, consultado el 5 de septiembre de 2020.

[89]   Para una selección sobre un tema tan amplio véase D. Woodhouse. "Judicial Independece and Accountability within the United Kingdom's New Constitutional Settlement", en G. Canivet, M. Andenas, D. Fairgrieve, *Independe, Accountability and the Judiciary*, British Institute of International and Comparative Law, 2006, pp. 121-144; A. Le Sueur. "Developing mechanisms for judicial accountability in the UK", *Legal Studies*, n. 24, pp. 73-98; A. Sengupta, "Judicial accountability: A Taxonomy", *Public Law*, nº 2, April 2014, pp. 245-266; en castellano véase, M. Hernández Ramos. "El cambio de paradigma en el control del poder judicial como institución en España: de la responsabilidad judicial a la judicial accountability", en M. González Pascual, J. Solanes Mullor. *Independencia Judicial y Estado Constitucional: el estatuto de los jueces*, Tirant lo Blanch, 2916, pp. 149-182.

[90]   *Informe de evaluación*, Greco Eval IV Rep (2013) 5E, párrafo 116.

V. LA TEÓRICA INFLUENCIA POSITIVA DEL GRECO EN LA CALIDAD DE LA DEMOCRACIA EN ESPAÑA. ¿QUÉ HAY DE LA PRÁCTICA?

De todos estos informes de la cuarta ronda pueden inferirse una serie de afirmaciones interesantes en relación con el propósito de este trabajo.

- La primera de ella es que, por fin, en España se han implementado códigos de conducta para embridar mejor el comportamiento de poderes públicos, como el Código de conducta de los Señores Diputados y los Principios de Ética Judicial o Código de Conducta Judicial. A pesar de ser mejorables y poder haber atendido más al ejemplo británico como se ha explicado, no puede dejar de considerarse como un paso decididamente positivo.

Estos códigos, como ya se ha apuntado brevemente, están inspirados en la rendición de cuentas y la responsabilidad política en contraposición con la responsabilidad jurídica que hasta ahora ha predominado en nuestra realidad jurídica e institucional[91], lo que en el mundo anglosajón se denomina *public accountability*[92]. La rendición de cuentas es una herramienta que busca prevenir comportamientos inadecuados, adoptando un *enfoque ex ante*, en lugar de castigarlos cuando estos ya se han cometido, *ex post facto*, preservando y generando confianza por parte de los ciudadanos en los poderes públicos La obligación de informar sobre la agenda institucional de los diputados para evitar influencias interesadas y no deseadas en el proceso legislativo (recomendación ii) y mejorar los formularios de declaración de intereses aplicables a los miembros de las cámaras elevando el nivel de detalle de la información a proporcionar (recomendación iii), son dos ejemplos que suelen incluirse en los códigos de conducta.

---

[91]   Sobre el concepto clásico de responsabilidad en nuestro ordenamiento, véase L.E. Delgado del Rincón, *Constitución, Poder Judicial y responsabilidad*, Centro de Estudios Políticos y Constitucionales, Madrid, 2002.

[92]   Véase, por todos, D. Woodhouse, "The Reconstruction of Constitutional Accountability", *Public Law*, nº Spring, pp. 73-90, 2002; M. Bovens, "Analysing and Assessing Public Accountability: A Conceptual Framework", *European Law Journal*, Vol. 13, nº 4, 2007, pp. 447-468; R. Mulgan., "Accountability: An ever-expanding concept?, *Public Administration*, vol. 78, nº 3, 20000, pp. 555-573.

Por tanto, las recomendaciones del GRECO han supuesto una influencia positiva para la adopción de estos códigos, exigiendo la existencia de estas herramientas para que los representantes se comporten de una manera más ética y ejemplar, apegada a los intereses de los ciudadanos que representan, y preservando su confianza, elevando consecuentemente la calidad de la democracia española.

En segundo lugar, la mera existencia no supone la implementación ni la efectividad de todas las medidas contenidas en los códigos de conducta, y mucho menos cuando se pretende el cambio de perspectiva aducido de ex ante a ex post facto. Para ello, es necesario organismos que velen por su aplicación.

Como ya se expuso, en el Código de conducta del Congreso de los Señores Diputados, se incluye una autoridad especializada para velar por su aplicación: la Oficina de Conflictos de Intereses. Esta Oficina aún no se ha puesto efectivamente en marcha; de hecho, el GRECO ha considerado la "recomendación iv" solo "parcialmente cumplida", a la espera de comprobar la aplicación real del Código de Conducta y de la actuación de la Oficina, pues hasta la actualidad la web del Congreso no ha registrado ningún indicio de actividad.

Por el contrario, la Comisión de Ética Judicial lleva funcionando y emitiendo dictámenes desde el 2018, aplicando los Principios de Ética Judicial. Pero de la misma manera que con la Oficina de Conflictos de Intereses del Congreso, en qué medida esa actividad contribuya a incrementar la confianza de la ciudadanía en el Poder Judicial será objeto de evaluación del GRECO tras la presentación de España antes del 30 de junio 2020 del preceptivo informe ya apuntado.

En tercer lugar, se han aprobado normas, como la Ley Orgánica 4/2018, de 28 de diciembre, de reforma de la Ley Orgánica 6/1985 del Poder Judicial, que incluye reformas, por un lado, para mejorar la imagen de independencia del CGPJ y que revierten la reforma operada por la Ley Orgánica 4/2013, de 28 de junio otorgando mayor protagonismo al Pleno del CGPJ recuperando competencias antes transferidas a la Comisión Permanente; y, por otro, *para garantizar que el nombramiento de altos cargos en la judicatura, como Jueces presidentes de las Audiencias Provinciales, de los Tribunales Superiores de Justicia, Audiencia Nacional y Tribunal Supremo no sea puesto en tela de juicio por falta de la independencia, imparcialidad y transparencia; por último*, para atajar el fenómeno popularmente conocido como puertas giratorias se amplían los supuestos de abstención y recusación.

Todos estos cambios traen causa de las recomendaciones del GRE-CO, como el legislador orgánico expresamente reconoció en la Exposición de Motivos de la Ley Orgánica 4/2018, de diciembre.

- En cuarto lugar, estos tres aspectos positivos señalados, no ocultan, ni mucho menos solucionan, los profundos problemas que estos informes evidencian, principalmente en torno a la actitud de los actores políticos frente a los compromisos internacionales para luchar contra la corrupción.

Estamos completamente de acuerdo con las conclusiones del profesor Bustos Gisbert tras haber analizado los informes de las cuatro rondas de evaluación del GRECO[93]. La reacción de las autoridades españolas a las recomendaciones del GRECO constituye un "útil termómetro de la voluntad de luchar contra la corrupción en nuestro país". Es evidente que no se ha dado un rápido y completo cumplimiento de las recomendaciones, apuntando una falta de compromiso decidido con el respeto a los estándares internacionales mínimos en materia de corrupción. Esta actitud se ha reflejado en la necesidad de elaborar tres informes de cumplimiento por parte del GRECO, y el largo tiempo que ha llevado adoptar normas, como por ejemplo los códigos de conducta, que no requerían de un procedimiento legislativo y que ya cuentan con multitud de referentes en el Derecho comparado (tres años para los Principios de Ética Judicial y 6 para el Código de Conducta de los Señores Diputados; el código de conducta de los senadores aún está siendo objeto de elaboración).

Esta actitud no augura nada bueno sobre la implementación de los mecanismos para someter a los representantes y a los jueces a una rendición de cuentas efectiva. Este es el motivo, precisamente, por el que muchas de las recomendaciones aún tienen la caracterización de "parcialmente cumplida" como se ha apuntado reiteradamente. En el caso de los parlamentarios aún está a la espera de que en el informe que ha de presentar España se dé cuenta de la actividad de la Oficia

---

[93]   R. Bustos Gisbert. "Corrupción en España. Reflexiones al hilo de los informes del GRECO", *Revista Cuadernos Manuel Giménez Abad*, n °8, 2019, pp. 148-163.

de Conflicto de Intereses del Congreso de los Diputados, de la publicación de la agenda institucional de los diputados para evitar influencias lobistas así como las declaraciones de intereses. Lo mismo de la actividad de la Comisión de Ética Judicial, a pesar de que, a diferencia con la Oficia de Conflicto de Intereses del Congreso, aquella ya ha empezado a operar y en la web del CGPJ están ya colgadas accesibles decenas de dictámenes desde el 2018 hasta la actualidad.

Esto apunta en la dirección de las conclusiones del trabajo del profesor Bustos Gisbert tras analizar los informes de las cuatro rondas del GRECO: ha de diferenciarse la valoración entre las recomendaciones relativas a la fijación del sistema normativo de referencia y a las atinentes al proceso de rendición de cuentas de los representantes. Los cambios normativos, aunque con lentitud, se realizan. Prueba de ello son la reforma del art. 425 LOPJ para ampliar el plazo de caducidad de los procedimientos disciplinarios, o todas las modificaciones introducidas por la Ley Orgánica 4/2018, de 28 de diciembre, de reforma de la Ley Orgánica 6/1985, de 1 de julio, del Poder Judicial.

Sin embargo, los códigos de conducta aprobados son bastante más simples y escuetos que los códigos de referencia como son los británicos. Y los órganos encargados de aplicar la rendición de cuentas y de vigilar el cumplimiento de las normas y de los estándares éticos de los poderes públicos, son objeto de crítica y de sospecha en cuanto a si verdaderamente ejercerá una labor de control efectivo y riguroso, como la Oficina de Conflicto de Intereses del Congreso de los Diputados.

Caso aparte es el Consejo General del Poder Judicial, cuya recomendación de reforma del procedimiento de nombramiento de los vocales de extracción judicial ha sido la única calificada como no cumplida. Un estudio riguroso merecería mucho más espacio del disponible aquí, puesto que es una cuestión largamente debatida[94] y que no suscita un consenso en la doctrina. Baste señalar de manera breve que la forma de nombrar a los vocales debe tener relación con las

---

[94]   La elección de los vocales del CGPJ no es una cuestión pacífica, como ha podido comprobarse desde la primera STC de 1986 que sentenciaba la constitucionalidad del modelo de la LOPJ de 1985, pero advertía de los riesgos de la politización por cuotas.

funciones que desempeña el CGPJ: cuanta más incidencia en el plano político, más legitimidad democrática deberían gozar sus vocales; cuanto más carácter burocrático o administrativo, mas corporativista puede ser dicho nombramiento reservándolo en exclusiva a los jueces. No obstante, cada vez es más homogéneo el estándar europeo, tanto del Consejo de Europa como de la jurisprudencia del Tribunal de Justicia de la Unión Europea, que en el nombramiento y promoción de los miembros del Poder Judicial no intervengan actores políticos, ni el parlamento ni el poder ejecutivo.

VI. A MODO DE CONCLUSIÓN

A pesar de que en la Constitución de 1978 no se establezca de manera explícita la importancia de mantener la confianza por parte de la ciudadanía en las altas magistraturas y cargos políticos, es una exigencia absolutamente consustancial a toda democracia representativa como la española.

Tras las diversas crisis a las que España está siendo sometida y la polarización atávica de las posturas políticas, radicalizadas si cabe en los últimos años, se ha socavado de manera continua y constante dicha confianza depauperando la calidad democrática de nuestro sistema e instituciones.

El GRECO ha contribuido a romper el bloqueo motivado por las posturas partidistas debido a su condición de jugador externo y por tanto objetivo, realizando varias recomendaciones en dos instituciones básicas para el funcionamiento democrático y del Estado de Derecho: por un lado, la confianza en la independencia de los parlamentarios y ausencia de corrupción; y, por otro, la independencia e imparcialidad en los nombramientos de las altas magistraturas de los jueces y magistrados, y su comportamiento conforme a unos estándares éticos.

La valoración por parte del GRECO tras casi una década de informes y reformas, ya no es globalmente insatisfactoria. Sin embargo, queda aún un ¿último? informe que juzgará si la aplicación de los variados cambios normativos aprobados que realicen los actores políticos contribuye a la mejora de la calidad democrática española o si, por el contrario, se consagran como el verdadero problema y foco de desafección ciudadana.

VII. BIBLIOGRAFÍA CITADA

Bachmaier Winter, L., "La lucha contra la corrupción y la contribución del Consejo de Europa a través del GRECO: ¿un modelo a seguir?", en *El proceso penal en la encrucijada: homenaje al Dr. César Cisóstomo Barrientos Pellecer*, Universitat Jaume I, Alicante, 2015, pp. 115-141.

Bovens, M., "Analysing and Assessing Public Accountability: A Conceptual Framework", *European Law Journal*, Vol. 13, nº 4, 2007.

Bustos Gisbert, R., "Corrupción en España. Reflexiones al hilo de los informes del GRECO", *Cuadernos Manuel Giménez Abad*, nº 8, 2019.

Calidad democrática. Reflexiones constitucionales desde la teoría, la realidad y el deseo, Marcial Pons/Fundación Gimenez Abad, 2017.

"Las reglas de conducta de los políticos: evolución en el Reino Unido", *Revista Vasca de Administración Pública*, nº 104-II, 2016.

"Corrupción política: un análisis desde la teoría y la realidad constitucional", *Teoría y Realidad Constitucional*, nº 25, 2010.

"Responsabilidad política y responsabilidad penal: dos conceptos radicalmente distintos", *Jueces para la democracia*, nº 60, 2007, pp. 56-69.

La responsabilidad política del gobierno: ¿realidad o ficción? La necesaria reformulación de un principio esencial del sistema parlamentario, CO-LEX, 2001.

Camisón Yagüe, J.A. y Soriano Moreno, S., "Informes de Resultados de 2016 y 2017 sobre recomendaciones propuestas por el GRECO para la prevención de la corrupción judicial en España: crónica de incumplimientos", *Teoría y Realidad Constitucional*, nº 41, 2018, pp. 337-356, pp. 339-343.

Deop Madinabeita, X., "La lucha contra la corrupción en el Consejo de Europa", *Revista Electrónica de Estudios Internacionales*, nº 2, 2001.

García Roca, F.J., "De la revisión de las constituciones: constituciones nuevas y viejas", *Teoría y Realidad Constitucional*, 2017, nº 40.

Hernández Ramos, M., "El cambio de paradigma en el control del poder judicial como institución en España: de la responsabilidad judicial a la judicial accountability", en M. González Pascual, J. Solanes Mullor. *Independencia Judicial y Estado Constitucional: el estatuto de los jueces*, 2016, Tirant lo Blanch, pp. 149-182

Mulgan, R., "Accountability: An ever-expanding concept?, *Public Administration*, vol. 78, nº 3, 2000.

Sengupta, A., "Judicial accountability: A Taxonomy", *Public Law*, nº 2, April 2014.

Le Sueur, A., "Developing mechanisms for judicial accountability in the UK", *Legal Studies,* nº 24.

Woodhouse, D., "The Reconstruction of Constitutional Accountability", *Public Law*, nº Spring, 2002, pp. 73-90.

"Judicial Independece and Accountability within the United Kingdom's New Constitutional Settlement", en G. Canivet, M. Andenas, D. Fairgrieve, *Independe, Accountability and the Judiciary*, British Institute of International and Comparative Law, 2006, pp. 121-144.

El refuerzo de la jurisdicción constitucional en España desde la perspectiva de la legitimidad de ejercicio[1]

Itziar Gómez Fernández

SUMARIO: I. ALGUNAS IDEAS INTRODUCTORIAS Y ALGUNOS CONCEPTOS BÁSICOS. II. LEGITIMACIÓN PROCESAL Y ACCESO A LA JURISDICCIÓN CONSTITUCIONAL: LA PREFERENCIA POR LOS LEGITIMADOS INSTITUCIONALES. 2.1. Planteamiento general. 2.2. Legitimados para formular el control de constitucionalidad. 2.3. Legitimados en el Marco de los conflictos constitucionales. 2.4. Legitimados para interponer el recurso de amparo. 2.5. En síntesis. III. EL ACCESO EN CONDICIONES DE IGUALDAD INDEPENDIENTEMENTE DE LOS MEDIOS ECONÓMICOS DISPONIBLES: AMPLIACIÓN DE ACCESO. IV. DIGITALIZACIÓN DE LA JUSTICIA CONSTITUCIONAL: AMPLIACIÓN DE ACCESO. V. ESPECIAL TRASCENDENCIA SIN ROSTRO SOCIAL: LIMITACIÓN DE ACCESO A LA JURISDICCIÓN. VI. UNA JURISDICCIÓN CONSTITUCIONAL CUESTIONADA Y DEBE CUESTIONARSE SU ALEJAMIENTO DE LA CIUDADANÍA. VII. BIBLIOGRAFÍA CITADA

I. ALGUNAS IDEAS INTRODUCTORIAS Y ALGUNOS CONCEPTOS BÁSICOS

Cuando la democracia liberal está en riesgo, la justicia constitucional está en peligro. Y si las crisis del siglo XXI nos han llevado a reflexionar sobre las democracias iliberales y los riesgos que acechan a un sistema que creíamos sólido, esa reflexión no puede permanecer ajena al papel que desempeñan las cortes o tribunales constitucionales, la justicia constitucional en suma, en la eclosión, desarrollo y control de dichas crisis, en particular de sus dimensiones políticas y de las

---

[1] Este trabajo se ha realizado en el marco del Proyecto "Reforma constitucional: dimensión institucional y territorial" (20639/JLI/18) financiado por la Fundación Séneca-Agencia de Ciencia y Tecnología de la Región de Murcia a través de la convocatoria Jóvenes Líderes en Investigación del Subprograma de Apoyo y Liderazgo Científico y la Transición a la Investigación Independiente (Programa Fomento de la Investigación Científica y Técnica 2018).

derivas que las mismas pueden alcanzar en relación con el menoscabo del estado de derecho.

Acudiendo la noción de democracia liberal que trabaja Tom Ginsburg[2], esto es la democracia en la que se produce un nivel de integridad de la ley y las instituciones legales (estado de derecho) suficiente para permitir el compromiso democrático sin miedo o coerción, podemos convenir con este autor que la democracia constitucional liberal colapsa bajo el peso de sus contradicciones lógicas internas o sus concesiones al capitalismo global[3]. Dejando de lado la segunda cuestión, la primera nos lleva a pensar si una de esas contradicciones internas no se ubica, precisamente en la lógica que justifica la existencia de la justicia constitucional, y por tanto el control de la ley, manifestación normativa de la soberanía nacional, por parte de un cuerpo de individuos que, en la mayoría de los modelos de derecho comparado, carecen de legitimación democrática, pues no han sido elegidos por la ciudadanía para ocupar sus magistraturas. No cabe duda de que la noción de democracia pierde prestigio desde la crisis financiera del año 2008 y no llega a recuperarse adecuadamente antes de la crisis sanitaria vinculada a la actual pandemia del COVID-19. Como dice Ginsburg, los ciudadanos se han vuelto más cínicos y escépticos respecto del valor de la democracia y sus virtudes, y sobre la capacidad de los propios ciudadanos para influir en las políticas nacionales.

En paralelo, en España, se ha vivido una crisis constitucional inédita cuyas conexiones con la crisis económica no pueden despreciarse. Esa crisis constitucional, radicada en el conflicto surgido en Cataluña y que pone en duda la validez misma del sistema constitucional, se sostiene en una pluralidad de discursos sumamente compleja y que no es posible desentrañar en estas páginas. Me interesa individualizar uno nada más: el que pone en el centro la STC 31/2010, de 28 de junio, que resolvió el recurso interpuesto por noventa y nueve Diputados del Grupo Parlamentario Popular del Congreso frente a diversos preceptos de la Ley Orgánica 6/2006, de 19 de julio, de reforma del Estatuto de Autonomía de Cataluña. Una ley orgánica que había sido

---

2   T. Ginsburg, *How to save a constitutional democracy*, University of Chicago Press, Chicago, 2018.

3   T. Ginsburg, *op. cit.*, p. 25.

aprobada primero en sede parlamentaria, tanto autonómica como nacional, y después mediante referéndum celebrado el 18 de junio de 2006, y del que resultó una amplia mayoría de apoyo (73,29% de los votos), en un contexto de elevada abstención (51,15%)[4]. Uno de los elementos del discurso político del independentismo, tiene que ver con la falta de legitimidad de un Tribunal Constitucional para declarar la inconstitucionalidad, siquiera parcial, de una norma aprobada en referéndum, contestando de este modo la soberanía popular[5]. La queja, en todo caso, no es nueva, y se ancla en una discusión clásica, que ha ganado intensidad en los últimos tiempos, y no solo en España. Una discusión que se basa, en palabras de Roberto Blanco, en la "dificultad de concebir que algún poder u órgano estatal pueda tener la facultad de enmendar la plana al parlamento en su labor interpretadora de la Constitución, posibilidad esa que choca frontalmente con uno de los principios nervales, primero del Estado constitucional, y, más tarde, del Estado democrático: el de que el parlamento, en tanto que legítimo representante del pueblo o la nación (es decir, del cuerpo electoral elegido por sufragio universal o por sufragio restringido) no puede reconocer superior de ningún tipo en el ámbito jurídico, pues hacerlo equivaldría a impugnar la idea de soberanía de la comunidad, de la que el poder legislativo resultaría ser representante genuino"[6].

Por tanto, si un elemento propio al discurso sobre la crisis de la democracia tiene que ver con el cuestionamiento de la legitimidad de los órganos de control de la conformidad constitucional de la ley, en España ese elemento encuentra una traducción específica relacionada con nuestras propias condiciones políticas y con las características que adopta "en casa" esa idea, también de Ginsburg, de erosión del

---

[4]　Datos relativos formulados a partir de los publicados en la Resolución de 3 de julio de 2006, de la Junta Electoral Central, de declaración oficial de los resultados del referéndum sobre reforma del Estatuto de Autonomía de Cataluña, convocado por Decreto 170/2006, de 18 de mayo, de la Generalidad de Cataluña, y celebrado el 18 de junio de 2006.

[5]　Sobre esta cuestión profundiza el trabajo de D. López Rubio, *Justicia constitucional y referéndum. El control judicial de las normas aprobadas por los ciudadanos*, Madrid, Centro de Estudios Políticos y Constitucionales, 2020.

[6]　R.L. Blanco Valdés, "El futuro de la justicia constitucional en España: tras la sentencia sobre el Estatuto de Cataluña", *Claves de Razón Práctica*, nº 212 (2011), pp. 12-23.

sistema democrático. La pérdida de legitimidad de la justicia constitucional, desde el momento en que se pone en duda esa misma legitimidad, y este puede ser una de las muchas gotas finas que pueden llevar a la erosión de la democracia liberal y del estado de derecho.

Para profundizar en el problema del menoscabo de la legitimidad de la justicia constitucional en España, y en el análisis de las eventuales vías de recuperación de la misma, podríamos pararnos en el análisis de muy distintos elementos: la participación del Tribunal Constitucional en la crisis vinculada "al procés", la progresiva "delegación" de controles de ajuste de la ley a otras fuentes con rango de ley a través de las nociones de control de convencionalidad o de aplicación del principio de prevalencia; el alejamiento de la jurisprudencia del Tribunal Europeo de Derechos Humanos en relación con algunos derechos fundamentales, como la libertad de expresión, etc. Cualquiera de estos temas, reviste sumo interés. Pero voy a elegir otro, de tinte más procesal y que suele ser menos abordado por la doctrina, para trabajar sobre el refuerzo de la legitimidad de ejercicio del Tribunal Constitucional a través de la apertura de la legitimación para instar los procesos constitucionales.

La Comisión de Venecia aprobó en su 85ª reunión plenaria[7] un *Estudio sobre el acceso individual a la justicia Constitucional.* El párrafo 18 enmarca como primera observación general la siguiente:

> *Un cambio fundamental en la importancia de la protección constitucional de los derechos humanos se ha producido en los últimos 60 años en Europa y en otras partes. El respeto a los derechos humanos es ahora considerado como parte esencial de cualquier sociedad democrática. Los mecanismos que permiten a las personas invocar, directa o indirectamente, los derechos que les fueron conferidos son, en consecuencia, cada vez más importantes.*

Lo que no dice de forma expresa el estudio, que analiza en detalle los mecanismos a que hace referencia esta observación en los países miembros de la Comisión de Venecia, es que en los años más recientes

---

[7]   Celebrada en Venecia el 17-18 de diciembre de 2010. El estudio aparece firmado por Gagik Harutyunyan, Angelika Nussberger y Peter Paczolay, y fue editado en Santiago de Chile en 2012. Se puede consultar en https://www.venice.coe.int/WebForms/documents/default.aspx?pdffile=CDL-AD(2010)039rev-spa (Último acceso el 25 de mayo de 2020).

de esas seis décadas se ha puesto de manifiesto una doble paradoja que no siempre es fácil de explicar desde el análisis teórico.

De un lado, a un proceso histórico, político y legislativo en que se puso de manifiesto el interés por facilitar o flexibilizar el acceso a la jurisdicción constitucional, ha seguido otro en que el acento se ha colocado en la "protección" del modelo, y en particular de la capacidad de trabajo de su órgano principal de garantía[8], allí donde ese modelo era heredero del kelseniano de control concentrado de constitucionalidad. Expresado en otros términos, sobre la base del análisis comparatístico se verifica una pauta común en los ordenamientos con un sistema de acceso a la jurisdicción constitucional más abierto: la tendencia progresiva a la restricción de acceso para evitar el colapso funcional. Exactamente esa misma pauta, que se identifica en España o en Alemania, es la que ha llevado a la aprobación de las últimas reformas del sistema jurisdiccional del Consejo de Europa[9]. Así pues, podría decirse que a un movimiento de apertura sigue, casi indefectiblemente, unas décadas después, un movimiento de retracción llamado a controlar el acceso a la jurisdicción para garantizar el funcionamiento de la misma dentro de plazos razonables y en el marco de un tamaño institucional manejable.

Ahora bien, las modificaciones normativas que se han traducido en restricciones del acceso directo a la jurisdicción constitucional, han coincidido con el ya referido período de crisis económica que ha debilitado la cohesión social, poniendo de relieve el carácter basilar de los derechos humanos y, en particular, de los derechos económicos y sociales, que apenas estaban empezando a ser abordados y desarro-

---

[8]   En este sentido interesa recomendar la lectura del trabajo dirigido por F. J. Matía Portilla y A. González Alonso. *La inadmisión de los recursos en defensa de los derechos: criterios jurisprudenciales de los Tribunales Supremo, Constitucional, de Justicia de la Unión Europea y Tribunal Europeo de Derechos Humanos*, Tirant lo Blanch, Valencia, 2019.

[9]   Sobre este proceso, conocido como "Proceso de Interlaken", véase toda la información disponible en https://www.europewatchdog.info/en/court/interlaken-process/. Para un comentario y descripción de fondo consultar C. Montesinos Padilla. *La tutela multinivel de los derechos desde una perspectiva jurídico-procesal. El caso español*, Tirant lo Blanch, Valencia, 2017. Este mismo trabajo profundiza en las modificaciones procesales de la justicia constitucional en España, y en las modificaciones del modelo del TJUE.

llados adecuadamente por la jurisprudencia constitucional o regional de protección de los derechos humanos gracias a la configuración de estrategias de litigación en este sentido, en las que la capacidad de acceso a la jurisdicción ha resultado fundamental[10]. Las cortes actúan a instancia de quienes acceden a ellas y abordan los problemas de quienes acceden a ellas, de modo que si el acceso se dificulta puede haber colectivos que queden fuera, y problemas específicos de estos colectivos que no sean conocidos por la jurisdicción de los derechos.

En este marco, la idea de la objeción contra mayoritaria[11], a la que hemos evocado retomando palabras de Blanco Valdés, debilita la legitimidad de las altas cortes en general, y de las Cortes Constitucionales en particular[12]. La crítica a la élite judicial que pasa por negarles legitimidad para oponerse a las decisiones adoptadas por el "pueblo" sea reunido en sede parlamentaria, sea expresado a través de referéndum, plebiscito u otro tipo de consulta, obvia la idea de legitimidad de ejercicio[13], y la posición de los tribunales constitucionales como

---

[10]　Para profundizar en la idea de litigación estratégica en materia de derechos humanos, *vid.,* E. Rekosh; K.A. Buchko; V. Tervieza, (Ed.). *Pursuing the public interest: a handbook for legal professionals and activists,* Columbia Law School, New York, 2001.

[11]　Sobre la objeción contramayoritaria y los discursos de oposición a la misma véase V. Ferreres Comella. *Justicia Constitucional y Democracia,* Centro de Estudios Políticos y Constitucionales, Madrid, 1997.

[12]　Son muchos los trabajos recientes en que se pone de manifiesto esta realidad, desde el punto de vista del análisis politológico. A mi juicio resulta particularmente esclarecedor el trabajo de Y. Mounk. *El pueblo contra la democracia; por qué nuestra libertad está en peligro y como salvarla.* Paidós, Barcelona, 2018. En el mismo sentido puede citarse el más conocido trabajo de S. Levitsky; D. Ziblatt, *Cómo mueren las democracias,* Ariel, Barcelona, 2018. Aunque, sin duda alguna, remontándonos algo más atrás encontramos la misma idea de tensión entre democracia y derechos, y la misma objeción en C.S. Nino. *Juicio al mal absoluto, ¿hasta dónde debe llegar la justicia retroactiva en casos de violaciones masivas de los derechos humanos?,* Siglo XXI Editores, Buenos Aires, 2015

[13]　Para profundizar en la idea de legitimidad de ejercicio y legitimidad de origen véanse los siguientes trabajos: A. García Martínez. "El Tribunal Constitucional. De la legitimidad de origen a la legitimidad de ejercicio", en *Asamblea. Revista Parlamentaria de la Asamblea de Madrid,* nº 21, pp. 107-143, 2009; V. Ferreres Comella. "El Tribunal Constitucional ante la objeción democrática: tres problemas", en *Actas de las XVI Jornadas de la Asociación de Letrados del Tribunal Constitucional. Jurisdicción Constitucional y Democracia,* Centro de Estudios Constitucionales, Madrid, 2011; C. Starck. "La legitimación de la Justicia Constitucional y el principio democrático", *Anuario Iberoamericano de Justicia*

defensores de los derechos, en particular de los derechos de las minorías[14]. El problema es que resulta más fácil justificar la elusión de este contra-argumento si se piensa en la reducción de acceso a las cortes por parte de la ciudadanía. Si la débil -o incluso inexistente- legitimación democrática de las cortes se compensa con una fuerte legitimación de ejercicio de las mismas, basada especialmente en una posición de garantes de los derechos, es más sencillo contra argumentar el discurso populista, pero si esa posición ha quedado debilitada por el efecto combinado de la crisis de 2008 y de la limitación de acceso a la jurisdicción constitucional entonces las cosas se complican. Y es en este punto donde la evidencia parece apuntar a la idea de que, quizá, la protección del modelo no pasa por reducir el acceso al garante sino por ampliarlo, dotándolo de unos medios personales y materiales acordes con la carga de trabajo, reforzando simultáneamente el sistema de selección de magistrados, para reivindicar la naturaleza independiente de los mismos y, con ello, la legitimidad de ejercicio de las cortes.

Esta idea da pie a avanzar en las reflexiones que siguen, y que pretenden analizar el grado de "accesibilidad" de la jurisdicción constitucional española. Es decir, su capacidad de apertura a la ciudadanía y, con ello, a la garantía de los derechos individuales y a la resolución de problemas relacionados con la aplicación y la interpretación de la Constitución que sólo se plantea desde el análisis de supuestos concretos. Y como premisa de la reflexión procede recordar que el nuestro es un modelo de jurisdicción constitucional concentrada en un Tribunal

---

Constitucional, n° 7, 2003 pp. 479-493.

[14] Sobre esta cuestión en particular resulta interesante la lectura de L. Ferrajoli, "Las fuentes de legitimidad de la jurisdicción" en *Reforma Judicial. Revista Mexicana de Justicia*, 2010, Disponible en: https://revistas.juridicas.unam.mx/index.php/reforma-judicial/article/view/8772/10823 (último acceso 2 de junio de 2020). Sin referirse exclusivamente a la jurisdicción constitucional, sino a la jurisdicción en general, Luigi Ferrajoli reflexiona sobre los fundamentos de la legitimidad de la jurisdicción, refiriéndose al carácter tendencialmente cognitivo de la jurisdicción que se dedica a verificar hechos o situaciones y que se reconoce por la motivación de hecho y de derecho; a la garantía de los derechos de los ciudadanos, principalmente los fundamentales y por tanto al papel de contrapoder desarrollado por el poder judicial frente a los poderes de las mayorías; y a la confianza de los destinatarios del juicio. A algunas de estas ideas se hará referencia detallada en el texto.

Constitucional, al que la Constitución y la Ley Orgánica reguladora atribuyen un amplio elenco de funciones y de herramientas procesales para llevarlas a cabo[15]. Estas dos características -sistema concentrado con amplitud de funciones-, son fundamentales para formular un análisis certero de la apertura de la justicia constitucional en España, siempre que tengamos en cuenta que, cuando hablamos de accesibilidad nos estamos refiriendo: 1) al desarrollo de mecanismos procesales que aseguren al ciudadano la condición de legitimado directo o indirecto en los procesos constitucionales; 2) al aseguramiento del acceso en condiciones de igualdad de todos los ciudadanos a la jurisdicción constitucional; 3) y a la necesidad de formular ajustes razonables a las personas que manifiestan dificultades de acceso a la jurisdicción por estar en situación de particular vulnerabilidad[16].

---

[15]   No debe olvidarse que la Ley Orgánica 2/1979, de 3 de octubre, del Tribunal Constitucional, ha sido reformada en varias ocasiones con el objetivo de modificar los instrumentos procesales al servicio de salvaguarda de la supremacía constitucional. La Ley Orgánica 4/1985, de 7 de junio suprimió el recurso previo contra leyes orgánicas que se recuperó, solo para los Estatutos de Autonomía (que adoptan la forma de ley orgánica) con la Ley Orgánica 12/2015, de 22 de septiembre; La Ley Orgánica 6/1988, de 9 de junio viene a introducir la primera restricción a la admisibilidad del recurso de amparo, al introducir la noción de manifiesta carencia de contenido, restricción que se amplia y acentúa cuando la Ley Orgánica 6/2007, de 24 de mayo introduce la noción de especial trascendencia constitucional como requisito que debe concurrir en un amparo para su admisión a trámite; la Ley Orgánica 7/1999, de 21 de abril introduce el "conflicto en defensa de la autonomía local"; la Ley Orgánica 1/2010, de 19 de febrero, introduce un mecanismo procesal de defensa de la "autonomía foral", además de ampliar el objeto del control de constitucionalidad a las normas forales sobre fiscalidad; por último la Ley Orgánica 15/2015, de 16 de octubre, refuerza los procedimientos de ejecución de las resoluciones del Tribunal Constitucional.

[16]   Sobre esta cuestión en concreto, que no tendré la ocasión de desarrollar suficientemente en estas páginas véase I. Gómez Fernández, "Derecho a la justicia y vulnerabilidad en la Corte Interamericana y el Tribunal Europeo: confluencias", en P. Santolaya Machetti, e I. Wences, I. (Coord.) *La América de los derechos*. Centro de Estudios Políticos y Constitucionales, Madrid, 2016, pp. 607-634.

II. LEGITIMACIÓN PROCESAL Y ACCESO A LA JURISDICCIÓN CONSTITUCIONAL: LA PREFERENCIA POR LOS LEGITIMADOS INSTITUCIONALES

2.1. Planteamiento general

Podemos entender por legitimación en los procesos constitucionales, siguiendo a Torres Muro, "la capacidad de activar o poner en marcha, un proceso constitucional concreto"[17] o, en palabras de García Roca, el derecho a "acceder a la jurisdicción constitucional que otorga la posibilidad de iniciar un proceso y de disponer sobre la actividad alegatoria y sobre la pretensión procesal"[18]. Se defina como derecho, como facultad, o como capacidad lo único cierto es que la idea de legitimación entronca con la posibilidad de acceder a la puerta del Tribunal Constitucional para llamar a ella, instando al órgano de control para que actúe. Al mismo tiempo el diseño de la legitimación va a tener un impacto directo sobre los temas de que tendrá conocimiento el Tribunal y, por tanto, sobre su concreto ámbito de actuación jurisdiccional, porque en nuestro sistema el Tribunal Constitucional jamás actúa de oficio, de modo que quien marca y define las líneas del debate constitucional en sede jurisdiccional es siempre el recurrente.

Tal actuación, como ya se ha dicho, se articula a través de una diversidad de funciones que se organiza en torno a tres ejes: la depuración del ordenamiento a través del control de constitucionalidad de las normas con rango de ley; el arbitraje de los eventuales conflictos constitucionales que pudieran surgir entre los órganos o entidades territoriales a quien la Constitución encomienda la gestión del poder; y la garantía individual de los derechos fundamentales. Este abanico amplio y abierto de funciones va a concretarse a través de una serie de procedimientos cuya activación se atribuye, mayoritariamente, a legitimados institucionales que no actúan en defensa de la Constitución por ostentar un interés individual legítimo, sino por identificarse

---

[17] Vid., I. Torres Muro. "Problemas de legitimación en los procesos constitucionales", *Revista de Derecho Político UNED*, nº 71-72, 2008, pp. 609-640 (en particular p. 609).

[18] En esta misma línea también lo define M. Sánchez Morón. "La legitimación activa en los procesos constitucionales", *Revista Española de Derecho Constitucional*, nº 9, 1993.

como titulares de una determinada institución, órgano o facción de órgano, u ocupar determinado cargo o función pública (como el Ministerio Fiscal o el Defensor del Pueblo, por ejemplo) que les confieren una especial importancia en el sistema constitucional[19].

2.2. Legitimados para formular el control de constitucionalidad

El control de constitucionalidad de las normas con rango de ley [art. 162.1.a) CE] se activa, exclusivamente, por la acción de legitimados institucionales. La interposición del recurso de inconstitucionalidad (art. 32 de la Ley Orgánica 2/1979, de 3 de octubre, del Tribunal Constitucional, en adelante LOTC) y del recurso previo frente a proyectos de Estatutos de Autonomía (art. 79.3 LOTC) está atribuida al presidente del Gobierno, el Defensor del Pueblo[20], 50 diputados, 50 senadores[21], los órganos ejecutivos de las Comunidades Autónomas y las Asambleas de las mismas[22]. La legitimación para la interposi-

---

[19]   En este sentido, *Vid.*, I. Torres Muro, *Op. cit,* 2008, p. 612.

[20]   En el caso del Defensor del Pueblo, si bien su labor institucional se limita a la garantía institucional de los derechos recogidos en la Constitución, se da la particularidad de que no queda limitado a impugnar normas con fuerza de ley por su oposición a esos mismos derechos, tal y como se reconoce, entre otras, en las SSTC 150/1990, de 4 de octubre y 274/2000, de 15 de noviembre. Véanse al respecto las reflexiones de M. Díaz Crego, "Defensor del Pueblo y Justicia Constitucional: entre la declaración de intenciones y el exceso competencial" en *Teoría y Realidad Constitucional*, n° 26, 2010 pp. 307-349.

[21]   El trabajo de Torres Muro previamente citado, nos recuerda que las minorías parlamentarias con legitimación ante el Tribunal, son una agrupación ocasional de parlamentarios que se unen a los efectos de impugnar la norma con rango de ley, de modo que es preciso poner de manifiesto ante el Tribunal la congregación de voluntades individuales, y el apoderamiento del que actúa como portavoz. No se trata, por tanto, de un acceso al Tribunal de los parlamentarios individualmente considerados, sino de una agrupación ad hoc de parlamentarios que aúna tales voluntades para alcanzar la facultad de recurrir.

[22]   Si bien se restringe formalmente la legitimación de los órganos de las Comunidades Autónomas limitando el objeto de su facultad de incoación del control a las normas que afecten a su ámbito de autonomía (art. 162.1 a) CE y 32.2 LOTC), el desarrollo jurisprudencial de esta limitación ha tenido a matizarla hasta casi hacerla desaparecer. A este respecto merece ser citada la obra de A. Allúe Buiza. *Legitimación de las Comunidades Autónomas en el recurso de inconstitucionalidad*, publicaciones de la universidad de Valladolid, Valladolid, 1992.

ción del recurso previo de inconstitucionalidad frente a tratados internacionales se atribuye al Gobierno o a ambas Cámaras (art. 78.1 LOTC).

El planteamiento de la cuestión de inconstitucionalidad (art. 163 CE y arts. 35 y ss. LOTC) es una facultad exclusiva del juez del procedimiento *a quo*. A diferencia del modelo francés de la *question prioritaire de constitutionnalité* (QPC) por ejemplo, que atribuye un papel protagonista a los ciudadanos en la fase *a quo* del procedimiento, porque el juez ordinario no puede plantear la cuestión de oficio, en el modelo español el órgano judicial es el protagonista del sistema[23]. El único sujeto facultado para plantear la cuestión, con el acuerdo o la oposición de las partes en el procedimiento de instancia que, si bien deben ser escuchados respecto de la duda de constitucionalidad surgida (art. 35.2 LOTC), no tienen por qué ser atendidos en sus demandas o planteamientos. Siendo cierto lo anterior, también lo que es que la LO 6/2007 facilitó el acceso a la jurisdicción constitucional a los sujetos parte en el procedimiento de instancia, en el marco de la tramitación procesal de una cuestión de inconstitucionalidad ya admitida a trámite, y en el plazo de los 15 días siguientes a la publicación en el Boletín Oficial del Estado de tal admisión. De este modo su opinión favorable o contraria a la existencia de contradicción entre la norma cuestionada y la Constitución, tiene la opción de ser presentada ante la jurisdicción constitucional directamente. Esta reforma de la LOTC viene a dar cumplimiento a la STEDH de 23 de junio de 1993, en el asunto *Ruiz Mateos c. España,* aportando, quizá con cierto retraso, una garantía de no repetición de la vulneración del derecho a un proceso (constitucional) equitativo.

En los apartados 57 a 59 de aquella sentencia, el TEDH reconoce que no le compete pronunciarse en abstracto sobre la proyección del art. 6.1 CEDH a la jurisdicción constitucional, pero si asegurarse de que los tribunales constitucionales preservan los derechos de los actores en el seno del proceso. El Tribunal de Estrasburgo identifica asimismo que el único medio indirecto de que disponía el recurrente para quejarse de una infracción de su derecho de propiedad (art. 33

---

[23]	*Vid.*, J. Bonet y P.Y. Gahdoun. "La recevabilité de la QPC", en *La question prioritaire de constitutionalité*, Presses Universitaires de France, Paris, 2014, p. 29.

CE), por la expropiación contenida en una norma con rango de ley, era el que le proporcionaba solicitar el planteamiento de una cuestión de inconstitucionalidad, habida cuenta de que ni siquiera el recurso de amparo estaba a su disposición en este caso, al referirse a un derecho extramuros de este procedimiento. La sentencia, en su párrafo 63, concluye que *"si bien los procedimientos constitucionales presentan unas características propias que tienen en consideración la especificidad de la norma que ha de aplicarse y la importancia de la decisión que debe dictarse para el sistema jurídico vigente; también buscan permitir a un órgano único estatuir sobre un gran número de casos que afectan a temas muy diversos"*, lo cierto es que, como en el supuesto de hecho concreto, puede ocurrir que esos procesos constitucionales *"se refieran a una ley que concierne directamente a un círculo restringido de personas. Si en tal caso se somete la cuestión de la constitucionalidad de la ley al Tribunal Constitucional en el marco de un procedimiento relativo a un derecho de naturaleza civil, del que son parte personas pertenecientes a ese círculo, en principio debe garantizárseles libre acceso a las observaciones de las otras partes y una posibilidad verdadera de comentarlas"*. En suma, la garantía de igualdad de armas derivada del art.6.1 CEDH debe extenderse a los procesos constitucionales allí donde esté justificado, estándolo en los supuestos de leyes de caso único o dirigidas a un número individualizable de interesados. Como se deduce fácilmente de la lectura de la actual redacción del art. 35.2 LOTC el reconocimiento de la participación de las partes del procedimiento *a quo* va más allá de lo que apuntaba la sentencia de Estrasburgo y asume que, además de la igualdad de armas, es preciso garantizar la posibilidad de defensa de los intereses individuales, que están presentes en la instancia y que, sin duda, vendrán condicionados por el resultado final del juicio de constitucionalidad realizado en el procedimiento en sede constitucional.

Si bien no podemos hablar de legitimados individuales, respecto de la cuestión de inconstitucionalidad, ni de acceso directo, como bien reconocía la sentencia del Tribunal Europeo de Derechos Humanos, si se trata de una vía de acceso indirecta al Tribunal Constitucional que no estaba prevista en la primera versión de la LOTC.

2.3. *Legitimados en el marco de los conflictos constitucionales*

Por lo que hace al arbitraje de los conflictos, este eje funcional se desarrolla a través de los conflictos de competencia positivos y negativos (arts. 60 LOTC)[24], de los conflictos de atribuciones entre órganos constitucionales (arts. 59.1.c y 73 LOTC)[25], de los conflictos en defensa de la autonomía local (art. 75 ter 1 LOTC[26] y disposición adicional cuarta LOTC) y de las impugnaciones del artículo 161 de la Constitución, proceso conocido como impugnaciones del Título V (de la LOTC) o IDA (art. 76 LOTC[27]), esto es "impugnación de disposiciones autonómicas".

En todos ellos, con una sola excepción, se reconoce la legitimación para incoar los procedimientos a legitimados institucionales, privilegiando siempre a los legitimados estatales frente a los legitimados autonómicos o locales[28], siendo particularmente exigentes los criterios

---

[24] Según el art. 63 LOTC pueden instar el planteamiento de los conflictos de competencia el Gobierno del Estado o los órganos ejecutivos superiores de una Comunidad Autónoma.

[25] Los conflictos de atribuciones pueden ser incoados por el Gobierno, el Congreso de los Diputados, el Senado o el Consejo General del Poder Judicial según e. Art. 59.1.c) LOTC, y por el Tribunal de Cuentas según el art. 8 de la Ley Orgánica 2/1982, de 12 de mayo, del Tribunal de Cuentas.

[26] Dispone el precepto que están legitimados para plantear este tipo de conflictos: "a) El municipio o provincia que sea destinatario único de la ley; b) Un número de municipios que supongan al menos un séptimo de los existentes en el ámbito territorial de aplicación de la disposición con rango de ley, y representen como mínimo un sexto de la población oficial del ámbito territorial correspondiente; c) Un número de provincias que supongan al menos la mitad de las existentes en el ámbito territorial de aplicación de la disposición con rango de ley, y representen como mínimo la mitad de la población oficial". Adicionalmente, la DA 4ª reconoce la legitimación a las Juntas Generales y las Diputaciones Forales de cada territorio histórico cuando el ámbito de aplicación de la ley afecte directamente a la Comunidad Autónoma del País Vasco.

[27] La interposición del IDA, por ejemplo queda reservada al Gobierno del Estado, no estando a disposición de los ejecutivos autonómicos y permitiendo la suspensión automática de la resolución impugnada, del mismo modo que se permite esta suspensión cuando es el Presidente del Gobierno quien incoa un recurso de inconstitucionalidad contra una norma autonómica, o cuando se interpone un conflicto positivo de competencias por parte del Estado, según dispone el art. 161.2 CE.

[28] En este sentido véase I. Torres Muro, *Op. Cit.* p. 627.

de legitimación respecto de estos últimos. La excepción se identifica en relación con los conflictos negativos de competencia, que podrán ser instados por las personas físicas o jurídicas interesadas en activar la acción administrativa del Estado o de alguna Comunidad Autónoma (art. 60 LOTC). Ahora bien, el procedimiento previo a la incoación del conflicto ante el Tribunal Constitucional es tan complejo (véanse los arts. 68 a 72 LOTC) que los ejemplos en que un procedimiento de este tipo ha concluido con una sentencia se limitan a tres, identificados con las SSTC 300/1993, de 20 de octubre, 37/1992, de 23 de marzo, y 156/1990, de 18 de octubre. Tres sentencias de un total de 23 procedimientos incoados, la mayoría de los cuales han sido inadmitidos por auto que, o bien determinaba el inadecuado agotamiento de la vía judicial previa[29], o bien constataba que las reivindicaciones planteadas no eran estrictamente competenciales o no exigían el pronunciamiento del Tribunal sobre el reparto de competencias[30].

2.4. Legitimación para interponer el recurso de amparo

a.   Una legitimación mixta y excluyente de la acción popular

Por último, el recurso de amparo [art. 53.2 y 161.1.b) CE] se presenta como mecanismo específico de garantía de los derechos fundamentales por parte del poder ejecutivo, administración pública, poder judicial y administración parlamentaria. Si bien el respeto de los derechos fundamentales por parte del legislador estatal, autonómico o internacional se articula a través de los mecanismos de control de constitucionalidad de las normas con rango de ley, y el recurso de amparo actúa sobre los conflictos específicos derivados de la aplicación de la norma, en ocasiones puede ser un mecanismo útil para poner de manifiesto lesiones que proceden directamente de las previsiones legales que los demás poderes aplican. En estos casos se abre la posibilidad de que el tribunal se plantee, como órgano judicial *a quo* en el

---

[29]   Es el caso de los AATC 168/2019, de 10 de diciembre; 163/2012, de 13 de septiembre y 15/2011, de 15 de febrero.

[30]   Sucede en los AATC 252/2014, de 21 de octubre; 251/2014, de 21 de octubre; 207/2014, de 22 de julio; 269/2001, de 16 de octubre; 169/2001, de 21 de junio; 192/1998, de 15 de septiembre; 303/1994, de 8 de noviembre; 268/1994, de 4 de octubre; 357/1990, de 2 de octubre; y 322/1989, de 6 de junio.

procedimiento de amparo una cuestión interna de constitucionalidad (art. 55.2 LOTC)[31].

La legitimación, en el caso del recurso de amparo, es mixta y excluye la legitimación popular tal y como se apuntó desde la primera jurisprudencia constitucional, particularmente en el ATC 399/1982, de 15 de diciembre[32]. Y si la calificamos como "mixta" es porque, de un lado, se admite la legitimación institucional del Defensor del Pueblo[33] y el Ministerio Fiscal[34] (art. 162.1 b CE). Y de otro, se abre la jurisdicción constitucional a la ciudadanía, esto es a todos los sujetos que han sido objeto de alguna decisión administrativa o jurisdiccional de los poderes públicos, siempre que invoquen un interés legítimo (art. 162.1 b CE).

Así, el recurso de amparo constitucional permite al ciudadano que entiende vulnerados sus derechos fundamentales, y que sostiene que esa vulneración no ha sido reparada por la jurisdicción ordinaria o incluso ha sido provocada por esta, acudir al Tribunal Constitu-

---

[31]   Este precepto establece que "en el supuesto de que el recurso de amparo debiera ser estimado porque, a juicio de la Sala o, en su caso, la Sección, la ley aplicada lesione derechos fundamentales o libertades públicas, se elevará la cuestión al Pleno con suspensión del plazo para dictar sentencia, de conformidad con lo prevenido en los artículos 35 y siguientes".

[32]   Sobre este particular véase I. Torres Muro, "Legitimación en los procesos constitucionales e intereses colectivos" en E. Carbonell Porras, R. Cabrera Mercado, *Intereses colectivos y legitimación activa*, Thomson Reuters Aranzadi, 2014, pp. 119-135. También se refiere a esta cuestión P. J. González Trevijano. "La legitimación en el recurso de amparo: los interesados legítimos", *Revista de Derecho Público*, nº 98, 1985, pp. 23-67.

[33]   Sobre la polémica legitimación del Defensor del pueblo véase M. Díaz Crego, *Op. Cit.* Esta autora se refiere a un exceso competencial del Defensor del Pueblo en el control abstracto, porque no se limita a su función de garante institucional de los derechos fundamentales, y ello en el marco de un modelo de acceso restringido al control de constitucionalidad. Y, al tiempo, verifica una dificultad manifiesta de actuar en el seno de los procedimientos de amparo que hace devenir casi ineficaz el reconocimiento de su legitimación.

[34]   La legitimación institucional del Ministerio Fiscal se deriva de las funciones reconocidas constitucionalmente de "promover la acción de la justicia en defensa de la legalidad de los derechos de los ciudadanos y del interés público tutelado por la ley" (art. 124.1 CE). Sobre la legitimación del Ministerio Fiscal y el escaso uso que hace de la misma, Vid., P. Pérez Tremps, "El acceso al recurso de amparo". *Teoría y Metodología del Derecho. Estudios en homenaje al profesor Gregorio Peces-Barba*, Volumen II., Dykinson, Madrid, 2007, pp. 979-1004.

cional. Las condiciones serán, en lo que ahora nos interesa destacar, apenas dos: i) que la vulneración pueda imputarse a la actividad sin valor de ley de los Parlamentos (art. 42 LOTC), a cualquier actuación administrativa (art. 43 LOTC), o a las resoluciones de los tribunales de justicia (art. 44 LOTC), de lo que se deduce que no cabe la impugnación por la ciudadanía y a través del recurso de amparo, de las normas con rango de ley lesivas de los precepto alguno de la Constitución; ii) y que se asegure el respeto al principio de subsidiariedad, de modo que se hayan agotado los recursos previos disponibles antes de llegar a la jurisdicción constitucional, bien en sede parlamentaria (art. 42 LOTC), bien en sede jurisdiccional (arts. 43 y 44 LOTC).

Por tanto el control abstracto de inconstitucionalidad a través del recurso previo y del recurso sucesivo de inconstitucionalidad se reserva a legitimados institucionales, mientras que la defensa de los derechos fundamentales no queda restringida a la garantía facilitada por este tipo de control, sino que se amplía gracias a la herramienta facilitada por el recurso de amparo a todo sujeto que pueda mostrar la existencia de un interés legítimo.

b.   Una legitimación basada en la existencia de un interés legítimo

Llegados a este punto, es imprescindible recordar que la noción de "interés legítimo" en este caso es más amplia que la de titularidad del derecho fundamental, aunque obviamente el titular del derecho fundamental cuya vulneración se denuncia, detenta el interés legítimo en instar su defensa y garantía. Aunque también es necesario reconocer que seguir la jurisprudencia constitucional no ayuda siempre, con total certeza, a identificar adecuadamente los límites del interés legítimo[35].

---

[35]   P. Pérez Tremps. *Op. Cit.*, p. 994. Este autor afirma: "si se sigue la jurisprudencia constitucional, es difícil trazar líneas generales a la hora de concretar el concepto, que resulta más o menos amplio en función de las circunstancias de cada caso, del derecho en cuestión, etc...Por tanto, la jurisprudencia resulta en extremo casuística. Coherentemente con esa casuística, el Tribunal ha rechazado expresamente criterios interpretativos muy expansivos del concepto de "interés legítimo" apoyándose en la particular naturaleza que poseen los derechos fundamentales (Auto del Tribunal Constitucional 942/1985, FJ 1), vinculados a la dignidad humana, lo que hace que la acción de amparo, en principio, sea personalísima (Sentencia del Tribunal Constitucional 233/2005, Fj 9 entre otras)".

Si parece estar claro que tal interés está presente allí donde el recurrente en amparo pueda mostrar que ostenta cualquier interés en sentido propio, o que ha sido parte en el procedimiento de instancia que constituye la vía judicial previa al amparo[36]. La jurisprudencia constitucional lo establece de forma inequívoca en la STC 214/1992, de 11 de noviembre cuando dice que *"a diferencia, pues, de otros [...] nuestra Ley fundamental no otorga la legitimación activa exclusivamente a la «víctima» o titular del derecho fundamental infringido, sino a toda persona que invoque un «interés legítimo», por lo que, a los efectos de determinar si la recurrente observa o no el requisito constitucionalmente exigido de la legitimación activa, lo único que hay que comprobar en el presente recurso de amparo es si ostenta dicho interés legítimo para solicitar el restablecimiento del derecho fundamental que afirma vulnerado"*. Y lo reitera en resoluciones como las SSTC 84/2000, de 27 de marzo, 13/2001, de 29 de enero, 240/2001, de 18 de diciembre y 298/2006, de 23 de octubre.

Esta comprensión amplia de la legitimación, vinculada a la existencia de un interés legítimo, si bien descarta la acción popular, ha llevado al Tribunal a reconocer la legitimación de los representantes de menores o incapaces sin capacidad plena para la defensa de sus propios derechos fundamentales (por todas STC 99/2019, de 18 de julio), de colectivos sin personalidad jurídica (STC 214/1991, de 11 de noviembre), de los sucesores testamentarios (por todas STC 26/2020, de 24 de febrero) y de sindicatos y asociaciones para defender los intereses profesionales de sus miembros o sus fines estatutarios (así se reconoce, por ejemplo, en las SSTC 31/1984, de 7 de marzo, 180/1988, de 11 de octubre, 47/1990, de 20 de marzo, 284/2006, de 9 de octubre).

---

[36] En este caso concreto la regla del interés legítimo se conecta con la lógica procesal sobre la subsidiariedad del recurso de amparo a la que también se hace referencia en el texto. Apunta esta conexión P. Pérez Tremps, *Op. Cit.* Este autor recuerda también que "como regla general hay que haber sido parte en la vía judicial previa, pero el simple dato procesal de haberlo sido no abre el recurso de amparo, que solo será viable si existe un interés legítimo vinculado a la protección de un derecho fundamental (Sentencia del Tribunal Constitucional 92/1997, FJ 1, por ejemplo)" (p. 983).

Por el contrario, se formula en términos restrictivos la "legitimación" para incoar un recurso de amparo parlamentario - contra "decisiones o actos sin valor de ley, emanados de las Cortes Generales o de cualquiera de sus órganos, o de las Asambleas legislativas de las Comunidades autónomas o de sus órganos" (art. 42 LOTC)- En este caso el art. 46.1 LOTC establece que "están legitimados para interponer el recurso de amparo constitucional: a) En los casos de los artículos cuarenta y dos y cuarenta y cinco, la persona directamente afectada, el Defensor del Pueblo y el Ministerio Fiscal". Cuando se habla de la "persona directamente afectada", empleando una fórmula que la jurisprudencia constitucional considera complementaria de la utilizada por el art. 162.1.b) CE (véase en este sentido la ATC 106/1984, o el 193/2010, de 1 de diciembre), se hace referencia al titular del derecho subjetivo vulnerado o, excepcionalmente a quienes sin ser titulares del derecho pueden ejercitar este, en virtud de una especial disposición de la ley en atención a su relación con el derecho o con el titular del derecho (STC 141/1985, de 22 de octubre). El concepto de persona directamente afectada abarca a quien afirme ser titular del derecho vulnerando y a toda persona que demuestre un "interés legítimo" en la preservación o reparación del mismo, pero en realidad, el reconocimiento de la condición de ser "persona directamente afectada" por el acto parlamentario impugnado, es un reconocimiento restrictivo, que condiciona la viabilidad del recurso de amparo. Esta naturaleza restrictiva del concepto se comprueba porque la jurisprudencia constitucional ni siquiera reconoce la calidad de persona afectada a todos los miembros de la Cámara respecto de cualquier acto de esa misma Cámara. La STC 24/2020, de 13 de febrero, lo expresa del modo siguiente: "Elucidar este extremo es relevante porque, en lo que ahora exclusivamente importa, y con arreglo al art. 46.1 a) LOTC, en los casos de amparos contra decisiones de los órganos parlamentarios sólo está legitimada para interponer el correspondiente recurso de amparo "la persona directamente afectada", por lo que determinar este concepto procesal cuando se trata, como aquí sucede, de iniciativas parlamentarias promovidas por agrupaciones de Diputados es una cuestión ciertamente decisiva".

En el marco de lo expuesto, el Tribunal ha reconocido la condición de persona afectada para interponer un recurso de amparo frente a actos sin valor de ley del parlamento o de una asamblea; i) a los diputados o senadores (STC 98/2009, de 27 de abril), exceptuando el reconocimiento de la legitimación para actuar en nombre de los intereses del grupo parlamentario a no ser que ostentasen la condición de portavoz o la portavocía adjunta (STC 168/2012, de 1 de octubre) y actuaran en tal condición a la hora de interponer el recurso de amparo (STC 24/2020, de 13 de febrero) o tuvieran un apoderamiento expreso; ii) a los partidos políticos respecto de los integrantes de sus candidaturas, pero no respecto de la defensa de intereses o facultades propios de los grupos parlamentarios (STC 36/1990, de 1 de marzo); iii) a los grupos parlamentarios respecto de los miembros de las Cámaras que los integran. (SSTC 31/1984, de 7 de marzo, 180/1988, de 11 de octubre y 36/1990, de 1 de marzo, entre otras). Adicionalmente el Tribunal se ha negado a reconocer legitimación a una Asamblea parlamentaria respecto de la impugnación de actos del Senado (AATC 193/2010, de 1 de diciembre y 192/2010, de 1 de diciembre). Y nunca se ha pronunciado sobre la posibilidad de que un particular, ajeno a la actividad parlamentaria, sea considerado como persona directamente afectada por un acto parlamentario, aunque es previsible que, atendiendo a las consideraciones previas, y a la aproximación restrictiva al concepto "de persona directamente afectada" a la que nos hemos referido, no se llegue a reconocer legitimación, en estos casos, a un ciudadano individual que invoca la vulneración del art. 23.1 CE (derecho de los ciudadanos a participar en las funciones públicas a través de sus representantes), por un acto parlamentario, y ello en la medida en que la jurisprudencia constitucional viene sosteniendo que el art. 23.1 CE reconoce un derecho de participación política que sólo será directo cuando así se recoja expresamente en la ley (SSTC 63/1987, de 20 de mayo, 76/1994, de 14 de marzo y 119/1995, de 17 de julio), cosa que no sucede, por ejemplo, en materia de legitimación para impugnar los actos parlamentarios.

También se ha optado por una interpretación restrictiva a la hora de definir la legitimación para la defensa de intereses difusos o de intereses colectivos[37]. Es cierto que en algún supuesto puntual el Tribunal Constitucional ha reconocido que la defensa de un interés colectivo

---

[37]   Algún autor habla de los intereses generales de la comunidad, es el caso de P.J. González Trevijano, *Op. Cit.* (1985) también ejemplifica la exclusión de supuestos de defensa de intereses difusos con la cita de los AATC 158/1992 y 1178/1988.

puede poner de manifiesto la concurrencia de un interés legítimo. Con la cita de la STC 214/1991, de 11 de noviembre, paradigmática en relación con la definición de la legitimación del amparo constitucional, puede afirmarse que si bien el Tribunal rechaza el ejercicio de la acción popular (así se plasma en las SSTC 62/1982, 62/1983, 257/1988, 123/1989 y 47/1990), asume la posibilidad de reconocer interés legítimo a un miembro de un grupo étnico o social determinado cuando se trate de promover la defensa de un derecho personalísimo (honor por ejemplo) de los integrantes de ese grupo. En el caso en concreto resuelto por la sentencia, la recurrente era una mujer judía, víctima de la persecución nazi durante la Segunda Guerra Mundial, que interpuso un recurso de amparo contra declaraciones de contenido negacionista. El tribunal afirma en su resolución que "*desde su doble condición, de ciudadana de un pueblo como el judío, que sufrió un auténtico genocidio por parte del nacionalsocialismo, y de la de descendiente de sus padres, abuelos matemos y bisabuela (personas todas ellas que fueron asesinadas en el referido campo de concentración), forzoso se hace concluir que, sin necesidad de apelar aquí a la referida legitimación por «sucesión» procesal del derecho subjetivo al honor de sus parientes fallecidos (al amparo de los arts. 4.2 y 5 de la L.O. 11/1982, de protección del derecho al honor), que también cumpliría la recurrente, la invocación del interés que la demandante efectúa en su escrito de demanda en relación con las declaraciones del demandado, negadoras del referido exterminio y atributivas de su invención al pueblo judío, merece ser calificado de «legítimo» a los efectos de obtener el restablecimiento del derecho al honor de la colectividad judía en nuestro país, de la que forma parte la recurrente, por lo que, de conformidad también con nuestra doctrina sobre el derecho de tutela, ha de merecer de este Tribunal un examen de la totalidad del fondo del asunto*".

Esta misma jurisprudencia ha sido menos flexible cuando ha visto menos clara la afectación de intereses propios al tiempo que colectivos en pronunciamientos como la STC 217/1992, de 1 de diciembre, o en algunos supuestos en que una persona jurídica o una institución se arrogaban la legitimación para defender los intereses de los integrantes de la institución: así en la STC 141/1985, de 22 de octubre, se niega la legitimación de un sindicato para defender el derecho a la libertad de expresión de sus miembros, o en los AATC 192 y 193/2010, de 1 de diciembre, se niega la legitimación de una Asamblea autonómica para interponer un recurso de amparo en defensa de los derechos de participación política de sus integrantes[38].

En todo caso, puede sostenerse, con Pérez Tremps[39], que se trata de una doctrina esencialmente casuística, en la que la naturaleza del derecho, el interés defendido, la posición de quien dice ostentar la legitimación para acudir en amparo y la capacidad de los sujetos individuales para intentar esa misma defensa, resultan fundamentales.

2.5. En síntesis

Por tanto, el acceso de las personas, físicas o jurídicas, individualmente consideradas, a la jurisdicción constitucional en España, se articula: i) de modo directo por la vía procesal del recurso de amparo, una vez se han agotado los recursos previos en la jurisdicción ordinaria; ii) de modo indirecto a través del Defensor del pueblo, que puede incoar recurso de inconstitucionalidad contra normas estatales o autonómicas con rango de ley, y hacer suyas las demandas de personas o grupos que recurran a él a través del mecanismo de quejas que prevé la Ley Orgánica 3/1981, de 6 de abril, del Defensor del Pueblo; iii) y de modo también indirecto, en el marco de una cuestión de inconstitucionalidad, a través del órgano judicial del procedimiento *a quo* que bien hace suya una duda de parte, bien pone de relieve una duda propia respecto de la norma aplicable para resolver el procedimiento[40].

Estas dos últimas vías de acceso son, por su escasa utilización, o por su carácter indirecto, claramente marginales en lo que hace al acceso de los ciudadanos a la jurisdicción constitucional. La vía principal y habitualmente utilizada de acceso directo, sea el perjudicado por la acción de los poderes del Estado una persona física o una persona jurídica, es la que proporciona el recurso de amparo en cualquiera de sus tres modalidades (recurso de amparo frente a actos sin valor de ley del poder legislativo -art. 42 LOTC-, recurso de amparo frente a actos

---

[38]　　Resultan sumamente interesantes a este respecto las reflexiones de I. Torres Muro, I. *Op. Cit.*

[39]　　Véase nota el pie n° 35.

[40]　　En este mismo sentido, *vid.*, I. Torres Muro. *Op. Cit.*, p. 124.

del poder ejecutivo y la administración -art. 43 LOTC-, o recurso de amparo frente a resoluciones del poder judicial - art. 44 LOTC-).

Más allá de lo dicho, a diferencia de lo que recientemente ha decidido la *Corte Costituzionale* Italiana[41], no existe la previsión de intervención del *amicus curiae* en ningún tipo de proceso constitucional, lo que incide, sin duda alguna, en una limitación de acceso de determinadas posiciones a la jurisdicción constitucional. Si bien en este caso no hablamos de limitación de acceso a esa jurisdicción, sí hablamos de distanciamiento de la jurisdicción constitucional del debate social, del tercer sector, y de un eventual empobrecimiento del debate.

III. EL ACCESO EN CONDICIONES DE IGUALDAD INDEPENDIENTEMENTE DE LOS MEDIOS ECONÓMICOS DISPONIBLES: AMPLIACIÓN DE ACCESO[42]

La jurisdicción constitucional española es una jurisdicción sumamente técnica y especializada, que exige al recurrente acompañarse de una adecuada representación procesal y asistencia letrada. Si bien no es así en todos los modelos de jurisdicción constitucional, la LOTC contempla expresamente esta obligación, que opera también como garantía del justiciable, en el art. 81.1, bajo la siguiente dicción literal: *"Las personas físicas o jurídicas cuyo interés les legitime para comparecer en los procesos constitucionales, como actores o coadyuvantes, deberán conferir su representación a un Procurador y actuar bajo la dirección de Letrado. Podrán comparecer por sí mismas, para defender derechos*

---

[41] Esa decisión fue adoptada el 8 de enero de 2020 por la Consulta, y ha supuesto la modificación, en particular, de los arts. 4 ter y 14 bis de las "Norme integrative per i giudizi davanti alla Corte costituzionale".

[42] Este apartado integra parte del informe presentado por el Tribunal Constitucional Español al Seminario de la Conferencia Iberoamericana de Justicia Constitucional celebrado en Cartagena de Indias (Colombia) del 20 al 22 de noviembre de 2019, bajo el título "El acceso a la justicia constitucional como objetivo fundacional de la Conferencia Iberoamericana de Justicia Constitucional". El documento, elaborado en esta parte por la firmante de esta contribución, está disponible en su edición completa en la página web de la conferencia https://www.cijc.org/es/seminarios/2019-CartagenaIndias/Documentos%20CIJC/Respuestas%20al%20cuestionario-España%20vf.pdf (último acceso 29 de mayo de 2020).

o intereses propios, las personas que tengan título de Licenciado en Derecho, aunque no ejerzan la profesión de Procurador o de Abogado ".
Ahora bien, como el propio Tribunal reconoce, entre otras, en su STC 105/1995, de 11 de junio, *"cuando la ley impone la obligatoriedad de la asistencia de Abogado y Procurador para la válida realización de los actos procesales, este requisito de postulación procesal no puede convertirse en una carga para el justiciable que carece de recursos económicos, que se erija en obstáculo insalvable para el acceso a la jurisdicción o, en su caso, al recurso preestablecido, pues no es admisible constitucionalmente hacer depender de una institución ajena al litigante el efectivo cumplimiento de los requisitos procesales capaces de determinar, en su caso, la inadmisión de los recursos".*

Por tanto, garantizar un adecuado acceso de los individuos a la jurisdicción constitucional, pasa por imponerles una asistencia técnica adecuada y especializada a ser posible, por proporcionarles la misma cuando no tengan un abogado de su confianza, y por asegurar que el coste económico derivado de esa asistencia pueda ser sufragado con fondos públicos si la persona no tiene medios suficientes para litigar.

Estas cuestiones son abordadas por el Pleno Gubernativo del Tribunal Constitucional español, en ejercicio de sus competencia auto-regulatorias (art. 2.2 LOTC), mediante un acuerdo de 18 de junio de 1996 sobre asistencia jurídica gratuita en los procesos de amparo constitucional[43]. Del contenido normativo del acuerdo se puede extraer que, cuando una persona decide interponer un recurso de amparo ante el Tribunal Constitucional, se pueden dar varias situaciones distintas en lo que hace a la garantía de accesibilidad y a la asistencia jurídica:

1.- El recurrente puede acudir al Tribunal con su abogado y con procurador de su elección y a su costa, en cuyo caso el recurso se tiene por formalizado en el momento en que se presenta ante el registro, quedando sujeto a los plazos que establecen los arts. 42, 43 y 44 LOTC, en virtud de la modalidad de recurso de amparo de que se trate.

---

[43]   El acuerdo se aprueba en desarrollo del art. 80 LOTC, que remite a su vez a la Ley Orgánica 6/1985, de 1 de julio, del Poder Judicial (LOPJ) y a la Ley 1/2000, de 7 de enero, de Enjuiciamiento Civil (LECiv) para la regulación de la comparecencia en juicio, dentro de la que se comprende la defensa jurídica gratuita.

2.- El recurrente puede haber sido beneficiario de justicia gratuita en el procedimiento de instancia[44], habiendo sido asistido por procurador y letrado del turno de oficio habilitado para asistir también en amparo. En este caso se presentará la demanda teniéndose por planteado el amparo en la fecha de registro, por lo que debe personarse ante el TC dentro del plazo legal previsto en la LOTC (art. 6 del acuerdo). El art. 3 del acuerdo, que contempla esta circunstancia, pone de manifiesto que la habilitación del abogado del turno se dará cuando la "resolución que agote la vía jurisdiccional previa al recurso de amparo haya sido dictada por un órgano judicial con sede en Madrid", lo que presupone además que el abogado es del colegio de abogados de Madrid y ha seguido el correspondiente curso de especialización del turno de oficio de amparo[45].

3.- El recurrente puede haber sido beneficiario de justicia gratuita en el procedimiento de instancia, habiendo sido asistido por procurador y letrado del turno de oficio que *no está habilitado para asistir también en amparo*. Esta circunstancia viene regulada en los arts. 4 y 7 del acuerdo, cuando el Tribunal se refiere a los recursos de amparo planteados tras agotar una vía judicial previa que no ha concluido en un órgano judicial con sede en Madrid. En este caso el amparo se tiene por anunciado, sin formalizar, con un escrito firmado por el procurador (o incluso por el abogado de la vía judicial previa), y presentado

---

[44] El beneficio de justicia gratuita se concede en los casos que contemplan los arts. 2 a 5 de la Ley 1/1996, de 10 de enero, cubriendo lo previsto en el art. 6 de la misma norma.

[45] Existe la posibilidad de que el abogado de oficio que ha asistido al recurrente en la vía judicial previa manifieste ante el Tribunal, la *insostenibilidad del recurso de amparo* frente al criterio de su defendido. Ante este planteamiento del abogado que venía conociendo del asunto, el art. 5 del acuerdo prevé que el recurrente pueda plantear el amparo con otro letrado de su elección o con un segundo letrado del turno de oficio, dando una nueva opción al planteamiento del recurso. En este caso el plazo para formalizar la demanda de amparo es el que marca la ley (20 días para los amparos del art. 43 LOTC y 30 días para los amparos del art. 44 LOTC), a contar desde el día en que se notifique al interesado la decisión de la Comisión de Asistencia Jurídica Gratuita, si fuere desestimatoria y por tanto exigiera el nombramiento de abogado de elección propia, o desde el día en que se produzca la designación del segundo abogado de oficio.

dentro de los plazos previstos en los arts. 43 y 44 LOTC, comunicando la intención de interponer el recurso, exponiendo sucintamente una relación circunstanciada de los hechos en que se funde su pretensión, solicitando que se designe abogado, y en su caso procurador del turno de oficio, y acompañando el escrito con copia o testimonio de las resoluciones judiciales que pretendan impugnar en amparo, la acreditación de la fecha en que les hayan sido notificadas y la certificación del derecho a la asistencia jurídica gratuita que previamente se les haya reconocido. Con este escrito de anuncio se interrumpen los plazos de prescripción de la acción de amparo, y se tramita por la secretaria de justicia del Tribunal Constitucional (disposición adicional cuarta del acuerdo) la designación de un abogado del turno de oficio de amparo.

Lo más habitual es que el Tribunal tramite la solicitud de abogado y procurador, antes de analizar incluso la viabilidad de la pretensión lo que supone una garantía extrema de los derechos del justiciable, y un esfuerzo del sistema que es imprescindible reconocer. Pero, ocasionalmente, el Tribunal puede llegar a denegar la designación de abogado y/o procurador del turno de oficio por alguno de los siguientes motivos: a) que el escrito inicial del interesado se haya presentado fuera del plazo previsto en los artículos 43 y 44 de la LOTC; b) que el enjuiciamiento de la materia a que se refiera la impugnación no corresponda a la competencia del Tribunal Constitucional; c) que las resoluciones que se pretendan impugnar no sean susceptibles de recurso de amparo constitucional; o d) que no se haya agotado la vía judicial procedente o todos los recursos utilizables dentro de la vía judicial.

Tampoco es infrecuente que, en supuestos como el descrito en este apartado, el abogado que ha venido asistiendo al interesado en el procedimiento de instancia, *decida seguir proporcionando la asistencia letrada* en el amparo, lo que puede hacer si renuncia a sus honorarios (arts. 4 y 7 del acuerdo). En este caso solo se solicitará la designación de un procurador de oficio, acompañando al escrito de interposición del recurso de amparo la cédula de emplazamiento, la certificación del derecho a la asistencia jurídica gratuita que previamente se haya reconocido y el escrito de renuncia del a bogado a percibir honorarios en los términos establecidos en el artículo 27 LAJG.

4.- Por último, el recurrente puede *llegar sin ninguna asistencia,* y presentar por sí mismo el anuncio de la intención de plantear el recurso de amparo, lo que es sumamente habitual, por ejemplo, en los supuestos en que las personas que están cumpliendo una pena privativa de libertad deciden plantear un recurso de amparo contra decisiones de la administración penitenciaria. En esos supuestos también se tiene por interpuesto el recurso, con la interrupción de los plazos procesales que prevén los arts. 42, 43 y 44 LOTC, pero el amparo queda pendiente de formalización. A partir de ese momento la secretaría de justicia competente tramitará la designación de abogado del turno de oficio de amparo.

El acuerdo del Tribunal Constitucional prevé, en estos casos, algunas particularidades vinculadas al tipo de recurso de amparo que se plantee. Así, el art. 2 del acuerdo se refiere a los amparos del art. 42 LOTC (contra actos sin valor de ley de los poderes legislativos), estableciendo que el anuncio del recurso de amparo debe producirse dentro del plazo de los 3 meses que prevé el precepto legal, que dicho anuncio deberá venir acompañado de la copia o testimonio de las decisiones o actos que pretendan impugnar, y que el interesado debe acreditar que ha solicitado ante el Colegio de Abogados de Madrid o ante el Juez Decano de su domicilio el reconocimiento del derecho a la asistencia jurídica gratuita. Una vez se designa, siquiera de modo provisional abogado y procurador (art. 15 LAJG), el interesado dispone de 20 días para formalizar la demanda de amparo, aunque este plazo puede quedar eventualmente suspendido si alguno de los interesados impugna la designación definitiva de abogado y procurador determinada por la Comisión de Asistencia Jurídica Gratuita. En el caso de los amparos planteados contra actos de los poderes ejecutivo o judicial (arts. 43 y 44 LOTC) se estará a lo previsto para los supuestos en que el recurrente haya sido asistido en la instancia por procurador y letrado del turno de oficio que no está habilitado para asistir también en amparo (art. 4 y 7 del acuerdo), de modo que se tendrá por anunciado el recurso de amparo siempre que se presente dentro del plazo previsto en los artículos 43 y 44 de la LOTC, y la secretaría de justicia del Tribunal iniciará los trámites para designar letrado del turno de oficio.

Por lo que hace al reconocimiento del derecho a la asistencia jurídica gratuita en estos supuestos, se actúa del mismo modo que en los casos en que los recurrentes que venían siendo asistidos por letrado y procurador de designación propia, o del turno de oficio pero a su cargo, incurren en situación de insuficiencia económica sobrevenida[46] en los términos de los previsto en el art. 8 LAJG. Así, el recurrente debe solicitar ante el Colegio de Abogados de Madrid o ante el Juez Decano de su domicilio el reconocimiento del derecho a la asistencia jurídica gratuita y esa solicitud, debidamente comunicada al Tribunal Constitucional junto con el escrito anunciando la intención del plantear el recurso de amparo, interrumpe el plazo de prescripción de la acción de amparo[47].

Hasta aquí la regulación legal. Pero desde aquí apenas se pueden plantear algo más que hipótesis. Si bien formalmente está asegurada la asistencia jurídica a todos los recurrentes por igual, no existen estudios que valoren la calidad o eficacia de esa asistencia jurídica. Las estadísticas contenidas en las memorias anuales del Tribunal Constitucional no nos ofrecen datos sobre la prosperabilidad de los recursos de amparo formulados por abogados del turno de oficio de amparo,

---

[46] Si la situación de insuficiencia económica sobreviniese con posterioridad a la interposición del recurso de amparo, el recurrente o la persona a quien se haya tenido por comparecida en calidad de demandada o de coadyuvante deberá presentar ante el Tribunal la certificación acreditativa de haber solicitado ante el Colegio de Abogados de Madrid o ante el Juez Decano de su domicilio el reconocimiento del derecho a la asistencia jurídica gratuita (art. 9 del acuerdo).

[47] En último término conviene recordar que el art. 10 del acuerdo prevé que, en el caso en que solicite la asistencia jurídica gratuita una vez iniciado el procedimiento de amparo y esta sea desestimada, cabe recurso ante el TC en los términos de lo previsto en el art. 20 LAJG, concediéndose un plazo de tres días para formular alegaciones, y de otros tres para resolver la impugnación. Del mismo modo que cabe amparo contra las resoluciones judiciales desestimatorias de la impugnación a que se refiere el artículo 20 LAJG. En estos casos, el Tribunal, salvo que el escrito se hubiere presentado fuera del plazo legalmente establecido, requerirá, sin más, a los respectivos colegios la designación definitiva de Abogado y Procurador del turno de oficio. Y, si el recurso de amparo fuere inadmitido o desestimado, los profesionales que hayan asistido y representado al recurrente tendrán derecho a percibir de éste los honorarios correspondientes a las actuaciones practicadas.

ni siquiera sobre los porcentajes de admisibilidad de los mismos. Y ese sería un dato interesante y muy revelador sobre la calidad de esa asistencia jurídica que pretende garantizar la accesibilidad de todos, por igual, a la jurisdicción constitucional.

Mi hipótesis es que la calidad de la asistencia no es equivalente. En primer lugar porque el abogado del turno de amparo llega al expediente, al recurrente y al caso cuando ya ha finalizado la vía judicial previa, de modo que ya nada puede hacer si no se invocó en tiempo y forma el derecho vulnerado, si debió interponerse incidente de nulidad y no se hizo, o si la estrategia de defensa del derecho fundamental invocado en amparo fue inadecuadamente desarrollada en el procedimiento de instancia. Es decir, en muchos de los amparos defendidos por abogados del turno que llegan para formular la demanda ante el Tribunal Constitucional, poco pueden hacer ya estos abogados para salvar el caso, incluso presuponiendo la calidad y buen hacer de su asistencia. La reconstrucción de la estrategia de litigación en materia de derechos fundamentales, en fase ya de amparo constitucional, muchas veces es inviable. Pero, además, estos abogados no acceden a los mejores asuntos, a los que plantean problemas constitucionales más relevantes. Y es que aunque el asunto haya sido llevado por un abogado del turno en instancia, si este abogado ve la viabilidad del amparo, y tiene clara la lesión del derecho y la trascendencia constitucional del asunto, lo más habitual es que renuncie a los honorarios para asistir también en esta fase a su cliente. Y, por supuesto, tampoco se puede negar que, en algunas ocasiones, se trata de abogados poco motivados o muy sobrecargados de trabajo, lo que dificulta su dedicación a asuntos que, como decíamos al principio, no son fáciles desde el punto de vista técnico, dado el alto grado de especialización y conocimiento de la jurisprudencia constitucional que requieren. Si a eso añadimos que el requisito de la justificación suficiente de la especial trascendencia constitucional exige un esfuerzo argumentativo notable, y una calidad técnica superior a la media, tenemos una combinación altamente desalentadora. Insisto, se trata de una hipótesis, pero una hipótesis basada en la experiencia que debería poderse contrastarse con datos y un análisis cualitativo más detallado[48].

---

[48]   Formula un juicio de este tipo P. Tenorio, antiguo letrado del Tribunal Constitu-

IV. DIGITALIZACIÓN DE LA JUSTICIA CONSTITUCIONAL: AMPLIACIÓN DE ACCESO[49]

La digitalización de la justicia es una garantía de acceso a la jurisdicción que permite superar barreras físicas y de inversión de tiempo. Unas barreras que, como hemos visto en los primeros meses de extensión de la pandemia del COVID-19 pueden llegar a suponer dificultades insalvables para el normal desarrollo de, entre otros servicios públicos, la jurisdicción, en este caso en concreto la jurisdicción constitucional. Si bien la suspensión de plazos procesales para la presentación de recursos de todo tipo ha sido instaurada como garantía para los justiciables y la adecuada prestación, precisamente, de los servicios de asistencia letrada, lo cierto es que el Tribunal Constitucional ha podido seguir funcionando durante estos meses al existir un registro electrónico habilitado[50], que no ha llegado a cerrarse en ningún momento, y un sistema de digitalización de las demandas que ha permitido no interrumpir el examen de admisibilidad de los asuntos pendientes de estudio. El acceso, por tanto, ha sido garantizado gracias a la creación del registro electrónico a pesar de las medidas de confinamiento asociadas a la declaración del estado de alarma. Este salto no se ha producido como consecuencia de la situación descrita,

---

cional en el trabajo "¿Qué fue del recurso de amparo ante el Tribunal Constitucional?, *Revista de Derecho Político*, nº 101 (en.-abr. 2018), p. 703-740. En su caso achaca buena parte de las inadmisiones de amparo a la defectuosa asistencia letrada, en términos genéricos y sin hacer distinciones entre la asistencia del turno de oficio y la de elección propia. Posiblemente que exista todavía un alto porcentaje de inadmisiones por falta de justificación o insuficiente justificación de la especial trascendencia constitucional del recurso de amparo se deba, efectivamente, a una defectuosa asistencia. Pero la duda que me asalta, y que creo que deberíamos ser capaces de responder, al menos desde el propio Tribunal Constitucional, es si ese porcentaje se vincula, además a la asistencia del turno o no lo hace. Y, en todo caso, creo que esas cifras son una llamada de atención al Tribunal que debería plantearse reforzar la formación a los abogados, a través de los Colegios profesionales.

[49] *Vid.*, nota al pie 42. Este apartado también está tomado del informe allí citado, correspondiendo su autoría a la firmante de este capítulo.

[50] El cometido del registro electrónico es "la recepción y remisión, por vía electrónica, de escritos y documentos, tanto jurisdiccionales como gubernativos, relacionados con el ámbito de competencias del Tribunal Constitucional" (art. 8 del acuerdo de 15 de septiembre de 2016.

pero tampoco se remonta mucho tiempo atrás, datando de finales del año 2016[51].

Un acceso sencillo, a través de la sede electrónica del Tribunal [52] facilita que cualquier persona pueda interponer una demanda de amparo o presentar su anuncio. En todo caso *"la presentación de escritos y documentos a través del Registro Electrónico tendrá carácter voluntario, quedando a salvo el derecho de los interesados a presentarlos alternativamente en la Oficina del Registro radicada en la sede del Tribunal o en las condiciones previstas para los recursos de amparo en el artículo 85.2 de la Ley Orgánica 2/1979, de 3 de octubre, del Tribunal Constitucional"*[53]. La obligación de utilizar el registro electrónico solo podrá afectar, en su caso, a los recurrentes o representantes de estos que sean personas jurídicas o colectivos de personas físicas que, por razón de su capacidad económica o técnica, dedicación profesional u otros motivos, tengan la disponibilidad de los medios tecnológicos precisos. Esa obligación deberá ser determinada, en los términos que se expondrán, por el Secretario General del Tribunal Constitucional. Esta previsión está en sintonía con la finalidad de asegurar el acceso en condiciones de igualdad a toda la ciudadanía, formulando los ajustes razonables que sea pertinente abordar para facilitar dicho acceso a las personas en situación de especial vulnerabilidad[54].

---

[51]   Mediante el acuerdo de 15 de septiembre de 2016, del Pleno del Tribunal Constitucional, se creó el Registro Electrónico. El texto completo del acuerdo puede ser consultado en http://www.tribunalconstitucional.es/es/tribunal/normativa/Normativa/BOE-A-2016-11054.pdf (último acceso el 2 de junio de 2020).

[52]   En la dirección electrónica www.tribunalconstitucional.es (último acceso 29 de mayo de 2020).

[53]   Art. 10 del acuerdo. El funcionamiento del registro electrónico permite presentar escritos y documentos todos los días del año, durante las veinticuatro horas del día, sin perjuicio de las interrupciones necesarias para el mantenimiento técnico u operativo (art. 12 del acuerdo), lo que facilita, sin duda alguna, la accesibilidad. Ahora bien, esta amplitud no evita que el registro se rija por un calendario de días inhábiles, que es el de Madrid. Por tanto, según el art. 12.2 del acuerdo *"a los efectos del cómputo de plazos, la presentación en un día inhábil se entenderá efectuada a las cero horas y un segundo del primer día hábil siguiente"*.

[54]   El acuerdo atribuye al Secretario General del Tribunal la facultad para desarrollar las normas de funcionamiento del registro (art. 14 del acuerdo), para prever, concretamente: a) Los trámites y actuaciones susceptibles de efectuarse a través del Registro Electrónico; b) Las personas jurídicas y colectivos de personas físicas que resulten obligados a la presentación de documentación a través del Re-

Esa misma idea de los ajustes razonables está en la base de la política de protección de datos del Tribunal Constitucional español que, en el acuerdo de Pleno Gubernativo de 23 de julio de 2015, se refiere a la protección de datos personales de los recurrentes, cuando regula la exclusión de los datos de identidad personal en la publicación de las resoluciones jurisdiccionales[55]. El acuerdo establece en su art. 1 que el Tribunal Constitucional preservará de oficio, al redactar y publicar sus resoluciones, el anonimato de los menores y personas que requieran un especial deber de tutela, de las víctimas de delitos de cuya difusión se deriven especiales perjuicios y de las personas que no estén constituidas en parte en el proceso constitucional. Es decir, el Tribunal identifica aquí situaciones de especial vulnerabilidad para proteger la identidad de las personas que sufren esas situaciones. En el resto de los supuestos, la regla general es la de la publicidad que podrá ser excepcionada de oficio, o a instancia de parte, si esta estima necesario que no se divulgue públicamente su identidad o situación personal. En estos casos, la solicitud de parte lleva a la necesidad de que el Tribunal motive si accede o no a la supresión de datos personales, en particular los datos que permitan identificarlas. Si se acepta la anonimización, entonces en la publicación de las resoluciones del Tribunal Constitucional, se sustituirá la identidad de las personas interesada por las iniciales correspondientes y se omitirán los demás datos que permitan su identificación.

Como se recuerda en la STC 58/2018, de 4 de junio, ella misma relativa al "derecho al olvido" en las hemerotecas digitales, el *"Tribunal sostiene habitualmente, al aplicar lo dispuesto en el artículo 164 CE y concordantes relativo a la publicidad de las resoluciones de la jurisdicción constitucional, que la exigencia constitucional de máxima difusión y publicidad de las mismas se refiere a las resoluciones íntegras (STC 114/2006, de 5 de abril, FFJJ 6 y 7), y, por tanto, a la completa identificación de quienes hayan sido parte en el proceso*

---

gistro Electrónico; c) Los sistemas de autenticación y firma electrónica admitidos para la presentación de los documentos; y d) Los formularios y modelos normalizados de escritos susceptibles de utilizarse a través del Registro Electrónico.

[55]   BOE núm. 178, de 27 de julio de 2015. Se puede consultar en la web del Tribunal Constitucional en http://www.tribunalconstitucional.es/es/tribunal/normativa/Normativa/BOE-A-2015-8372.pdf

constitucional respectivo. Esta difusión íntegra "permite asegurar intereses de indudable relevancia constitucional, como son, ante todo, la constancia del imparcial ejercicio de la jurisdicción constitucional y el derecho de todos a ser informados de las circunstancias, también las personales, de los casos que por su trascendencia acceden, precisamente, a esta jurisdicción; y ello sin olvidar que, en no pocos supuestos, el conocimiento de tales circunstancias será necesario para la correcta intelección de la aplicación, en el caso, de la propia doctrina constitucional." (STC 114/2006, FJ 6)". No obstante, esta regla general admite, como hemos visto excepciones, y las mismas son valoradas, de forma razonada, por el propio Tribunal en el marco del procedimiento de amparo, o de la cuestión de inconstitucionalidad en que se solicite la garantía del anonimato de las partes.

De entre las muchas herramientas que podrían aún desarrollarse para facilitar el acceso al recurso de amparo me gustaría destacar una que ya está prevista en el acuerdo, antes referenciado, de 15 de septiembre de 2016: los modelos o formularios. A mi juicio, facilitar un formulario tipo a los recurrentes, con un número de palabras, páginas o caracteres limitado, no sólo es útil para agilizar el examen de admisibilidad del recurso de amparo, ocupación que sigue exigiendo una inversión de tiempo y medios personales bastante notable, sino que también podría facilitar a los abogados no expertos en la materia, e incluso a los del turno de oficio especializado, una guía útil, especialmente, para superar los óbices de admisibilidad o, dicho desde una perspectiva más adecuada, para cumplir adecuadamente con los requisitos de procedibilidad del recurso de amparo, en particular con la suficiente justificación de la especial trascendencia constitucional[56].

---

[56]   A este respecto es importante recordar que la carga de justificar la especial trascendencia constitucional del recurso es algo distinto a razonar sobre la existencia de la vulneración de un derecho fundamental por el acto o la decisión impugnado, lo que dificulta sobremanera la redacción de este apartado de la demanda, y lleva a un elevadísimo número de inadmisiones a trámite de demandas de amparo en las que no se justifica, de forma suficiente, la especial trascendencia constitucional. Véanse, en este sentido las SSTC 17/2011, de 28 de febrero, FJ 2; 69/2011, de 16 de mayo, FJ 3; 143/2011, de 26 de septiembre, FJ 2; y 191/2011, de 12 de diciembre, FJ 3.

V. ESPECIAL TRASCENDENCIA SIN ROSTRO SOCIAL: LIMITACIÓN DE ACCESO A LA JURISDICCIÓN

Si bien en el apartado 2.5 de este estudio se ha presentado el recurso de amparo como el procedimiento más abierto a la ciudadanía y, por tanto, la vía de acceso más directa al Tribunal Constitucional, lo cierto es que esta descripción queda sustancialmente mediatizada por la objetivación del recurso de amparo que deriva de la Ley Orgánica 6/2007, de modificación de la Ley Orgánica del Tribunal Constitucional. Esta reforma impactó de forma directa en el acceso a la jurisdicción constitucional, en sentido restrictivo, al modificar las condiciones de admisibilidad del recurso de amparo. En ello coinciden tanto el Tribunal Constitucional, como la doctrina constitucional que ha escrito largo y tendido sobre la reforma[57], como los operadores jurídicos que se han visto en la necesidad y en la obligación de aplicarla, especialmente los integrantes de la abogacía.

Como dice la exposición de motivos de la LO 6/2007, *"frente al sistema anterior de causas de inadmisión tasadas, la reforma intro-*

---

[57] Sería imposible traer la cita de todos los trabajos relativos a esta materia, de modo que me limitaré a citar los más recientes, que a su vez reproducen trabajos más antiguos, destacando de entre ellos los escritos por antiguos magistrados o letrados del Tribunal, porque me parece que pueden ofrecer una visión más precisa, si bien no necesariamente crítica. Así, puede acudirse, para profundizar en la materia, a los trabajos de: F.J. Matia Portilla, A. González Alonso, *Op. Cit.*, 2019 en particular, en esta obra el trabajo de Herminio Losada sobre el recurso de amparo; C. Padrós Reig. "La exigua tasa de admisión del recurso de amparo constitucional", *Revista de Administración pública*, nº 209, 2019, pp. 307-347; M. Aragón Reyes. *Recurso de amparo 2020-2021. Memento.* Lefebvre-El derecho, Madrid, 2019; P. Sánchez Tenorio. *Op. Cit.*; P. Pérez Tremps. "La especial trascendencia constitucional del recurso de amparo como categoría constitucional: entre morir de éxito o vivir en el fracaso", *Teoría y realidad constitucional*, nº 41, pp. 253-270, 2018; M. González Beilfuss. "La especial trascendencia constitucional como criterio de selección de los recursos de amparo", *Anuario de la Facultad de Derecho de la Universidad Autónoma de Madrid*, nº 22, pp. 250-279, 2018; M. Beladíez Rojo. "El recurso de amparo y la especial trascendencia constitucional", *Revista General de Derecho Constitucional*, nº 25, 2017; M. Iglesias Bárez. "El recurso de amparo constitucional en España: la difícil articulación entre el diseño normativo del amparo objetivo y la práctica del Tribunal Constitucional en la defensa de los derechos fundamentales", en *El Tribunal Constitucional español: una visión actualizada del supremo intérprete de la Constitución*, Tébar Flores, Madrid, pp. 129-155, 2017; y P. Pérez Tremps, P. *El recurso de amparo*, Tirant Lo Blanc, Valencia, 2015.

duce un sistema en el que el recurrente debe alegar y acreditar que el contenido del recurso justifica una decisión sobre el fondo por parte del Tribunal en razón de su especial trascendencia constitucional, dada su importancia para la interpretación, aplicación o general eficacia de la Constitución. Por tanto, se invierte el juicio de admisibilidad, ya que se pasa de comprobar la inexistencia de causas de inadmisión a la verificación de la existencia de una relevancia constitucional en el recurso de amparo formulado". Esta inversión del juicio se refleja en el art. 50.1.b LOTC, que exige, como requisito de admisibilidad *"que el contenido del recurso justifique una decisión sobre el fondo por parte del Tribunal Constitucional en razón de su especial trascendencia constitucional, que se apreciará atendiendo a su importancia para la interpretación de la Constitución, para su aplicación o para su general eficacia, y para la determinación del contenido y alcance de los derechos fundamentales"*. Como empieza a resultar ya bastante conocido, el concepto jurídicamente indeterminado de la especial trascendencia constitucional se concreta y desarrolla en la STC 155/2009, STC 155/2009, de 25 de junio, que hace una lectura relativamente restrictiva de los supuestos que pueden estar dotados, en principio, de especial trascendencia constitucional (ETC)[58], y que ha sido aplicada de modo aún más restrictivo por la jurisprudencia del Tribunal Constitucional que ha venido a sumar a la necesidad de que se identifique en el recurso alguna causa de ETC de las indicadas en citada sentencia, la exigencia de que existan indicios verosímiles de que se ha producido la lesión del derecho fundamental invocado.

---

[58] Recordemos que el FJ 2 de la sentencia establece que son causas de ETC: a) recursos que planteen un problema sobre el que no haya doctrina (STC 70/2009); b) recursos que den ocasión al Tribunal para aclarar o cambiar su doctrina, como es el caso; c) cuando la vulneración del derecho fundamental que se denuncia provenga de la ley o de otra disposición de carácter general; d) cuando la vulneración del derecho fundamental traiga causa de una reiterada interpretación jurisprudencial de la ley lesiva del derecho fundamental y sea necesario proclamar otra interpretación conforme a la Constitución; e) cuando la doctrina del Tribunal Constitucional sobre el derecho fundamental que se alega esté siendo incumplida de modo general y reiterado por la jurisdicción ordinaria, o existan resoluciones judiciales contradictorias sobre el derecho fundamental; f) cuando un órgano judicial incurra en una negativa manifiesta del deber de acatamiento de la doctrina del Tribunal Constitucional; y g) cuando el asunto trascienda del caso concreto porque plantee una cuestión jurídica de relevante y general repercusión social o económica o tenga consecuencias políticas generales.

Si a lo anterior añadimos la crítica, casi unánime en la doctrina[59], de la falta de transparencia a la hora de aplicar los criterios de especial trascendencia determinados jurisprudencialmente, obtenemos como resultado un sistema de admisión restrictivo y poco claro, incluso después de que se empezaran a especificar las causas de admisión a trámite en aplicación de lo solicitado en el § 46 de la STEDH de 20 de enero de 2015, asunto Arribas Antón contra España.

No obstante, es cierto que la finalidad de la reforma legislativa que objetivó el recurso de amparo, ha sido cumplida con creces. El objetivo de las modificaciones normativas de 2007 era, esencialmente, agilizar el procedimiento de amparo y aligerar la sobrecarga del Tribunal Constitucional y esto se ha conseguido. Las estadísticas de las memorias anuales[60] nos muestran un descenso de la pendencia desde el año 2009, una aceleración de los tiempos de respuesta y una mayor capacidad de resolución de los asuntos "de Pleno" (es decir del control de constitucionalidad y de los conflictos). Y no puede negarse que parte de la explicación radica en la mayor celeridad con que se han tratado los exámenes de admisibilidad, que han llevado a liberar tiempo de trabajo para dedicarlo a ir resolviendo los asuntos de Pleno que estaban pendientes. Pero existen factores que también explican esta situación y que no están directamente vinculados a la reforma del trámite de admisibilidad del recurso de amparo. De un lado, durante el período 2005-2009 se produjo un incremento significativo del número de recursos de amparo ingresados que subieron de los 7000 de media en los años anteriores (analizando desde el año 2000) hasta los más de 11.000 del año 2006. Pero ese incremento fue localizado y puntual[61], porque a partir de 2010 volvió a recuperarse la media de los 7000. Y si bien hay quien imputa el descenso a los

---

[59]   Vid., por todos, el planteamiento de M. González Beilfuss, *Op. Cit.*, 2018.

[60]   Las estadísticas están disponibles en las memorias del Tribunal Constitucional, cuya consulta en línea es posible en la dirección: https://www.tribunalconstitucional.es/es/memorias/Paginas/default.aspx (último acceso 29 de mayo de 2020)

[61]   No sólo fue localizado y puntual, sino que coincidió con el período en que el Tribunal entró a conocer del recurso contra el Estatuto de Autonomía de Cataluña, absorbiendo ese procedimiento un gran número de recursos humanos del Tribunal en un contexto de alta tensión política dentro y fuera de la institución. Habría, por tanto, que preguntarse si la reforma impulsada en ese contexto no vino condicionada, precisamente por el contexto.

efectos indirectos de la reforma, no hay estudio alguno que avale esta conclusión, ni tampoco existe análisis alguno que trate de explicar la tendencia del período de crecimiento de demandas. Podemos pensar que el incremento respondía a una tendencia que, de no haberse frenado con la reforma, habría llegado a ahogar al Tribunal. Pero, en realidad, desconocemos las causas de aquel incremento y no hacemos más que plasmar intuiciones, que debieran ser contrastadas en un estudio más profundo, cuando decimos que la reforma generó un efecto de desincentivo. Pero lo cierto es que en el mismo período cambió la legislación sobre tasas judiciales[62], la regulación sobre la asistencia letrada de los extranjeros[63], y el contexto socioeconómico, con lo que el descenso del número de asuntos llegados al Tribunal puede responder a una suma de causas. De hecho, lo más razonable es pensar que responde a una suma de causas.

Ahora bien, este objetivo cumplido, ha llevado aparejado, con el descenso del número de admisiones a trámite de recursos de amparo, una restricción consecuente del acceso a la jurisdicción constitucional por parte de los ciudadanos a través del recurso de amparo, que era la vía preferente de acceso. El endurecimiento manifiesto del trámite de admisión del recurso de amparo, podría haber significado, al menos desde el terreno de las hipótesis, un efecto reflejo de aumento de peticiones a los órganos judiciales para que elevasen cuestiones de inconstitucionalidad, siendo esta, como hemos apuntado antes, una

---

[62] La reforma de las tasas judiciales se produjo con la Ley 10/2012, de 20 de noviembre por la que se regulan determinadas tasas en el ámbito de la Administración de Justicia y del Instituto Nacional de Toxicología y Ciencias Forenses. Sobre el impacto de esta reforma en la administración de justicia véase el Boletín Información Estadística núm. 34, de junio de 2013 del Consejo General del Poder Judicial.

[63] Véase en particular la modificación del art. 22 -sobre asistencia jurídica gratuita- de la Ley Orgánica 4/2000, de 11 de enero, sobre derechos y libertades de los extranjeros en España y su integración social, introducida por la Ley Orgánica 2/2009, de 11 de diciembre. Este precepto, en su nueva redacción, exige la designación de abogado específicamente para la fase contencioso administrativa, sin que se considere válida la designación de letrado realizada para la vía administrativa previa. Esta modificación supone la inviabilidad de muchos recursos contencioso administrativos porque, materializada la devolución o la expulsión del extranjero, en muchas ocasiones se pierde el contacto con el mismo y, con ello, la posibilidad de nueva designación para continuar el procedimiento contencioso y, en última instancia, el recurso de amparo.

vía de acceso indirecta a la jurisdicción constitucional. Pero no resulta sencillo contrastar empíricamente esta hipótesis. No existen datos publicados que permitan verificar si quienes sienten que sus derechos han sido menoscabados, y que el recurso de amparo ya no es una opción factible de encontrar reparación, inciden con más intensidad en la solicitud de planteamiento de cuestión de inconstitucionalidad en el seno del procedimiento de instancia. El dato que permitiría valorar esta hipótesis con toda certeza, vendría dado por el número de solicitudes de planteamiento de cuestiones de inconstitucionalidad formulados en las demandas de instancia, que son respondidas por los órganos judiciales tanto descartándolas como asumiéndolas. Pero se trata de un dato estadístico inexistente y sumamente difícil de conseguir. Otra opción, menos precisa, pero que podría ofrecer cuando menos una aproximación cuantitativa interesante, exigiría cuantificar el número de trámites de audiencia para el planteamiento de cuestiones de inconstitucionalidad que se abren en la jurisdicción ordinaria, en los que participa el Ministerio Fiscal (art. 35.2 LOTC), y contrastar este dato con el número de cuestiones que, efectivamente, se elevan por parte de los órganos judiciales. Pero este dato tampoco está registrado ni es público, si bien parece más fácil de elaborar, cuando menos para la Fiscalía.

La siguiente duda que se plantea es, como la anterior, difícil de resolver. Ante la restricción generalizada de acceso al amparo, sería conveniente valorar si el impacto del adelgazamiento de la jurisdicción constitucional ha afectado indistintamente a toda la ciudadanía, o ha tenido un particular impacto, por ejemplo, en las personas que acceden al Tribunal con asistencia jurídica gratuita, o desde posiciones de especial vulnerabilidad. Es cierto que, durante estos 13 años el Tribunal ha seguido tratado cuestiones relativas a la vulnerabilidad, la igualdad y la inclusión social. En realidad, los temas de interés social y constitucional acceden a la jurisdicción constitucional por cualquiera de las vías expuestas. La cuestión, por tanto, no es esa. La cuestión es si la objetivación del amparo[64] ha derivado en un aleja-

---

[64]   Sobre esa objetivación, vid. ATC 29/2011, de 17 de marzo. Asimismo puede consultarse M. Aragón Reyes. "Las dimensiones subjetiva y objetiva del nuevo recurso de amparo" *Otrosí*, núm. 10, abril-junio, pp. 8, 2012; M. Beladíez Rojo, *Op. cit.*

miento del Tribunal de determinados perfiles sociales a los que antes atendía y que pueden haber percibido una pérdida de legitimidad de ejercicio del Tribunal. Un distanciamiento, aún mayor, de la élite de las togas.

Pero, como vemos, las certezas son pocas y las dudas abundantes. Y los análisis doctrinales no abordan esta perspectiva del problema que exige un análisis de datos de los que no se dispone, pero que sería necesario empezar a tratar. Buena parte de la doctrina, en cambio, aboga por ir más allá en la objetivación del recurso de amparo[65], basándose en un análisis de la aplicación del criterio de la ETC que constata la incoherencia de la aplicación de la exigencia en muchos casos que no parecen encajar adecuadamente en las causas definidas en la STC 155/2009, y la sobrerrepresentación de asuntos relativos al art. 24 CE, una preminencia de la garantía de los derechos procesales que ya se producía antes de la reforma y que parece difícil de explicar en el nuevo modelo. Sin detenernos ahora en esta cuestión que, efectivamente, merecería también una reflexión pausada, lo cierto es que un refuerzo de la objetivación, sin una adecuación de otros elementos del sistema de garantías jurisdiccionales de los derechos fundamentales, especialmente en sede constitucional, solo puede llevar a una mayor distanciación, y a una pérdida de posiciones del Tribunal Constitucional como institución garante de los derechos en el marco y contexto del sistema jurídico español.

VI. UNA JURISDICCIÓN CONSTITUCIONAL CUESTIONADA Y QUE DEBE CUESTIONARSE SU ALEJAMIENTO DE LA CIUDADANÍA

Durante la última década la imagen del Tribunal Constitucional español de cara a la opinión pública y también a la opinión académica se ha ido deteriorando progresivamente.

Pero un sistema constitucional no puede permitirse el lujo de que uno de los pilares fundamentales de ese sistema pierda su legitimidad sin responder ante ello, porque esa situación alimenta los discursos

---

[65] En este sentido resultan de interés los trabajos de M. González Beilfuss. *Op Cit*, y H. Losada. *Op. Cit.*

corrosivos contra el propio sistema. Podemos llamarlos discursos po-
pulistas o podemos llamarlos discursos anti-sistema. Y podemos de-
nostarlos, seguramente sea legítimo hacerlo, pero sin negarles parte
de la razón que subyace en los mismos. Identificar esa base razonable
del discurso puede permitirnos identificar algunos fallos en el sistema
de justicia constitucional para tratar de repararlos, reforzando la legitimidad del modelo para contra argumentar con mayor fuerza frente
al discurso destructivo que no ofrece alternativas. A mi juicio, el argumento lógico del discurso crítico se organiza en torno a la ya clásica
idea de la objeción contra mayoritaria, por lo que debe trabajarse en
la reducción de esta objeción[66], que viene a ser tanto como trabajar
en el refuerzo de la legitimidad de la jurisdicción constitucional, porque la dificultad contra mayoritaria tiene que ver con la ausencia de
legitimidad.

En el caso del sistema español, se dan además algunas particularidades propias que también alimentan el discurso crítico, si bien no
siempre resultan coherentes con la objeción contra mayoritaria.

Se critica el elitismo judicial y la posibilidad de que los magistrados corrijan la voluntad del legislador que, según estas posiciones
críticas es la voluntad del pueblo, al tiempo que se cuestiona el sistema de nombramientos de los magistrados que conduce a reproducir
mayorías parlamentarias en el seno del colegio de Magistrados, con
algunos sesgos como el centralismo[67] o la sobrerrepresentación de
los dos grandes partidos clásicos del antiguo sistema bipartidista. Sin
embargo ambas críticas no parecen compatibles entre sí: o el Tribunal debe ser una institución representativa de la pluralidad política
o no debe serlo. Y si debe serlo podemos discutir sobre la adecuada
modalidad de nombramiento, del mismo modo que si no debe serlo
también habrá que revisar esas modalidades de nombramiento. Pero
no parece coherente criticar el sesgo político del Tribunal porque ese
sesgo es uno determinado, pero admitir que podría tener sesgo en
otro sentido y entonces no sería criticable. Tampoco parece razonable

---

[66]   En este sentido resulta de sumo interés el trabajo de V. Ferreres Comella. *Op. Cit.*
[67]   A este respecto véase R. Bustos Gisbert. "La controvertida composición y reno-
       vación de los órganos judiciales situados en la cúspide", *Anuario de la Facultad
       de Derecho de la Universidad Autónoma de Madrid*, n° 22, pp. 217-256, 2018.

-quizá sería mejor decir realista- pensar que un Tribunal Constitucional está ausente de sesgo político cuando resuelve la interpretación del texto constitucional que es, en esencia, un texto jurídico que traza y sintetiza las opciones políticas fundamentales de una comunidad nacional. La cuestión de los nombramientos de Magistrados es, por tanto, uno de los temas sobre los que es preciso reflexionar desde el reconocimiento de que ningún modelo de nombramiento es neutral, sino que conlleva la asunción de uno u otro modelo de Tribunal Constitucional. Sin renunciar a la calidad técnica de los magistrados y a su experiencia profesional previa, que asegure un adecuado conocimiento del sistema jurídico en su conjunto y una especialización diversificada, puede buscarse un modelo de elección distinto del actual que permita superar algunas de las críticas existentes como los sesgos de procedencia geográfica, edad, género, o vínculos políticos directos.

Se critica la posibilidad de que el Tribunal Constitucional controle las normas aprobadas en referéndum, directamente por la ciudadanía, al entender que la legitimidad democrática de este procedimiento de aprobación de disposiciones legales, supera cualquier legitimidad de ejercicio que pueda tener la jurisdicción constitucional[68]. Una parte del discurso independentista catalán se basa precisamente en la actuación del Tribunal Constitucional español al conocer el recurso de inconstitucionalidad núm. 8045-2006, contra la diversos preceptos de la Ley Orgánica 6/2006, de 19 de julio, de reforma del Estatuto de Autonomía de Cataluña. La STC 31/2010, de 28 de junio, apenas declaró inconstitucionales catorce preceptos, después de casi cuatro años de deliberaciones, y formuló la interpretación conforme de otros veintisiete, lo que cuantitativamente no parece demasiado teniendo en cuenta el alcance del recurso y la extensión del Estatuto. Pero fue suficiente para soportar un discurso de oposición radical frente a su autoridad que se ha venido reforzando con el paso de los años por el intenso protagonismo de la jurisdicción constitucional en la evolución del conflicto catalán[69]. Una parte de la crítica

---

[68]   Sobre esta cuestión profundiza el trabajo de D. López Rubio. *Op. cit.*

[69]   Los comentarios doctrinales sobre la jurisprudencia constitucional en una década de conflicto independentista son numerosos. Pueden citarse aquí los trabajos de A. Bar Cendón. "El proceso independentista de Cataluña y la doctrina jurisprudencial; una visión sistemática", *UNED, Teoría y Realidad Constitucional,*

se afrontó con la reforma de la Ley Orgánica del Tribunal Constitucional y la recuperación del procedimiento del control previo de constitucionalidad de los Estatutos de Autonomía materializada en la Ley Orgánica 12/2015, de 22 de septiembre. Que proporcionar un contraargumento a la crítica a la intervención del Tribunal frente al Estatuto de catalán de 2006, era un objetivo del legislador se deduce claramente de la exposición de motivos de la ley orgánica, donde se dice literalmente *"para evitar el cuestionamiento constitucional e institucional y vertebrar con rigor jurídico y cohesión social el Estado, se torna necesario y conveniente restablecer, adaptándolo a la actual configuración del Estado, el recurso previo de inconstitucionalidad, eso sí, sólo para los Proyectos de Estatutos de Autonomía y sus propuestas de reforma (...). En definitiva, se hace necesario garantizar el, no siempre fácil, equilibrio entre la especial legitimidad que tienen los Estatutos de Autonomía como norma institucional básica de las Comunidades Autónomas, en cuya aprobación intervienen tanto las Comunidades Autónomas como el Estado y, en ocasiones, el cuerpo electoral mediante referéndum, y el respeto de dicho texto al marco constitucional, construido alrededor de la Constitución como norma fundamental del Estado y de nuestro ordenamiento jurídico"*. Pero la cuestión no está definitivamente resuelta y quizá sólo una nueva redacción del Estatuto, con un nuevo control y un nuevo referéndum, sean capaces de cerrar este ciclo.

Y se critica desde algunos operadores jurídicos, particularmente desde el sector de la abogacía, la reforma del año 2007 en relación con la objetivación del recurso de amparo. Crítica también formulada por algunos teóricos aunque no siempre en sentido coincidente con el que manifiesta la abogacía. Si se analizan los datos estadísticos de los últimos años se puede verificar que el muy exiguo porcentaje de ad-

n° 37, pp. 187-220, 2016 o, en el mismo número el trabajo de J.M. Castellá Andreu. "Tribunal Constitucional y proceso secesionista catalán; respuestas jurídico-constitucionales a un conflicto político-constitucional" *UNED, Teoría y Realidad Constitucional*, n° 37, pp. 561-592, 2016; E. Roig i Molés, "Procés sobiranista i Tribunal Constitucional. Anàlisi d'un impacte recíproc", *Revista Catalana de Dret Públic*, n° 54, pp. 24-61, 2017; y J. De M. Bárcena. "El proceso soberanista ante el Tribunal Constitucional", *Revista Española de Derecho Constitucional*, n° 113, 2018, pp. 136-166 (doi: https://doi.org/10.18042/cepc/redc.113.05)

misión a trámite de los recursos de amparo, que ha estado rondando el 1% durante mucho tiempo, muestra una tendencia al incremento en los últimos dos años. Si en 2017 se admitieron a trámite un 1,1% de los recursos de amparo tratados (no los ingresados, sino los efectivamente examinados en el trámite de admisibilidad), en el 2018 la cifra relativa se elevó hasta el 1,8% y en el año 2019 hasta el 2,79%. Al mismo tiempo el nivel de pendencia del resto de procesos ha descendido de forma notable. A finales de 2020 quedaban pendientes de sentencia 214 asuntos, 89 de ellos del Pleno, sabiendo que una parte de esos asuntos (23) son también recursos de amparo abocados. Habrá que verificar si la tendencia se mantiene pero, de ser así, eso significaría que el Tribunal ha resuelto el problema de los tiempos de resolución y de la excesiva pendencia y que, simultáneamente, va flexibilizando el trámite de admisión de amparo. Eso vendría a significar, asimismo, que tal y como valoran algunos autores y buena parte de la abogacía, durante una década el Tribunal aplicó una interpretación ultra restrictiva de la reforma del año 2007 de manera que cerrando la puerta al recurso de amparo pudo manejar mejor el flujo de trabajo para dedicarse al resto de procedimientos, liberando poco a poco la acumulación de asuntos. La cuestión es si esa aplicación reduccionista ha sido o no ha sido dañina para la legitimidad del Tribunal Constitucional como juez de los derechos y libertades y, como consecuencia, también como institución básica del sistema de garantías de la Constitución.

Desde luego, para los activistas de los derechos humanos, las organizaciones del tercer sector, los abogados y abogadas que trabajan en la defensa y promoción de los derechos, y la doctrina más crítica con la jurisprudencia del Tribunal Constitucional en el último período, la pérdida de legitimidad es evidente. Prueba de ello es el incremento en el recurso a los Comités de Naciones Unidas en este mismo período, al Tribunal Europeo de Derechos Humanos o al Tribunal de Justicia de la Unión Europea, sobre todo en materia de igualdad y de protección a los consumidores que, en muchos casos, se ha traducido en una protección más intensa de los intereses económicos de las personas particularmente afectadas por la crisis o en una garantía de derechos sociales, como el acceso igualitario a las pensiones, por ejemplo. Es cierto que ese incremento también ha podido deberse al refuerzo del sistema de protección multinivel de los derechos, o a la suscripción de los protocolos que articulan los sistemas de peticiones o quejas individuales del sistema de Naciones Unidas. Obviamente no existe una sola razón que justifique la mayor litigiosidad internacional. Pero, del diálogo con los agentes sociales, incluso con los titulares de órganos de la jurisdicción ordinaria, se deduce rápidamente una preferencia por la vía internacional, a veces percibida como más ágil, a veces como más fiable -no olvidemos las críticas a la falta de transparencia relativa al criterio de la especial trascendencia constitucional- y siempre como más garantista.

Cosa distinta es que las opiniones de este sector crítico hayan trascendido al sector de opinión afín a los populismos antisistema. Sobre ello tengo más dudas y creo que es necesario un estudio más profundo de los flujos de ideas en este sentido para formular una valoración certera. En principio parece contra intuitivo, pero no se puede descartar categóricamente.

En todo caso hay que plantear seriamente la recuperación de la legitimidad de ejercicio del Tribunal analizando las posibilidades de reforma del sistema de nombramientos de un lado, y a través de recuperación del Tribunal Constitucional como corte de los derechos y las libertades por otro lado. Y en relación con este último punto hemos visto, a lo largo de estas páginas, donde están los problemas:

- El modelo de asistencia jurídica gratuita y del turno de oficio de amparo debería actualizarse para adecuarlo al nuevo modelo de acceso telemático al Tribunal Constitucional. Habría que plantearse por qué razón hoy sigue siendo necesario pasar por un abogado del turno de oficio de Madrid para plantear un recurso de amparo que ya puede presentarse a través del registro electrónico. En la actualidad todo el expediente se digitaliza, incluso las actuaciones cuando es necesario y esa documentación se puede facilitar a cualquier abogado, sin necesidad de que este se persone para consultarlo de forma presencial, de modo que no se justifica la centralización del servicio. De hecho para un abogado que llega al expediente de amparo, sin haber seguido el asunto en las instancias previas, quizá fuera mucho más ilustrativo poder acceder al recurrente de forma directa que al expediente, y para ello es mucho más razonable estar cerca de donde está ese recurrente que físicamente próximo a la sede del Tribunal Constitucional. Cuestión distinta es que fuera necesario descentralizar también la formación del turno de oficio de amparo, e impartirla en distintos Colegios de Abogados del territorio nacional. Pero, de nuevo, hoy existen fórmulas para asegurar la formación continua de abogados y abogadas, e incluso su especialización, a través de plataformas de aprendizaje en línea. Entiendo que esta sería una fórmula interesante para "sacar" la jurisdicción constitucional de Madrid y acercarla a otros territorios del Estado. Para aproximarla y hacerla más accesible a más ciudadanos.

- Si bien, como se ha expuesto en estas páginas, la invocación de un interés legítimo descarta la acción popular en el amparo, esta vinculación era congruente con el diseño del recurso de amparo como un instrumento procesal de protección de situaciones subjetivas. Pero si admitimos, como hace la mayoría de la doctrina, que el amparo se ha objetivado tras la reforma del año 2007 y optamos por mantener esa dinámica de objetivación y reforzarla, como también defiende una parte de los autores, parece razonable replantearse la legitimación para interponer el amparo y valorar la posibilidad de introducir la acción popular en el recurso de amparo, como mecanismo para reforzar la garantía en abstracto de la Constitución. Si admitimos que se ha producido una mutación constitucional en este punto, a raíz de la reforma del trámite de admisibilidad del recurso de amparo, y hoy la función principal del recurso de amparo es servir como mecanismo de garantía abstracta de la interpretación constitucional, deja de tener sentido la exclusión de la acción popular como mecanismo de acceso a la jurisdicción constitucional de amparo.

- Frente a la opción por una objetivación mayor del recurso de amparo con una apertura de la legitimación, también se encuentra la alternativa de dar un paso atrás en esa línea recuperando un recurso de amparo más abierto. Sin pasar por una nueva modificación de la Ley Orgánica, el propio Tribunal podría optar por una modificación es sus dinámicas de trabajo internas[70] que llevasen a la flexibilización del examen de admisibilidad, lo que parece estar sucediendo ya a juzgar por el incremento de admisiones en los últimos años. El problema es que esta opción vendría a incidir en las críticas vinculadas a la falta de transparencia y a la excesiva discrecionalidad del modelo de selección de asuntos, a las que ya nos hemos referido. Pero seguramente se trataría de una crítica más académica que procedente de los recurrentes, si estos vieran aumentar sus posibilidades de acceder al recurso de amparo.

Como sostiene Ferrajoli, "es evidente que los fundamentos de la legitimidad de las funciones judiciales – la verdad alcanzable en un procedimiento jurisdiccional o administrativo, la sujeción solamente a la ley, el papel mismo de garantía de los derechos fundamentales- son siempre relativos, imperfectos y aproximativos. Se trata, en realidad, de principios y de convenciones normativas. De modo que siempre están justificadas la duda y la crítica respecto a su grado de efectividad"[71]. Efectivamente, la crítica siempre es posible y siempre es necesaria. Pero es aún más necesario sacar de la crítica, incluso de la más feroz y destructiva, elementos de perfeccionamiento del sistema, para evitar su desaparición por falta de legitimidad. La legitimidad, en el caso de la jurisdicción constitucional, está basada en la independencia y, al tiempo, en las funciones de garantía de los derechos y libertades y de la preservación del Estado de derecho. Y las garantías procesales en el desarrollo de la función jurisdiccional son esenciales. Por eso el acceso a la jurisdicción constitucional, como garantía procesal del ciudadano, está en el corazón de la idea de legitimidad de la jurisdicción constitucional.

VII. BIBLIOGRAFÍA CITADA

Allúe Buiza, A. *Legitimación de las Comunidades Autónomas en el recurso de inconstitucionalidad*, Publicaciones de la Universidad de Valladolid, Valladolid, 1992.

---

[70]   Estas son descritas con detalle en el trabajo de H. Losada. *Op. Cit.*
[71]   L. Ferrajoli. *Op. Cit.*, p. 178.

Aragón Reyes, M. "Las dimensiones subjetiva y objetiva del nuevo recurso de amparo", *Otrosí*, n° 10, abril-junio, 2012.

_____ (2019), *Recurso de amparo 2020-2021. Memento*, Lefebvre-El derecho, Madrid, 2019.

Bar Cendón, A. "El proceso independentista de Cataluña y la doctrina jurisprudencial; una visión sistemática", *UNED, Teoría y Realidad Constitucional*, n° 37, 2016.

Bárcena, J de M. "El proceso soberanista ante el Tribunal Constitucional", *Revista Española de Derecho Constitucional*, n° 113, mayo-agosto 2018, 2018.

Beladíez Rojo, M. "El recurso de amparo y la especial trascendencia constitucional", *Revista General de Derecho Constitucional*, n° 25, 2017.

Bonet, J., Gahdoun, P-Y. "La recevabilité de la QPC" en *La question prioritaire de constitutionalité*, Paris, Presses Universitaires de France, Paris, 2014.

Bustos Gisbert, R. "La controvertida composición y renovación de los órganos judiciales situados en la cúspide", *Anuario de la Facultad de Derecho de la Universidad Autónoma de Madrid*, n° 22, pp. 217-256, 2018

Castellá Andreu, J.M., "Tribunal Constitucional y proceso secesionista catalán; respuestas jurídico-constitucionales a un conflicto político-constitucional" *Teoría y Realidad Constitucional*, n° 37, 2016.

Díaz Crego, M., "Defensor del Pueblo y Justicia Constitucional: entre la declaración de intenciones y el exceso competencial", *Teoría y Realidad Constitucional*, n° 26, 2010.

Ferrajoli, L. "Las fuentes de legitimidad de la jurisdicción", en *Reforma Judicial. Revista Mexicana de Justicia*, 2010.

Ferreres Comella, V. *Justicia Constitucional y Democracia*, Centro de Estudios Políticos y Constitucionales, Madrid, 1997.

Ferreres Comella, V. "El Tribunal Constitucional ante la objeción democrática: tres problemas", en *Actas de las XVI Jornadas de la Asociación de Letrados del Tribunal Constitucional. Jurisdicción Constitucional y Democracia*, Centro de Estudios Constitucionales, Madrid, 2011.

García Martínez, A. (2009), "El Tribunal Constitucional. De la legitimidad de origen a la legitimidad de ejercicio", *Asamblea. Revista Parlamentaria de la Asamblea de Madrid*, n° 21, 2009.

Gómez Fernández, I. "Derecho a la justicia y vulnerabilidad en la Corte Interamericana y el Tribunal Europeo: confluencias", en P. Santolaya Machetti, I. Wences (Coord.) *La América de los derechos,* Centro de Estudios Políticos y Constitucionales, Madrid, pp. 607-634, 2016.

González Beilfuss, M. "La especial trascendencia constitucional como criterio de selección de los recursos de amparo", *Anuario de la Facultad de Derecho de la Universidad Autónoma de Madrid,* n° 22, pp. 250-279, 2018

González Trevijano, P.J. "La legitimación en el recurso de amparo: los interesados legítimos", *Revista de Derecho Público,* n° 98, 1985.

Iglesias Bárez, M. "El recurso de amparo constitucional en España: la difícil articulación entre el diseño normativo del amparo objetivo y la práctica del Tribunal Constitucional en la defensa de los derechos fundamentales", en *El Tribunal Constitucional español: una visión actualizada del supremo intérprete de la Constitución,* Tébar Flores, Madrid, pp. 129-155, 2017.

Levitsky, S. Y Ziblatt, D. *Cómo mueren las democracias,* Ariel, Barcelona, 2018.

López Rubio, D. *Justicia constitucional y referéndum. El control judicial de las normas aprobadas por los ciudadanos,* Centro de Estudios Políticos y Constitucionales, Madrid, 2020.

Mounk, Y. *El pueblo contra la democracia; porqué nuestra libertad está en peligro y como salvarla,* Paidós, Barcelona, 2018.

Nino, C.S. (2015), *Juicio al mal absoluto, ¿hasta dónde debe llegar la justicia retroactiva en casos de violaciones masivas de los derechos humanos?,* Siglo XXI Editores, Buenos Aires, 2015.

Padrós Reig, C. "La exigua tasa de admisión del recurso de amparo constitucional", *Revista de Administración Pública,* n° 209, 2019.

Pérez Tremps, P. *El recurso de amparo,* Tirant lo Blanch, Valencia, 2015.

＿＿＿ "La especial trascendencia constitucional del recurso de amparo como categoría constitucional: entre morir de éxito o vivir en el fracaso", *Teoría y realidad constitucional,* n° 41, 2018.

＿＿＿ "El acceso al recurso de amparo". *Teoría y Metodología del Derecho. Estudios en homenaje al profesor Gregorio Peces-Barba,* Volumen II, Dykinson, Madrid, 2007.

Portilla, F. J., y González Alonso, A. *La inadmisión de los recursos en defensa de los derechos: criterios jurisprudenciales de los Tribunales*

Supremo, Constitucional, de Justicia de la Unión Europea y Tribunal Europeo de Derechos Humanos, Tirant lo Blanch, Valencia, 2019.

Rekosh, E.; Buchko, K. A.; y Tervieza, V. *Pursuing the public interest: a handbook for legal professionals and activists.* Columbia Law School, New York, 2001.

Roig i Molés, E. "Procés sobiranista i Tribunal Constitucional. Anàlisi d'un impacte recíproc", *Revista Catalana de Dret Públic,* n° 54, 2017.

Sánchez Morón, M., "La legitimación activa en los procesos constitucionales", *Revista Española de Derecho Constitucional,* n° 9, septiembre-diciembre, 1993.

Starck, C., "La legitimación de la Justicia Constitucional y el principio democrático", *Anuario Iberoamericano de Justicia Constitucional,* n° 7, 2003, pp. 479-493.

Tenorio, P. "Qué fue del recurso de amparo ante el Tribunal Constitucional", *Revista de Derecho Político,* n° 101, 2018.

Torres Muro, I. "Problemas de legitimación en los procesos constitucionales", *Revista de Derecho Político de la Uned,* n° 71-72, 2008.

_____ "Legitimación en los procesos constitucionales e intereses colectivos", en Carbonell Porras, E., Cabrera Mercado, R., *Intereses colectivos y legitimación activa,* Thomson Reuters Aranzadi, 2014.

De leyes desbocadas a leyes deslocalizadas: El Parlamento ante la externalización de la producción normativa[1]

Ángel Aday Jiménez Alemán

I. INTRODUCCIÓN: LA CRECIENTE COMPLEJIDAD DE NUESTRO SISTEMA DE FUENTES Y LA HUIDA HACIA LOS CENTROS DE PRODUCCIÓN NORMATIVA EXTERNOS

La bien conocida "complejidad de nuestro sistema de fuentes"[2], partiendo del incompleto régimen de producción normativa regulado por la Constitución de 1978 (arts. 9.1 y 3, 66, 81, 82, 86, 97 y 149.1.8ª, dedicados, respectivamente a la ley, al convenio colectivo, al decreto legislativo, al decreto-ley, al tratado internacional y a la potestad reglamentaria), ha sido en buena parte embridada por

---

[1] Este trabajo se ha realizado en el marco del Proyecto "Reforma constitucional: dimensión institucional y territorial" (20639/JLI/18), del que el autor es IP, financiado por la Fundación Séneca-Agencia de Ciencia y Tecnología de la Región de Murcia a través de la convocatoria Jóvenes Líderes en Investigación del Subprograma de Apoyo y Liderazgo Científico y la Transición a la Investigación Independiente (Programa Fomento de la Investigación Científica y Técnica 2018).

[2] STC 118/2016, de 23 de junio, FJ 2.

las aportaciones de nuestra doctrina científica y constitucional[3]. La parcial y dispersa regulación constitucional del sistema de fuentes se viene topando con nuevos centros de producción normativa que han surgido desde la adopción de nuestra norma fundamental, entre los que destacan las instituciones europeas, las comunidades autónomas y las autoridades administrativas independientes. Esta multiplicación de centros de producción normativa ha venido acompañada de un lógico incremento en el número de normas[4]. Una ojeada muy somera a la producción normativa de nuestro Estado constitucional en 2019, comparada con la de la Unión Europea, nos permite ofrecer una primera aproximación empírica, aunque superficial, a sus dinámicas. Frente a las 648 normas que se aprobaron en España, de las que apenas un 4% fueron normas con rango de ley, la Unión Europea generó 1995 actos jurídicos, acumulando reglamentos, directivas y decisiones[5]. Pero, si ampliamos el espectro y abarcamos desde 1977 a septiembre de 2019, y además sustituimos la Unión Europea por la comunidad internacional, podemos complementar la primera imagen observando que, frente a los 2226 tratados y convenios internacionales sobre los que fueron informadas o se solicitó su consentimiento a las Cortes Generales, encontramos un número ligeramente inferior de normas con rango de ley aprobadas por éstas, 2112[6]. Como ha sido destacado por la literatura,

---

[3]   J.J. Fernández Alles. "Hacia un sistema constitucional integrado de producción normativa y fuentes del derecho", *Revista General de Derecho Constitucional*, nº 30, 2019.

[4]   J.J. Lavilla Rubira. "Las fuentes del Derecho: tan parecido, tan distinto. Poderes normativos y normas con rango de ley tras cuarenta años de vigencia constitucional", en *España constitucional (1978-2018) trayectorias y perspectivas*, B. Pendás García (dir.), E. González Hernández y R. Rubio Núñez, (coords.), *España constitucional (1978-2018) trayectorias y perspectivas, Vol. III*, Centro de Estudios Políticos y Constitucionales, Madrid, 2018, pp. 2007-2020.

[5]   Si bien hay que tener en cuenta que 2019 fue, sin duda, un año atípico por la celebración de dos elecciones generales (abril y noviembre), la cifra de normas estatales apenas se aleja de la media de la década (699,5). Aunque escapan del objeto de este trabajo, no carecen de interés las cifras en relación con la producción legislativa autonómica (309) o que en 2019 el número de reales decretos-leyes fue superior al de leyes ordinarias, al igual que sucedió en 1978, 2004, 2008 y 2012. *Vid.* Departamento de Asuntos Regulatorios y Europeos, CEOE. *La producción normativa en 2019*, CEOE, Madrid, 2020.

[6]   M.R. Ripollés Serrano. "De las Cortes Generales: Cuarenta años de Parlamento y parlamentarismo en el régimen constitucional de 1978", *Corts: Anuario de*

la producción normativa *ad extra*, supone una relevante ausencia en nuestra norma constitucional, que no recoge ni los principios rectores de la acción exterior del Estado ni ofrece un tratamiento expreso al Derecho internacional general[7], entre otras cuestiones.

Como se observará en esta contribución, éstas distan de ser las únicas ni las más graves a las que se enfrenta nuestro orden constitucional a la hora de articular sus relaciones con los centros de producción normativa externos que impone la cada vez más profunda globalización jurídica. Bustos Gisbert ha afirmado que la regulación de las relaciones internacionales es la propuesta de reforma constitucional menos debatida, a pesar de su relevancia[8]. Al análisis del contexto de la globalización dedicamos el siguiente epígrafe del capítulo, un marco que se plantea diáfanamente a partir de la finalización de la Guerra Fría en el que las leyes, además de estar "desbocadas", están siendo "deslocalizadas", lo que supone una transformación que no está libre de consecuencias para el principio democrático y que está siendo seguida por una reacción adversa a la asunción de compromisos internacionales. A continuación, analizamos la regulación a nivel constitucional que se viene haciendo de las vías de apertura al exterior. Desde los mismos orígenes del constitucionalismo se ha manifestado la preocupación por establecer y limitar el poder estatal, también en su proyección hacia el exterior. Observaremos como el derecho comparado ofrece diversidad de respuestas a la hora de abordar este dilema común. El epígrafe IV está dedicado a las notorias insuficiencias constitucionales a la hora garantizar un control parlamentario óptimo del poder convencional de nuestro Estado, planteando posibles correcciones. Finalmente, se recogen unas conclusiones que apuntan hacia la conveniencia y posibilidades para la superación del esquema tradicional del Estado liberal que ha determinado hasta ahora su relación

---

derecho parlamentario, nº extra 31, 2018, pp. 213-254.

[7]   A. Navas Castillo y F. Navas Castillo. "Poderes normativos y normas con rango de ley tras cuarenta años de vigencia constitucional", en B. Pendás García, (dir.), E. González Hernández y R. Rubio Núñez (coords.), *España constitucional (1978-2018) trayectorias y perspectivas*, Vol. III, Centro de Estudios Políticos y Constitucionales, Madrid, 2018, pp. 2021-2031.

[8]   R. Bustos Gisbert. "Hacia una constitución "europea y global", en *Agenda Pública*, 6 de diciembre de 2018, http://agendapublica.elpais.com/hacia-una-constitucion-europea-y-global/ (última visita, 22 de noviembre de 2020).

con el derecho transnacional, pero que ha de evolucionar para poder adaptarse al cambio que ha supuesto la transformación del "Estado constitucional internacionalista" al "Estado constitucional cooperativo": "El Estado constitucional se encuentra en una fase en la que depende del Derecho internacional o, si se quiere, en la que el Derecho internacional se halla necesariamente implicado en él"[9].

II. EL ESTADO CONSTITUCIONAL Y EL PRINCIPIO DEMOCRÁTICO ANTE LA PROFUNDIZACIÓN DE LA GLOBALIZACIÓN JURÍDICA

Schmitt advirtió como tras la I Guerra Mundial la aprobación de legislación se aceleró debido a las transformaciones que requerían los más importantes hechos históricos del momento. Las guerras, las revoluciones, las dictaduras, la inflación y la deflación crearon un contexto favorable para la delegación legislativa: la "máquina legislativa" se aceleró mediante "la ley motorizada", el decreto, de tal manera que terminó por desplazar a la ley[10]. De forma paralela, el número de tratados internacionales celebrados se incrementó en un modo sostenido y "revolucionario" hasta multiplicarse por siete desde 1830 hasta la I Guerra Mundial, dando lugar a una etapa decididamente codificadora y contractualista en el Derecho internacional[11]. En la actualidad, somos cada vez más conscientes de que no sólo vivimos en una era de "leyes desbocadas", de acuerdo a la lectura que hizo García de Enterría de Schmitt, sino también de leyes deslocalizadas[12]. En nuestro contexto de globalización profunda, el

---

[9]   P. Häberle (E. Mikunda-Franco, traductor). Pluralismo y constitución: Estudios de teoría constitucional de la sociedad abierta. Tecnos, Madrid, 2013.

[10]   C. Schmitt. "The Plight of European Jurisprudence", *Telos*, nº 83, 1990 pp. 35-70, p. 50 y ss.

[11]   E. Keene. "The Treaty-Making Revolution of the Nineteenth Century", en *The International History Review*, vol. 34, nº 3, 2012, pp. 475-500.

[12]   García de Enterría siguió el estudio de Carl Schmitt para referirse al fenómeno de cómo la comprensión de la legislación como mera herramienta termina siendo socialmente dominante, abandonándose el concepto "clásico" de Ley. El derecho legislativo pierde su autoridad tradicional, su "pretensión de estabilidad y permanencia" y se convierte en un "simple medio técnico de la organización burocrática sin ningún vínculo con la justicia", en "leyes-medidas". *Vid.* E. García de

orden constitucional, como parte fundamental de la estructura de gobernanza global contemporánea, está en el centro de su actual proceso de reconfiguración. Y en esta realidad, algunas de nuestras más tradicionales y socorridas categorizaciones, pierden, en parte, su capacidad para guiarnos. Particularmente, la disyuntiva entre derecho estatal y derecho internacional. A pesar de la familiaridad que gradualmente vamos adquiriendo con la ya no tan "nueva geografía del poder"[13], apenas empezamos a vislumbrar y a responder a los retos y oportunidades que supone la globalización para el constitucionalismo. El desarrollo de una cada vez más intensa interrelación económica y social a escala global se ha traducido en transformaciones políticas, en concreto, en una auténtica "crisis del principio democrático", dado que, esos avances en los ámbitos económico y social de la globalización son inversamente proporcionales a los que se han alcanzado en lo político[14]. Crisis que, ya bien entrado en el siglo XXI, se ha materializado en "procesos de involución democrática": por un lado, la externalización del poder estatal, fenómeno agravado por la crisis financiera, y por otro, la intervención de agentes globales en los procesos democráticos de formación de la voluntad estatal mediante la propaganda difundida en las redes sociales, que acaban por deslegitimar al constitucionalismo y, por tanto, requieren una respuesta de éste[15]. Apreciados estos fenómenos

---

Enterría. *Justicia y seguridad jurídica en un mundo de leyes desbocadas*, Civitas, Madrid, 1999, pp. 47-52.

[13] Tras siglos de arduas luchas, el Estado soberano logró alcanzar las características que permiten su reconocimiento, particularmente, unas cotas de concentración de poder que llegan hasta la exclusividad territorial. Ya a finales del siglo XX, Saskia Sassen observó que la globalización económica era algo más que el mero hecho de que las empresas pudiesen operar con facilidad más allá de las fronteras estatales. Suponía una "nueva geografía del poder", constituida por una territorialidad distinta, el surgimiento de una nueva legalidad que rige las transacciones económicas internacionales, junto con la realización de estas en el espacio digital, que trasciende a cualquier jurisdicción territorial, al igual que la capacidad de control tanto de los Estados como de los entes privados. *Vid*. S. Sassen. *Losing Control? Sovereignty in an Age of Globalization?* Columbia University Press, New York, 1996.

[14] P. de Vega García. "Mundialización y Derecho constitucional: La crisis del principio democrático en el constitucionalismo actual", *Revista de Estudios Políticos*, nº 100, 1998, pp. 13-56.

[15] F. Balaguer Callejón. "Las dos crisis del constitucionalismo frente a la globaliza-

en su conjunto, suponen, sin duda, un auténtico embate no sólo a la democracia, "sino, más ampliamente, al propio concepto racional normativo de constitución"[16].

Ya en 1971 se planteaba el debate sobre las posibilidades de reforzar el control democrático ante el crecimiento de la política transnacional a través de aumentar las capacidades de la oposición parlamentaria y la inclusión de parlamentarios en los procesos de decisión gubernamental[17]. Tras la finalización de la Guerra Fría, más voces vienen analizando la crisis de legitimidad del Derecho internacional, cuestión clave, como advierte Mattias Kumm, para los ciudadanos de las democracias constitucionales, en los que, por mucho que el Derecho internacional esté dirigido en general a los Estados, en estos sistemas políticos éste no deja de ser sino el aparato institucional que utilizan los ciudadanos para gobernarse[18]. Siguiendo a Kumm, el Derecho internacional durante la Guerra Fría no llegó a plantear serios problemas de legitimidad para las democracias constitucionales liberales debido a que era considerado un mecanismo incapaz de proveer paz y seguridad internacional frente a los postulados realistas derivados de la carrera nuclear; o bien era un derecho dirigido en buena medida a poblaciones fuera de las democracias occidentales, de países en vías de desarrollo o en procesos de descolonización; y que, cuando estaba dirigido a las democracias constitucionales occidentales, seguía siendo un Derecho internacional convencional tradicional, cuyo objeto no dejaba de ser cuestiones inmanentemente técnicas. Este contexto evoluciona dramáticamente al finalizar la Guerra Fría, en el que va a emerger "an international legal order that increasingly serves – if not as an iron cage – certainly as a firmly structured normative web that makes an increasingly plausible claim to authority. It tends to exert influence on national political and legal processes and often exerts pressure on nations not in compliance with its norms. Actors

---

ción en el siglo XXI", *Revista de Derecho Constitucional Europeo*, n° 30, 2018.

[16]   J.L. García Guerrero. "Los embates de la globalización a la democracia", *Revista de estudios políticos*, n° 176, 2017, pp. 113-146.

[17]   K. Kaiser. "Transnational Relations as a Threat to the Democratic Process", *International Organization*, n° 25, 1971, pp. 706-720.

[18]   M. Kumm. "The legitimacy of international law: A constitutionalist framework of analysis", *European Journal of International Law*, n° 15 (5), pp. 907-931, p. 908.

in constitutional democracies are increasingly engaging seriously with international law's claim to authority"[19].

Y esta "red normativa firmemente estructurada" va a requerir de una aproximación constitucionalista para abordar sus problemas de legitimidad" y que actúe en diferentes niveles[20]. Recurriendo a la metáfora "geológica" que utiliza Weiler para observar la evolución del Derecho internacional durante el siglo XX, se puede apreciar como a su forma tradicional de derecho convencional, mayoritariamente bilateral y en contadas excepciones multilateral, y de derecho consuetudinario de tendencias conservadoras, se van adhiriendo sucesivas capas. Tras la Segunda Guerra Mundial aparecen con fuerza los tratados multilaterales, destacando entre ellos los que han sido considerados como "constitucionales", en materia de derechos humanos y los que establecieron las organizaciones internacionales y supranacionales. Y, además, surgen nuevas normas vinculantes en el ámbito del derecho consuetudinario, que por muchos esfuerzos que se hicieran para engarzarlas a nociones tradicionales, suponían cambios y transformaciones. Al finalizar el siglo XX, se incorpora una nueva la capa, la regulatoria, con destacada intensidad en materias como el comercio, el medio ambiente, el derecho de asilo y las finanzas. Esta, ya no sólo por la amplitud de los ámbitos materiales que abarca, sino por lo que supone en cuanto al establecimiento de obligaciones de naturaleza positiva, el crecimiento de aparatos burocráticos y los efectos directos e indirectos de estos regímenes regulatorios sobre las personas, incluso en sus derechos humanos, puede suponer conflictos con los valores sociales nacionales[21]. Por lo que se va a requerir una aproximación que prescinda en buena medida de la dicotomía conceptual monismo/dualismo que la doctrina acuñó exitosamente hace un siglo y que explore nuevos conceptos bajo el marco del pluralismo jurídico, en

---

[19]   *Ibíd.*, p. 212.

[20]   Kumm nos ofrece su marco constitucionalista, un modelo basado en cuatro principios: el reconocimiento de la legitimidad formal del derecho internacional, la subsidiariedad, la participación y la rendición de cuentas adecuada y que los resultados a conseguir sean razonables. *Ibíd.*, pp. 217 y ss.

[21]   J.W. Weiler. "The Geology of International Law – Governance, Democracy and Legitimacy", en *Zeitschrift für ausländisches öffentliches Recht und Völkerrecht*, n° 64, 2004, pp. 547-562.

especial, el concepto de engarce, por el que la mediación entre órdenes internacionales y estatales se realizaría tanto por instituciones políticas o judiciales y administrativas[22].

Tampoco podemos ser ajenos a las consecuencias del grado de integración adquirido por el sistema financiero global, como se ha demostrado por las crisis financieras que se sucedieron a partir de 2007[23]. Y con ello, la necesidad de dar respuesta constitucional a estos poderes y sus efectos sobre nuestros Estados sociales. Los acontecimientos de la última década indican que el poder, económico y financiero, científico y técnico, se encuentra hoy más allá del Estado y cuenta con un impulso autorregulador que se plasma en normas, procedimientos y organizaciones que puede llegar a ser tan amenazante como para incitar reacciones constitucionales en forma de enmiendas que eviten la sobreexposición a los mercados financieros comprometiendo el Estado Social[24]. La Forma Global de Mercado, que contiene un programa opuesto al del Estado Social y trae consigo su ordenamiento jurídico, desconstitucionaliza el proyecto social de la Constitución de 1978 al privarla de su valor normativo, hasta el punto de que lo único que permanezca sea su estructura retórica y simbólica[25]. Todo ello al tiempo que se reproducían las manifestaciones de las tensiones generadas por el trilema político de la economía mundial: la imposibilidad de la coexistencia entre hiperglobalización, democracia y soberanía estatal[26]. En el menú de opciones posibles ante la tensión entre democracias estatales y mercados globales que ofrece restringir la democracia a nivel estatal para reducir los costes internacionales de

---

[22]   A. von Bogdandy. "Pluralism, Direct effect, and the ultimate say: On the relationship between international and domestic constitutional law, en *International Journal of Constitutional Law*, vol. 6, nº 3 y 4, 2008, pp. 397–413.

[23]   A. Tooze. *Crash. Cómo una década de crisis financieras ha cambiado el mundo*, Crítica, Barcelona, 2018, pp. 18-25.

[24]   J. Este Pardo. *La nueva relación entre Estado y sociedad. Aproximación al trasfondo de la crisis*. Marcial Pons, Madrid, 2013, pp. 21-23.

[25]   G. Maestro Buelga. "El Estado Social 40 años después: la desconstitucionalización del programa constitucional", *Revista de Derecho político*, nº 100, 2017 pp. 769-798, pp. 796-797. Veáse también el capítulo de Carmen Montesinos Padilla en esta obra.

[26]   D. Rodrik. *The Globalization Paradox. Why Global Markets, States and Democracy Can't Coexist*, Oxford University Press, Oxford, 2011, pp. 184 y ss.

transacción, limitar la globalización para reforzar la legitimidad de la democracia estatal o construir una democracia global[27], se ha venido optando por la primera solución, una "camisa de fuerza dorada", la traslación de la capacidad de decisiones a espacios que no se rigen por las instituciones de la democracia representativa, directa o deliberativa, ni por la regla de la mayoría y la minoría.

Sin duda, como ha afirmado B. Aláez Corral, "el derecho ya no es comprensible en términos parecidos a como lo era antes a que apareciera la globalización"[28]. El orden constitucional, como parte fundamental de la estructura de gobernanza contemporánea, está en el centro de su actual proceso de reconfiguración. Y, sin dejar de ser paradójico, en buena parte, esta situación trae raíz en la generación de un constitucionalismo transnacional que incluiría todos los fenómenos que superan las fronteras "soberanas" estatales en las que ha engarzado el constitucionalismo moderno. Abarcaría tanto los acuerdos trasnacionales que ejercen funciones constitucionales, como los cada vez más abundantes diálogos judiciales transnacionales, así como la progresiva convergencia global entre constituciones. Esta realidad ha cuestionado los logros alcanzados a nivel estatal en relación con el desarrollo de la democracia, del Estado de Derecho y de los mecanismos de rendición de cuentas, exigiendo a su vez nuevas y creativas respuestas desde el Derecho constitucional[29]. La doctrina ha reflejado la preocupación por el análisis de las consecuencias constitucionales de ciertos tratados internacionales, especialmente aquellos de contenido económico a nivel regional. El Tratado de la Organización Mundial del Comercio[30] o el Tratado de Libre Comercio de América

---

[27]   Ibíd., p. 200.

[28]   B. Aláez Corral. "Globalización jurídica desde la perspectiva del Derecho constitucional español", *Teoría y realidad constitucional*, n° 40, 2017.

[29]   J.-R. Yeh and W.-C. Chang. "The Changing Landscape of Modern Constitutionalism: Transitional Perspective", *National Taiwan University Law Review*, Vol. 4:1, 2009, pp. 145-183.

[30]   Dunoff se aparta de la abundante literatura que sigue apuntando hacia la constitucionalización de la Organización Mundial del Comercio para señalar, en cambio, que hasta ahora en este marco no se ha dado ni está previsto que surja un proceso para dotar a esta institución con un documento de características constitucionales, ni hay un tribunal constitucional, ni una asamblea o momento constituyente. Tampoco se puede encontrar rastros de la separación de poderes

del Norte[31] han sido considerados como constituciones en un sentido funcional en sus respectivos ámbitos y analizados como tales, a los que se han incorporado los tratados para la creación de zonas de libre comercio mega-regionales profundamente integradas. Además de dotar de una articulación jurídica al comercio mundial, desbordan el Derecho económico internacional determinando mutaciones también en el cada vez más borroso y desfigurado Derecho público. Como apuntan Stoll y Holterhus, el Derecho internacional de las inversiones se ha "generalizado" con la adopción del Acuerdo Económico y Comercial Global entre la Unión Europea y Canadá y otros tratados de comercio, a pesar de la frustración del Asociación Transatlántica para el Comercio y la Inversión, tendiendo a la constitución de un marco jurídico con voluntad universalizadora, un nuevo *"ius comune global"* que sobreprotegería los derechos de los inversores extranjeros ya no en Estados en los que sus ordenamientos jurídicos no ofrezcan garantías suficientes de seguridad jurídica y previsibilidad, sino frente a todos los Estados, apartándose así de la lógica tradicional de estos instrumentos. Por ello proponen adoptar un punto de vista constitucional frente a este reciente giro del Derecho económico internacional para poder identificar y reaccionar adecuadamente frente a las cuestiones problemáticas que plantean en términos de soberanía, democracia y legitimación, como el ejercicio de poder público por órganos arbitrales, el establecimiento de medios jurídicos muy eficaces para la reclamación de compensaciones económicas que facilitan la huida de los cauces jurisdiccionales estatales, o la "discriminación inversa",

---

en los acuerdos de Uruguay o del establecimiento de órganos con capacidad para emanar normas vinculantes para los miembros de la Organización, ni recogen la protección de derechos fundamentales, entre otras características de las normas constitucionales. Por lo tanto, en el mejor caso, apenas se podría hablar de una constitucionalización débil. J.L. Dunoff. "The Politics of International Constitutions: The Curious Case of the World Trade Organization", en J.L. Dunoff, and J.P. Trachtman, (eds.). *Ruling the World? Constitutionalism, International Law, and Global Governance,* Cambridge University Press, Cambridge, pp. 178-205.

[31] Para David Schneiderman, en materia de Derecho internacional de inversiones existe un conjunto de leyes e instituciones que rigen las relaciones económicas internacionales formando un tapiz global compuesto por política económica, derechos de propiedad y constitucionalismo y que institucionaliza el proyecto político del neoliberalismo, dejando el elemento democrático al margen. *Vid.* D. Schneiderman. *Constitutionalizing Economic Globalization: Investment Rules and Democracy's Promise,* Cambridge University Press, Cambridge, 2008.

en el sentido de que sólo los inversores extranjeros se benefician de la protección brindada por el derecho internacional de inversiones[32]. Desde esta perspectiva, es difícil no llegar a concluir que estos regímenes transnacionales, que priman la seguridad y estabilidad económica situándolas en el núcleo de una constitución económica material, casan mal con el principio democrático[33]. Y éste, a su vez, el Estado constitucional sólo tiene que preocuparse de estos objetos normativos, sino también de sujetos que hasta hace poco le podían ser extraños, como las empresas transnacionales, pero que, tras las consecuencias que sus actividades pueden suponer para los derechos humanos, ya no les pueden ser ajenas[34].

La reacción aprovechando los efectos de la globalización sobre el principio democrático no se ha hecho esperar, un destacado avance general de la ideología y/o retórica populista[35]. Por lo que ya no nos sorprende que estemos atravesando una nueva etapa reaccionaria frente a los compromisos internacionales, y, por lo tanto, en la que se hace más acuciante reflexionar sobre los procesos en los que esos compromisos se manifiestan y analizar la posibilidad de reformulaciones más democráticas. La huida hacia el Derecho internacional no sólo limita el espacio para el desarrollo de la política exterior sino de la política en general. No podemos olvidar que de acuerdo a una norma del Derecho internacional consuetudinario internacionalmente reco-

---

[32] P.-T. Stoll and T. P. Holterhus. "The 'Generalization' of International Investment Law in Constitutional Perspective" en S. Hindelang and M. Krajewski (eds.), *Shifting Paradigms in International Investment Law - More Balanced, Less Isolated, Increasingly Diversified*, Oxford University Press, Oxford, 2016.

[33] D. Nicol. *The Constitutional Protection of Capitalism*. Hart, Oxford and Portland, 2010, p. 155. El autor, si bien su análisis está referenciado al modelo constitucional británico y su principio de soberanía parlamentaria, sostiene que el derecho creado por organizaciones internacionales como la Organización Mundial del Comercio o la Unión Europea implica una constricción tan intensa para el Parlamento, en la medida en la que impone que las generaciones pasadas sigan gobernando sobre las generaciones vivas, que vulnera los tres elementos democráticos de la constitución británica: la neutralidad ideológica, la rendición de cuentas y la posibilidad de revisar todas las decisiones políticas.

[34] Vid. Ana Ovejero Puente (coord.ª). *Derechos Humanos y Empresa: Balance y Situación Actual Sobre el Cumplimiento de los Tres Pilares*. Tirant lo Blanch, Valencia, 2020.

[35] P. Rosenvallon. *El siglo del populismo. Historia, teoría y crítica*, Galaxia Gutemberg, Madrid, 2020.

nocida, ningún Estado ni organización internacional puede justificar en base a las exigencias de su ordenamiento jurídico una violación de una disposición del derecho internacional (art. 27 de la Convención de Viena sobre el Derecho de los Tratados de 23 de mayo de 1969 y art. 27 a su vez de la Convención de Viena sobre el Derecho de los Tratados celebrados entre Estados y Organizaciones Internacionales o entre Organizaciones Internacionales de 21 de marzo de 1986).

Si bien es cierto que al mismo tiempo abre nuevas posibilidades. Las instituciones internacionales pueden operar sustituyendo o complementando a las instituciones estatales, de modo que se pueden dar comportamientos estratégicos de los actores en el proceso político, eligiendo el foro que les sea más conveniente para sus intereses, aunque normalmente se trate de espacios intensamente juridificados, lo que en muchas ocasiones limita el acceso democrático. Del mismo modo, acaba teniendo consecuencias funcionales de carácter constitucional, dado que los efectos de los compromisos internacionales se trasladan al Estado, sin limitarse a un gobierno sostenido por una mayoría parlamentaria puntual que impulsa su adquisición, pero sin llevar a cabo los procesos formales de reforma constitucional que garantizan el respeto al principio democrático. Al mismo tiempo, la globalización jurídica también tiene consecuencias sobre la distribución de poderes característica del Estado constitucional liberal que se ha visto profundamente alterada hacia una nueva ampliación de las capacidades del ejecutivo frente al legislativo, concentrando a su vez el poder de control en los órganos jurisdiccionales, internacionales o constitucionales. Lo que sin duda afecta a la realidad operativa de nuestra Constitución.

Ante la dificultades para constitucionalizar y democratizar los poderes y centros de producción normativa supraestatal, conviene no perder de vista que "más allá del Estado sigue presente el Estado", y, por lo tanto, "la política exterior, que justamente la globalización integra cada vez más con la interior, ha de estar sometida a discusión y compromete la decisión democrática de sociedades plurales"[36]. Consideramos que aquí podemos dirigir nuestros esfuerzos evitando

---

[36]   I. Gutiérrez Gutiérrez. "Democracia más allá del Estado", *Revista de Derecho Constitucional Europeo*, n° 31, 2019.

"nostalgias del soberano", entendidas como "voluntad de recuperar un poder que quiere lo que puede y, sobre todo, puede lo que quiere"[37]. Si bien tradicionalmente la política exterior ha sido un ámbito propio del poder ejecutivo, cada vez más Estados constitucionales reconocen una participación mayor a sus asambleas legislativas en este ámbito, especialmente en los procesos de elaboración de tratados internacionales. La globalización supone que el derecho de las relaciones internacionales adopte una posición central en los Estados constitucionales, en la medida en la que es prioritario canalizar las esferas interna y externa, traduciendo estas relaciones en procesos jurídicos a nivel estatal que deben ser conformes al principio democrático. Aquí es donde encontramos el auténtico reto, dar respuesta a las legítimas preocupaciones de los que han adquirido consciencia del impacto creciente de las decisiones conformadas en los límites del Estado constitucional y no quieren que éstas supongan una erosión de las garantías constitucionales en un nuevo retroceso tras siglos de reivindicaciones[38].

III. UNA INCIPIENTE RESPUESTA: LA CONSTITUCIONALIZACIÓN DEL DERECHO DE LAS RELACIONES EXTERIORES

De acuerdo a la definición de Bradley, podemos entender como derecho de las relaciones exteriores "el derecho estatal de cada nación que rige como esa nación interactúa con el resto del mundo"[39]. Desde una perspectiva constitucional, este ámbito jurídico es de suma importancia. Por ejemplo, no podemos pasar por alto que el principio de distribución de poderes (distribución también vertical en Estados descentralizados) también se proyecta a la acción exterior del Estado,

---

[37]   M. Arias Maldonado. *Nostalgia del soberano*, Los Libros de la Catarata, Madrid, 2020, p. 70.

[38]   H.P. Aust, "Foreign Affairs", en R. Grote, F. Lachenmann y R. Wolfrum (eds.), *Max Planck Encyclopedia of Comparative Constitutional Law*, Oxford Universiry Press, Oxford, 2017.

[39]   C.A. Bradley. "What is Foreign Relations Law?", en C.A. Bradley (ed.), *The Oxford Handbook of Comparative Foreign Relations Law*, Oxford University Press, Oxford, 2019, p. 4. (Traducción propia).

planteándose la cuestión de hasta qué punto podemos hacer partícipes a las asambleas legislativas o a la ciudadanía en el proceso de toma de decisiones vinculadas a la acción exterior, frente a las ventajas (sobre todo, funcionales) que ofrece el ejecutivo en esta materia (especialmente en términos de acción unitaria, facilidad en el acceso a la información y capacidad de reacción inmediata). Otra cuestión aún por aclarar es determinar las capacidades de control de los tribunales, tendiendo al equilibrio entre el Estado de Derecho y la efectividad del gobierno en el desarrollo de la política exterior[40]. Esta definición nos permite estudiar las interconexiones entre el Derecho internacional y el Derecho estatal desde la perspectiva de este último, plasmado en forma constitucional, legislativa, reglamentaria, jurisprudencial o consuetudinaria. Como vamos a ver a continuación, progresivamente, más Estados han positivizado a nivel constitucional más aspectos de este ámbito de actividad estatal, como prueba nuestra Constitución de 1978[41].

Ya en 1933 B. Mirkine-Guetzévitch (2009) denominó como Derecho constitucional internacional: "aquellos elementos de la vida constitucional de los pueblos que se refieren a las relaciones internacionales"[42]. A diferencia de lo que acontece en la actualidad, Mirki-

---

[40]   *Ibíd.*, p. 19.

[41]   También en su inmediata predecesora. Recordemos que en el art. 6 de la Constitución de 1931 se proclamaba la renuncia a la guerra como instrumento de la política exterior en consonancia con el Pacto de la Sociedad de Naciones y el Pacto Briand-Kellog y en el 77 se disponía que antes de la declaración de guerra había que agotar todos los medios pacíficos. Otras disposiciones constitucionaes que regulaban las relaciones entre el Derecho internacional y el ordenamiento jurídico republicano eran el art. 7, que reconocía la supremacía del Derecho internacional convencional tras su incorporación por el Derecho estatal. Finalmente, también se puede encontrar una distribución de poder en materia de relaciones internacionales entre los órganos estatales, en el que al Presidente de la República le correspondía la suprema representación en el exterior, al Gobierno, la dirección política y la gestión y a las Cortes el control. En cuanto a la distribución vertical de poder, la Constitución de la II República privilegiaba la posición de los órganos centrales frente a las regiones que eventualmente accedieran a la autonomía. Para un estudio de este periodo se puede acudir a L.V. Pérez Gil. "Análisis de los principios constitucionales y las competencias en las relaciones exteriores en la Constitución española de diciembre de 1931", *Revista Española de Derecho Constitucional*, n° 63, 2001, pp. 129-165.

[42]   B. Mirkine-Guetzévitch. *Derecho Constitucional Internacional*. Editorial Reus, Madrid, 2009, pp. 105-109.

ne-Guetzévitch no contaba con excesivos ejemplos constitucionales de referencias cal Derecho internacional. Los textos constitucionales más antiguos aún vigentes, que obviamente desconocían la intensidad que acabaría adquiriendo la creación de organizaciones internacionales y el establecimientos de tratados multilaterales (por no hablar de la capacidad de éstos para crear derecho), apenas hacen menciones al Derecho internacional. Basta con acudir a las constituciones bajo la influencia del *common law* y de la tradición constitucional británica, no sólo a las paradójicas constituciones no escritas del Reino Unido y de Nueza Zelanda, sino a los textos fundacionales de los Estados Unidos de 1789 y de Australia de 1901[43]. El Derecho internacional se introdujo en las constituciones con vigor con la adopción del paradigma constitucional posterior a la II Guerra Mundial, que incide en el énfasis en los derechos humanos y en el gobierno democrático. Así, van a abundar las referencias al Derecho internacional en las constituciones de los Estados que sufrieron el flagelo de la guerra, la ocupación internacional y los regímenes dictatoriales y totalitarios. Como reacción al fracaso previo de sus regímenes constitucionales, refuerzan las garantías constitucionales apoyándose en menciones a documentos internacionales específicos[44]. España y Portugal son buenos ejemplos en este sentido, siguiendo los ejemplos previos de las llamadas "constituciones de resistencia", Alemania e Italia. Esta apertura es inaudita en Estados que no han visto su experiencia constitucional interrumpida, y que, además, siguen presentando resistencias a la adopción del Derecho internacional, ya sea convencional o consuetudinario.

Sin ánimo de exhaustividad, un somero recorrido por nuestra norma fundamental revela la apertura al exterior de nuestro ordenamiento[45], aunque también criticada por conservadora por parte de la doc-

---

[43] D. Shelton. "Introduction", En D. Shelton, *International Law and Domestic Legal Systems. Incorporation, Transformation, and Persuasion*, Oxford Universty Press, Oxford, 2011, pp. 1-22, p. 4.

[44] *Ibíd.* p. 2.

[45] J.L. Requejo Pagés, "Consideraciones en torno a la posición de las normas internacionales en el ordenamiento español", *Revista Española de Derecho Constitucional*, n° 34, 1992, pp. 41-66.

trina internacionalista[46]. Del mismo modo podemos observar también una firme determinación en regular su proyección exterior y las relaciones con otros ordenamientos. Desde el preámbulo se expresa la voluntad de la Nación española de "colaborar en el fortalecimiento de unas relaciones pacíficas y de eficaz cooperación entre todos los pueblos de la Tierra". A continuación, y como prueba de esa voluntad, el art. 10.2 convierte a los tratados internacionales sobre derechos humanos y su interpretación por los organismos internacionales en criterio prevalente para la interpretación de los derechos fundamentales recogidos en el texto constitucional. A su vez, el estatuto constitucional de los extranjeros en España se recoge en el art. 13. Sobre la distribución de poderes en materia de relaciones internacionales hay que resaltar las facultades del Jefe del Estado (art. 63) al igual que el reconocimiento de la dirección de la política exterior por el Gobierno (art. 97). Y han sido claves los art. 93, previendo la incorporación a nuestro ordenamiento de subordenamientos externos y la cesión a organizaciones supranacionales del ejercicio de competencias derivadas de la Constitución, así como la regulación por los arts. 94, 95 y 96 de la celebración de tratados internacionales. Tampoco podemos dejar de citar el art. 135 tras la reforma constitucional de 2011, que ha situado a este precepto en el centro de nuestra constitución económica. Y menos aún el establecimiento de las relaciones internacionales como competencia exclusiva del Estado (art. 149.1.3). Son ejemplos de la preocupación del constituyente por establecer los fundamentos de las interacciones de nuestro Estado con el resto del mundo, no sólo con otros Estados, sino también con los ciudadanos o residentes de otras naciones y con las organizaciones internacionales. Estos preceptos forman parte de los cimientos de nuestro derecho de las relaciones internacionales, contando con una regulación positiva cada vez más detallada que determina intensamente el funcionamiento de este ámbito del ordenamiento constitucional. Si bien han granjeado un largo periodo de estabilidad y de crecimiento progresivo, no dejan de requerir nuestra atención con el objetivo de avanzar en su optimización, atención que hasta ahora ha estado más dirigida hacia las relaciones de nuestro ordenamiento constitucional con el ordenamiento europeo

---

[46]   A. Remiro Brotóns. *La acción exterior del Estado*. Tecnos, Madrid, 1984.

y en menor medida con el resto de ordenamientos transnacionales. Las constituciones, además de ordenar el poder político en el interior de los Estados, determinan su proyección exterior, siendo un elemento esencial para el reconocimiento internacional de estas organizaciones políticas, señalan quiénes son sus representantes legítimos y regulan qué procesos se han de seguir en el desarrollo de las relaciones internacionales, desde la declaración de guerra a la celebración de acuerdos internacionales, materia a la que vamos a dedicar el siguiente epígrafe. "In our increasingly unified world, in which there is a single global public law, we may need new frames that bridge the domestic and international"[47].

A su vez, las disposiciones constitucionales han sido desarrolladas en sede parlamentaria, reglamentaria o judicial. Baste como ejemplos los apartados d) y e) del art. 5.1 de la Ley 50/1997, de 27 de noviembre, del Gobierno, que atribuye al Consejo de Ministros la potestad para acordar la negociación, firma y aplicación provisional de los tratados internacionales, al igual que la remisión de los tratados al Parlamento de acuerdo a lo previstos en los arts. 94 y 96.2 de la Carta magna. Si observamos la Ley Orgánica 3/1980, de 22 de abril, del Consejo de Estado, encontraremos que su art. 22.1 afirma la competencia de la Comisión Permanente de este órgano constitucional en materia de consulta en todos los tratados o convenios internacionales sobre la exigencia de autorización parlamentaria previa a la prestación del consentimiento. En relación con este procedimiento parlamentario, el Reglamento del Congreso de los Diputados, de 19 de febrero de 1982, lo regula en sus arts. 154 a 160, y el Reglamento del Senado, de 3 de mayo de 1994, lo hace respectivamente en sus arts. 144 a 147. La Ley Orgánica 2/1979, de 3 de octubre, del Tribunal Constitucional dedica su Título VI al control previo de constitucionalidad de los tratados internacionales y el art. 27.1.c) a la declaración de inconstitucionalidad de los tratados internacionales. Ámbito que ha sido recientemente objeto de atención y actividad legislativa intensa, como muestran las leyes 2/2014, de 24 de mayo, de la Acción y del Servicio Exterior del Estado y 25/2014, de 27 de noviembre, de Tratados y otros Acuerdos Internacionales.

---

[47]   T. Ginsburg. "Comparative Foreign Relations Law: A National Constitutions Perspective", en C. A. Bradley (ed.), *The Oxford Handbook of Comparative Foreign Relations Law*, Oxford University Press, Oxford, 2019, pp. 63-77, p. 65.

Entre las normas que acaban de ser mencionadas, las dos últimas merecen ser destacadas por sus consecuencias constitucionales. Ambas inciden en la coherencia y coordinación de la acción exterior. La Ley 2/2014 trata de otorgar protagonismo al Ministerio de Asuntos Exteriores y Cooperación, por mucho que la experiencia insista en la intensa actividad internacional de los diversos departamentos ministeriales y en la determinación con la que se puede llegar a ejercer la dirección de la política exterior desde la Presidencia[48]. Son ejemplos de las tendencias de centralización contenidas en la Ley y que han sido contestadas desde las comunidades autónomas. Canarias interpuso un recurso de inconstitucionalidad resuelto en la STC 85/2016, de 28 de abril y en la que avaló el establecimiento de directrices, fines y objetivos por el Estado, determinado el modo en el que las Comunidades Autónomas han de desarrollar su acción exterior. El enfrentamiento en sede constitucional en lo que se refiere a la distribución vertical de poderes en la acción exterior no ha cesado, como prueba la STC 228/2016, de 22 de diciembre, por motivo de la Ley del Parlamento de Cataluña 16/2014, de 4 de diciembre, de acción exterior y de relaciones con la Unión Europea; y la muy reciente STC 135/2020, de 23 de septiembre, a raíz del acuerdo de 25 de junio del Gobierno de la Generalitat de Cataluña por el que se aprueba el plan estratégico trienal de acción exterior (2019-2022) de Cataluña. Si bien las acciones interpuestas por el Gobierno estatal han prosperado parcialmente, las resoluciones han contado con votos particulares. Frente a la última resolución, los Magistrados Xiol Ríos y Balaguer Callejón han insistido en las "nociones decimonónicas —o premodernas— de las relaciones internacionales como relaciones exclusivamente interestatales" que vienen imperando en la doctrina del Alto Tribunal.

Por su parte, la Ley 25/2014 ha aportado una regulación integral de los fundamentos del régimen de tratados y orden en la dispersión normativa que existía hasta ese momento, entre otros elementos positivos, continuando los esfuerzos de racionalización que realizara el Decreto 801/1972, de 24 de marzo, que a pesar de parte de su contenido había sido derogado con la entrada en vigor de la Constitución

---

[48]   M. Ortega Carcelén. "Las leyes de acción exterior del estado y de tratados: dos piezas internacionales que nuestro derecho necesitaba", *Foro*, vol. 18, nº 1, 2015, pp. 299-316.

de 1978, seguía encauzando la formación, registro y publicación de los tratados. Para Remiro Brotóns la ley ha cumplido con sus objetivos de actualización y adaptación a la Constitución del régimen de los tratados, sin compartir las críticas de la oposición sobre el debilitamiento de la posición del Congreso y del Senado, si bien observa un "agujero negro" en la regulación de la aplicación provisional de los tratados, a la que puede acudir el Gobierno a pesar de que den los supuestos en los que constitucionalmente se exige la autorización parlamentaria (art. 94.1 CE)[49]. Por su parte, Martín y Pérez de Nanclares dirige su preocupación hacia los acuerdos internacionales no normativos, acuerdos que por mucho que no generen expresamente obligaciones jurídicas, están adquiriendo una cada vez mayor trascendencia política y que se prestan gracias a su flexibilidad a convertirse en el instrumento jurídico de referencia entre sujetos de Derecho internacional, y que pueden facilitar otra huida del derecho constitucional, específicamente, del procedimiento parlamentario exigido por los arts. 93 y 94 CE. Por ello, aplaude su regulación, la exigencia de informe previo de los órganos jurídicos y de su registro[50].

Podemos afirmar que existe un derecho de las relaciones exteriores en el ordenamiento jurídico español, por mucho que esta categoría haya sido extraña a la doctrina, y que puede ser descrito como predominantemente internacionalista[51]. Por otro lado, si bien la política exterior sigue siendo una tarea en la que ha predominado el poder ejecutivo, trasladándose del monarca al gobierno, se ha conseguido posteriormente incrementar la participación del parlamento. Acabar con los tratados secretos, como preveía el art. 18 del Pacto de Sociedad de

---

[49]   A. Remiro Brotóns. "Comentario general a la Ley 25/2014, de 27 de noviembre, de tratados y otros acuerdos internacionales" , en P. Andrés Sáenz de Santa María, J. Díez-Hochleitner, J. Martín y Pérez de Nanclares, *Comentarios a la Ley de tratados y otros acuerdos internacionales (Ley 25/2014, de 27 de noviembre)*, Civitas, Cizur Menor, 2015, pp. 45-70, pp. 54-56.

[50]   J. Martín y Pérez de Nanclares. "La Ley de tratados y otros acuerdos internacionales: una nueva regulación para disciplinar una práctica internacional difícil de ignorar", *Revista Española de Derecho Internacional*, vol. 67/1, 2015, pp. 13-60, pp. 46 y ss.

[51]   C. Espósito Massicci. "Spanish foreign relations law and the process for making treaties and other international agreements", en C.A. Bradley (ed.), *The Oxford Handbook of Comparative Foreign Relations Law*, Oxford University Press, Oxford, 2019, pp. 205-220.

Naciones, y la extensión del sometimiento a la mayoría parlamentaria de la ratificación siguiendo el ejemplo de la Constitución estadounidense fueron las primeras disposiciones que se adoptaron tras la Primera Guerra Mundial bajo lo que Harold Nicolson denominó como la diplomacia democrática[52], autor que acusaba a esta de dificultar la fiabilidad de las promesas de los agentes diplomáticos en los procesos de negociación, al igual que de añadir un fuerte elemento de irresponsabilidad, ignorancia y dilación al situar la autoridad soberana de la política exterior en el pueblo. Las observaciones de Nicolson en base a su experiencia como miembro del servicio británico durante veinte años, serían en parte confirmadas por estudios empíricos de ciencia política, al menos en lo que se refiere a la dilación en la ratificación de tratados. Así es que el esquema de sujetos partícipes en la política exterior es mucho más rico en la actualidad. Como apuntó Roberto Mesa, la hegemonía del ejecutivo según el art. 97 CE no nos puede hacer olvidar que una pléyade de actores intervienen con diversa capacidad de influencia en el proceso de toma de decisiones en relación con la política exterior: el parlamento ejerciendo su función constitucional de control, partidos políticos, fuerzas sociales, la administración, las comunidades autónomas, la opinión pública y los medios de comunicación. Y al mismo tiempo, cada vez es más acusado otra tendencia contraria a la parlamentarización de la política exterior, su personalización en el Presidente del Gobierno, quien cada vez más protagoniza la iniciativa, la toma de decisión y su ejecución, minimizándose la función tradicional del Ministro de Asuntos Exteriores[53]. Sin olvidar las competencias del máximo representante del Estado, el derecho de legación, la capacidad para obligar al Estado a través de tratados internacionales y el poder de guerra y paz, por formal que sea su naturaleza[54].

Pero esta pluralidad de actores intervinientes en la formación de la voluntad exterior del Estado no oculta que la situación del control

---

[52]   H. Nicolson. *La diplomacia*, Fondo de Cultura Económica, México, 2010, pp. 75-95.

[53]   R. Mesa. "El proceso de toma de decisiones en política exterior", en *Documentación administrativa*, nº 205, 1985, pp. 143-163.

[54]   M. Fernández-Palacios. *Rey, Contitución y política exterior*. Marcial Pons, Madrid, 2010.

parlamentario de la política exterior sigue siendo insatisfactoria. Si bien es cierto que se parte de un ámbito que presenta especificidades que dificulta la mera proyección de los instrumentos del sistema democrático tan efectivos en el plano interior, desde el hecho de que la soberanía estatal no es ejercible con la misma intensidad hacia el exterior. La estructura de la comunidad internacional, carente de un poder centralizado, se fundamenta en la interdependencia. Costumbre, actos de las organizaciones internacionales y actos unilaterales de los Estados son también medios de creación de normas jurídicas internacionales, además de los tratados, que, a diferencia de estos, escapan de los mecanismos de control parlamentario, a pesar de la rigidez y permanencia de estas fuentes[55]. Y, como veremos a continuación, incluso en el caso de los tratados internacionales, queda mucho por avanzar.

IV. LA DEMOCRATIZACIÓN DEL PROCESO DE ELABORACIÓN DE LOS TRATADOS INTERNACIONALES. PROBLEMAS Y POSIBLES VÍAS DE AVANCE

A lo hora de regular la apertura hacia el Derecho internacional, todos los Estados se han venido encontrando ante semejantes disyuntivas, partiendo de qué instrumentos van a considerar como tratados internacionales, a la vez que diferenciarlos de otros acuerdos, al igual que la distribución de autoridad en el sistema constitucional para negociar y concluirlos (lo más habitual es que sea entre el ejecutivo y las asambleas legislativas) y, en última instancia, prever los efectos que los tratados tendrán en sus ordenamientos jurídicos. La distribución de roles habitual atribuye al jefe de estado o de gobierno la conclusión de tratados, que debe ser aprobada por el parlamento antes de la ratificación. A partir de aquí las variaciones son múltiples, en caso de parlamentos bicamerales, se exige la aprobación por los dos cámaras o por una de ellas. Los Estados descentralizados pueden o no requerir la aprobación por sus entes territoriales. Las constituciones pueden también prever la exigencia de mayorías cualificadas para la

---

[55] A. J. Rodríguez Carrión. "Elaboración y control de la política exterior en un sistema democrático", *Revista de Estudios Internacionales*, nº 1, 1980, pp. 403-417, p. 409.

ratificación de ciertos tratados, especialmente aquellos que suponen la transferencia de ejercicio de poder a organizaciones internacionales. O, de controles jurisdiccionales de constitucionalidad previos a la ratificación de los acuerdos[56]. Frente a la tradicional atribución del *treaty-making power* al ejecutivo, y aún más, al monarca, desde el mismo origen del constitucionalismo moderno podemos observar la preocupación por proyectar el control parlamentario también sobre esta potestad. Así, se le atribuye a la constitución de los Estados Unidos de América de 1787 ser la primera en establecer la participación de un órgano legislativo en el proceso de elaboración de los acuerdos internacionales. En concreto, de acuerdo a la sección 2ª de su artículo 2, se reconoce la celebración de tratados como potestad presidencial, pero contando con el "consejo y consentimiento" de dos tercios del Senado (cámara legislativa cuyos miembros eran elegidos por los Estados, a diferencia de la *House of Representatives*, hasta la decimoséptima enmienda a la Constitución aprobada en 1913). Sin negar la originalidad en este aspecto, como en tantos otros, del documento fundacional estadounidense, conviene recordar que en el contexto histórico y, especialmente, en el marco teórico, ya se venía apuntando hacia esta posibilidad. *Le Droit de gens: Ou principles de la Loi naturelle, appliquès à la conduite et aux affaires des Nations et des Souverains* era una obra bien conocida por los miembros de la Convención de Filadelfia. Vattel, al insisitir en la exclusiva potestad de los Estados para comprometerse por tratados internacionales, había reconocido que esta facultad tenía que ser regular en las leyes fundamentales de cada Estado, destacando que no todas las supremas autoridades estales contaban con este poder monopolísticamente, sino que se requería la participación del Senado o de los representantes de la nación. Autor que a su vez continuaba los avances teóricos dados por Grocio y Wolff y hasta los prácticos de los cantones suizos, particularmente los rurales, en los que la democracia directa aún desempeñaba un papel importante en la ratificación de tratados[57]. Inmediatamente, las cons-

---

[56] D. B. Hollis. "A Comparative Approach to Treaty Law and Practice", en Y Duncan B. Hollis, Merritt R. Blakeslee & L. Benjamin Ederington (eds.). *National Treaty Law and Practice. Dedicated to the Memory of Monroe Leigh*. Martinus Nijhoff Publishers, Leiden – Boston, 2005, pp. 1-59, p. 8.

[57] *Vid.* P. Haggenmacher. "Some Hints on the European Origins of Legislative Par-

tituciones francesas de 1791, 1793 y 1795 requerirán el apoyo legislativo para la ratificación de tratados, exigencia que se irá consolidando en el Derecho constitucional comparado, destacando la contribución belga en 1831, que explicitará que la aprobación será necesaria para ciertos tipos de tratado, incluyendo aquellos que supongan limitaciones para los individuos. La reforma constitucional suiza de 1921 hizo una nueva y muy relevante contribución al requerir la aprobación en referéndum de ciertos acuerdos internacionales, aportación que seguiría Francia en 1958 para tratados que podrían tener un impacto sobre las instituciones[58].

En la actualidad, los estudios de Derecho comparado dedicados al estudio de las diversas aproximaciones estatales al Derecho internacional aportan fidedignas muestras de la existencia de una preocupación generalizada ya no sólo por dar efectivo cumplimiento a los compromisos asumidos mediante el Derecho internacional convencional, sino también por articular mecanismos de control y rendición de cuentas a medida que más funciones de gobierno se trasladan al ámbito internacional: al tiempo que se reconoce una posición jerárquica superior al Derecho internacional frente al Derecho nacional, se amplían la capacidad de intervención parlamentaria en los procesos de creación del derecho internacional[59]. De acuerdo al estudio que posiblemente cuente con la fundamentación fáctica más amplia de los disponibles en este momento, todos los Estados en los que el derecho convencional se aplica directamente exigen la aprobación previa parlamentaria, a diferencia de los Estados en lo que se exige su transposición mediante derecho estatal, en los que es mucho menos frecuente. Además, el número de Estados que requieren la aprobación previa de tratados que suponen modificaciones legislativas se ha incrementado, desde una cifra superior al 25% en 1850 a una cercana al 60% en la

---

ticipation in the Treaty-Making Function", en *Chicago-Kent Law Review*, vol. 67, 1991, pp. 313-339, pp. 324 y ss.

[58] M. Méndez. "Constitutional review of treaties: Lessons for comparative constitutional design and practice", *International Journal of Constitutional Law*, vol. 15, nº 1, 2017, pp. 84-109.

[59] P.-H. Verdier and M. Versteeg, *International Law in National Legal Systems: An Empirical Investigation*, en A. Roberts, P.B. Stephan, P.-H. Verdier and M. Versteeg, *Comparative International Law,* Oxford University Press, Oxford, 2018, p. 210.

actualidad[60]. Y lo que es más importante, el trabajo de los profesores Verdier y Versteeg señala que cada vez más Estados optan por habilitar intervenciones parlamentarias previas y posteriores a la ratificación como respuesta a las críticas debidas al déficit democráticos, en defensa de la soberanía estatal y apoyo del equilibrio en la distribución de poderes[61]. Por ejemplo, tanto en Alemania como Estados Unidos se permite que, bajo invitación del ejecutivo, una representación parlamentaria puede participar en la negociación de los tratados como parte de la delegación del Gobierno. Otras formas de participación parlamentaria incluyen el envío temprano de información a las cámaras legislativas para que conozcan que acuerdos internacionales están en proceso de negociación para que se pueda proceder a su debate en sede parlamentaria (caso de los Países Bajos). Y eso además de los instrumentos de control parlamentarios habituales, preguntas y mociones.

El mito de los parlamentos como instituciones débiles en política exterior, firmemente arraigado en los teóricos políticos clásicos desde Locke a Tocqueville, por el que estos órganos carecen de las características que este ámbito exige, discreción, flexibilidad e inmediatez en el proceso de toma de decisiones en aras de la protección del interés nacional, observado desde una perspectiva crítica, ha de relativizarse, dado que podemos encontrar una miríada de ejemplos que demuestran la influencia que estos órganos logran ejercer. Además de su participación en el *treaty-making power*, los parlamentos utilizan la función presupuestaria y la de control del Gobierno también para determinar la política exterior[62]. Se han articulado otras opciones entre las que merece ser destacada la presencia de parlamentarios en las delegaciones de negociación de tratados internacionales, junto con miembros del ejecutivo, siguiendo el ejemplo de la *Trade Act* estadounidense de 1974. En lugar de debilitar la capacidad de negociación de tratados por parte del ejecutivo, la literatura ha demostrado que ésta

---

[60]   Conforme a esta investigación, esta tendencia es compartida también por regímenes políticos no democráticos. *Ibíd*. p. 216.

[61]   Incluso en el paradigma de los ordenamientos dualistas, el Reino Unido, tras la reforma constitucional de 2010. *Ibíd*. p. 217.

[62]   R. Tapio. "*Legislatures and Foreign Policy*", en S. Martin, T. Saafeld and K.W. Strøm, *The Oxford Handbook of Legislative Studies*, Oxford University Press, Oxford, 2014, pp. 544-566.

se ve reforzada en los sistemas que cuentan con veto parlamentario, obteniendo resultados más favorables, fenómeno conocido como la "conjetura de Schelling"[63]. A partir del análisis de la ratificación de más de 2.500 tratados bilaterales de inversión, tratando de encontrar los motivos de las grandes diferencias en sus tiempos de ratificación, Haftel y Thompson confirmaron que, cómo se podía esperar, las restricciones constitucionales sobre la capacidad de comprometer internacionalmente de los ejecutivos se traducen en dificultades en la ratificación de tratados, pero que, en sistemas políticos transparentes en los que se puede predecir el comportamiento de los actores que van a intervenir en la ratificación (además de otros factores como la propia capacidad gubernamental o los vínculos culturales entre los Estados contratantes), los ejecutivos son capaces de valorar los valladares que eventualmente podrían surgir y así evitar que los tratados queden condenados en un limbo parlamentario[64].

La experiencia española dista de ser satisfactoria. Durante la primera mitad de la actual etapa constitucional, la actividad controladora del parlamento consistió esencialmente en un acusado celo de la Mesa del Congreso en la recalificación de tratados. Más allá de este espejismo, sin embargo, ha sido denunciado el escaso interés que se viene mostrando en nuestras Cortes Generales por la actividad convencional del Estado, con un número muy bajo de intervenciones en Comisión en el Congreso de los Diputados, casi inexistente en el Pleno, en el que pocas enmiendas a la totalidad se han debatido, dinámica que se repite en la Cámara alta, en la que apenas se han planteado propuestas de veto o aplazamiento. Salvo la autorización del Tratado constitutivo del Mecanismo Europeo de Estabilidad, de 2 de febrero de 2012, el Tratado de Estabilidad, Coordinación y Gobernanza, de 2 de marzo de 2012 o el Acuerdo Económico Comercial Global entre Canadá, por una parte, y la Unión Europea y sus Estados miembros, por otra, de 30 de octubre de 2016, que si merecieron enmiendas a la totalidad y al articulado, y el último, dos propuestas de veto[65].

---

[63]   *Ibíd.*, p. 550.

[64]   Y. Haftel and A. Thompson. "Delayed Ratification: The Domestic Fate of Bilateral Investment Treaties", *International Organization*, nº 67, 2013, pp. 355–387.

[65]   P. Sáenz de Santamaría. "Los tratados internacionales en el sistema constitucional español: de la Constitución de 1978 a la Ley 25/2014", en *España constitu-*

Los contradicciones que viene suponiendo el actual contexto de globalización profunda para nuestro texto constitucional son patentes, un real embate para la Sección III del Título III, empezando por el art. 93 CE que constitucionaliza la integración española en estructuras supranacionales estableciendo un procedimiento específico para la adopción de los tratados de integración, por el que se puede atribuir el ejercicio de competencias constitucionales a organizaciones mediante la aprobación de una Ley orgánica que requiere el apoyo de la mitad más uno de los diputados en el Congreso en una votación final sobre el conjunto del proyecto. Una auténtica cláusula material "que ha permitido también una actualización de los contenidos constitucionales, muchos de los cuales se han visto "afectados" por la pertenencia de España a la Unión Europea"[66]. Se trata de los tratados más relevantes en la triple clasificación material que prevé la Constitución. además de que el Tribunal Constitucional haya afirmado que los tratados de integración no pueden suponer reformas constitucionales en su sentencia 252/1988 y sus declaraciones 1/1992 y 1/2004, es difícil no compartir la conclusión de Herrero de Miñón en relación con el proceso de integración europeo y las mutaciones constitucionales que en nuestro caso han supuesto, con especial intensidad si se observa la constitución económica. Entre los ejemplos que aporta, quizás el patente sea la previsión de la intervención pública en la economía (art. 128.2 CE) claramente cercenada desde que partir de 1990, debido a la interpretación de la Comisión y del Tribunal de Justicia limitando el monopolio estatal de los servicios de interés económico general a situaciones excepcionales que exigen justificación por cada Estado, y el impulso del modelo de mercado libre recogido en el derecho originario de la Unión desde el Acta Única al Tratado de Ámsterdam[67]. La consecuencia no deja de ser a buen seguro una

---

cional (1978-2018) trayectorias y perspectivas, Pendás García, B. (dir.), González Hernández, E. y Rubio Núñez, R. (coords.), España constitucional (1978-2018) trayectorias y perspectivas, Vol. III. Centro de Estudios Políticos y Constitucionales, Madrid, 2018, pp. 2093-2106.

[66]   P. Pérez Tremps. Las reformas de la Constitución hechas y no hechas, Tirant lo Blanch, Valencia, 2018, p. 27

[67]   M. Herrero de Miñón. "La constitución económica: de la ambigüedad a la integración", Revista Española de Derecho Constitucional, nº 57, 1999, pp. 11-32, pp. 25-28.

inintencionada huida de la Constitución, en concreto, de la reforma constitucional y de sus exigencias de procedimientos más complejos y de mayorías parlamentarias muy reforzadas (tres quintos para la reforma, art. 167 CE, y dos tercios en el caso de la revisión, art. 168 CE, en ambas cámaras), frente a la mayoría absoluta en el Congreso de los Diputados requerida para la aprobación de una ley orgánica. Esta situación demanda al menos una reflexión sobre la conveniencia de la equiparación de las mayorías parlamentarias exigidas para la reforma constitucional y la cesión del ejercicio de reformas constitucionales.

La clasificación de los tratados que establece el art. 94 CE también es problemática en la actualidad, permitiendo que queden excluidos de control parlamentario los tratados internacionales que carezcan de carácter político, militar, afecten a la integridad territorial del Estado o a los derechos y deberes fundamentales, supongan obligaciones financiaras para la Hacienda Pública o requieran de medidas legislativas. Como bien afirma Matía Portilla "no resulta fácil delimitar el alcance exacto de estas previsiones. ¿No presenta todo tratado internacional hoy un carácter político? ¿No afecta todo tratado a la Ley ya que restringe su fuerza activa por la especial rigidez de los acuerdos internacionales?"[68]. Además, conviene apuntar que nuestra Constitución omite entre los casos que requieren previa autorización parlamentaria a los tratados de comercio, a diferencia de la Constitución de 1931 (art. 76.e). Como pudimos observar en el epígrafe segundo de este trabajo, sin duda, estos son los tratados que más están requiriendo una perspectiva constitucional ante el avance de la globalización profunda.

El sistema actual de autorización parlamentaria de los tratados del 94.1 CE parte de la decisión del Consejo de Ministros sobre los tratados que va a someter al control parlamentario, cabiendo la posibilidad de que lo evite a través del 94.2 CE. En el proceso intervienen la Asesoría Jurídica Internacional, incardinada en el Ministerio de Asuntos Exteriores y, a continuación, el Consejo de Estado (arts. 107 CE), que debe ser consultado en relación con la autorización parlamentaria de todos los convenios internacionales, si bien sus informes no son

---

[68]   F.J. Matía Portilla. *Los tratados internacionales y el principio democrático*. Marcial Pons, Madrid, 2018, p. 51.

vinculantes (art. 2.3 de la Ley Orgánica del Consejo de Estado de 22 de abril de 1980). En palabras de la profesora Cristina Izquierdo "es manifiesto que la opción por la competencia gubernamental en la calificación tiene un claro inconveniente: se presenta al Gobierno en bandeja la oportunidad de hurtarse del trámite parlamentario cuando, en términos políticos, estime que puede resultarle inconveniente"[69], ello sin negar la capacidad de control jurídico que pueden ejercer el Consejo de Estado (art. 22.1 de la Ley Orgánica del Consejo de Estado de 22 de abril de 1980) y Tribunal Constitucional mediante el control previo de constitucionalidad. El art. 95.2 CE permite que además del Gobierno, el Congreso de los Diputados y el Senado puede impulsar este proceso constitucional, al que está dedicado el art. 78 de la Ley Orgánica del Tribunal Constitucional, si bien son los Reglamentos del Congreso de los Diputados y del Senado los que desarrollan los requisitos subjetivos. Ambos Reglamentos, en sus artículos 157 y 147, coinciden en demandar el acuerdo de los Pleno de las Cámaras, a iniciativa de dos grupos parlamentarios o de una quinta parte del Congreso de los Diputados, o de un grupo parlamentario o veinticinco miembros de la Cámara alta, disminuyendo las posibilidades de incitar el control efectivo por parte de la oposición.

Y no estamos hablando de situaciones hipotéticas. Basta recordar que ya contamos con experiencia en ratificaciones de acuerdos internacionales a través de decreto-ley, como sucedió con el Real Decreto-ley 14/1998, de 9 de octubre, por el que España se adhiere a diversos acuerdos del Fondo Monetario Internacional. El Gobierno recurrió a la potestad atribuida en el art. 86.1 CE para que el Estado ratificara la cuarta enmienda al Convenio Consultivo del Fondo Monetario Internacional, realizado el 23 de noviembre de 1997 en Hong Kong, y que suponía nuevas obligaciones para la Hacienda Pública española al ampliarse los recursos financieros de esta organización incrementándose las cuotas de cada país en un 45%. Si bien es cierto que el Consejo de Ministros había solicitado al Congreso de los Diputados la iniciación del procedimiento relativo a la autorización por las Cortes Generales de la enmienda de modificación del con-

---

[69] C. Izquierdo Sans. "Intervención parlamentaria en la celebración de tratados internacionales", *Revista electrónica de estudios internacionales*, nº 4, 2002.

venio, tramitándose por el procedimiento de urgencia, el Gobierno aprobó el Real Decreto-ley, antes de la finalización del procedimiento parlamentario. Nuestra doctrina se mostró muy crítica ante este abuso del Decreto-ley. La profesora Carmona Contreras se adelantó al fallo de nuestro supremo intérprete constitucional advirtiendo varias tachas de inconstitucionalidad en el Real Decreto-ley 14/1998, de 9 de octubre, partiendo del hecho de que "la elaboración de un decreto-ley, como vía que permite incorporar a nuestro ordenamiento jurídico tratados y convenios internacionales previamente suscritos por el Gobierno, supone una clara invasión en la competencia que la Constitución reserva a las Cortes Generales"[70]. Esta invasión inferiría que las Cámaras no podrían suscitar un conflicto de atribuciones ante el Tribunal Constitucional[71], al igual que limita drásticamente la capacidad de control por éste ya que imposibilita el control previo de constitucionalidad de los tratados internacionales. Además, el Senado se vería marginado del proceso de ratificación, a contrario de lo que exige el art. 94.1 CE. Tampoco se respeta el carácter el previo de la autorización parlamentaria de los tratados internacionales, la eventual ley de conversión no subsanaría los defectos del Decreto-ley, por no hablar de si se daba o no el presupuesto habilitante[72]. El Tribunal Constitucional, en su STC 155/2005, de 9 de junio, declaró la inconstitucionalidad del Real Decreto-ley al igual que de la Ley de conversión 13/1999. Tras aclarar que el objeto del proceso no había desaparecido por mucho que el Real Decreto-ley fue convertido por la Ley 13/1999 y que la ratificación de la cuarta enmienda al Convenio constitutivo del FMI acabo autorizándose por el procedimiento previsto en los arts. 94.1.d y 74.2 de la CE, el Tribunal afirma que el contenido del Decreto-ley sí que implicaba que España asumiera una nueva conducta plasmada en obligaciones financieras (FFJJ 5-7) y el Decreto-ley, además de los límites establecidos en el art. 86.1 CE, debe

---

[70]	A.M. Carmona Contreras. "Decreto-ley y relaciones internacionales: una compatibilidad constitucionalmente problemática", *Revista de Estudios Políticos*, nº 110, 2000, pp. 59-78, pp. 65-66.

[71]	De hecho, el Pleno del Congreso de los Diputados rechazó la propuesta de ochenta y dos diputados del grupo parlamentario socialista de planteamiento de conflicto de atribuciones entre órganos constitucionales del Estado el 28 de octubre de 1998.

[72]	*Ibíd.*

someterse a otras exigencias constitucionales, como es la autorización parlamentaria previa contenida en el art. 94.1 CE[73].

V. CONCLUSIONES

No hay motivo para una aceptación pacífica de la huida del Derecho constitucional hacia el Derecho transnacional y hacia los centros externos de producción normativa. La influencia de los clásicos políticos en esta materia llega a solidificarse casi en términos de predestinación. Hemos visto como en los votos particulares de los fallos de nuestro Tribunal Constitucional insisten en denunciar las inercias de las "concepciones decimonónicas" que conducen hacia un *status quo* insatisfactorio, a pesar de disponer de opciones que podrían ser puestas en práctica, partiendo por la elevación a la Constitución de los criterios que han de regir la política exterior, seguida por la superación de la debilidad parlamentaria en lo que se refiere al ejercicio del poder convencional del Estado, dotando de instrumentos que permitan su participación activa y no sólo en el momento de la autorización, a través de mecanismos como la facilitación de información constante por parte del ejecutivo e incluso la participación de miembros de las Cortes en las delegaciones negociadoras de los acuerdos internacionales, deber de información y posibilidad de participación sí reconocida en los arts. 50 y 51 de la Ley 25/2014, de 27 de noviembre, de Tratados y otros acuerdos internacionales a las Comunidades Autónomas y a las ciudades de Ceuta y Melilla (siempre sujetas a la decisión del Gobierno). Del mismo modo, nada impide la rectificación de las incoherencias entre los requisitos exigidos para la reforma constitucional y para la cesión del ejercicio de competencias constitucionales que puedan derivar en mutaciones constitucionales, o el fortalecimiento de la minoría parlamentaria dotándola de legitimación activa para impulsar el control previo de constitucionalidad de tratados internacionales. Reformas que no dejan de ser nada más que pasos lógicos en la constante lucha del constitucionalismo para

---

[73] Para un análisis crítico de esta decisión con respecto a la inconstitucionalidad de la ley de conversión (pero no sobre el Decreto-ley), *vid*. F. Santaolalla López. "Decreto-ley, ley y tratado internacional. Comentario a la STC 155/2005, de 9 de junio", *Teoría y realidad constitucional*, nº 18, 2006, pp. 399-428.

limitar y encauzar jurídicamente el poder, a pesar de su traslación a instancias transnacionales.

VI. BIBLIOGRAFÍA CITADA

Aláez Corral, B. "Globalización jurídica desde la perspectiva del Derecho constitucional español", *Teoría y realidad constitucional*, n° 40, 2017.

Arias Maldonado, M. *Nostalgia del soberano*, Los Libros de la Catarata, Madrid, 2020.

Aust, H.P. "Foreign Affairs", en R. Grote, F. Lachenmann y R. Wolfrum (eds.), Max Planck Encyclopedia of Comparative Constitutional Law, Oxford Universiry Press, Oxford, 2017.

Balaguer Callejón, F. "Las dos crisis del constitucionalismo frente a la globalización en el siglo XXI", *Revista de Derecho Constitucional Europeo*, n° 30, 2018.

Bogdandy, A. von, "Pluralism, Direct effect, and the ultimate say: On the relationship between international and domestic constitutional law, *International Journal of Constitutional Law*, vol. 6, n° 3 y 4, 2008.

Bradley, C.A. "What is Foreign Relations Law?", en C.A. Bradley (ed.), *The Oxford Handbook of Comparative Foreign Relations Law*, Oxford University Press, Oxford, 2019.

Bustos Gisbert, R., "Hacia una constitución "europea y global", en *Agenda Pública*, 6 de diciembre de 2018, http://agendapublica.elpais.com/hacia-una-constitucion-europea-y-global/ (última visita, 22 de noviembre de 2020).

Carmona Contreras, A. "Decreto-ley y relaciones internacionales: una compatibilidad constitucionalmente problemática", *Revista de Estudios Políticos*, n° 110, 2000.

Departamento de Asuntos Regulatorios y Europeos, CEOE. *La producción normativa en 2019*, CEOE, Madrid, 2020.

Dunoff, J.L. "The Politics of International Constitutions: The Curious Case of the World Trade Organization", en Dunoff, J.L. and Trachtman, J.P. (eds.), *Ruling the World? Constitutionalism, International Law, and Global Governance*, Cambridge University Press, Cambridge, pp. 178-205.

Espósito Massicci, C. "Spanish foreing relations law and the process for making treaties and other international agreements", en Bradley, C. A. (ed.)., *The Oxford Handbook of Comparative Foreign Relations Law*, Oxford University Press, Oxford, 2019, pp. 205-220.

Esteve Pardo, J. *La nueva relación entre Estado y sociedad. Aproximación al trasfondo de la crisis*, Marcial Pons, Madrid, 2013.

Fernández Alles, J.J., "Hacia un sistema constitucional integrado de producción normativa y fuentes del derecho", *Revista General de Derecho Constitucional*, n° 30, 2019.

Fernández-Palacios, M. *Rey, Contitución y polítca exterior*, Marcial Pons, Madrid, 2010.

García de Enterría, E., *Justicia y seguridad jurídica en un mundo de leyes desbocadas*, Civitas, Madrid, 1999.

García Guerrero, J.L., "Los embates de la globalización a la democracia", *Revista de estudios políticos*, n° 176, 2017.

Ginsburg, T. "Comparative Foreign Relations Law: A National Constitutions Perspective", en *The Oxford Handbook of Comparative Foreign Relations Law*, Oxford University Press, Oxford, 2019, pp. 63-77.

Gutiérrez Gutiérrez, I. "Democracia más allá del Estado", *Revista de Derecho Constitucional Europeo*, n° 31, 2019.

Häberle, P. (Mikunda-Franco, E., traductor). *Pluralismo y constitución: Estudios de teoría constitucional de la sociedad abierta*, Tecnos, Madrid, 2013.

Haggenmacher, P. "Some Hints on the European Origins of Legislative Participation in the Treaty-Making Function", en *Chicago-Kent Law Review*, vol. 67, 1991, pp. 313-339.

Haftel, Y.Z. Haftel and Thompson. A., "Delayed Ratification: The Domestic Fate of Bilateral Investment Treaties", en *International Organization*, Vol. 67, Is. 2, 2013, pp. 355-387.

Herrero de Miñón, M. "La constitución económica: de la ambigüedad a la integración", *Revista Española de Derecho Constitucional*, n° 57, 1999.

Hollis, D. B., "A Comparative Approach to Treaty Law and Practice", en Hollis, D. B, Blakeslee, M. R. and Ederington, L. B. (eds.), *National Treaty Law and Practice*, Martinus Nijhoff Publishers, Leiden-Boston, 2005, pp. 1-59.

Izquierdo Sans, C. "Intervención parlamentaria en la celebración de tratados internacionales", *Revista electrónica de estudios internacionales*, n° 4, 2002.

Jiunn-Rong, Y. and Chang, W.-C., "The Changing Landscape of Modern Constitutionalism: Transitional Perspective", en *National Taiwan University Law Review*, Vol. 4:1, 2009, pp. 145-183.

Kaiser, K. "Transnational Relations as a Threat to the Democratic Process", *International Organization*, n°. 25, 1971.

Keene, E., "The Treaty-Making Revolution of the Nineteenth Century", *The International History Review*, vol. 34, nº 3, 2012.

Kumm, M. "The legitimacy of international law: A constitutionalist framework of analysis", *European Journal of International Law*, nº 15 (5).

Lavilla Rubira, J.J. "Las fuentes del Derecho: tan parecido, tan distinto. Poderes normativos y normas con rango de ley tras cuarenta años de vigencia constitucional", en *España constitucional (1978-2018) trayectorias y perspectivas,* Pendás García, B. (dir.), González Hernández, E. y Rubio Núñez, R. (coords.), *España constitucional (1978-2018) trayectorias y perspectivas, Vol. III.* Centro de Estudios Políticos y Constitucionales, Madrid, 2018, pp. 2007-2020.

Maestro Buelga, G. "El Estado Social 40 años después: la desconstitucionalización del programa constitucional", *Revista de Derecho Político*, nº 100, 2017.

Martín y Pérez de Nanclares, J. "La Ley de tratados y otros acuerdos internacionales: una nueva regulación para disciplinar una práctica internacional difícil de ignorar", *Revista Española de Derecho Internacional*, vol. 67/1, 2015.

Matia Portila, F. J. "Los tratados internacionales y el principio democrático", Marcial Pons, Madrid, 2018.

Mesa, R. "El proceso de toma de decisiones en política exterior"*, Documentación administrativa*, nº 205, 1985.

Navas Castillo A. y Navas Castillo, F. "Poderes normativos y normas con rango de ley tras cuarenta años de vigencia constitucional", en Pendás García, B. (dir.), González Hernández, E. y Rubio Núñez, R. (coords.), *España constitucional (1978-2018) trayectorias y perspectivas, Vol. III.* Centro de Estudios Políticos y Constitucionales, Madrid, 2018, pp. 2021-2031.

Méndez, M. "Constitutional review of treaties: Lessons for comparative constitutional design and practice", *International Journal of Constitutional Law*, vol. 15, nº 1, 2017.

Mirkine-Guetzévitch, B. *Derecho Constitucional Internacional,* Editorial Reus, Madrid, 2009.

Nicol, D. *The Constitutional Protection of Capitalism*, Hart, Oxford and Portland, 2010.

Nicolson, H. *La diplomacia*, Fondo de Cultura Económica, México, 2010.

Ortega Carcelén, M. "Las leyes de acción exterior del estado y de tratados: dos piezas internacionales que nuestro derecho necesitaba", *Foro*, vol. 18, nº 1, 2015.

Ovejero Puente, A. (coord.ª). *Derechos Humanos y Empresa: Balance y Situación Actual Sobre el Cumplimiento de los Tres Pilares*. Tirant lo Blanch, Valencia, 2020.

Pérez Gil, L.V. "Análisis de los principios constitucionales y las competencias en las relaciones exteriores en la Constitución española de diciembre de 1931", *Revista Española de Derecho Constitucional*, n° 63, 2001.

Pérez Tremps, P. *Las reformas de la Constitución hechas y no hechas*. Tirant lo Blanch, Valencia, 2018.

Remiro Brotóns, A. *La acción exterior del Estado*, Tecnos, Madrid, 1984.

____ "Comentario general a la Ley 25/2014, de 27 de noviembre, de tratados y otros acuerdos internacionales", en Andrés Sáenz de Santa María, P.; Díez-Hochleitner, J.; Martín y Pérez de Nanclares, J., *Comentarios a la Ley de tratados y otros acuerdos internacionales (Ley 25/2014, de 27 de noviembre)*, Civitas, Cizur Menor, 2015, pp. 45-70, pp. 54-56.

Requejo Pagés, J.L. "Consideraciones en torno a la posición de las normas internacionales en el ordenamiento español", *Revista Española de Derecho Constitucional*, n° 34, 1992.

Ripollés Serrano, M.R. "De las Cortes Generales: Cuarenta años de Parlamento y parlamentarismo en el régimen constitucional de 1978", *Corts: Anuario de derecho parlamentario*, n° extra 31, 2018.

Rodríguez Carrión, A.J. "Elaboración y control de la política exterior en un sistema democrático", *Revista de Estudios Internacionales*, n° 1, 1980.

Rodrik, D. *The Globalization Paradox. Why Global Markets, States and Democracy Can't Coexist*, Oxford University Press, Oxford, 2011.

Rosenvallon, P. *El siglo del populismo. Historia, teoría y crítica,* Galaxia Gutemberg, Madrid, 2020.

Sáenz de Santamaría, P. "Los tratados internacionales en el sistema constitucional español: de la Constitución de 1978 a la Ley 25/2014", en *España constitucional (1978-2018) trayectorias y perspectivas*, Pendás García, B. (dir.), González Hernández, E. y Rubio Núñez, R. (coords.), *España constitucional (1978-2018) trayectorias y perspectivas*, Vol. III. Centro de Estudios Políticos y Constitucionales, Madrid, 2018, pp. 2093-2106.

Santaolla López, F. "Decreto ley, Ley de y Tratado internacional. Comentario a la STC 155/2005, de 9 de junio", *Teoría y realidad constitucional*, n° 18, 2006.

Sassen, S. *Losing Control? Sovereignty in an Age of Globalization?* Columbia University Press, New York, 1996.

Schmitt, C., "The Plight of European Jurisprudence", *Telos,* n° 83, 1990.

Shelton, D. "Introduction", en Shelton, D. *International Law and Domestic Legal Systems. Incorporation, Transformation, and Persuasion,* Oxford University Press, Oxford, 2011, pp. 1-22.

Stoll, P.-T. and Holterhus, T. P. "The 'Generalization' of International Investment Law in Constitutional Perspective" en S. Hindelang and M. Krajewski (eds.), *Shifting Paradigms in International Investment Law - More Balanced, Less Isolated, Increasingly Diversified,* Oxford University Press, Oxford, 2016.

Tapio, R., "Legislatures and Foreign Policy", en Martin, S. Saafeld, T., and Strøm, K.W., *The Oxford Handbook of Legislative Studies,* Oxford University Press, Oxford, 2014.

Tooze, A. *Crash. Cómo una década de crisis financieras ha cambiado el mundo,* Crítica, Barcelona, 2018.

Vega García, P. De. "Mundialización y Derecho constitucional: La crisis del principio democrático en el constitucionalismo actual", *Revista de Estudios Políticos,* nº 100, 1998.

Verdier, P.-H. and Versteeg, M. "International Law in National Legal Systems: An Empirical Investigation", en Roberts, A., Stephan, P.B., Verdier, P.-H. Versteeg, and M. *Comparative International Law,* Oxford University Press, Oxford, 2018.

Weiler, J.W. *"The Geology of International Law – Governance, Democracy and Legitimacy", Zeitschrift für ausländisches öffentliches Recht und Völkerrecht,* nº 64, 2004.

La evolución de la forma de gobierno en Italia y España: ¿Una reforma constitucional implícita?

Sabrina Ragone y Armando de Crescenzo[1]

SUMARIO: I. PREMISA. II. LA TRANSFORMACIÓN MÁS EVIDENTE: EL DES-EQUILIBRIO A FAVOR DEL GOBIERNO EN EL DESEMPEÑO DE LA FUNCIÓN NORMATIVA EN MOMENTOS (*RECTIUS* FASES) DE CRISIS. III. EL RESPETO DE LAS LIMITACIONES ECONÓMICAS EUROPEAS: EL SEGUNDO FACTOR EN EL CAMBIO DE LA FORMA DE GOBIERNO. IV. LAS ÚLTIMAS REFORMAS CONSTI-TUCIONALES: ¿ES EL MEDIO PROPORCIONADO AL FIN? V. CONCLUSIÓN. VI. BIBLIOGRAFÍA CITADA

I. PREMISA

El objetivo de este capítulo es analizar los cambios ocurridos en los parlamentarismos italiano y español desde el estallido de la crisis económica hasta la crisis sanitaria de 2020. Se ofrecen elementos útiles para entender las torsiones que las constituciones de ambos países han sufrido en términos de transformación del sistema de fuentes del derecho, revalorización del papel del ejecutivo y cambio del paradigma de valores constitucionales. Los intentos de reforma (fallidos) en Italia sirven asimismo para proporcionar al lector español unas pistas acerca de la evolución del sistema parlamentario y del bicameralismo más específicamente.

---

[1] El trabajo es el resultado del trabajo conjunto de los autores; concretamente, los párrafos I, II y V son de Sabrina Ragone; los III y IV de Armando de Crescenzo. Este trabajo se ha realizado en el marco del Proyecto "Reforma constitucional: dimensión institucional y territorial" (20639/JLI/18) financiado por la Fundación Séneca-Agencia de Ciencia y Tecnología de la Región de Murcia a través de la convocatoria Jóvenes Líderes en Investigación del Subprograma de Apoyo y Liderazgo Científico y la Transición a la Investigación Independiente (Programa Fomento de la Investigación Científica y Técnica 2018).

El primer elemento del cambio constitucional es aclarado a través de un examen del aumento del papel normativo del Gobierno, que ha llegado a asumir recientemente un valor "hegemónico"[2]. Las distintas crisis que se han superpuesto y sucedido han conllevado la necesidad, supuesta o real, de implementar medidas de forma rápida y efectiva. Para ello, en ambos sistemas, el resultado ha sido en esencia la reducción, cuando no el abandono, de los mecanismos decisorios parlamentarios de naturaleza pluralista e inclusiva.

Se trata de un fenómeno que ha sido correctamente denominado "ejecutivización del derecho"[3], en un contexto en el que los dos legislativos han sido involucrados solo de manera parcial en la función normativa, con una prevalencia clara de fuentes gubernamentales como los decretos leyes[4] (§ I).

A la luz del sistema de fuentes de los dos ordenamientos[5] y del desempeño efectivo de la función normativa por parte del ejecutivo, se puede llegar a afirmar que «el papel normativo de los Parlamentos, dentro de este proceso de "ejecutivización", se ha visto menoscabado hasta volverse predominantemente un mero rol de convalidación/conversión de actos

---

[2]   E. Longo, *La legge precaria. Le trasformazioni della funzione legislativa nell'età dell'accelerazione*, Giappichelli, Turín, 2017, p. 175.

[3]   A. De la Iglesia Chamarro, *Crisis económica y expansión del ejercicio normativo del Gobierno. En particular de los decretos-leyes nacionales y autonómicos*, Revista Estudios de Deusto, vol. 61, nº 2, 2013, p. 70.

[4]   A. Carmona Contreras, *Decreto Ley y crisis económica. O cuando la necesidad (política) no hace la virtud (constitucional)*, Diritto e Questioni Pubbliche, vol. 17, nº 2, 2017, p. 136. Sobre el punto, véase también, L. Díez Sanchez, *Spain: Dealing with the Economic Emergency through Constitutional Reform and Limited Parliamentary Intervention*, en T. Beukers, B. de Witte, C. Kilpatrick (eds.), *Constitutional Change through Euro-Crisis Law*, Cambridge University Press, Cambridge, 2017, pp. 205-207.

[5]   Véanse al respecto, en perspectiva comparada, I. Ciolli, *I Paesi dell'Eurozona e i vincoli di bilancio. Quando l'emergenza economica fa saltare gli strumenti normativi ordinari*, Rivista dell'Associazione Italiana dei Costituzionalisti, nº 1, 2012, p. 6 y ss.; sobre Italia, N. Lupo, *National and Regional Parliaments in the EU decision-making process, after the Treaty of Lisbon and the Euro-crisis*, Perspectives on Federalism, vol. 5, nº 2, 2013, p. 1 y ss., y G. Rivosecchi, *Il Parlamento di fronte alla crisi economico-finanziaria*, en Rivista dell'Associazione Italiana dei Costituzionalisti, nº 3, 2012, p. 1 y ss.

gubernamentales, de delegación al Gobierno o de ratificación de actos internacionales, cuando ello fuere necesario»[6].

Además, otras consecuencias colaterales se han dado en la producción normativa, con especial referencia, por ejemplo, a lo que se considera la calidad de la legislación: la toma de decisiones acelerada ha llevado a una reducción, cuando no omisión, de una evaluación del impacto; los procedimientos de normación han sido sometidos a condiciones de emergencia, con la aplicación de normas extraordinarias durante tiempos prolongados; finalmente, la agenda legislativa y las prioridades han sido modificadas según la urgencia del momento concreto[7]. En efecto, los datos empíricos con respecto a la calidad de la legislación muestran una reducción de las políticas de simplificación en los años de la crisis, debida a la priorización de otras funciones de las Cámaras[8] y a la vez a la falta de recursos. Ello porque los recortes presupuestarios horizontales implementados en Italia, España e incluso en muchos otros sistemas han incidido en los órganos internos dedicados a la técnica normativa[9].

Finalmente, el tema de la ejecutivización es analizado con referencia a la crisis pandémica de COVID-19, para explicar hasta qué punto

---

[6] S. Ragone, *Parlamentarismos y crisis económica: afectación de los encajes constitucionales en Italia y España*, Bosch, Barcelona, 2020, p. 81.

[7] Al respecto, véase sobre la reacción italiana a la crisis y el impacto sobre la agenda legislativa A. Pedrazzani, A. Pellegata, L. Pinto, *Economic crisis and lawmaking. The impact of crisis on legislative agenda in Italy*, The Journal of Legislative Studies, vol. 24, n° 3, 2018, pp. 315-337. Véase también E. Piccardi, *The Economic Crisis and the National Parliaments: The Italian Experience*; http://www.parlamento.it/documenti/repository/affariinternazionali/ecprd2012/4_Piccardi_EN.pdf.

[8] Estos datos están confirmados por el análisis de E. Albanesi, *Teoria e tecnica legislativa nel sistema costituzionale*, Editoriale scientifica, Nápoles, 2019, p. 78 y p. 271.

[9] Los recortes han afectado a muchos Estados, y no solo a los que tenían economías más débiles, entre ellos, Reino Unido y el "Office of Parliamentary Counsel": véase E. Albanesi, *I meccanismi di semplificazione normativa nel Regno Unito*, en *Rassegna Parlamentare*, vol. 2, 2015, p. 442. Incluso, la doctrina ha propuesto formas de seleccionar las fuentes a las que aplicar los análisis de impacto: véase M. Pietrangelo, *La verifica dell'impatto della regolamentazione (VIR) tra Stato e Regioni*, en P. Costanzo (ed.), *La qualità della normazione nella dialettica Governo-Parlamento*, Jovene, Nápoles, 2011, p. 93.

se trata de una tendencia confirmada por una suerte de "derecho de la emergencia".

El segundo factor de cambio en la forma de gobierno que se analiza a continuación es el respeto a las limitaciones económicas europeas, que ha modificado los equilibrios de poder entre legislativos y ejecutivos, pero al mismo tiempo también los equilibrios con respecto a las instituciones europeas (§ III). Además del desequilibrio entre Gobierno y Parlamento en la producción normativa, también desde la perspectiva de los procedimientos presupuestarios ha ocurrido una tendencia parecida (tanto en el ordenamiento italiano como en el español), y ello ha llevado a la intervención de los tribunales constitucionales correspondientes. Finalmente, justo por la progresiva revalorización del ejecutivo respecto del legislativo, sobre todo en Italia todavía está presente el debate sobre la posibilidad de reformar la Constitución. Diversos han sido los intentos de reforma en los últimos años, aunque queda la duda de si esta es efectivamente una solución viable para resolver los problemas planteados por la forma de gobierno (§ IV). Los datos analizados en el texto permitirán esbozar unas conclusiones intentando contestar a la pregunta del título, es decir, valorar si ha habido una reforma implícita de las dos constituciones por lo que se refiere a la forma de gobierno (§ V).

II. LA TRANSFORMACIÓN MÁS EVIDENTE: EL DESEQUILIBRIO A FAVOR DEL GOBIERNO EN EL DESEMPEÑO DE LA FUNCIÓN NORMATIVA EN MOMENTOS (*RECTIUS* FASES) DE CRISIS

El empleo masivo de las normas de urgencia aprobadas por el Gobierno ha ido de la mano de otros mecanismos que han exaltado el papel del ejecutivo, en especial, una prevalencia de su iniciativa legislativa y una frecuente delegación de poderes al Gobierno mismo para la aprobación de decretos legislativos (más en Italia que en España, como se verá a continuación). Asimismo, la función de ratificación de decisiones del ejecutivo se ha manifestado en la aprobación de tratados y acuerdos internacionales, que los Parlamentos han adoptado a posteriori. Muy relevante para entender el (des)equilibrio de poderes resulta igualmente el proceso de toma de decisiones "de prisa" impuesto a los dos legislativos, con referencia tanto a las reformas constitucionales de 2011 (en España) y 2012 (en Italia), como a las leyes presupuestarias, destacándose las reacciones de las minorías y las consideraciones de los tribunales constitucionales correspondientes.

Tal y como se adelantó, la tendencia hacia una multiplicación de actos de origen gubernamental se ha reforzado en el periodo de la crisis económica, hasta llegarse a un uso desproporcionado de éstos en comparación con las leyes ordinarias. Es cierto que el declive de la ley ordinaria, en su configuración constitucional y parlamentaria, seguramente no se remonta al periodo de la crisis, siendo un fenómeno mucho más antiguo[10]. No obstante, en esta época se ha afirmado una forma de tomar decisiones especialmente enfocada en la rapidez, es decir, con una combinación de todos aquellos instrumentos que permiten decidir velozmente, consolidando el papel del ejecutivo: en Italia, la sucesión decreto-ley, "maxi-enmienda"[11] y luego cuestión de confianza se ha vuelto ordinaria[12]. La cuestión de confianza no se ha planteado como mecanismo de verificación de la persistente confianza del Parlamento, sino con el fin de eliminar las enmiendas propuestas por los parlamentarios, de nuevo para acelerar[13].

Para compensar, la praxis parlamentaria ha llevado a establecer algunos mecanismos de tutela. Por un lado, las negociaciones políticas

---

[10]   Sobre el caso italiano, véanse anteriormente al principio de la crisis, los estudios de A. Simoncini (ed.), *L'emergenza infinita. La decretazione d'urgenza in Italia*, Edizioni Università di Macerata, Macerata, 2006; R. Zaccaria, E. Albanesi, *Il decreto - legge tra teoria e prassi*, en *Forum di Quaderni costituzionali*, 22 de junio de 2009; S. Pajno, G. Verde (eds.), *Studi sulle fonti del diritto. I. Le relazioni tra Parlamento e Governo*, Giuffrè, Milán, 2010.

[11]   Con "maxi-enmienda" se entiende una enmienda que comprende todos los artículos de la ley que se está debatiendo y que, sometida a cuestión de confianza, se votará de forma prioritaria y en el texto propuesto. En la doctrina, véanse las contribuciones de G. Pistorio, *Maxi-emendamento e questione di fiducia. Contributo allo studio di una prassi illegittima*, Editoriale scientifica, Nápoles, 2018; N. Lupo (ed.), *Maxi-emendamenti, questioni di fiducia, nozione costituzionale di articolo*, CEDAM, Padua, 2010.

[12]   R. Calvano, *La crisi e la produzione normativa del governo nel periodo 2011-2013. Riflessioni critiche*, en *Osservatorio sulle fonti*, n° 3, 2013, p. 3.

[13]   Para una contextualización, véanse las contribuciones recopiladas en R. Calvano, *"Legislazione governativa d'urgenza" e crisi. Atti del I Seminario di studi di diritto costituzionale*, Unitelma Sapienza, Roma 18 settembre 2014, Editoriale scientifica, Nápoles, 2015.

entre mayoría y oposición se han adelantado a la elaboración de la maxi-enmienda; por otro lado, los diputados y senadores tienen aún mayor libertad a la hora de proponer enmiendas, pues saben que de todas maneras con la moción de confianza estas no se votarán[14].

Los datos del periodo 2013-2018 (XVII legislatura) confirman las tendencias relativas al ejercicio de la función normativa. De las 422 leyes aprobadas por la Cámara de diputados, solo 125 eran iniciativas de parlamentarios; 213 de iniciativa gubernamental y 82 eran leyes de conversión de decretos leyes (más 2 mixtos)[15]. Los datos agregados dan este resultado: 282 iniciativas gubernamentales; 92 parlamentarias; 4 mixtas y 1 regional[16].

De manera parecida, en España también se ha dado un uso amplísimo del decreto ley[17]. Además, mientras que en Italia, conforme al art. 77 de la Constitución, estos tienen una vigencia provisional de 60 días y sólo pueden someterse a procedimiento de conversión en ley (en caso contrario, pierden efecto), la Constitución española (art. 86) establece que los decretos leyes deben ser sometidos a debate y votación de totalidad al Congreso de los diputados en el plazo de los 30 días siguientes a su promulgación. Antes de que venza el plazo, el Congreso tiene que pronunciarse expresamente sobre la convalidación o la derogación, aunque todo decreto se podrá tramitar como proyecto de ley por el procedimiento de urgencia. En efecto, la convalidación es la norma, con lo cual el texto del ejecutivo se queda inmune a cualquier enmienda parlamentaria. Además, ni en Italia ni

---

[14]   Se trata de dinámicas políticas subrayadas ya por L. Violante, *Note sulla crisi del procedimento legislativo e su alcune sue conseguenze*, en L. Duilio (ed.), *Politica della legislazione, oltre la crisi*, il Mulino, Bolonia, 2013, p. 288. En este mismo texto, p. 290 ss., se encuentran referencias a la evolución de los procedimientos de decisión dentro del legislativo según la evolución de los partidos y de la cultura política.

[15]   Véase el "Riepilogo" publicado en la página de la Cámara de diputados: https://www.camera.it/leg17/564?tiposezione=A&sezione=2&tabella=A_2_1_1.

[16]   Los datos se encuentran en el "Rapporto sulla legislazione 2017-2018", disponible en https://temi.camera.it/leg18/temi/il-rapporto-sulla-legislazione-2017-18.html.

[17]   M. Aragón Reyes, *Uso y abuso del decreto-ley. Una propuesta de reinterpretación constitucional*, Iustel, Madrid, 2016; M.A. Martín Rebollo, *Uso y abuso del decreto-ley (Un análisis empírico)*, *Revista Española de Derecho Administrativo*, nº 174, 2015, pp. 23 ss.; E. Arana García, *Uso y abuso del decreto-ley*, *Revista de Administración Pública*, nº 191, 2013, p. 337 y ss.

en España la jurisprudencia constitucional, si bien ha entrado, desde 2007, más frecuentemente en las fuentes de origen gubernamental, ha incidido de forma impactante sobre la actuación de los Gobiernos correspondientes, dejando márgenes de apreciación notables, incluso en los años de la crisis[18].

Si se tiene en cuenta la perspectiva sustantiva, los decretos leyes de los años de la crisis han afectado, en ambos países, a objetivos fundamentales de la actividad estatal, especialmente de carácter económico[19] y de reducción del déficit[20], tal y como en materia de fomento del empleo con reformas laborales[21]. Asimismo, mediante decreto ley se ha creado el fondo para la adquisición de activos financieros[22], entre otros[23] y se han implementado reformas de sectores de tal calado como educación[24], seguridad social[25] y salud[26].

Con respecto al uso de los decretos legislativos, se han dado tendencias distintas entre los dos ordenamientos. En Italia estos han propiciado el papel normativo del Gobierno respecto al Parlamento, mayormente desde 2014. En efecto, a lo largo de las décadas, su flexibilidad y adaptabilidad[27] a las exigencias del ejecutivo han ayudado su expansión más allá de los confines lógico-constitucionales en los que los manuales suelen enmarcar el empleo de dicho instrumento[28]. Diferente es el caso español, donde los decretos aprobados han

---

[18]   Sobre este punto, véase R. Tarchi, D. Fiumicelli, *I poteri normativi di rango primario del Governo nella giurisprudenza costituzionale italiana e spagnola*, en *Osservatorio sulle fonti*, n° 3, 2016, pp. 29-30 (Italia) y p. 42 (España). Sobre la jurisprudencia española, véase también A. Carmona Contreras, *Decreto Ley y crisis económica. O cuando la necesidad (política) no hace la virtud (constitucional)*, op. cit., pp. 130-134.

[19]   Véanse los decretos leyes n. 2/2008; 5/2010; 2/2011; 8/2014.

[20]   Véanse los decretos leyes n. 8/2010; 20/2011; 12/2012.

[21]   Véanse los decretos leyes n. 2/2009; 6/2010; 3/2012; 4/2013; 3/2014.

[22]   Véase el decreto ley n. 6/2008.

[23]   Véanse los decretos leyes n. 9/2008; 7/2012.

[24]   Véase el decreto ley n. 14/2012.

[25]   Véase el decreto ley n. 28/2012.

[26]   Véase el decreto ley n. 16/2012.

[27]   S. Staiano, *Decisione politica ed elasticità del modello nella delega legislativa*, Liguori, Nápoles, 1990, habla de "elasticidad".

[28]   La mayor ejecutivización se ha dado cuando los instrumentos antes menciona-

sido pocos, y básicamente todos textos refundidos: ninguno en 2009, 2012, 2014 (y 2017, 2018 y 2019), 1 en 2010, 2013 (y 2016), 2 en 2008 y 8 en 2015.

Como ya se anticipó, otra prueba del desequilibrio a favor del ejecutivo reside en la imposición sobre las Cámaras de tiempos acelerados, recortando así el debate y reduciendo la involucración de las minorías. Si esto ya es evidente en la tramitación de los decretos leyes, aún más seria es la situación con referencia a fuentes de rango superior, como lo ha sido la reforma constitucional en el caso español o las leyes presupuestarias en el caso italiano.

La reforma constitucional española de 2011 del art. 135, en efecto, ha sido denominada también "reforma exprés" justamente por la rapidez con la que ha sido aprobada[29], mediante el procedimiento de lectura única, que ha recortado la fase parlamentaria a básicamente dos semanas (del 28 de agosto al 8 de septiembre), con un récord en términos comparativos respecto a los plazos de aprobación de fuentes legislativas[30].

En igual forma en Italia, en 2012 se llevó a cabo una reforma flash del artículo 81 de la Constitución, entre otros. «También la reforma constitucional aprobada en Italia en 2012 sobre el equilibrio presupuestario ha sido relativamente rápida, pues se ha desarrollado en

---

dos se han usado de manera combinada, con delegaciones contenidas en leyes de conversión de decretos leyes (por ejemplo, n. 148/2011 y n. 89/2014), o cuando las mismas prolongaban el plazo para el ejercicio de delegaciones anteriores (por ejemplo, n. 133/2008; n. 25/2010; n. 129/2010; n. 163/2010; n. 14/2012; n. 131/2012; n. 213/2012; n. 9/2016; véase L. Azzena, *Stato di crisi e ricorsi alla delegazione legislativa: l'esperienza delle legislature XVI e XVII*, en *Osservatorio sulle fonti*, n° 3, 2016, p. 14).

[29] S. Ragone, *Parlamentarismos y crisis económica: afectación de los encajes constitucionales en Italia y España*, op. cit.

[30] P. García-Escudero Márquez, *La acelerada tramitación parlamentaria de la reforma del artículo 135 de la Constitución (Especial consideración de la inadmisión de enmiendas. Los límites al derecho de enmienda en la reforma constitucional)*, *Teoría y Realidad Constitucional*, n° 29, 2012, pp. 165-198. No es casualidad que, dada la anomalía del procedimiento, se interpusiera un recurso de amparo ante el Tribunal Constitucional, a pesar de que el resultado del recurso fue que no había motivos de inconstitucionalidad. Véase el Auto n. 9/2012, del 13 de enero, publicado en el BOE núm. 36, de 11 de febrero de 2012.

alrededor de siete meses[31]. Además, gracias a la mayoría de 2/3 en ambas cámaras en la segunda votación, no ha sido posible la convocatoria de un referéndum»[32].

Dinámicas parecidas a las que se acaban de explicar se han dado en los meses de la crisis pandémica de COVID-19, más en Italia[33] que en España[34].

La diferencia se debe en particular al diseño constitucional, ya que el art. 116.2 CE («El estado de alarma será declarado por el Gobierno mediante decreto acordado en Consejo de Ministros por un plazo máximo de quince días, dando cuenta al Congreso de los Diputados, reunido inmediatamente al efecto y sin cuya autorización no podrá ser prorrogado dicho plazo. El decreto determinará el ámbito territorial a que se extienden los efectos de la declaración») exige una involucración periódica y significativa del Congreso de los Diputados[35].

---

[31]   Véase el reciente texto de R. Tarchi, *The Crisis and Political Decision-Making Processes: The Impact on European Constitutional Systems*, en F. Merloni, A. Pioggia (eds.), *European Democratic Institutions and Administrations. Cohesion and Innovation in Times of Economic Crisis*, Springer, Cham, 2018, p. 47.

[32]   S. Ragone, *Parlamentarismos y crisis económica: afectación de los encajes constitucionales en Italia y España*, op. cit., p. 108.

[33]   Sobre este tema, véanse S. Staiano, *Né modello né sistema. La produzione del diritto al cospetto della pandemia*, *Rivista dell'Associazione Italiana dei Costituzionalisti*, n° 2, 2020; A. Vernata, *Governo e Parlamento nella produzione normativa. Evoluzioni o consolidamento di una nuova Costituzione materiale?*, en *Rivista dell'Associazione Italiana dei Costituzionalisti*, n° 3, 2020; P. Caretti, *I riflessi della pandemia sul sistema delle fonti, sulla forma di governo e sulla forma di Stato*, en *Osservatorio sulle fonti*, número especial, 2020; M.C. Grisolia, *Il rapporto Governo-Parlamento nell'esercizio della funzione normativa durante l'emergenza Covid-19*, en *Osservatorio sulle fonti*, número especial, 2020.

[34]   Para un enfoque comparado, A. Vedaschi, L. Cuocolo, *L'emergenza sanitaria nel diritto comparato: il caso del Covid-19*, en *DPCE Online*, n° 2, 2020; D. Baldoni, S. Gherardi, *Due modelli costituzionali per governare l'emergenza. Italia e Spagna alla prova del Coronavirus*, en *DPCE Online*, n° 2, 2020.

[35]   Véase en particular G. Ruiz-Rico Ruiz *Las dimensiones constitucionales de la crisis sanitaria en España. Dudas e incertidumbres presentes y futuras*, en *DPCE Online*, n° 2, 2020; V.J. Álvarez García, *El coronavirus (COVID-19): respuestas jurídicas frente a una situación de emergencia sanitaria*, en *El Cronista del Estado Social y Democrático de Derecho*, n° 86-87, 2020, dedicado a "Coronavirus y otros problemas", pp. 6-21; V.E. Alonso Prada, *El control del Congreso de los Diputados al Gobierno y la actividad parlamentaria durante el estado de alarma*, *Revista del Gabinete Jurídico de Castilla-La Mancha*, número extraordinario, 2020, p. 73 y ss.; J.J. González López, *Reales decretos de declaración y prórroga*

En el ordenamiento italiano, no existe una regulación constitucional del estado de emergencia o excepción, pues en el debate de la Asamblea Constituyente sobre este tema prevaleció la opinión contraria. Lo que sí existe son las normas ya citadas acerca de los decretos leyes (y el estado de guerra, que no cabe aplicar en este caso).

Después de que la OMS considerara que el brote de COVID-19 constituía una emergencia de salud pública de preocupación internacional (30 de enero de 2020), el Gobierno italiano declaró el estado de emergencia nacional por seis meses (el 31 de enero de 2020). Hizo referencia al decreto legislativo n. 1/2018, es decir, el Código de la Protección Civil, que en su art. 7 se ocupa de los diferentes tipos de emergencia de protección civil (naturales o dependientes de conducta humana) y en su art. 24 trata del estado de emergencia de relevancia nacional. Por supuesto, la emergencia del COVID-19 es distinta de los casos anteriores, que siempre estaban limitados geográfica y/o temporalmente.

Posteriormente, los dos tipos de fuente del derecho empleados en la gestión de la emergencia han sido decretos leyes (desde el 23 de febrero hasta octubre, veintidós)[36] y decretos del Presidente del Go-

---

del estado de alarma: naturaleza jurídica, control jurisdiccional y responsabilidad patrimonial, Revista del Gabinete Jurídico de Castilla-La Mancha, número extraordinario, 2020, p. 109 y ss. En la doctrina italiana, V. Piergigli, *L'emergenza Covid-19 in Spagna e la dichiarazione dell'estado de alarma. Ripercussioni sul sistema istituzionale e sul regime dei diritti,* en DPCE Online, n° 2, 2020.

[36] En orden cronológico, n. 6/2020 (Misure urgenti in materia di contenimento e gestione dell'emergenza epidemiologica da COVID-19); n. 11/2020 (Misure straordinarie ed urgenti per contrastare l'emergenza epidemiologica da COVID-19 e contenere gli effetti negativi sullo svolgimento dell'attività giudiziaria); n. 14/2020 (Disposizioni urgenti per il potenziamento del Servizio sanitario nazionale in relazione all'emergenza COVID-19); n. 18/2020 (Misure di potenziamento del Servizio sanitario nazionale e di sostegno economico per famiglie, lavoratori e imprese connesse all'emergenza epidemiologica da COVID-19); n. 19/2020 (Misure urgenti per fronteggiare l'emergenza epidemiologica da COVID-19); n. 22/2020 (Misure urgenti sulla regolare conclusione e l'ordinato avvio dell'anno scolastico e sullo svolgimento degli esami di Stato); n. 23/2020 (Misure urgenti in materia di accesso al credito e di adempimenti fiscali per le imprese, di poteri speciali nei settori strategici, nonché interventi in materia di salute e lavoro, di proroga di termini amministrativi e processuali); n. 28/2020 (Misure urgenti per la funzionalità dei sistemi di intercettazioni di conversazioni e comunicazioni, ulteriori misure urgenti in materia di ordinamento penitenziario, nonchè disposizioni integrative e di coordinamento in materia di giustizia civile, amministrativa e contabile e misure

bierno (dpcm)[37]. Los segundos son adoptados por el Presidente del Gobierno, tras consultar a los Ministros interesados y a los Presidentes de las Regiones afectadas. Los dpcm tienen su fundamento jurídico en decretos leyes anteriores; sin embargo, han sido sometidos a críticas debido a su contenido en términos de limitación de derechos, considerando una parte de la doctrina que no se trata de la fuente legitimada para ello.

Desde la perspectiva de la forma de gobierno, la gestión de la emergencia confirma y refuerza tendencias ya existentes de desequilibrio a favor del ejecutivo respecto del Parlamento. Prueba de ello es el uso del decreto ley como fuente ordinaria, que ya se había dado en el

---

urgenti per l'introduzione del sistema di allerta Covid-19); n. 30/2020 (Misure urgenti in materia di studi epidemiologici e statistiche sul SARS-COV-2); n. 29/2020 (Misure urgenti in materia di detenzione domiciliare o differimento dell'esecuzione della pena, nonché in materia di sostituzione della custodia cautelare in carcere con la misura degli arresti domiciliari, per motivi connessi all'emergenza sanitaria da COVID-19, di persone detenute o internate per delitti di criminalità organizzata di tipo mafioso, terroristico e mafioso, o per delitti di associazione a delinquere legati al traffico di sostanze stupefacenti o per delitti commessi avvalendosi delle condizioni o al fine di agevolare l'associazione mafiosa, nonché di detenuti e internati sottoposti al regime previsto dall'articolo 41-bis della legge 26 luglio 1975, n. 354, nonché, infine, in materia di colloqui con i congiunti o con altre persone cui hanno diritto i condannati, gli internati e gli imputati); n. 30/2020 (Misure urgenti in materia di studi epidemiologici e statistiche sul SARS-COV-2); n. 33/2020 (Ulteriori misure urgenti per fronteggiare l'emergenza epidemiologica da COVID-19); n. 34/2020 (Misure urgenti in materia di salute, sostegno al lavoro e all'economia, nonché di politiche sociali connesse all'emergenza epidemiologica da COVID-19); n. 52/2020 (Ulteriori misure urgenti in materia di trattamento di integrazione salariale, nonché proroga di termini in materia di reddito di emergenza e di emersione di rapporti di lavoro); n. 83/2020 (Misure urgenti con la scadenza della dichiarazione di emergenza epidemiologica da COVID-19 deliberata il 31 gennaio 2020); n. 86/2020 (Disposizioni urgenti in materia di parità di genere nelle consultazioni elettorali delle regioni a statuto ordinario); n. 103/2020 (Modalità operative, precauzionali e di sicurezza per la raccolta del voto nelle consultazioni elettorali e referendarie dell'anno 2020); n. 104/2020 (Misure urgenti per il sostegno e il rilancio dell'economia); n. 111/2020 (Disposizioni urgenti per far fronte a indifferibili esigenze finanziarie e di sostegno per l'avvio dell'anno scolastico, connesse all'emergenza epidemiologica da COVID-19); n. 117/2020 (Disposizioni urgenti per la pulizia e la disinfezioni dei locali adibiti a seggio elettorale e per il regolare svolgimento dei servizi educativi e scolastici gestiti dai comuni); n. 125/2020 (Misure urgenti connesse con la proroga della dichiarazione dello stato di emergenza epidemiologica da COVID-19 e per la continuità operativa del sistema di allerta COVID, nonché per l'attuazione della direttiva (UE) 2020/739 del 3 giugno 2020).

[37]   Quince entre febrero y octubre de 2020.

pasado durante la crisis financiera. Progresivamente, respecto de los primeros días de la emergencia, la involucración del Parlamento se ha hecho más efectiva y frecuente, aunque, según algunos, no suficiente.

Globalmente, se ha dado una concentración de poderes en manos del Gobierno mayor que en el pasado, junto con un protagonismo evidente del Presidente del Gobierno, a través de medios de comunicación formales e informales. En primer lugar, la información se produjo a través de su página de Facebook (elección criticada), con ruedas de prensa y finalmente a través de los canales oficiales.

III. EL RESPETO DE LAS LIMITACIONES ECONÓMICAS EUROPEAS COMO UN FACTOR MÁS EN EL CAMBIO DE LA FORMA DE GOBIERNO

Las dos reformas constitucionales de 2011 y 2012 quizás hayan allanado el camino para elementos involutivos de la forma de gobierno en Italia y España. Si la necesidad de modificar a nivel constitucional las disposiciones sobre el equilibrio presupuestario parecía necesaria (cabe señalar, sin embargo, que, en sentido estricto, el tratado decía preferiblemente constitucional[38]), tal vez representaban un caballo de Troya en la modificación del balance de poderes y funciones entre Gobierno y Parlamento.

Precisamente por la necesidad de respetar las rígidas restricciones presupuestarias de la Constitución, se ha reforzado considerablemente el poder ejecutivo.

Un claro ejemplo de ello es la compresión de los poderes parlamentarios, y especialmente de los derechos de las minorías, cuando se aprobó la ley de presupuesto de 2019 en diciembre de 2018.

En consecuencia, 37 senadores del Partido Democrático (en esa época en la oposición), han planteado un conflicto de atribuciones ante la Corte constitucional, porque a través de una maxi-enmienda a

---

[38] Con el *Fiscal Compact*, de hecho, se confirmaron varias normas presupuestarias ya introducidas en la legislación de la Unión Europea y los Estados signatarios se comprometieron a transponer la norma de equilibrio presupuestario estructural en disposiciones vinculantes a un alto nivel de jerarquía de las fuentes jurídicas (preferiblemente a nivel constitucional).

finales de diciembre se aprobó no sólo el presupuesto para 2019 sino también el presupuesto plurianual (2019-2021). En el presente caso, los demandantes se quejaron de que sus prerrogativas se habían comprimido excesivamente, ya que no se había dado a la Sala el tiempo necesario para analizar esos proyectos de ley.

«La Corte ha respondido a este recurso afirmando, en principio, que las violaciones de las prerrogativas de los parlamentarios en este contexto, para tener consecuencias, deben transformarse en una negación sustancial o evidente constricción de la función legislativa, condición que no consideraba satisfecha en el caso concreto»[39].

Sin embargo, la decisión era importante precisamente porque era un síntoma claro de los problemas que afectaban a las relaciones entre el Gobierno y el Parlamento. De hecho, no se descartaba, pro futuro, que situaciones de violaciones graves y manifiestas de la compresión de las prerrogativas otorgadas en la Constitución a los parlamentarios pudieran haber abierto el camino a diferentes fallos.

Además, especialmente en un ámbito como el económico (pero no sólo) el Parlamento desempeña un papel de gran importancia; una simple participación formal del mismo no puede ser suficiente. Una involucración sustancial es la única manera de permitir que el Parlamento ejerza eficazmente su función de orientación (o, como se define en la doctrina italiana, "indirizzo")[40].

Al mismo tiempo, la Corte parecía preparar el terreno para la posibilidad de intervenir en caso de que volvieran a surgir situaciones similares.

---

[39]   S. Ragone, *Parlamentarismos y crisis económica: afectación de los encajes constitucionales en Italia y España*, op. cit., p. 109. Véase el Auto n. 17/2019, del 10 de enero, publicado en la Gazzetta Ufficiale n. 7, de 13 de febrero de 2019. En la doctrina, véanse los comentarios contenidos en el número especial del *Osservatorio sulle fonti*, n° 1, 2019, titulado *L'ordinanza 17/2019 della Corte costituzionale*, en particular N. Lupo, *I maxi-emendamenti e la Corte costituzionale (dopo l'ordinanza n. 17 del 2019)*, op. cit.; G.L. Conti, *Corte costituzionale e prerogative del Parlamento nei dintorni della decisione di bilancio*, ibidem.

[40]   Véase la sentencia n. 61/2018, del 23 de enero, publicada en la Gazzetta Ufficiale n. 13, del 28 de marzo de 2018. Más generalmente y recientemente, sobre la relación entre el Gobierno y el Parlamento, N. Lupo, *Le metamorfosi del parlamento*, *Rassegna di Diritto Pubblico Europeo*, n° 1, 2019.

Y, de hecho, tuvo la oportunidad de reabrir a principios de 2020 con respecto a la ley de presupuestos del Estado para 2020. Sin embargo, una vez más, no creyó que pudiera comentar el fondo del asunto. Mediante el auto n. 60 de 2020 declaró inadmisibles los recursos porque la secuencia objetiva de los hechos no revela un desequilibrio irrazonable entre las exigencias que están en juego en los procedimientos parlamentarios y, por lo tanto, un *vulnus* grave y manifiesto de los poderes de los parlamentarios.

No se excluye que la Corte pueda tener la oportunidad de pronunciarse de nuevo sobre estas cuestiones.

Por otra parte, parece que cada vez se avanza más hacia una concepción de la actividad parlamentaria que no es más que la ratificación de las decisiones del ejecutivo. Ello se debe a que existe una tendencia creciente a subrayar que las decisiones gubernamentales se adoptan con la mayor rapidez y eficacia posibles (también para responder a las necesidades supranacionales y económicas).

El contexto geopolítico y económico de nuestra época hace imperativo recuperar la rapidez de la toma de decisiones y la eficacia y responsabilidad de la intervención (de esto, quizás, la difusión generalizada de los modelos de liderazgo monocrático de los ejecutivos o, más en general, de su predominio sobre el Parlamento[41]) para hacer frente a la creciente complejidad de la competencia política y económica en un marco de integración europea y, más en general, de globalización. La dimensión europea y las limitaciones de gasto que de ella se derivan han producido efectos importantes dentro del Gobierno, en el que se ha fortalecido la figura del Presidente del Gobierno, en comparación con los ministros individuales.

La "patología" ordinaria que estamos presenciando (o hemos presenciado) puede identificarse en la actual configuración del órgano ejecutivo en su conjunto y en su colegialidad; en su interior, ya no es posible encontrar un diálogo o interlocución en materia económica entre sujetos de igual rango (los Ministros individuales y el Presidente

---

[41] Cfr. L. Cappuccio, *Forma di governo italiana ed integrazione europea: il progressivo rafforzamento del Governo*, en A. Lucarelli, S. Staiano (eds.), *Le forme di governo in Italia e Spagna, Diritto Pubblico Europeo Rassegna on-line*, n° 1, 2020.

del Gobierno como *"primus inter pares"*[42]), sino más bien una primacía del Primer Ministro o del Ministro de Economía y Finanzas sobre los demás.

Como, de hecho, se ha señalado en la doctrina, ya después de la ley n. 400 de 23 de agosto de 1988, y la posterior normalización a principios de los años noventa del siglo pasado[43], la búsqueda de un equilibrio entre el liderazgo monocrático y la colegialidad[44] se abandonó pronto[45] en nombre de la emergencia y bajo la presión de la crisis económica y las limitaciones supranacionales, con el consiguiente fortalecimiento de los poderes del Presidente del Gobierno[46].

En términos más generales, y este es un fenómeno que se puede encontrar tanto en Italia como en España, a medida que las funciones del Gobierno se expanden en diversas áreas, la función legislativa (que es notoriamente, en situaciones ordinarias, asignada al Parlamento) es consecuentemente absorbida por el Gobierno[47]. Esto ha surgido, en particular, de los análisis realizados en los últimos años, según los

---

[42] Principio reafirmado por la Corte Constitucional italiana, en la decisión n. 262/2009.

[43] Cfr. S. Merlini, G. Guiglia, *Il regolamento interno del Consiglio dei Ministri*, en *Quaderni Costituzionali*, n° 1, 1994, p. 477 y ss.; E. Catelani, *Art. 95*, en R. Bifulco, A. Celotto, M. Olivetti (eds.), *Commentario alla Costituzione*, UTET, Turín, 2006, p. 1842 ss.; A. Pajno, *La Presidenza del Consiglio dei Ministri dal vecchio al nuovo ordinamento*, en A. Pajno, L. Torchia (eds.), *La riforma del Governo. Commento ai decreti legislativi n° 300 e n° 303 del 1999 sulla riorganizzazione della Presidenza del Consiglio e dei Ministri*, il Mulino, Bolonia, 2000, p. 86 ss.

[44] El equilibrio puesto de relieve en la doctrina por L. Paladin, *Governo italiano*, en *Enciclopedia del diritto*, XIX, Giuffré, Mílan, 1970, p. 675; E. Cheli, V. Spaziante (eds.), *L'istituzione governo. Analisi e prospettive*, Edizioni di Comunità, Mílan, 1977, p. 43 y ss.; P. Barile, voce *Consiglio dei ministri*, *Enciclopedia giuridica*, VIII, Treccani, Roma, 1991.

[45] También debido a la prevalencia de la dinámica entre los partidos, como señaló S. Bartole, *Assetto del governo e relazioni intergovernative*, en *Quaderni Costituzionali*, 1981, p. 353 y ss.; E. Cheli, V. Spaziante, op. cit., p. 49.

[46] M. Cuniberti, *L'organizzazione del governo tra tecnica e politica*, en G. Grasso (ed.), *Il governo tra tecnica e politica*, Atti del Seminario Annuale dell'Associazione "Gruppo di Pisa", Como, 20 novembre 2015, Editoriale Scientifica, Nápoles, 2016, p. 52 ss.; S. Merlini (ed.), *Indirizzo politico e collegialità del Governo: miti e realtà nel governo parlamentare italiano*, Giappichelli, Turín, 2011; G. Pasquino (ed.), *Capi di Governo*, il Mulino, Bolonia, 2005.

[47] M. Cartabia, *Legislazione e funzioni di governo*, Rivista di Diritto costituzionale, n° 1, 2006.

cuales las leyes formales representan menos de un tercio del total de la legislación, mientras que ha aumentado el número de actos con fuerza de ley, modificando no sólo la forma de gobierno sino también la propia forma de Estado[48].

Se han sacado conclusiones similares con respecto al sistema español. En particular, se ha afirmado que tres son los hechos que llaman la atención: 1) el uso de los decretos leyes como fórmula de desarrollo del programa político[49]; 2) El Gobierno 'en funciones', que no se somete a control parlamentario[50]; 3) la moción de censura constructiva prevista por el art. 113 CE[51].

IV. LAS ÚLTIMAS REFORMAS CONSTITUCIONALES: ¿ES EL MEDIO PROPORCIONADO AL FIN?

En consonancia con lo que se ha ilustrado hasta ahora, es útil subrayar otro aspecto: el carácter sumamente flexible de las disposiciones constitucionales sobre la forma de gobierno ha permitido, tanto en Italia como en España, promover profundas transformaciones en una Constitución formalmente inalterada, con referencia al sistema electoral, el sistema de partidos y la jurisprudencia constitucional[52].

---

[48]   A. Sciortino, *Il governo tra tecnica e politica: le funzioni*, en G. Grasso (ed.), *Il governo tra tecnica e politica*, op. cit., p. 16; A. Simoncini, *Il potere legislativo del Governo tra forma di governo e forma di stato*, en www.gruppodipisa.it. Sin embargo, en lo que respecta al sistema jurídico español, J. Lozano Miralles, *Trasformación de la forma de gobierno y de la democracia: el caso español*, en A. Lucarelli, S. Staiano (eds.), *Le forme di governo*, op. cit., p. 12: «La laxitud del control llevado a cabo por el Tribunal Constitucional19 ha conducido a que el Gobierno haga un uso prolífico del mismo. Así en la X Legislatura el Gobierno con mayoría absoluta del PP (Presidente Mariano Rajoy) dictó 76 Decretos leyes al tiempo que en el Parlamento se aprobaban 169 leyes, lo que significa que el 31 por 100 de la total actividad legislativa fue desarrollada a través de Decretos Leyes».

[49]   N. Pérez Sola, *El uso del decreto-ley por parte del gobierno español: ¿Se ha roto el equilibrio entre legislativo y ejecutivo?*, en A. Lucarelli, S. Staiano (eds.), *Le forme di governo*, op. cit.

[50]   J. Lozano Miralles, *Trasformación de la forma de gobierno y de la democracia: el caso español*, op. cit.

[51]   M.J. Carazo Liébana, *Sistema parlamentario y moción de censura: el caso español*, en A. Lucarelli, S. Staiano (eds.), *Le forme di governo*, op. cit.

[52]   A. Lucarelli, S. Staiano, *Nota dei curatori*, en Id. (eds.), *Le forme di governo*, op. cit.

El auge del populismo, las tensiones territoriales (en las relaciones entre los Gobiernos nacionales y la UE y entre los Gobiernos y las autonomías territoriales) son otros elementos que, en los últimos años, han contribuido decisivamente a exacerbar los fenómenos que se describen.

¿Qué soluciones se han previsto y cuáles son las que se pueden prever? En lo que respecta al sistema jurídico español, la necesidad de un cambio está presente en los análisis: «Lo que es cierto es que hay corregir las desviaciones detectadas, bien mediante las oportunas reformas legislativas (que no tienen que ser en este caso constitucionales), bien mediante las oportunas intervenciones en las interpretaciones jurisdiccionales. Pero esas intervenciones son eso, intervenciones, no cambios bruscos»[53].

Al contrario, en Italia, especialmente en los últimos treinta años, la situación ha sido muy diferente. Nos enfrentamos, al parecer, a una larga fase de transición, en la que cíclicamente las fuerzas políticas tratan de meter mano, mediante reformas constitucionales, a las estructuras de la forma de gobierno.

Un momento importante en el que se ha intentado en Italia influir, a nivel constitucional, en la forma de gobierno (adaptándola a las necesidades que ya no se pueden posponer, especialmente en lo que respecta al bicameralismo diferenciado) fue durante el Gobierno Renzi. La llamada reforma constitucional Renzi-Boschi fue una propuesta de reforma de la Constitución de la República Italiana y el texto de la ley constitucional fue aprobado por el Parlamento italiano el 12 de abril de 2016 y sometido a referéndum el 4 de diciembre de 2016. Entre las principales novedades de la reforma se encuentra justamente la superación del bicameralismo perfecto. El proyecto de ley presentado por el Gobierno Renzi habría introducido varias modificaciones en el Título IV de la Parte I y en los Títulos I, II, III, V y VI de la Parte II de la Constitución (un total de 47 artículos de 139, aunque algunos sólo se modificaban como consecuencia de la abolición de las provincias y del bicameralismo perfecto, es decir, solo para introducir los cambios correspondientes), relativas al funcionamiento de las Cámaras y al

---

53   J. Lozano Miralles, *Trasformación de la forma de gobierno y de la democracia: el caso español*, op. cit., p. 24.

procedimiento legislativo, las funciones y la composición del Senado, la elección del Presidente de la República y la relación de confianza con el Gobierno. Otros cambios estaban relacionados con las leyes de iniciativa popular y los referéndums, la abolición del CNEL, la introducción del principio de transparencia para la administración pública, la relación entre el Estado y las autoridades locales más pequeñas y la elección de jueces para la Corte Constitucional.

Sin embargo, la reforma fue rechazada en el referéndum celebrado el 4 de diciembre de 2016, dividiendo también la propia doctrina constitucionalista italiana, especialmente sobre el método de las reformas.

No obstante, el problema de la reforma de la Constitución ha seguido planteándose en los últimos 4 años, y por último, el 8 de octubre de 2019, la Cámara de Diputados aprobó el texto de la ley constitucional A.C. 1585- B, ya adoptado en segunda lectura por parte del Senado (A.S. n. 214-515-805-B), que reduce el número de parlamentarios según lo establecido en la Constitución, en los artículos 56 y 57, en 400 (de 630) diputados y 200 (de 315) senadores electos.

En este caso, y a diferencia de la reforma Renzi-Boschi, mucho más amplia, se prefirió intervenir en disposiciones puntuales de la Constitución (a este respecto se subraya que la reforma forma parte también de un proyecto más amplio de modificación de otros artículos de la Constitución – en particular las normas sobre la participación del órgano electoral en el proceso legislativo y el referéndum popular[54]) que, sin embargo, sería muy adecuado para tener una mayor repercusión en el funcionamiento de la forma de gobierno[55].

Por lo tanto, se plantea la pregunta: ¿puede este último tipo de reformas representar realmente la solución a la crisis de las institucio-

---

[54] La Cámara de Diputados aprobó en primera deliberación -al término del debate celebrado en la Asamblea del 16 de enero al 21 de febrero de 2019- el proyecto de ley constitucional (A.S. 1089) por el que se modifica el artículo 71 de la Constitución en la parte en que regula la iniciativa legislativa popular, introduciendo un procedimiento "reforzado" que puede concluir, si se cumplen determinadas condiciones, con la celebración de un referéndum.

[55] Para más detalles sobre ambas reformas, véase el Dossier del Senado de la República,   https://www.camera.it/temiap/documentazione/temi/pdf/1104514. pdf?_1564097148761.

nes y la relación con el cuerpo electoral? Además, ¿el objetivo (muy diferente en las hipótesis de reforma) justifica siempre los medios (la revisión de la Constitución)?

La reforma actual se encuentra en una etapa particular de crisis del sistema de partidos e instituciones.

En el contexto de la presentación del proyecto de ley, se hizo especial hincapié en dos conjuntos de objetivos: por una parte, favorecer la mejora del proceso de toma de decisiones de las Cámaras para que sean más capaces de responder a las necesidades de los ciudadanos; por otra parte, reducir los costes de la política[56].

Se cree que tal vez no sea este tipo de reforma el que determine un cambio significativo, en sentido positivo, en el proceso de toma de decisiones, ya que el mismo resultado puede lograrse mediante intervenciones menos invasivas (como la modificación del sistema electoral, de los reglamentos parlamentarias – con una disciplina lo más uniforme posible entre la Cámara de Diputados y el Senado de la República) o, por el contrario, poniendo en tela de juicio la persistencia y la actualidad de un bicameralismo todavía "perfecto" en el sentido de paritario, con las mismas funciones otorgadas a ambas Cámaras (tal vez ya no apto para dar plenitud de expresión a todas las fuerzas vivas de la sociedad nacional[57]).

En la actual estructura sociopolítica y de crisis de la institución parlamentaria, ese cambio constitucional podría tener un profundo impacto en la estructura de la forma de gobierno, especialmente si va acompañado de otras medidas, no sólo de carácter constitucional, sino también de legislación ordinaria (entre todas, la aprobación de un nuevo sistema electoral).

Al parecer, la simple reducción del número de parlamentarios elegidos no parece poder tener una repercusión significativa en la estructura más general de la segunda parte de la Constitución, ya que sigue siendo una revisión sumamente específica y circunscrita, a diferencia

---

[56]   Con un ahorro estimado de unos 500 millones de euros en una Legislatura; datos indicados por el Gobierno, el Departamento de Reforma Institucional, y disponibles en el sitio: http://www.riformeistituzionali.gov.it/it/la-riduzione-del-numero-dei-parlamentari/.

[57]   G. Ferrara, *Il governo di coalizione*, Giuffré, Milán, 1973, p. 104.

de los planes anteriores de una revisión de mayor alcance (como la citada reforma Renzi-Boschi[58]).

Sin embargo, esto no puede legitimar, como se ha dicho, una interpretación a favor de dicha reforma sin tener en cuenta los efectos sistémicos, tanto de los cambios individuales como de las diversas reformas que se están llevando a cabo al mismo tiempo[59]. No se trata de un asunto menor, si se considera que en una democracia representativa las disposiciones constitucionales relativas a la composición del Parlamento tienen una importancia fundamental. Esto no sólo se debe al funcionamiento del propio órgano, sino también a las repercusiones que tiene en otros, porque los poderes conferidos a otras instituciones derivan de las Cámaras.

Es cierto que aquí se trata de disciplinar únicamente la conformación de la entidad representativa y no se plantea todavía la cuestión de cómo debe regularse específicamente la relación de representación ni la de la forma que debe adoptar la entidad de representación[60].

Pero no es menos cierto que la relación representativa no puede sino verse influida por el modelo de organización al que debe ajustarse la entidad representativa y es igualmente inconcebible que la estructura de esta entidad no se vea afectada por la forma en que se concibe la otra: la que debe estar representada en ella[61]. En otras palabras, una reforma en teoría puramente puntual de la Constitución también es probable que tenga un efecto dominó en todas las demás disposiciones, a menos que las revisiones no afecten a la forma y el funcionamiento de los órganos constitucionales.

---

[58]   A. Lucarelli, *Il progetto politico della "grande" riforma renziana*, en A. Lucarelli, F. Zammartino (eds.), *La riforma costituzionale Renzi-Boschi. Quali scenari?*, Giappichelli, Turín, 2016, p. 3.

[59]   B. Caravita, *Audizione*, en *Indagine conoscitiva nell'ambito dell'esame delle proposte di legge costituzionale C. 1585 cost. approvata dal Senato, e C. 1172 cost. D'Uva, recanti «modifiche agli articoli 56, 57 e 59 della costituzione in materia di riduzione del numero dei parlamentari» e della proposta di legge C. 1616, approvata dal senato, recante «disposizioni per assicurare l'applicabilità delle leggi elettorali indipendentemente dal numero dei parlamentari»*, Resoconto stenografico, 3 de abril de 2019.

[60]   G. Ferrara, *Il governo di coalizione*, op. cit., p. 103 y ss.

[61]   *Ibidem*.

Por otra parte, es difícil identificar indicaciones metodológicas relativas al ejercicio de la facultad de reforma, incluso más allá de lo que se desprende de la letra de la disposición constitucional que la rige (artículo 138 de la Constitución[62]). En efecto, el artículo 138 de la Constitución no distingue expresamente entre revisiones orgánicas (o totales) y puntuales[63].

En este sentido, la diferencia, en ambos casos, puede radicar en la capacidad de sopesar mejor las consecuencias inevitables de tales revisiones. Sólo así se pueden sentir los efectos a largo plazo. Apreciación que sólo puede darse a las fuerzas políticas tanto de la mayoría como de la oposición, para evitar usos distorsionados de la reforma, como, por ejemplo, el uso puramente político para la auto-legitimación por parte de ciertas fuerzas del partido.

No es casualidad que, en varias ocasiones, la doctrina haya recordado que ninguna reforma constitucional puede asegurar un mejor gobierno, porque éste depende de virtudes que no están (al menos en grado suficiente) en las leyes, sino en los hombres: y no sólo en los que nos gobiernan[64].

---

[62]   Recordamos, más recientemente y para un examen en profundidad del tema, M. Manetti (ed.), *Per la Costituzione. Scritti scelti*, Vol. I-II, Editoriale Scientifica, Nápoles, 2019.

[63]   Dada la abundancia de literatura sobre el tema, nos limitamos a recordar las aportaciones más recientes de A. Lucarelli, *Le garanzie dell'art. 138 Cost.*, en M. Della Morte (ed.), *Tavola rotonda: le garanzie dell'art. 138 Cost, Università degli Studi del Molise – Dipartimento Giuridico – 28 febbraio 2017 Campobasso*, en proceso de publicación, p. 2 ss. Según el autor la facultad de enmendar/revisar la Constitución sobre la base de disposiciones constitucionales (principios, normas, procedimientos) significa que las disciplinas legislativas constitucionales individuales o varias pueden ser sustituidas por otras, pero sólo en el supuesto de que la identidad, la homogeneidad y la continuidad de la Constitución en su totalidad sigan estando garantizadas. Cfr. también, P. Carnevale, *Considerazioni postume sull'art. 138 Cost. e il procedimento di revisione costituzionale*, en *Rivista dell'Associazione Italiana dei Costituzionalisti*, n° 4, 2017.

[64]   R. Bin, *Cose serie, non riforme costituzionali!*, en *Quaderni Costituzionali*, n° 2, 2013, p. 317.

V. CONCLUSIÓN

El análisis llevado a cabo permite responder a la pregunta del título del capítulo de manera matizada, puesto que sí ha habido elementos de torsión en la forma de gobierno de ambos países, sin que se diese una mutación constitucional plena. En otras palabras, la crisis económica y la crisis sanitaria han reforzado una tendencia a la revalorización del papel normativo del ejecutivo que ya estaba ínsita dentro de la configuración constitucional de las formas de gobierno y, en mayor medida, en la praxis.

Los "ataques" que la prevalencia del legislativo ha ido subiendo a lo largo de las décadas de vigencia de la Constitución han sido varios y han llegado desde distintos actores, desde las Regiones y las Comunidades autónomas, desde el nivel europeo y desde la misma disgregación de los partidos políticos. A ello se ha sumado una producción normativa acelerada, que se ha basado en la idea de un "derecho de la emergencia", urgente y apresurado, poco coherente con las exigencias y los tiempos del debate parlamentario.

Asimismo, la escala de prioridades y los paradigmas de la legitimidad de la decisión política se han modificado a raíz de las reformas que han insertado el equilibrio presupuestario en el marco constitucional de referencia, sin que otras enmiendas de mayor calado, propuestas en Italia, llegaran a entrar en vigor. Todos estos elementos, conjuntamente, han conllevado una modificación de la forma de gobierno durante la crisis económica cuyos efectos se estaban difuminando, hasta la llegada de la pandemia de COVID-19. Por ello, su verdadero alcance se podrá medir solo a largo plazo, una vez que la nueva crisis se concluya.

VI. BIBLIOGRAFÍA CITADA

Albanesi, E. *I meccanismi di semplificazione normativa nel Regno Unito*, en *Rassegna Parlamentare*, vol. 2, 2015.

Albanesi,E. *Teoria e tecnica legislativa nel sistema costituzionale*, Editoriale scientifica, Nápoles, 2019.

Alonso Prada, V.E. *El control del Congreso de los Diputados al Gobierno y la actividad parlamentaria durante el estado de alarma*, *Revista del Gabinete Jurídico de Castilla-La Mancha*, número extraordinario, 2020.

Álvarez García, V.J. *El coronavirus (COVID-19): respuestas jurídicas frente a una situación de emergencia sanitaria*, El Cronista del Estado Social y Democrático de Derecho, n° 86-87 dedicado a "Coronavirus y otros problemas", 2020.

Aragón Reyes, M. *Uso y abuso del decreto-ley. Una propuesta de reinterpretación constitucional*, Iustel, Madrid, 2016.

Arana García, E. *Uso y abuso del decreto-ley*, Revista de Administración Pública, n° 191, 2013.

Azzena, L. *Stato di crisi e ricorsi alla delegazione legislativa: l'esperienza delle legislature XVI e XVII*, Osservatorio sulle fonti, n° 3, 2016.

Baldoni, D. Gherardi, S., *Due modelli costituzionali per governare l'emergenza. Italia e Spagna alla prova del Coronavirus*, en DPCE Online, n° 2, 2020.

Barile, P. voce *Consiglio dei ministri*, en Enciclopedia giuridica, VIII, Treccani, Roma, 1991.

Bartole, S. *Assetto del governo e relazioni intergovernative*, en Quaderni Costituzionali, 1981.

Bin, R. *Cose serie, non riforme costituzionali!*, Quaderni Costituzionali, n° 2, 2013.

Calvano, R. *"Legislazione governativa d'urgenza" e crisi. Atti del I Seminario di studi di diritto costituzionale*, Unitelma Sapienza, Roma 18 settembre 2014, Editoriale scientifica, Nápoles, 2015.

Calvano, R. *La crisi e la produzione normativa del governo nel periodo 2011-2013. Riflessioni critiche*, Osservatorio sulle fonti, n° 3, 2013.

Cappuccio, L. *Forma di governo italiana ed integrazione europea: il progressivo rafforzamento del Governo*, en A. Lucarelli, S. Staiano (eds.), *Le forme di governo in Italia e Spagna*, en Diritto Pubblico Europeo Rassegna on-line, n° 1, 2020.

Caravita, B. *Audizione*, en Indagine conoscitiva nell'ambito dell'esame delle proposte di legge costituzionale C. 1585 cost. approvata dal Senato, e C. 1172 cost. D'Uva, recanti «modifiche agli articoli 56, 57 e 59 della costituzione in materia di riduzione del numero dei parlamentari» e della proposta di legge C. 1616, approvata dal senato, recante «disposizioni per assicurare l'applicabilità delle leggi elettorali indipendentemente dal numero dei parlamentari», Resoconto stenografico, 3 de abril de 2019.

Carazo Liébana, M.J. *Sistema parlamentario y moción de censura: el caso español*, en A. Lucarelli, S. Staiano (eds.), *Le forme di governo in Italia e Spagna*, Diritto Pubblico Europeo Rassegna on-line, n° 1, 2020.

Caretti, P. *I riflessi della pandemia sul sistema delle fonti, sulla forma di governo e sulla forma di Stato*, Osservatorio sulle fonti, número especial, 2020.

Carmona Contreras, A. *Decreto Ley y crisis económica. O cuando la necesidad (política) no hace la virtud (constitucional)*, Diritto e Questioni Pubbliche, vol. 17, n° 2, 2017.

Carnevale, P. *Considerazioni postume sull'art. 138 Cost. e il procedimento di revisione costituzionale*, Rivista dell'Associazione Italiana dei Costituzionalisti, n° 4, 2017.

Cartabia, M. *Legislazione e funzioni di governo*, Rivista di Diritto costituzionale, n° 1, 2006.

Catelani, E. *Art. 95*, en R. Bifulco, A. Celotto, M. Olivetti (eds.), *Commentario alla Costituzione*, UTET, Turín, 2006.

Cheli, E. Spaziante, V. (eds.), *L'istituzione governo. Analisi e prospettive*, Edizioni di Comunità, Mílan, 1977.

Ciolli, I. *I Paesi dell'Eurozona e i vincoli di bilancio. Quando l'emergenza economica fa saltare gli strumenti normativi ordinari*, Rivista dell'Associazione Italiana dei Costituzionalisti, n° 1, 2012.

Conti, G.L. *Corte costituzionale e prerogative del Parlamento nei dintorni della decisione di bilancio*, Osservatorio sulle fonti, n° 1, 2019.

Cuniberti, M. *L'organizzazione del governo tra tecnica e politica*, en G. Grasso (ed.), *Il governo tra tecnica e politica*, Atti del Seminario Annuale del Associazione "Gruppo di Pisa", Como, 20 novembre 2015, Editoriale Scientifica, Nápoles, 2016.

De la Iglesia Chamarro, A. *Crisis económica y expansión del ejercicio normativo del Gobierno. En particular de los decretos-leyes nacionales y autonómicos*, Revista Estudios de Deusto, vol. 61, n° 2, 2013.

Díez Sanchez, I. *Spain: Dealing with the Economic Emergency through Constitutional Reform and Limited Parliamentary Intervention*, en T. Beukers, B. de Witte, C. Kilpatrick (eds.), *Constitutional Change through Euro-Crisis Law*, Cambridge University Press, Cambridge, 2017.

Ferrara, G. *Il governo di coalizione*, Giuffré, Milán, 1973.

García-Escudero Márquez, P. *La acelerada tramitación parlamentaria de la reforma del artículo 135 de la Constitución (Especial consideración de la inadmisión de enmiendas. Los límites al derecho de enmienda en la reforma constitucional)*, Teoría y Realidad Constitucional, n° 29, 2012.

González López, J.J. *Reales decretos de declaración y prórroga del estado de alarma: naturaleza jurídica, control jurisdiccional y responsabilidad patrimonial*, Revista del Gabinete Jurídico de Castilla-La Mancha, número extraordinario, 2020.

Grisolia, M.C. *Il rapporto Governo-Parlamento nell'esercizio della funzione normativa durante l'emergenza Covid-19, Osservatorio sulle fonti*, número especial, 2020.

Longo, E. *La legge precaria. Le trasformazioni della funzione legislativa nel età dell'accelerazione*, Giappichelli, Turín, 2017.

Lozano Miralles, J. *Trasformación de la forma de gobierno y de la democracia: el caso español*, en A. Lucarelli, S. Staiano (eds.), *Le forme di governo in Italia e Spagna, Diritto Pubblico Europeo Rassegna on-line*, n° 1, 2020.

Lucarelli, A. *Il progetto politico della "grande" riforma renziana*, en A. Lucarelli, F. Zammartino (eds.), *La riforma costituzionale Renzi-Boschi. Quali scenari?* Giappichelli, Turín, 2016.

Lucarelli, A. *Le garanzie dell'art. 138 Cost.*, en M. Della Morte (ed.), *Tavola rotonda: le garanzie dell'art. 138 Cost, Università degli Studi del Molise – Dipartimento Giuridico – 28 febbraio 2017 Campobasso*, en proceso de publicación.

Lucarelli, A., Staiano, S. *Nota dei curatori*, en Id. (eds.), *Le forme di governo in Italia e Spagna, Diritto Pubblico Europeo Rassegna on-line*, n° 1, 2020.

Lupo, N. (ed.). *Maxi-emendamenti, questioni di fiducia, nozione costituzionale di articolo*, CEDAM, Padua, 2010.

Lupo, N. *Le metamorfosi del parlamento, Rassegna di Diritto Pubblico Europeo*, n° 1, 2019.

Lupo, N. *National and Regional Parliaments in the EU decision-making process, after the Treaty of Lisbon and the Euro-crisis, Perspectives on Federalism*, vol. 5, n° 2, 2013.

Manetti, M. (ed.). *Per la Costituzione. Scritti scelti*, Vol. I-II, Editoriale Scientifica, Nápoles, 2019.

Martín Rebollo, M.A. *Uso y abuso del decreto-ley (Un análisis empírico), Revista Española de Derecho Administrativo*, n° 174, 2015.

Merlini, S. (ed.). *Indirizzo politico e collegialità del Governo: miti e realtà nel governo parlamentare italiano*, Giappichelli, Turín, 2011.

Merlini, S., Guiglia, S. *Il regolamento interno del Consiglio dei Ministri*, en *Quaderni Costituzionali*, n. 1, 1994.

Pajno, A., Verde, G. (eds.). *Studi sulle fonti del diritto. I. Le relazioni tra Parlamento e Governo*, Giuffrè, Milán, 2010.

Pajno, A. *La Presidenza del Consiglio dei Ministri dal vecchio al nuovo ordinamento*, en A. Pajno, L. Torchia (eds.), *La riforma del Governo. Commento ai decreti legislativi n° 300 e n° 303 del 1999 sulla riorganizzazione della Presidenza del Consiglio e dei Ministri*, il Mulino, Bolonia, 2000.

Paladin, L. *Governo italiano*, en *Enciclopedia del diritto*, XIX, Giuffré, Milan, 1970.

Pasquino, G., (ed.). *Capi di Governo*, il Mulino, Bolonia, 2005.

Pedrazzani, A. Pellegata, A. Pinto, L. *Economic crisis and lawmaking. The impact of crisis on legislative agenda in Italy*, The Journal of Legislative Studies, vol. 24, n° 3, 2018.

Pérez Sola, N. *El uso del decreto-ley por parte del gobierno español: ¿Se ha roto el equilibrio entre legislativo y ejecutivo?*, en A. Lucarelli, S. Staiano (eds.), *Le forme di governo in Italia e Spagna, Diritto Pubblico Europeo Rassegna on-line*, n° 1, 2020.

Piccardi, E. *The Economic Crisis and the National Parliaments: The Italian Experience*; http://www.parlamento.it/documenti/repository/affariinternazionali/ecprd2012/4_Piccardi_EN.pdf.

Piergigli, V. *L'emergenza Covid-19 in Spagna e la dichiarazione dell'estado de alarma. Ripercussioni sul sistema istituzionale e sul regime dei diritti*, en *DPCE Online*, n° 2, 2020.

Pietrangelo, M. *La verifica dell'impatto della regolamentazione (VIR) tra Stato e Regioni*, en P. Costanzo (ed.), *La qualità della normazione nella dialettica Governo-Parlamento*, Jovene, Nápoles, 2011.

Pistorio, G. *Maxi-emendamento e questione di fiducia. Contributo allo studio di una prassi illegittima*, Editoriale scientifica, Nápoles, 2018.

Ragone, S. *Parlamentarismos y crisis económica: afectación de los encajes constitucionales en Italia y España*, Bosch, Barcelona, 2020.

Rivosecchi, G. *Il Parlamento di fronte alla crisi economico-finanziaria*, Rivista dell'Associazione Italiana dei Costituzionalisti, n° 3, 2012.

Ruiz-Rico Ruiz, G. *Las dimensiones constitucionales de la crisis sanitaria en España. Dudas e incertidumbres presentes y futuras*, en DPCE Online, n° 2, 2020.

Simoncini, A., (ed.). *L'emergenza infinita. La decretazione d'urgenza in Italia*, Edizioni Università di Macerata, Macerata, 2006.

Simoncini, S. *Il potere legislativo del Governo tra forma di governo e forma di stato*, en www.gruppodipisa.it.

Staiano, S. *Decisione politica ed elasticità del modello nella delega legislativa*, Liguori, Nápoles, 1990.

Staiano, S. *Né modello né sistema. La produzione del diritto al cospetto della pandemia*, Rivista dell'Associazione Italiana dei Costituzionalisti, n° 2, 2020.

Tarchi, R., Fiumicelli, F. *I poteri normativi di rango primario del Governo nella giurisprudenza costituzionale italiana e spagnola*, Osservatorio sulle fonti, n° 3, 2016.

Tarchi, R. *The Crisis and Political Decision-Making Processes: The Impact on European Constitutional Systems*, en F. Merloni, A. Pioggia (eds.), *European Democratic Institutions and Administrations. Cohesion and Innovation in Times of Economic Crisis*, Springer, Cham, 2018.

Vedaschi, A., Cuocolo, L. *L'emergenza sanitaria nel diritto comparato: il caso del Covid-19*, DPCE Online, n° 2, 2020.

Vernata, A. *Governo e Parlamento nella produzione normativa. Evoluzioni o consolidamento di una nuova Costituzione materiale?*, Rivista dell'Associazione Italiana dei Costituzionalisti, n° 3, 2020.

Violante, L. *Note sulla crisi del procedimento legislativo e su alcune sue conseguenze*, en L. Duilio (ed.), *Politica della legislazione, oltre la crisi*, il Mulino, Bolonia, 2013.

Zaccaria, R., Albanesi, E. *Il decreto - legge tra teoria e prassi*, en Forum di Quaderni costituzionali, 22 de junio de 2009.

Una Constitución analógica ante el fenómeno digital[1]

Argelia Queralt Jiménez

I. UNA CONSTITUCIÓN ANALÓGICA ANTE EL FENÓMENO DIGITAL

Cuando en 1978 se aprueba la Constitución española lo que hoy conocemos como internet no existía. Fue en 1983 cuando el gobierno de Estados Unidos permitió que este nuevo espacio fuera de dominio público. Con los años, internet ha evolucionado enormemente y ya no es solo un instrumento a través del que encontrar información, sino que se ha convertido en nuevo mundo de realidad social donde caben encuentros e intercambios de todo (o casi todo) tipo. Internet, la digitalización y la inteligencia artificial suponen una transformación de nuestros paradigmas en todos los ámbitos de nuestras vidas

[1] Este trabajo se ha realizado en el marco del Proyecto "Reforma constitucional: dimensión institucional y territorial" (20639/JLI/18) financiado por la Fundación Séneca-Agencia de Ciencia y Tecnología de la Región de Murcia a través de la convocatoria Jóvenes Líderes en Investigación del Subprograma de Apoyo y Liderazgo Científico y la Transición a la Investigación Independiente (Programa Fomento de la Investigación Científica y Técnica 2018).

y de nuestras sociedades, también, sobre la configuración de nuestros sistemas políticos y las relaciones que se producen entre la ciudadanía y los poderes e instituciones de naturaleza estatal que la representan y gobiernan. El fenómeno de la digitalización ha impacto también en el sistema jurídico-constitucional. No obstante, nuestra Constitución se mantiene ajena a este fenómeno imparable de cambio y transformación de las estructuras sociales, políticas y económicas[2].

Sin poner en duda los muchos cambios a mejor que internet, primero, y el fenómeno digital, después, nos han aportado, cada vez es mayor la atención prestada por organizaciones nacionales e internacionales, tanto no gubernamentales como institucionales, a los efectos negativos que el uso de internet, la inteligencia artificial y, en general, el fenómeno de la transformación digital de nuestras sociedades puede tener y está teniendo en los sistemas democráticos. Y ello porque las bases del modelo de Estado de derecho democrático de las sociedades modernas pueden verse directa y desfavorablemente afectadas por dicha transformación. En las próximas páginas se ofrece una serie de reflexiones sobre la incidencia negativa que la utilización de internet y de otros instrumentos tecnológicos tiene en los derechos de participación política y en el sistema de representación democrática. Esto es, en el haz de derechos y libertades fundamentales con las que cuenta la ciudadanía para tomar parte, incidir e impactar en el proceso de toma de decisiones públicas. Es evidente que excede con mucho el objeto de este trabajo un estudio completo sobre lo dicho. Sin embargo, se expondrán algunas de las afectaciones que están experimentando las llamadas libertades comunicativas, y esencialmente, la libertad de expresión y la libertad de información[3]. Para finalizar, y a modo de ejemplo de cómo el ordenamiento jurídico constitucional español está haciendo frente a algunas de estas cuestiones, se expondrá sucintamente dos ejemplos de cómo el Tribunal Constitucional las

---

[2]   Sobre lo analógico del sistema constitucional frente a los retos de los tecnológicos y su parcial irrelevancia, vid. F. Balaguer Callejón. "La Constitución del algoritmo. El difícil encaje de la Constitución", en Libro Homenaje J.J. Gómes Canotilho, Editora Fórum, Belo Horizonte, 2021.

[3]   Cfr. L. Corredoira y Alfonso, y L. Cotino Hueso. (dir.) *Libertad de expresión e información en Internet. Amenazas y protección de los derechos personales*, CEPC, 2013.

ha abordado, intentado delimitar el ejercicio de los derechos y libertades básicos en o ante las nuevas tecnologías y preservar los principios básicos de nuestro sistema jurídico-constitucional.

La idea de fondo de este análisis está en que, si se asume que estamos ante una verdadera revolución tecnológica, que está suponiendo una transformación en nuestros sistemas (como antes hicieron las revoluciones burguesa, industrial y obrera), y se asume, consecuentemente, el innegable impacto que se está produciendo en todos los sectores de la sociedad, parece claro que nuestras normas constitucionales, las normas fundacionales de nuestros sistemas políticos deben reconocer de una manera u otra este nuevo fenómeno tecnológico. Es creciente la normativa internacional, europea y doméstica que se está generando entorno a este fenómeno; no es, pues, un ámbito en el que no haya principios y reglas de juego. Sin embargo, al ser un fenómeno en constante evolución, en el que se innova cada día, al que se encuentran nuevas formas de aplicación permanentemente y que, además, es utilizado de forma global y casi transversal, no institucionalizada, merita, de una parte, de un reconocimiento jurídico constitucional como instrumento de poder público, ciudadano y económico, y, de otra, algún tipo de configuración constitucional de su titularidad, alcance y límites. Sobre la problemática de regular todo lo relativo al ciberespacio, vid. D. Canals Atmeller, "La seguridad en el ciberespacio", en Ciberseguridad. Un nuevo reto para el Estado y los Gobiernos Locales, ed. Wolters Kluwer, Madrid, 2021, p. 66. No estamos todavía ante la necesidad de elaborar propiamente una Constitución digital, ya que todavía las estructuras políticas que fundan nuestros estados y sociedades se sostienen sobre realidades analógicas; sin embargo, el impacto del fenómeno digital es ya tan amplio y está ya tan enraizado qué parece constitucionalmente necesario que tenga un reflejo en las normas fundamentales de los Estados de Derecho democráticos[4]. Así, más pronto que tarde, las constituciones de nuestro entorno europeo y la Constitución española deberán de un modo u otro integrar el fenómeno digital en sus textos porque se generan nuevos derechos y nuevas formas de poder que necesitan de delimitación y restricciones,

---

[4]   Sobre esta necesidad también se ha manifestado, por ejemplo, G. Teruel Lozano en su trabajo "Fundamental rights in the digital society: towards a Constitution for the cyberspace", *en Revista Chilena de Derecho*, n° 46, 2019, pp. 301-315.

respectivamente, y formas de control. Debemos reflexionar sobre los elementos que más pronto que tarde deberán configurar el nuevo pacto social digital para una ciudadanía digital.

II. INTERNET Y EL FENÓMENO DIGITAL

Muchas veces se compara el impacto de la irrupción de internet en nuestras sociedades con la aparición en Europa de la imprenta en el siglo XV. La imprenta fue, sin duda, un instrumento disruptivo que permitió romper con el monopolio que la Iglesia tenía respecto de la transmisión escrita del conocimiento de todo tipo. La imprenta se convirtió en una palanca de cambio, en una palanca que coadyuvó a la transformación de un estado feudal, teocéntrico y de súbditos al denominado estado moderno: de Derecho, antropocéntrico y de ciudadanos. La imprenta permitió que el aparataje ideológico de la ilustración, base del modelo de Estado de Derecho se expandiera por Europa y las colonias americanas. El conocimiento ya no era de unos pocos, sino que, como mínimo, podía ser conocido por las élites, sobre todo, burguesas de los Estados europeos y norteamericanos. La imprenta fue esencial para la aparición y desarrollo de la prensa. Como imprenta o como prensa, esta libertad de transmitir opinión en información a través del escrito se convirtió en una de las claves de bóveda del constitucionalismo liberal[5]. Desde ese momento la capacidad de comunicarnos con otras personas y de trasmitir diferentes contenidos se convirtieron en piezas claves del Estado de Derecho democrático. Se constitucionalizan las libertades comunicativas, y de forma destacada, la libertad de expresión y la de información, que se

---

[5]   En España, por ejemplo, las Cortes de Cádiz reconocieron por primera vez en la historia de España la libertad de imprenta mediante el decreto de 10 de noviembre de 1810, que después pasaría al propio texto de la Constitución de 1812. La libertad de imprenta, junto a la de asociación, eran instrumentos tácticos para organizar la opinión pública que debía ser un arma de combate para el proceso revolucionario que iba a suponer la Constitución de Cádiz de 1812. A este proceso de constitucionalización dedicó Fernández Segado su obra *La libertad de imprenta en las cortes de Cádiz. El largo y dificultoso camino previo a su legalización*, Dykinson, 2014.

convierten en elemento indispensable para poder definir a un estado como de Derecho democrático[6].

Después de 200 años de prensa escrita, posteriormente de la aparición de la radio y más tarde la televisión, en el siglo XX aparece internet[7]: un sistema que permite a personas conectarse, comunicarse, relacionarse, informarse, entre otras muchas acciones, de una forma global, inmediata y sin necesidad de intermediarios. Estamos hoy mucho más cerca de ser la aldea global a la que se refería el filósofo canadiense Marshall McLuhan, de lo que habíamos estado nunca[8].

Se calcula que a finales de 2019 tenían acceso a internet 4100 millones de personas, esto es, el 53,6% de la población mundial[9].

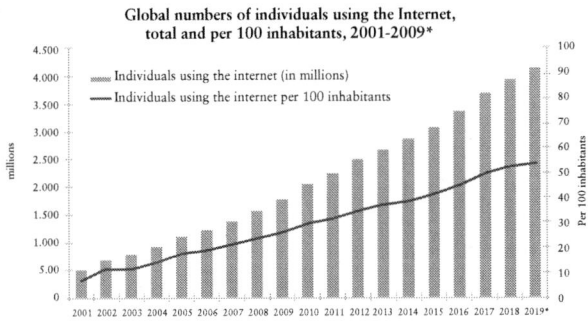

Global numbers of individuals using the Internet, total and per 100 inhabitants, 2001-2009*

Note: *Estimate
Source: ITU World Telecomunication / ICT indicators database

---

6   Para un análisis pormenorizado de la significación de la libertad de expresión e información en la cultura jurídico-liberal es indispensable la lectura de M. A. Presno Linera y G. Teruel Lozano, *La libertad de expresión en América y en Europa*, Juruá ed., 2017.

7   La historia de Internet se remonta a algunas décadas atrás: el correo electrónico existe desde los años 60, el intercambio de archivos desde los 70, y el TCP/IP se estandarizó en 1982. Pero fue la creación de la World Wide Web en 1989 por el científico inglés Tim Berners-Lee lo que revolucionó nuestra historia de la comunicación.

8   Cfr. en "The Gutenberg Galaxy", publicado por Mcluhan, en la University of Toronto Press, en 1962, "The new electronic interdependence recreates the world in the image of a global village", p. 31.

9   Datos de la Unión internacional de Telecomunicaciones, https://www.itu.int/en/ITU-D/Statistics/Pages/stat/default.aspx (consultado por última vez el 3 de septiembre de 2020).

En España, el Instituto Nacional de Estadística calcula que en 2019 el 91,4% de los hogares españoles tiene acceso a internet[10]. Además, el 80,9% de los hogares con al menos un miembro de 16 a 74 años dispone de algún tipo de ordenador (de sobremesa, portátil, tablet...). Este porcentaje es 1,4 puntos superior al de 2018. Esta subida se debe, principalmente, al aumento de las tablets, que se encuentran presentes en el 56,8% de los hogares.

Por otra parte, hoy ya no podemos hablar de internet como una realidad estática y autónoma. Internet, como se viene señalando, forma parte de un fenómeno mucho más amplio de digitalización en el que juega cada vez un papel más protagónico la inteligencia artificial. Estos elementos de forma conjunta han generado un auténtico mundo paralelo *on line* en el que pueden llevarse a cabo muchas de las actividades de todo tipo que se llevan a cabo *off line*, evitando en muchos casos intermediarios y, por tanto, costes de producción y de adquisición.

La digitalización y el fenómeno de la inteligencia artificial son objeto de preocupación relativa por parte de los actores político e institucionales europeos desde mediados de los años 70. No obstante, es muy recientemente cuando el impacto de las nuevas tecnologías y el uso de la inteligencia artificial, en casi cualquier ámbito de nuestras vidas, implica una preocupación central y creciente por parte de dichos actores. Puede observarse la elocuente tabla elaborada por J. Niklas y L. Dencik[11]:

---

[10] En Encuesta sobre Equipamiento y Uso de Tecnologías de Información y Comunicación en los Hogares, año 2019, publicado en octubre 2019, en https://www.ine.es/prensa/tich_2019.pdf (consultado por última vez el 3 de septiembre de 2020)

[11] J. Niklas y L. Dencik "European artificial intelligence policy: mapping the institutional landscape", *Working paper*, publicado en el marco del Proyecto DATA-JUSTICE: 'Data Justice: Understanding datafication in relation to social justice' financiado por European Research Council (grant no. 759903), 2020, en https://datajusticeproject.net/wp-content/uploads/sites/30/2020/07/WP_AI-Policy-in-Europe.pdf (consultado por última vez el 3 de septiembre de 2020).

Table: "Mentions of AI in the EU legal and policy documents"

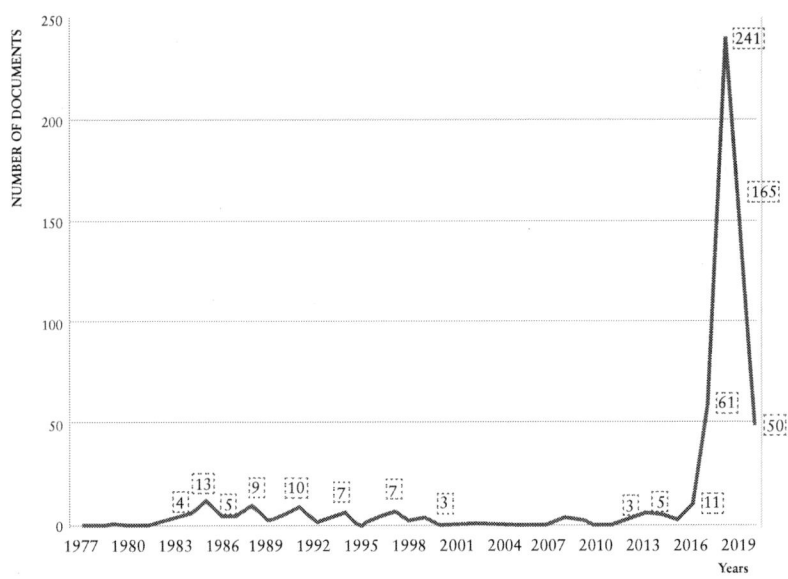

En el ámbito de la interconexión, cualquier persona con acceso a internet puede comunicarse, informar e informarse, incidir, presionar, protestar, sola o con otras personas través de múltiples formas (las más simples, escrito, imagen, video y sonido), de cualquier parte del mundo, aparentemente, de forma libre[12].

La prensa escrita, la radio y la televisión han sido hasta hace poco los medios de comunicación de masas. Todos ellos están sujetos a diferentes condicionantes, ya sean estructurales, normativos, económicos o de otro tipo. Tener que superar estos condicionantes

---

12   Evidentemente, quedan excluidos aquellos Estados que practican una política pública de censura de acceso a y en las redes. Por ejemplo, China o Cuba, como se explica en este artículo L. Tedesco y R. Diamint "Cuba: más conectada y más aislada", *Agenda Pública*, 9 de julio de 2020, http://agendapublica.elpais.com/cuba-mas-conectada-y-mas-aislada/ (consultado por última vez el 3 de septiembre 2020).

ha supuesto que los que han logrado perdurar se hayan convertido en prescriptores de contenidos informativos. Estos medios se habían convertido en las fuentes de referencia a las que la opinión pública acudía para conocer la situación política, social, económica, etc. Su credibilidad permitía que, en principio, la ciudadanía pudiera dar por cierta, válida o razonable la información, el análisis o la opinión que vertían. También es cierto que estos medios, sobre todos los privados, pecaban y pecan de cierto sesgo ideológico, normalmente conocido, eso sí, por su audiencia. En todo caso, los medios tradicionales hacían de intermediarios, de filtro, entre la realidad y la ciudadanía que se informaba. Internet supone romper con este paradigma comunicativo. Por una parte, el mundo *on line* genera unos costes de producción bajos o muy bajos en comparación, por ejemplo, con un diario en papel o una infraestructura radiofónica o televisiva. Los bajos costes se han convertido en una oportunidad de oro para la aparición de nuevos medios de comunicación, genuinamente periodísticos, o plataformas de análisis que, con plantillas pequeñas y medios escasos, han podido hacerse un hueco en el mundo de la información y la comunicación política, convirtiéndose, con cierta rapidez, en nuevos referentes de informativos. En este sentido, S. Majó afirma que "una de las transformaciones más importantes que ha visto el periodismo desde la llegada de Internet ha sido el fin del monopolio de la producción y distribución de información"[13].

El *Digital News Report 2020* del Instituto Reuters[14], que se realiza anualmente sobre un total de 37 países, revela que el acceso a las noticias, a la información en sentido clásico, está distribuido entre diferentes fuentes. En todos los países, algo más de un cuarto de los encuestados (28%) se informan a través de un sitio web o una aplicación. Las personas de 18 a 24 años (la llamada Generación Z) tienen una conexión aún más débil con los sitios web y las aplicaciones, mientras que es más del doble de probable que prefieran acceder a las

---

13   S. Majó. "No diga 'fake news', diga desinformación", en *Agenda Pública*, 25 de octubre de 2018, http://agendapublica.elpais.com/no-diga-fake-news-diga-desinformacion/ (consultado por última vez el 3 de septiembre de 2020).

14   Reuters Institute, *Digital News Report 2020*, en https://reutersinstitute.politics.ox.ac.uk/sites/default/files/2020-06/DNR_2020_FINAL.pdf (consultado por última vez el 3 de septiembre de 2020).

noticias a través de las redes sociales. En todos los grupos de edad, el uso de Instagram para acceder a la noticia se ha duplicado desde 2018 y es probable que supere a Twitter en el próximo año. Durante los meses más calientes de la pandemia de la Covid 19, según un estudio realizado *ad hoc* respecto de 6 países por el mismo Instituto Reuters, las cifras muestran, por un lado, un aumento en el consumo de información y, además, que la ciudadanía seguía acudiendo a fuentes diversas. En cualquier caso, lo cierto es que el 53% de la ciudadanía accede principalmente a las noticias a través de las redes sociales, los buscadores y los agregadores, y no a través de la web de los medios de comunicación. En España, por ejemplo, la prensa en papel va en declive; la televisión, también, aunque sin caer a las cifras de los diarios; internet, incluyendo a las redes sociales, ha sobrepasado a la televisión como primera fuente acceso a las noticias.

SOURCES OF NEWS: 2013-2020

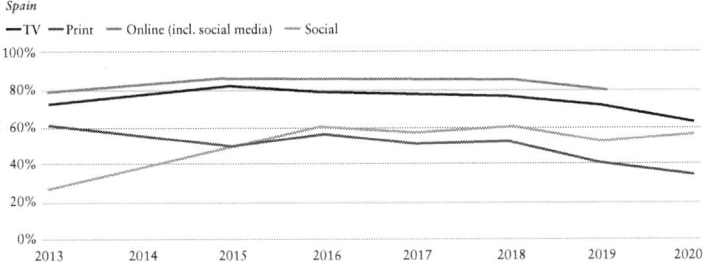

Y, en cuanto al medio físico que se utiliza en España para el consumo de noticias, el Informe del Instituto Reuters señala que, como en el resto del mundo, es el teléfono inteligente el principal aparato utilizado para informarse.

Además, el mundo *on line*, presenta una potencialidad de llegada e impacto que los medios analógicos no podrán alcanzar nunca. La cuestión no es tanto lo que se dice, el mensaje, sino la rapidez y la ausencia de costes con la que se distribuye dicho mensaje.

DEVICES FOR NEWS: 2013-2020*

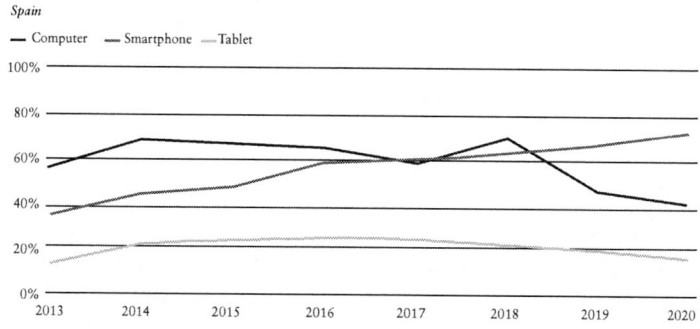

*2018 computer data was likely overstated due to a polling error

III. EL IMPACTO EN LA DEMOCRACIA

Respecto del desarrollo de los Estados democráticos, el acceso universal a internet fue bautizado por algunos estudiosos como una revolución que profundizaría en el carácter democrático de nuestras sociedades, permitiendo a la ciudadanía implicarse de forma directa en el proceso de toma de decisiones políticas. Internet, además, iba a permitir nuevas formas de control democrático de la actividad de nuestros representantes políticos y de las instituciones. P. Barberá señala a este respecto como algunos autores, como Dalhgreen en 2005, "auguraron una democratización de la esfera pública"; incluso se llegó a calificar a internet como *"la tecnología de la liberación"* (Diamond en 2010) en estados no democráticos[15]. Y es cierto que internet y los instrumentos que ofrece han sido claves para que, por ejemplo, la Primavera árabe se convirtiera en un fenómeno de protesta contra regímenes autoritarios conocido y seguido de forma global. El impacto de las imágenes compartidas en directo, con llegada inmediata a cualquier rincón del planeta, generó interés, empatía, apoyo y todo tipo de reacciones ciudadanas que ayudaron a la caída o cambio, al menos momentáneos, de alguno de los regímenes afectados. Movi-

---

[15]   Cfr. P. Barberá, "Internet y política: consecuencias políticas y sociales de la revolución digital", *Revista de las Cortes Generales*, nº 108, Primer semestre, 2020, pp. 228.

mientos como el #metoo, el ecologismo (piensen en lo cotidiano que nos ha resultado seguir, ver y observar el periplo de la joven Greta Thunberg) o, de forma más localizada, las revueltas el Bielorrusia de agosto de 2020, no hubieran tenido el mismo impacto sin internet y las redes sociales[16]. Son muchísimos los ejemplos. De hecho, existe un amplio cuerpo doctrinal dedicado al estudio, precisamente, de cómo internet y las nuevas tecnologías han supuesto un elemento relevantísimo para espolear el derecho de protesta en muchas partes del globo.

Además, son también muchas las mejoras estructurales que puede propiciar la digitalización de los procedimientos y decisiones que se toman en el seno de las instituciones democráticas. Tanto en el ámbito de la participación, por ejemplo, en los procesos de creación normativa[17], como en la toma de decisiones judiciales[18], los instrumentos de digitalización pueden suponer grandes avances. Otra cosa es que habrá que garantizar que los instrumentos tecnológicos que se utilicen sean transparentes, y control que, por ejemplo, no tengan incorporados sesgos que resulten discriminatorios.

3.1. Un nuevo paradigma informativo

Ahora bien, sin caer en catastrofismos, lo cierto es que la utilización de internet, las redes sociales y diferentes instrumentos de inteli-

---

[16]   Sobre el papel de las tecnologías en las protestas de Bielorrusia, puede consultarse el análisis de urgencia de R. Ferrero Turrión "Movilizaciones en Bielorrusia, el secreto de su éxito", en *Esglobal*, 21 de agosto de 2020, https://www.esglobal. org/movilizaciones-en-bielorrusia-el-secreto-de-su-exito/ (consultado por última vez el 3 de septiembre de 2020).

[17]   Un ejemplo de las posibilidades, y riesgos, que entraña el uso de la inteligencia artificial en los procesos de participación pública en la elaboración de disposiciones generales, resulta de gran interés leer D. Canals Ametller. "El proceso normativo ante el avance tecnológico y la transformación digital (inteligencia artificial, redes sociales y datos masivos)", *Revista General de Derecho Administrativo*, nº 50, 2019.

[18]   Susana De la Sierra Morón ha trabajado recientemente sobre cómo la justicia administrativa puede hoy ser garante de la aplicación de inteligencia artificial y de qué manera, la propia jurisdicción puede beneficiarse de la aplicación de instrumentos de inteligencia artificial, en "Inteligencia artificial y justicia administrativa: una aproximación desde la teoría del control de la administración pública", *Revista General de Derecho Administrativo*, nº 53, 2020.

gencia artificial de la era digital pueden suponer abusos, incluso poner en peligro, determinados elementos de nuestros Estados de Derecho democráticos. Los diferentes instrumentos de la era de la digitalización, incluida la inteligencia artificial, han puesto en manos de la ciudadanía, sea cual sea su posición, profesión u objetivo, un mecanismo de comunicación sin límites y sin filtros. Como defiende P. Barberá, internet, en definitiva, ha supuesto una auténtica "transformación en los instrumentos de comunicación social" en particular porque internet han supuesto "una reducción radical en los costes de entrada a la comunicación de masas"[19].

Pero, también, internet, las redes sociales y diferentes instrumentos se han convertido en un potente aliado de Estados autoritarios y corrientes ideológicas extremistas, que han encontrado en dicho aparataje tecnológico una forma sutil, casi invisible y, por tanto, poco fiscalizable, de incidir, manipular de hecho, la visión del mundo de su ciudadanía. A la postre, esto ha podido significar, una suerte de secuestro tecnológico de la voluntad popular. Es aquí donde internet acompañado del fenómeno tecnológico puede convertirse en una fuerza desestabilizadora de la democracia. No debe perderse de vista, además, que internet ha supuesto un verdadero salto cualitativo dado que se genera un ámbito de relaciones sin fronteras (físicas), sin necesidad de intermediarios y con una regulación defectuosa o no siempre efectiva, precisamente, por el elemento "aterritorial" que presenta este fenómeno. La territorialidad es, todavía hoy, uno de los elementos esenciales del concepto de Estado, de jurisdicción y competencia y, por tanto, de delimitación de la efectividad de las normas.

Algunos de los problemas que podría generar el uso de las redes para informarse vendrían provocada por la propia conducta de la ciudadanía en las redes (a veces favorecida por determinados grupos). En 2001, el constitucionalista C. Sunstein advertía del peligro de lo que el identificó como cámaras de eco. Estas cámaras de eco suponen que en la red las personas se relacionan con otras personas que piensan como ellas, por lo que se produce una retroalimentación informativa que impide contrastar sus ideas con otras diferentes. Así, serían una especie de microuniversos a la carta creados por los propios ciudada-

---

[19]   P. Barberá. "Internet y política...", *op.cit.*, pp. 226-227.

nos que elegirían interaccionar con personas afines a ellos. Los ciudadanos se exponían a perder la capacidad de comprender a quienes no piensan como ellos. En la segunda edición de su obra (#*Republic: Divided Democracy in the Age of Social Media, 2017*), señalaba que además, las redes sociales se han convertido en fuente de nueva polarización entre ciudadanos pertenecientes a diferentes cámaras de eco.

Debe advertirse, sin embargo, que aunque los trabajos de C. Sunstein tuvieron una buena acogida académica, sus conclusiones sobre cámaras de eco y polarización en las redes están siendo contestadas por investigaciones empíricas, basadas en datos. En esta línea son ya varios los estudios que afirman que las cámaras de eco no son un elemento definitorio de las redes; además, parece que el consumo de noticias que se hace a través de las redes viene marcado por lazos sociales del ámbito analógico (esto, preexistentes a nuestro perfil como usuarios de una red), por lo que damos mayor credibilidad a aquellos contenidos que nos llegan de un familiar, de un amigo o de un conocido, que a lo que nos llegue de terceras personas. Por otra parte, también en contra de lo planteado más arriba, el uso de internet y de las redes muestra un acceso más variado a fuentes de información que en el terreno analógico.[20]. En cuanto a la polarización, los datos parecen demostrar que esta se produce en usuarios que ya mantienen posiciones extremas en el mundo analógico y están poco dispuestos a argumentar con el adversario político, por ejemplo. También se señala que esta polarización en las redes sociales se estaría produciendo más marcadamente en Estados Unidos, pero no, por ejemplo, en el seno de la Unión Europea[21].

---

[20]   Sobre estas cuestiones, P. Barberá. "Internet y política...", *op.cit.*, pp. 232 y ss., quien argumenta que las conclusiones a las que llega, entre otros, C. Sunstein, presentan una visión un tanto simplista de internet y la polarización que tienen, en realidad, un vínculo muy complejo. También apuntan a que una nueva metodología en el estudios de estos fenómenos llevan a unas conclusiones menos pesimistas respecto de las relación entre redes y polarización, Majó-Vázquez, S. y R. K. Nielsen & González- Bailón, S. "The Backbone Structure of Audience Networks: A New Approach to Comparing Online News Consumption Across Countries", en *Political Communication*, pp. 227-240, 2019.

[21]   Esta es una de las conclusiones plasmadas en el documento "Polarisation and the news media in Europe. A literature review of the effect of news use on polarisation across Europe", elaborado por el Panel for the Future of Science and Technology, de la Dirección General de Servicios de Estudios Parlamentarios

3.2. *El mal uso de la inteligencia artificial en internet*

Otros peligros vienen, en cambio, del uso que terceros interesados, públicos o privados, hagan de los instrumentos citados para, de una forma u otra, incidir en la voluntad política de la ciudadanía. Estos posibles impactos perniciosos preocupan cada vez más, como demuestra el número creciente de diferentes grupos de trabajo, documentos informales y formales, recomendaciones y textos de distinto alcance elaborados en el marco de diversas instituciones internacionales, gubernamentales y no gubernamentales, en los que queda de manifiesto cómo no solo internet, sino esta transformación tecnológica que experimentamos como sociedad global, está teniendo ya en diferentes ámbitos de nuestras democracias. La inquietud generada por los abusos que pueden hacerse de los nuevos instrumentos comunicativos se agudizó y se convirtió en un tema de la agenda política global tras los éxitos de la campaña del sí al *Brexit* en Gran Bretaña[22], tras la victoria de Donald Trump en las presidenciales de Estados Unidos de 2016[23] o el escándalo de *Cambrige Analytica* en 2018.

En 2017, el Comité Económico y Social Europeo publicó el Dictamen "*Iinteligencia artificial: las consecuencias de la inteligencia artificial para el mercado único (digital), la producción, el consumo, el*

---

del Parlamento Europeo, publicado en marzo de 2019, https://op.europa.eu/es/publication-detail/-/publication/914380a0-8e62-11e9-9369-01aa75ed71a1/language-en/format-PDF/source-106246145 (consultado por última vez el 3 de septiembre de 2020).

[22] Aunque se ha probado que algunas de las "verdades" dichas en campaña por los defensores del Brexit era mentira, una pregunta que hay que plantearse es si estas "mentiras" contrastadas forman parte o no de la libertad de expresión de los políticos o, si por el contrario, son una violación del derecho a recibir información veraz de la ciudadanía. Sobre esta discusión, en relación con la demanda interpuesta en su día contra Boris Johnson pueden leerse las reflexiones de J. Barata, "Johnson: ¿ejercicio inapropiado del cargo o libre discurso político?", en *Agenda Pública*, publicado el 3 de junio de 2019, http://agendapublica.elpais.com/johnson-ejercicio-inapropiado-del-cargo-o-libre-discurso-politico/ ((consultado por última vez el 3 de septiembre de 2020).

[23] Para hacerse una idea de las estratagemas digitales seguidas por Trump en su campañ electoral puede leerse el artículo de L. Teruel "Trump: asalto al poder desde las trincheras de las redes sociales", *Agenda Pública*, publicado el 22 de enero de 2017, http://agendapublica.elpais.com/trump-asalto-al-poder-0desde-las-trincheras-de-las-redes-sociales/ (consultado por última vez el 3 de septiembre de 2020).

empleo y la sociedad"[24] en el que identificó los ámbitos de impacto social más importantes de dicho fenómeno, y entre ellos estaban la gobernanza y la democracia. Se señalaba como la inteligencia artificial podía mejorar la participación de la ciudadanía en la política y la transparencia en la toma de decisiones. Pero también se manifestaba la preocupación por el uso específico de los algoritmos inteligentes para la agregación de informaciones, por ejemplo en las redes sociales, que parecen haber entrañado una limitación y fragmentación de la sociedad. Son dos las grandes inquietudes en este ámbito: las «burbujas informativas» y las pseudonoticias en Twitter y Facebook durante las elecciones estadounidenses[25]. A la postre, dichos algoritmos pueden influir el comportamiento (electoral) de la ciudadanía ya que pueden predecir los comportamientos humanos e influir en ellos. Este fenómeno, según el Informe, "*es una amenaza para una democracia abierta y fiable. En la época actual de polarización y desmantelamiento de instituciones internacionales, la precisión y el poder de semejante tecnología de propaganda puede acarrear rápidamente una mayor desestabilización social. Esta es una de las razones por las que se necesitan normas de transparencia y rendición de cuentas de los algoritmos (inteligentes)*".

Han sido varios los documentos, en diferentes foros, elaborados por las diferentes organizaciones o instituciones europeas, tanto de la Unión Europea como del Consejo de Europa. Entre los últimos, encontramos el informe del Comité sobre inteligencia artificial (CAHAI en sus siglas en inglés) titulado "*The Impact of Artificial Intelligence on Human Rights, Democracy and the Rule of Law*"[26]. Sin ambages, se reconoce expresamente que la inteligencia artificial impacta en los derechos humanos, la democracia y el Estado de Derecho (*the rule of*

---

[24]　Dictamen del Comité Económico y Social Europeo, "Inteligencia artificial: las consecuencias de la inteligencia artificial para el mercado único (digital), la producción, el consumo, el empleo y la sociedad (Dictamen de iniciativa)", Ponente: Catelijne Muller https://eur-lex.europa.eu/legal-content/ES/TXT/HTML/?uri=-CELEX:52016IE5369&from=ES (consultado por última vez el 3 de septiembre de 2020).

[25]　Cosa que no es de extrañar después de los abusos cometidos por la campaña de Trump en 2016.

[26]　Dictamen del Comité Económico y Social Europeo, "Inteligencia artificial…"; *op.cit.*

law), los elementos centrales (*core elements*) sobre los que las sociedades europeas están construidas.

En todo caso, ya son varios los ámbitos relacionados con los derechos fundamentales y la democracia respecto de los que se ha aler-
tado de un impacto directo del fenómeno digital. Así, por ejemplo, la
afectación en negativo de la inteligencia artificial en los derechos fundamentales, sobre todo en los derechos del ámbito de la privacidad,
ha sido una de las primeras cuestiones sobre las que se ha puesto el
acento[27]. Ello es lógico dado que cuando hablamos de internet y el uso
de las diferentes plataformas, hablamos de la circulación de datos personales en diferentes formatos. Por ello, las organizaciones de defensa
de los derechos, asociaciones de internautas y similares pronto se han
puesto a trabajar en la protección de este tipo de derechos del ámbito
individual de las personas. Esta reacción se ha producido respecto de
ámbitos diversos. Por una parte, se pretende proteger al individuo
como consumidor de bienes y servicios *on line*, así, como sujeto de relaciones económicas y comerciales, normalmente, con otras personas
físicas o jurídicas privadas[28]. Y, por otra, el individuo como posible
objeto, indiscriminado o no, de la vigilancia del Estado. En este caso,
el punto de inflexión en la potenciación de la ciberseguridad como
instrumento de control de individuos fueron los atentados del 11S
en Estados Unidos en 2001. Se trata, por tanto, de delimitar, limitar
y ofrecer garantías jurídicas eficaces ante las potestades de defensa y
seguridad, interior y exterior, de los estados frente a sus propios ciudadanos y ciudadanos de terceros estados.

El informe de la CAHAI parte de que democracias necesitan de
una ciudanía bien informada (a lo que cabría añadir, formada e infor-

---

[27] Sobre la afectación del derecho a la privacidad, puede consultarse el monográ-
    fico VV. AA., *El derecho a la privacidad en un nuevo entorno tecnológico. XX
    Jornadas de la Asociación de Letrados del Tribunal Constitucional*, CEPC, 2016

[28] Muy relevante ha sido la aprobación del Reglamento (UE) 2016/679 del Parla-
    mento Europeo y del Consejo, de 27 de abril de 2016, relativo a la protección
    de las personas físicas en lo que respecta al tratamiento de datos personales y a
    la libre circulación de estos datos y por el que se deroga la Directiva 95/46/CE
    (Reglamento general de protección de datos) y, en España, la aprobación de la
    Ley Orgánica 3/2018, de 5 de diciembre, de Protección de Datos Personales y
    garantía de los derechos digitales, que contiene un Título específico a proteger a
    los derechos digitales.

mada²⁹), un discurso social y político abierto y la ausencia de una influencia opaca en los votantes. De ello depende el pluralismo en el que debe asentarse la democracia. En este contexto, el informe se centra en tres ámbitos de impacto adverso de la inteligencia artificial en la democracia, en i) el discurso social y político, el acceso a la información y la influencia de los votantes, ii) la desigualdad y la segregación y iii) el fracaso o la perturbación sistémica. Si bien están todos muy vinculados entre sí, los que más estrechamente están ligados al objeto de estas páginas son el primero y el tercero de los ámbitos señalados.

Nos centraremos ahora en los aspectos más directamente relacionados con el pluralismo y las bases democráticas del Estado de Derecho que, de lo expuesto en el citado informe, cabe sintetizar en dos: a) la capacidad de los algoritmos de, por una parte, personalizar la información que cada persona recibe ante la ingente cantidad de contenidos que circulan por internet (*lato sensu*), y, en otra vertiente de la anterior, posibilitar a los actores políticos la *targetización* de sus propuestas, con el condicionamiento en los procesos electorales que ambos pueden tener; b) los efectos disuasorios sobre las libertades comunicativas.

En el nuevo contexto comunicativo e informativo favorecido por la digitalización, los ciudadanos sólo pueden elegir consumir una pequeña cantidad de toda la información a la que tienen acceso. Los motores de búsqueda, las redes sociales, los sistemas de recomendación y muchos sitios de noticias emplean la inteligencia artificial para determinar qué contenido se crea y se muestra a los usuarios, personalizando así los contenidos (del tipo que sea), creando, por ejemplo, noticias a medida de cada cual. Sin duda, un buen uso de estos instrumentos puede ayudar a la ciudadanía a navegar mejor entre la ingente información disponible y mejorar sus competencias democráticas. Sin embargo, si la inteligencia artificial determina qué información se muestra y consume, qué cuestiones se suprimen de la avalancha informativa en línea y cuáles se amplifican viralmente, esto también conlleva riesgos de sesgo y de representación desigual de opiniones y voces.

---

²⁹ Un campo que está generando especial atención entre la academia es la alfabetización digital como un instrumento para y de la ciudadanía ante los posibles peligros ya abusos que puedan producirse a través de internet, las plataformas y la inteligencia artificial.

La personalización de la información es posible gracias a la vigilancia y el perfilado constantes de cada individuo. Impulsada por motivos comerciales o políticos, esta infraestructura de información de nuestras sociedades puede amplificar el contenido hiperpartidista con el que probablemente se esté de acuerdo y proporcionar un instrumento poderoso, sin precedentes, para la influencia individualizada. Cuanto más afinadas y, por tanto, efectivas se vuelvan las predicciones personales que "calcula" la inteligencia artificial, mayor puede ser la amenaza de la agencia humana y la autonomía necesarias para que los votantes tomen decisiones autónomas.

Más allá de los motivos comerciales, los motivos políticos pueden llevar a que los sistemas de inteligencia artificial se optimicen para seleccionar o priorizar un contenido determinado en un esfuerzo por coaccionar e influenciar a las personas hacia ciertos puntos de vista, por ejemplo, durante los procesos electorales[30]. Todo ello se puede hacer gracias a la información sobre nuestra identidad, profesión, ingresos, gustos, filias y fobias, y otros muchos elementos que cada persona va dejando tras de sí cada vez que accede a internet y a los distintos servicios que allí se ofrecen. Esta targetización de los contenidos permite ofrecer a cada persona aquella propuesta que más se adapta a sus necesidades, anhelos o reivindicaciones. Los actores políticos, los partidos, pueden hacer micro campañas electorales, generar programas a la carta. Aunque es todavía una conclusión controvertida, según parte de la doctrina, esta técnica de hacer campaña electoral puede generar mayor polarización y aumentar la fragmentación del electorado. En esta materia es interesante, la aportación de J. Bayer quien señala que esta técnica puede afectar no solo al derecho a la protección de datos de las personas afectadas por este tipo de campañas, sino, también, y aquí está lo novedad, la libertad de información de aquellas personas que, de conformidad con la aplicación de la inteligencia artificial, no

---

[30] El escándalo de *Cambridge Analytica* saltó porque se descubrió como, de forma ilícita, esta empresa se había hecho con millones de datos de usuarios de Facebook que le permitían conocer a qué tipo de mensaje iba a ser susceptible cada usuario para tratar de influir en su forma de pensar, así como el contenido, el tema y el tono que debían usar en cada caso. Cfr. Myriam Redondo, "Cambridge Analytica: ¿hay alguien ahí?", en *Agenda Pública*, publicado el 4 de mayo de 2018, http://agendapublica.elpais.com/cambridge-analytica-hay-alguien-ahi/ (consultado por última vez el 3 de septiembre de 2020).

son objetivo de dicha campaña y, por tanto, no conocen el mensaje político a la que sus conciudadanos están expuestos[31]. Esta afectación negativa en un derecho fundamental subjetivo, tendría, además, un efecto institucional pernicioso dado que genera la exclusión de una parte de la ciudadanía de un determinado debate electoral.

Otro problema que se produce, al menos según algunos autores, son las filtro burbujas, término acuñado por E. Pariser alrededor de 2010[32], que supondría un estado de aislamiento informativo que se produce porque, ante un búsqueda de información en las redes, la web selecciona la información que un usuario desea ver basándose en datos que posee de dicho usuario (ubicación, el comportamiento de los clics pasados y el historial de búsqueda), todo gracias a la aplicación de algoritmos. La consecuencia sería que los usuarios solo reciben o "encuentran" información acorde con sus puntos de vista, confirmando sus apriorismos, evitándole el acceso a argumentos de contraste y, así, haciéndole parte de una determinada cámara de eco. Como ya se señaló más arriba, la doctrina presenta contradicciones sobre que estas filtro burbujas sean un fenómeno atribuible a las redes *per se*[33].

Finalmente y sin ánimo de exhaustividad, se extiende el uso de las deepfakes -"falsificaciones profundas" o ultra falsedades, siguiendo los criterios de Fundeu- que supone la manipulación o directamente la creación de imágenes o videos en los que, a través de instrumentos de inteligencia artificial, se sustituyen la apariencia y/o la voz de personas reales, lo que permite prácticas engañosas con diversos fines.

---

[31]   Vid. J. Bayer, "Double harm to voters: data-driven micro-targeting and democratic public discourse", en *Internet Policy Review*, nº 9.1, 2020, disponible en https://policyreview.info/articles/analysis/double-harm-voters-data-driven-micro-targeting-and-democratic-public-discourse (consultado por última vez el 3 de septiembre de 2020).

[32]   En español, "*El filtro burbuja: cómo la red decide lo que leemos y lo que pensamos*", ed. Taurus, 2017.

[33]   De nuevo, puede consultarse "Polarisation and the news media in Europe", *op. cit.*, donde se afirma que la doctrina no presenta evidencia clara de que el fenómeno de burbujas de filtro.

3. 3. *La desinformación, enemiga de la democracia*

Además, como forma de alterar el libre ejercicio de las libertades comunicativas y, a la postre, la voluntad política ciudadana, nos encontramos con uno de los grandes retos a los que hacer frente: la desinformación.

Uno de los problemas que acarrea el complejísimo fenómeno de la globalmente denominada "desinformación" es la falta de existencia de una única definición de esta realidad y de otras con las que se la relaciona (posverdad, fake-news, entre otras). En los últimos años son muchos los autores que toman como referencia, por su claridad, la categorización llevada a cabo por C. Wardle y Hossein en "Information Disorder: Toward an interdisciplinary framework for research and policymaking" (2017) publicado por el Consejo de Europa[34]. Wardle y Hossein distinguen entre tres conceptos:

- Desinformación (*dis-information*): información falsa, creada deliberadamente para perjudicar a una persona, grupo social, organización o país (contexto falso, contenido fabricado, contenido "impostor", contenido manipulado).

- Información errónea (*mis-information*): información que es falsa, pero que no fue creada con la intención de perjudicar (conexión falsa, contenido equivocado).

- Información incorrecta (*mal-information*): información que se basa en la realidad, usada para perjudicar a un persona, organización o país (filtraciones, acoso, discurso del odio).

- Las que pueden ser realmente dañinas son la desinformación y la información incorrecta en cuanto ambas están intencionadamente pensadas y dirigidas para alterar la percepción de una determinada realidad, en lo que ahora interesa, la vida política e institucional de un país democrático. Por ello, quedan excluidos del concepto de desinformación los errores involuntarios, la sátira y la parodia, o las noticias y comentarios partidistas claramente identificados[35].

---

[34] Este informe puede consultarse en https://rm.coe.int/information-disor-der-toward-an-interdisciplinary-framework-for-researc/168076277c, publicado el 27 de septiembre de 2017 (último acceso el 3 de septiembre de 2020).

[35] Así lo señala la Comunicación Conjunta de la Comisión al Parlamento Europeo,

La potencialidad dañina de la práctica desinformativa ha puesto en alerta, como se decía más arriba, a todos los niveles institucionales y, muy particularmente, a la Unión Europea. En 2018 la Comisión publicó la Comunicación "La lucha contra la desinformación en línea: un enfoque europeo" que comenzaba así: "La exposición de los ciudadanos a una desinformación a gran escala, que incluye información engañosa o completamente falsa, representa un gran reto para Europa" y ello porque "nuestras sociedades democráticas abiertas dependen de debates públicos que permiten que los ciudadanos bien informados expresen su voluntad mediante procesos políticos libres y justos. La desinformación erosiona la confianza en las instituciones y en los medios de comunicación digitales y tradicionales y perjudica a nuestras democracias obstaculizando la capacidad de los ciudadanos de tomar decisiones informadas". Una de las herramientas de la Unión Europea destacada en esta lucha contra la desinformación fue la elaboración del Código de buenas prácticas que adoptaron las principales plataformas, en particular Facebook, Google y Twitter, junto con las empresas de programas informáticos y los organismos que representan a la industria de la publicidad, en octubre de 2018, y que suponía una apuesta por la autorregulación en materia de desinformación. El Código suponía un compromiso para mejorar la transparencia, la rendición de cuentas y la fiabilidad de sus servicios[36].

Las campañas de desinformación o información incorrecta tienen como hábitat preferido las redes sociales que se han convertido, como se vio más arriba, en el medio predominante para el consumo de información por un gran parte de la población mundial. Las campañas de desinformación (ahora en sentido amplio) llevadas en el ámbito político han tenido como objetivo, precisamente, el de poner en duda la capacidad de las instituciones democráticas de hacer frente a los diferentes retos sociales que cada comunidad política afronta. Estas

---

el Consejo Europeo, el Consejo, el Comité Económico y Social Europeo y Comité De Las Regiones JOIN(2019) 12 final, publicado en Bruselas, 14.6.2019, "Informe sobre la ejecución del Plan de acción contra la desinformación".

[36]   La información sobre el Código, su implementación y evaluación pueden consultarse en https://ec.europa.eu/digital-single-market/en/news/code-practice-disinformation

campañas de desórdenes informativos[37] se han convertido en un arma especialmente útil de transmisión de discursos populista[38] o, directamente, iliberales que tienen como objetivo socavar la confianza de la ciudadanía en las instituciones representativas y en todos los sistemas de control que las envuelven. Por ello, también se han convertido en objetivo prioritario de estos ataques a los medios de comunicación tradicionales, las grandes cabeceras, a las que se ha tachado de servir intereses del *establishment* y actuar en connivencia con las instituciones políticas para que no se produzcan cambios. Por este motivo la doctrina desaconseja la utilización de la expresión *fake news* porque su sentido ha sido revertido como un boomerang y ahora es utilizado por sus mayores precursores para acusar a los medios tradicionales de mentirosos. Uno de los máximos exponentes de esta forma de actuar desde las instituciones contra esas mismas instituciones ha sido el Presidente Trump, quien ha utilizado su cuenta de twitter para afirmar, sin reparos, que medios como la CNN, The New York Times o The Washington Post y sus periodistas mienten por sistema y a quienes etiqueta como "fake news".

También el presidente brasileño Bolsonaro ha hecho uso de las redes sociales para atacar a sus adversarios políticos y económicos. Así, en el mes de julio de 2020 conocíamos la noticia de que Facebook eliminaba decenas de cuentas de noticias falsas vinculadas al entorno de Bolsonaro y sus hijos, que se hacían pasar por medios de comunicación o simulaban ser perfiles de personas ficticias para promover "discursos del odio" y desinformación. En este caso, la Corte Suprema de Brasil investiga desde hace meses la divulgación de "noticias falsas" y amenazas contra los Poderes Legislativo y Judicial, y sospecha que detrás de esos ataques hay movimientos de ultraderecha y políticos y empresarios afines al mandatario[39].

---

[37]   Expresión utilizada por C. Wardle y Hossein en "Information Disorder: Toward an interdisciplinary framework for research and policymaking", op.cit.

[38]   Para ver el estado de la cuestión en la doctrina, cfr. "Polarisation and the news media in Europe", https://op.europa.eu/en/publication-detail/-/publication/914380a0-8e62-11e9-9369-01aa75ed71a1/language-en/format-PDF/source-106246145 , *op. cit.*

[39]   Sobre estas y otras práctica del régimen iliberal, cfr. A. Maués, "Bolsonaro corroe la democracia, publicado", en *Agenda Pública*, el 23 de enero de 2020, http://agendapublica.elpais.com/bolsonaro-corroe-la-democracia/ (consultado por úl-

Si se suman internet, redes sociales con millones de usuarios y consumidores que se convierten, a su vez, en divulgadores exponenciales de contenidos, sin duda, las informaciones y todas estas formas de alterar el debate a través de mentiras o medias verdades interesadas pueden tener un impacto incalculable. Por ello desde la academia y las instituciones se está haciendo un verdadero esfuerzo por investigar y comprobar los efectos reales de los desórdenes informativos, sobre todo, en procesos electorales, y muy especialmente, en aquellos en los que los resultados se prevean ajustados.

IV. INTERNET, LIBERTADES COMUNICATIVAS Y CONSTITUCIÓN

4.1. Nuevo campo y nuevas reglas de juego

Sin duda, como se ha dicho ya, el paradigma comunicativo ha sido transformado por internet y sus redes. Esto ha generado debates sobre diversos ámbitos. En el ámbito de la esfera comunicativa, dos de ellos son, por una parte, la cuestión de cómo afecta la desaparición del elemento de intermediación en la vinculación y efectividad de los derechos fundamentales, y, de otra, si la nueva esfera pública exige la aparición de nuevos derechos para la ciudadanía y obligaciones para los poderes públicos (y también, es importante decirlo, para los particulares).

La desaparición de la intermediación[40] no es un fenómeno exclusivo de internet, sino que cabría identificarlo como una característica de la nueva política y de la influencia del populismo[41]. En todo caso, internet ha permitido a cualquier individuo situarse, al menos formalmente, a la altura comunicativa de cualquier otro individuo, institución o plataforma económica. Internet es un foro abierto al

---

tima vez el 3 de septiembre de 2020).

[40] Cfr. A. Rodríguez en "Encuesta sobre la libertad de expresión", *Teoría y Realidad Constitucional*, nº 44, 2019, p. 21; y en la misma publicación, J. Uría Martínez, p. 31. Sobre los nuevos intermediarios en las redes, vid. J. BARATA MIR, "Llibertat d'expressió i plataformes digitals: reptes de la regulació de continguts en un entorn global", *Revista Catalana de Dret Públic*, nº 61, 2020, pp. 5 y ss.

[41] Una lectura interesante y puesta en contexto de esta desintermediación a la que estamos asistiendo de forma global es el libro de J. Fernández Albertos, *Antisistema. Desigualdad económica y precariado político*, Catarata, 2018.

que cualquier puede acceder y expresarse de forma libre. La esfera pública se ha abierto, se ha transformado, y lo seguirá haciendo. Esta transformación democrática viene acompañada, además, de una nueva forma de entender las relaciones entre lo público y lo privado, entre el poder soberano y los poderes constituidos, entre la ciudadanía y el Estado. Las reglas de juego constitucional se están viendo alteradas porque el nuevo campo de juego global digital no siempre es encorsetable en los parámetros jurídico-institucionales. Los poderes privados juegan un papel mucho más determinante, en algunos aspectos, que los poderes públicos de cualquier tipo. Un ejemplo paradigmático en lo relativo a la reglas de pluralismo democrático y respeto de los derechos fundamentes es que las instituciones se ven obligadas a confiar en la autorregulación empresarial para tutelar su observancia, como se vio más arriba con el ejemplo del Código de Buenas Prácticas para evitar la desinformación, impulsado por la Comisión[42].

Respecto del segundo de los debates, respecto de las libertades comunicativas, la doctrina mantiene mayoritariamente que al ejercicio, alcance y límites de la libertad de expresión en las redes sociales se les debe aplicar los mismos criterios que fuera de ellas (así lo defienden M. A. Presno-Linera, G. Teruel Lozano y A. Boix Palop, entre otros[43]). Gráficamente, M. Carrillo señala que "la libertad de expresión en la red o a través de la red no puede ser concebido como un ámbito extramuros del ordenamiento jurídico", no es "un área autónoma abierta

---

[42]   En el Informe conjunto de la Comisión de Venecia y de la Dirección de la Sociedad de la Información y lucha contra la delincuencia de la Dirección General de Derechos Humanos y Estado de Derecho (DGI) sobre Tecnologías Digitales y Elecciones, aprobado por la Comisión de Venecia en su 119ª Sesión plenaria, 21-22 de junio de 2019 (CDL-AD(2019)016), señala como algunos Estados han optado por privatizar el control de contenidos en las redes sociales, por ejemplo, Alemania. El Informe completo puede encontrarse en https://www.venice.coe. int/webforms/documents/?pdf=CDL-AD(2019)016-e (consultado por última vez el 3 de septiembre de 2020).
En 2017, se aprobó una ley conocida como 'NetzDG', abreviación de *Netzwerkdurchsetzungsgesetz*, que imponía una serie de obligaciones a las empresas titulares de redes sociales en materia de control de contenidos ilegales. Sobre esta ley y su posible reforma, cfr. J. Barata, "Alemania privatiza el control legal de los contenidos", en *Agenda Pública*, publicado el 18 de marzo de 2020, http://agendapublica.elpais.com/alemania-privatiza-el-control-legal-de-los-contenidos/ (consultado por última vez el 3 de septiembre de 2020).

[43]   Cfr. las obras ya citadas de estos autores en estas páginas.

al espíritu libertario del usuario"[44]. Y cabría añadir, ni una especie de ciudad sin ley en la que aplicar la ley del más fuerte, sea Estado o persona jurídica privada.

Así lo ha considerado igualmente el Tribunal Europeo de Derechos Humanos que en sus análisis sobre la libertad de expresión e internet parte de las bases ya sentadas en su sentencia *Handyside contra Reino Unido*, de 7 de diciembre de 1976; esencialmente: La libertad de expresión, protegida en el art. 10. 1 CEDH, constituye una base esencial de una sociedad democrática. Las limitaciones previstas en el art. 10. 2 CEDH deberán ser interpretadas de forma estricta, solo cuando "necesario en una sociedad democrática", deben ser proporcionales al objetivo legítimo perseguido y autorizadas por decisiones judiciales suficiente motivadas. Así, por ejemplo, STEDH caso *Delfi AS contra Estonia*, de 16 de junio de 2015 (de Gran Sala).

También el Tribunal Constitucional considera que a las libertades de expresión e información en el mundo digital les son aplicable los mismos criterios generados por su jurisprudencia para la esfera *off line* (por todas, STC 35/2020, de 25 de febrero en el llamado caso *Strawberry*, al que volveré en breve).

4.2. *Vinculación y eficacia de la libertad de expresión en las redes*

A través de internet y de las redes sociales la población tiene nuevos mecanismos de exteriorizar sus opiniones y sus posicionamientos, tanto respecto de los poderes públicos como de otros ciudadanos, por tanto, desde la perspectiva de la teoría general del Derecho constitucional estamos ante un nuevo escenario de relación, no sólo entre poderes públicos y particulares, sino ante un escenario en el que son muchas y variadas las relaciones entre particulares.

La nueva esfera comunicativa viene caracterizada por elementos hasta ahora inexistentes; además, de ser inmediatas, las relaciones pueden estar deslocalizadas (varios territorios y ordenamientos jurídi-

---

[44]   M. Carrillo, "Encuesta sobre la libertad de expresión", Teoría y Realidad Constitucional, nº 44, 2019, p. 19.

cos implicados), y pueden ser anónimas. Y en este contexto tenemos, en primer lugar, la relación que se produce entre el particular/usuario y la persona jurídico-privada prestadora del servicio a través del cual se está produciendo la comunicación. A partir de aquí, se producen relaciones entre individuos que, al menos aquí hipotéticamente, interaccionan en igualdad de condiciones comunicativas.

Las plataformas, a su vez, se han convertido en sujetos activos de la actividad comunicativa e informativa, y no siempre para bien desde el punto de vista democrático. Estas plataformas, a las que en principio no se considera responsables de los contenidos que se vierten en ellas, no siempre parecen haber respetado la neutralidad de se les presume[45]. La neutralidad de las plataformas es esencial para que el proceso comunicativo no favorezca intereses de ningún tipo, de forma que se garantice que el tráfico informativo no viene manipulado y, por tanto, se evitan peligros como los expuestos más arriba. Sin embargo, ya hay constancia de que, en ocasiones, las plataformas no han sido neutrales y han favorecido, a través de diferentes técnicas, determinadas opciones políticas. Esto es, se han convertido en un sujeto político activo, y no en un instrumento de comunicación.

Por otra parte, estas plataformas, que son el ecosistema necesario para que exista el mundo *on line*, han sido convertidas por los propios Estados, instituciones públicas y organismos reguladores como árbitros, cunado no jueces, de la actividad comunicativa que se produce en/a través de ellas. Se puede alegar que las empresas privadas *off line* tienen reconocido el derecho de admisión en caso de que un usuario desarrolle conductas contrarias a las normas de funcionamiento y, en su caso, convivencia de dicha persona privada (un restaurante, un avión, una consulta médica, etc). En un bar pueden no dejarnos entrar porque no llevamos la vestimenta adecuada (corbata, por ejemplo, en el caso de los hombres), pero no puede echarnos por ser chinos, homosexuales o católicos, dado que este rechazo supondría atentar contra derechos fundamentales. Tampoco pueden echarme de mi puesto de trabajo por estar embarazada, porque se trataría de una causa de despido nulo por ser discriminatoria.

---

[45]   De especial referencia en la materia, cfr. M. Fuertes, Neutralidad de la Red ¿realidad o utopía?, Madrid, Marcial Pons, 2014.

¿Qué pasa si llevamos estas capacidades de limitación a la esfera pública *on line*? Twitter, por ejemplo, afirma que su propósito es "estar al servicio de la conversación pública. La violencia, el acoso y otros tipos de comportamiento similares no incentivan a las personas a expresarse y, en última instancia, disminuyen el valor de la conversación pública a nivel mundial. Nuestras reglas tienen como objetivo garantizar que todas las personas puedan participar en la conversación pública de manera libre y segura". Así, bajo la rúbrica "Reglas de Twitter", publica una serie de causas que pueden suponer, a instancia de parte, la suspensión de una cuenta[46]. Esto es, si una persona usuaria considera que un tuit, por ejemplo, incita al odio racial puede utilizar el sistema de denuncia de Twitter. La plataforma hará las comprobaciones que considere oportunas y resolverá advirtiendo al usuario infractor o, en su caso, suspendiendo la cuenta.

Estas reglas no han impedido que en los últimos años se vertieran críticas contra las redes sociales, en especial, Twitter y Facebook, por permitir la distribución de "desinformación" a través de sus plataformas, habiendo esto, además, influido en distintos procesos electorales. Estas críticas han hecho reaccionar a las plataformas. Retomando el ejemplo de Twitter, la empresa ha iniciado una nueva política de comprobación de los hechos "fact checking" que, en su caso, supone que los tuits que contengan hechos falsos contrastados llevarán una etiqueta que así lo señale. Esta forma de actuar ha sido, a su vez, duramente criticada, de un lado, por sectores que consideran que es un claro atentando contra la libertad de expresión, de otro, por otros usuarios que no entienden porque no se borran los mensajes de personas públicas, incluso con responsabilidades políticas, que incumplen las reglas de la plataforma[47]. Seguramente, la controversia se ha visto

---

[46]   Cfr. https://help.twitter.com/es/rules-and-policies/twitter-rules (consultado por última vez el 3 de septiembre de 2020).

[47]   Una explicación de la polémica puede encontrarse en E. Culliford y K. Paul "With fact-checks, Twitter takes on a new kind of task", publicado el 6 de mayo de 2020, https://www.reuters.com/article/us-twitter-factcheck/with-fact-checks-twitter-takes-on-a-new-kind-of-task-idUSKBN2360U0 (consultado por última vez el 3 de septiembre de 2020). A este respecto cabe señalar tras las elecciones presidenciales celebradas en EEUU, y el asalto al capitolio, después de suspender por unas horas la cuenta personal @realdonaldtrump, finalmente decidió suspender su cuenta definitivamente "después de una exhaustiva revisión de los

acrecentada porque los criterios y procedimiento utilizado por Twitter, y en general las plataformas de servicios en internet, para llevar a cabo este tipo de actuaciones no es pública[48].

Ante escenarios similares, Facebook, en cambio, alegando el principio de neutralidad de la red deja en manos de terceras empresas las decisiones sobre la verificación de los hechos y exime de revisión los tuits de los representantes políticos.

Esta actuación de auto-tutela no está exenta de problemas desde el punto de vista jurídico ya que la suspensión de una cuenta no deja ser una restricción del ejercicio de las libertades de expresión o información que, en este caso, se produce entre privados[49]. Es cierto que cuando una persona decide abrir una cuenta en Twitter, previamente, debe aceptar las reglas de uso. El debate jurídico-constitucional es ¿dónde está el límite a la actuación de estas plataformas que son hoy en día vehículo normalizado de las libertades comunicativas fundamentales? Una cosa es que no me dejen entrar en un restaurante elegante en shorts, y otra es que suspendan mi canal de comunicación a través del que ejerzo mis derechos fundamentales.

Tweets recientes de la cuenta de @realDonaldTrump y el contexto alrededor de ellos – especialmente cómo han sido recibidos e interpretados dentro y fuera de Twitter – hemos decidido suspender permanentemente la cuenta debido al riesgo de mayor incitación a la violencia".
En España, twitter ha suspendido un par de veces la cuenta del partido político VOX por considerar, en este caso, por incitar al odio contra los musulmanes.

[48] Facebook, por ejemplo, ha decidido crear una especie de "tribunal" para controlar los contenidos; a este respecto: J. Barata, "FB ya tiene un Tribunal Supremo: qué podrá hacer (y qué no) su nuevo 'comité de sabios'", en *El Confidencial*, publicado el 6 de mayo de 2002, https://blogs.elconfidencial.com/tecnologia/tribuna/2020-05-16/facebook-tribunal-supremo-juzgar-contenidos_2595031/ (consultado por última vez el 3 de septiembre de 2020). El nombre oficial que se ha dado a este órgano es "Consejo asesor de contenido". Toda la información sobre su finalidad, composición y funcionamiento se encuentra en https://oversightboard.com/.

[49] Este debate está ahora muy abierto en Estados Unidos, como explica V. J. Vázquez Alonso, "Twitter no es un foro público pero el perfil de Trump sí lo es. Sobre la censura privada de y en las plataformas digitales en los EEUU", en Estudios de Deusto, [S.l.], v. 68, nº. 1, p. 475-508, jul. 2020. Disponible en: <http://revista-estudios.revistas.deusto.es/article/view/1832/2256> (consultado por última vez el 3 de septiembre de 2020).

También ha cambiado la forma de interactuar de ciudadanos y miembros de los poderes públicos, especialmente, aquellos que desarrollan sus actividades como representantes políticos. Por una parte, nuestros representantes utilizan los nuevos canales de comunicación para llegar, en principio, a un mayor abanico de ciudadanos[50]; por otra, la ciudadanía tiene ahora la posibilidad de acceder sin filtros, directamente, a sus representantes. Se produce, al menos teóricamente, una conversación directa, sin intermediación, entre ciudadanía e instituciones. Estaríamos ante un escenario del todo deseable desde el punto de vista democrático ¿qué mejor que favorecer una comunicación, un canal que permita a los representados hacer llegar sus intereses, preocupaciones, quejas, inquietudes, etc a sus representantes? Sin embargo, esta situación así descrita dista mucho de ser la realidad. La desigualdad también tiene su plasmación en la esfera digital; son muchas las personas todavía que no tienen acceso a internet y a las redes o que, teniéndolo, no lo utilizan por motivos de desconocimiento, desinterés, falta de tiempo, entre otros. A este respecto baste ahora señalar como una de las exigencias de la academia y la ciudadanía que se mueves en las redes exige que la alfabetización digital sea considerada como una política pública, cuando no un derecho fundamental, en la era de la digitalización.

La cuestión está en determinar si los criterios jurídicos (y éticos) en estas nuevas conversaciones son los mismos que se vienen aplicando hasta ahora en relación con la libertad de expresión de la ciudadanía y de los representantes o si, en cambio, debe entenderse que los parámetros aplicables deben adaptarse. A este respecto hay que tener en cuenta que, por ejemplo, cuando un determinado representante público, una senadora, pongamos por caso, utiliza una cuenta en una red social en tanto que cargo público, su mensaje, su impacto y su repercusión pueden ser mucho mayores que el de la ciudadana o ciudadano con el que interactúa. En este caso, la senadora ¿se está prevaleciendo de su cargo en una esfera comunicativa en la que la interacción se produce, teóricamente, en pie de igualdad? Por lo general, aquella persona tiene detrás el respaldo, al menos simbólico, de su cargo, el

---

[50] Piénsese como los partidos y sus líderes han convertido las redes sociales en herramientas privilegiadas de publicitación de sus actuaciones.

respaldo de un partido y de toda una comunidad en las redes que, puestas en movimiento, pueden generar auténticas situaciones de abuso, cuanto menos dialéctico, respecto de ciudadanos de a pie. ¿Debe exigirse y, por tanto, generarse, una ética específica para políticos (*lato sensu*) en la nueva esfera pública que es internet? Cualquier miembro de un parlamento en España tiene reconocida una prerrogativa, la inviolabilidad, que le permite un ejercicio de la libertad de expresión casi sin límites para garantizar que el desarrollo de su cargo representativo sea lo más efectivo posible. En la defensa de los intereses y derechos de sus representados y en la crítica de sus oponentes, el parlamentario cuenta con casi absoluta libertad de voto, opinión y exteriorización de ideas y pensamientos (otra cosa es lo que un comportamiento ético aconseje). Ahora bien, la inviolabilidad es aplicable en el ejercicio de la función representativa y, salvo contadas excepciones, cuando esta se ejerce en los respectivos hemiciclos parlamentarios[51]. En definitiva, los representantes públicos que hacen abuso de su libertad de expresión no están cubiertos por ninguna prerrogativa, y por tanto, se ve limitada por los derechos de los demás y otra serie de valores y bienes jurídico constitucionalmente relevantes. La cuestión es si cabe delimitar jurídicamente su actividad en redes o si debe ser una cuestión que deba dejarse en manos de los códigos de ética de los partidos, de las reglas de funcionamientos de los parlamentos o de las propias plataformas[52].

4.3. *El ejercicio de la libertad de expresión en las redes*

En todo caso, la práctica demuestra que la libertad de expresión en las redes se ve directamente afectada por determinadas medidas de control de las plataformas y, también, por regulaciones estatales que

---

[51] Así lo tiene entendido el Tribunal Constitucional; por todas, STC 243/1988, de 19 de diciembre.

[52] En Estados Unidos la justicia ordinaria y el Tribunal Supremo ya han tenido ocasión de pronunciarse, por ejemplo, sobre la posibilidad de Donald Trump, como presidente, de bloquear, y por tanto, impedir la conversación de un ciudadano crítico con alguna de sus manifestaciones, políticas o actos. La justicia ha considerado que el Presidente, cualquier autoridad pública de hecho, no puede bloquear el acceso a otros usuarios de twitter ya que dicho acceso forma parte de la libertad de expresión consagrada en la Primera Enmienda a la Constitución. Sobre esta cuestión y sus implicaciones, vid. el artículo de V. Vázquez Alonso, "Twitter no es un foro público…,", *op.cit.*

incorporan nuevas restricciones a la libertad de expresión, a veces llegando a la censura, ya sea como defensa ante un medio de transmisión, internet, al que todavía no conocen y controlan suficientemente bien[53], ya sea como mecanismo de censura aprovechando la situación de desconcierto todavía reinantes respecto de internet. De hecho, algunos gobiernos (casi)autoritarios han aprovechado la pandemia que vivimos para establecer regímenes jurídicos de censura a la prensa independiente. Estas restricciones ilegítimas contravienen los pilares fundacionales de los Estados de Derecho democráticos porque, es importante reiterarlo, la libertad de expresión, la posibilidad de cada cual exteriorice, por cualquier medio, sus opiniones e ideas, constituye una de las bases fundamentales de cualquier Estado democrático: por un lado, permite el pluralismo político y social en el que aquellos se fundan y, de otro, es instrumento de control de la actividad de los poderes públicos. Evidentemente esta libertad de expresión no es absoluta, tiene límites, pero su función institucional exige que las restricciones a su ejercicio sean lo menos invasivas posible y no generen un efecto de desaliento en su ejercicio.

En España, por ejemplo, la doctrina señala como en la última década hemos asistido a una involución en el alcance de la libertad de expresión[54]. En España, la Ley de Seguridad Ciudadana (no es vano conocida como *ley mordaza*) ha sido un exponente claro a este respecto: se han endurecido, restringido, el ejercicio de la libertad de reunión y manifestación, y de expresión. Diversos informes de organismos internacionales han mostrado su preocupación al respecto[55]. Además, el

---

[53] En este sentido, A. Boix Palop, "La construcción de los límites a la libertad de expresión en las redes sociales", en *Revista de estudios políticos*, (Ejemplar dedicado a: Democracia y Derecho en la era de Internet: balance y perspectivas), nº 173, 2016, pp. 55- 112; Víctor. J. Vázquez Alonso, "Twitter no es un foro público...", *op.cit.*

[54] Cfr. A. Queralt Jiménez, "Con las libertades de expresión e información no se juega", en "Libertades en tela de juicio", por *Juezas y Jueces para la Democracia*, Jun 7, 2019, disponible en http://www.juecesdemocracia.es/2019/06/07/40-aniversario-la-constitucion-espanola-2/ (consultado por última vez el 3 de septiembre de 2020).

[55] Sirva como ejemplo la carta dirigida a las autoridades españolas por el Comisario de Derechos Humanos del Consejo de Europa, titulada "Commissioner urges Spain to ensure that the Law on Citizens' Safety upholds the rights to freedom of expression and freedom of peaceful assembly", el 23 de noviembre de 2018,

Código Penal tipifica una serie de delitos que se ejecutan a través de la exteriorización de ideas, opiniones o pensamientos. El debate jurídico en este supuesto está en determinar donde acaba la libertad de expresión y donde empieza la comisión del delito. En general no se trata de que el Código Penal castigue la "exteriorización de ideas", sino que la interpretación que se hace de los tipos por partes de el Ministerio Fiscal, la Abogacía del Estado o los órganos judiciales es contraria a los estándares fijados respecto de las libertades comunicativas, dado que se opta por interpretaciones excesivamente amplias de las normas penales que atentan directamente contra la libertad de expresión.

A este respecto, el TEDH ha sido muy claro, concretamente, respecto de España: no cabe delitos de odio, injurias o calumnias contra la Corona u otras instituciones del Estado (SSTEDH asunto *Otegi Mondragon contra España*, de 15 de septiembre de 2011, asunto *Stern Taulats y Roura Capellera contra España*, de 13 de marzo de 2018, o recientemente, asunto *Toranzo Gomez contra España*, de 20 de noviembre de 2018).

V. EL TRIBUNAL CONSTITUCIONAL ANTE INTERNET

Todavía son pocos asuntos en los que el Tribunal Constitucional ha tenido que lidiar con elementos propios de la esfera pública digital. Ahora, y solo a modo de ejemplo, se dedican unas líneas a plantear dos ejemplos. El primero, respecto del ejercicio de la libertad de expresión en las redes sociales y, el segundo, a un instrumento más genuinamente ligado a internet y la inteligencia artificial como es la *targetización* de electores por parte de los partidos políticos.

---

disponible en https://www.coe.int/en/web/commissioner/-/commissioner-urges-spain-to-ensure-that-the-law-on-citizens-safety-upholds-the-rights-to-freedom-of-expression-and-freedom-of-peaceful-assembly (consultado por última vez el 3 de septiembre de 2020).

5.1. La sentencia del Tribunal Constitucional en el caso *Strawberry*

La STC 35/2020, de 25 de febrero, resolvía el amparo interpuesto por C. M. L, de nombre artístico, César Strawberry. El cantante había sido condenado por un delito de enaltecimiento del terrorismo (art. 578 CP) que contempla un agravante de la pena "cuando los hechos se hubieran llevado a cabo mediante la difusión de servicios o contenidos accesibles al público a través de medios de comunicación, internet, o por medio de servicios de comunicaciones electrónicas o mediante el uso de tecnologías de la información". Como se observa, el medio a través del que se produce la difusión es un elemento determinante en el reproche de la conducta.

En esta sentencia, el Tribunal Constitucional, en lo relativo al derecho a la libertad de expresión, lleva a cabo un control de constitucionalidad de las restricciones impuestas a la libertad de expresión a través de los criterios que podemos denominar clásicos de la teoría general en materia de conflicto de derechos y concretamente de la colisión entre la libertad de expresión y otros bienes jurídico-constitucionales.

En efecto, tomando como antecedente directo de su jurisprudencia la STC 112/2016, de 20 de junio, respecto del delito de enaltecimiento al terrorismo, el Tribunal recuerda la naturaleza unánime de su jurisprudencia en cuanto a "la peculiar dimensión institucional de la libertad de expresión" como garantía para la formación y existencia de una opinión pública libre, que la convierte en uno de los pilares de una sociedad libre y democrática. Por ello es necesario reconocer un amplio cauce para el intercambio de ideas y opiniones que ha de ser lo suficientemente generoso como para que pueda desenvolverse "sin angostura, esto es, sin timidez y sin temor"[56]. Por supuesto la libertad de expresión puede ser limitada, sobre todo, cuando las expresiones vertidas alientan la violencia[57]. Como recuerda la jurisprudencia del Tribunal de Estrasburgo, la tolerancia y el respeto de la igual dignidad de todos los seres humanos constituyen el fundamento de una sociedad democrática y pluralista, de lo que resulta que, en principio,

---

[56] Cfr. STC 35/2020, F. J. 4 a) (i).
[57] Cfr. STC 35/2020, F. J. 4 a) (ii).

quepa considerar necesario en las sociedades democráticas sancionar e incluso prevenir todas las formas de expresión que propaguen, inciten, promuevan o justifiquen el odio, basado en la intolerancia, y que del mismo modo la libre expresión de las ideas no autoriza el uso de la violencia para imponer criterios propios[58]. Cabría afirmar que la libertad de expresión lo puede casi todo, con el límite de la dignidad y la integridad del resto de personas con las que convivimos. Por ello, se prohíbe el discurso del odio porque "persiguen desencadenar un reflejo emocional de hostilidad incitando y promoviendo el odio y la intolerancia incompatibles con el sistema de valores de la democracia"[59]. Por ello, no cabe considerar ejercicio legítimo de las libertades de expresión e información los mensajes que incorporen amenazas o intimidaciones a los ciudadanos o a los electores. También se excluyen aquellos mensajes en los que se utilicen símbolos o elementos que representen o se identifiquen con la exclusión política social o cultural[60]. Ahora bien, también es un elemento insoslayable en este tipo de control de constitucionalidad el principio de proporcionalidad. Debe tenerse muy presentes los riesgos de la utilización del *ius puniendi* estatal en la respuesta ante un eventual ejercicio, extralimitado o no, del derecho a la libertad de expresión. Aquel puede generar el conocido como efecto desaliento en el ejercicio de los derechos[61]. Literalmente, el Tribunal Constitucional en su sentencia 112/2016 afirmaba que los límites "a la libertad de expresión deben ser siempre ponderados con exquisito rigor, habida cuenta de la posición preferente que ocupa la libertad de expresión". Así, las limitaciones habrán de ser interpretadas de tal forma que el derecho fundamental a la libertad de expresión no resulte desnaturalizado, lo que obliga al juez penal a tener siempre presente su contenido constitucional para no caer en la conversión del Derecho penal en un elemento de disuasión del ejercicio del derecho[62]. Como ocurriera con los delitos de genocidio, el

---

[58]   Cfr. STC 35/2020, F. J. 4 a) (iii).

[59]   Cfr. STC 35/2020, F. J. 4 a) (iii).

[60]   Cfr. STC 35/2020, F. J. 4 a) (iii).

[61]   Doctrina del "chilling effect" acuñada por el TEDH; por todas, entre las más recientes, STEDH asunto *Baka contra Hungary*, de Gran Sala, de 23 de junio de 2016.

[62]   Cfr. STC 35/2020, F. J. 4 a) (iv).

legislador, en su libertad de configuración, puede perseguir aquellas conductas que inciten (directa o) indirectamente a la comisión de determinados delitos, siempre que no quede incluida la mera adhesión ideológica a posiciones políticas de cualquier tipo, que resultaría plenamente amparada por el art. 16 CE, en estrecha conexión con el art. 20 CE. Respecto de los delitos del odio, donde todavía no hay un corpus de jurisprudencia constitucional, es el TEDH quien ofrece los criterios aplicables. En su sentencia de 20 de enero de 2000 (STEDH *Hogefeld contra Alemania*) afirmaba que no puede quedar amparado bajo el legítimo ejercicio de la libertad de expresión la incitación a actos terroristas violentos. En relación con la sanción penal vinculada a conductas de incitación o apología del terrorismo es reiterada la jurisprudencia de Estrasburgo en el sentido de que dicha sanción puede resultar justificada cuando pueda inferirse que las conductas suponen un riesgo para la seguridad nacional, la integridad territorial o la seguridad pública, la defensa del orden o la prevención del delito. Las conductas pueden consistir en dar apoyo moral a la actividad mediante su enaltecimiento o como apoyo moral a la ideología, alabando a quienes desarrollan la actividad mediante el enaltecimiento de sus autores. En todo caso, la valoración debe ser especialmente cautelosa cuando las expresiones, el mensaje, no puedan ser identificados como defensa de actitudes violentas en la consecución de esos objetivos sancionados por la ley penal[63]. Sentados los criterios de ponderación en relación con el ejercicio de la libertad de expresión y la potencial sanción penal de determinadas expresiones o mensajes, el Tribunal Constitucional recuerda un último punto ligado a la aplicación del principio de proporcionalidad que, insiste, ha sido doctrina constante desde los años 80; hace hincapié en la exigencia constitucional de que los jueces penales, antes de entrar a aplicar y valorar los elementos del tipo, objetivos y subjetivos, deben verificar que la conducta que enjuician no es, en realidad, el ejercicio legítimo de la libertad de expresión. Tanto es así que, el no llevar a cabo este reconocimiento previo del tipo de conducta ante el que se está puede suponer la conculcación del derecho fundamental afectado.

---

[63]   Cfr. STC 35/2020, F. J. 4 c) dedicado a repasar los principales criterios jurisprudenciales aplicados por Estrasburgo en esta materia, con abundante cita de su jurisprudencia.

Adoptar una perspectiva constitucional en esta esta primera fase de valoración de los elementos concurrentes en el hecho, además, implica que resulte indiferente cual es la intención, el elemento volitivo, de la conducta, porque la libertad de expresión también puede ser ejercida para ofender, molestar y criticar duramente a otras personas, instituciones o personalidades varias. Es más, esa es una de las funciones de la libertad de expresión. Porque, aunque a veces lo parezca, no existe como derecho fundamental un derecho a no ser ofendido o a no sentirse ofendido. Ya se ha dicho, que la libertad de expresión tiene límites, pero porque se protege otros derechos fundamentales u otros bienes constitucionalmente relevantes (la protección de la infancia, por ejemplo). El Tribunal Constitucional exige de la justicia ordinaria un examen previo de la conducta con criterios *ius constitucionales*, entre los que queda excluida la intención. Solo si la conducta no supera estos criterios, podrá la jurisdicción ordinaria entrar a valorar y ponderar si están en juego los elementos objetivos y subjetivos, la intención, del delito.

Si bien desarrollo argumentativo y el fallo de esta sentencia resultan satisfactorios desde el punto de vista de la tutela de la libertad de expresión, se echa en falta que el Tribunal Constitucional elabore un discurso jurídico en el que la trasformación digital quede patente. Hasta el momento, el Tribunal opta por adaptar el aparataje jurídico relativo a la natural naturaleza alcance y garantías normativas y jurisdiccionales de los derechos a los nuevos escenarios que generan internet y las nuevas tecnologías. Puede que ello no sea labor del Juez constitucional, pero seguramente empieza a ser pertinente que en los análisis jurídico-constitucionales del ejercicio, legítimo o no, de la libertad de expresión en internet o en las redes, el emisor, el medio y el impacto se tengan mínimamente en cuenta. En el caso *Strawberry*, el recurso de amparo tenía su origen en cinco tuits lanzados por el cantante, en el periodo temporal de tres meses, con unos mensajes duros, que podrían ofender a una parte importante de la población, que podían sonar hirientes, y de muy mal gusto. En este contexto, debe tenerse en cuenta que la vida de un tuit varía muchísimo, pero, en general, suelen triunfar aquellos que son lanzados con personas con más seguidores y con un contenido que destaque del resto. Esto es, podría decirse que un tuit vistoso, rompedor, grosero, extravagante, o incluso ofensivo, puede tener un mayor impacto que un tuit con el mismo contenido de base, pero expresado de forma más normal o lineal… o aburrida. En todo caso, en situaciones normales, un tuit, tres o seis, de un solo sujeto no constituyen un discurso, una conversación o un programa de actuación. Son píldoras de opinión (o de información), muchas veces bastante espontáneas y sin una vocación, de su propia naturaleza, formato y medio, de tener un gran impacto. De hecho, en España, el número de perfiles de Twitter (4,4 millones de perfiles a finales de 2019) es mucho menor que el de otra red social, como es Facebook[64]. Twitter es una nueva herramienta comunicativa que, además, tiende a parcelar por intereses, de forma que cada cual se crea su propio mundo comunicativo, quedando al margen de otros contenidos. En definitiva, twitter como contenedor comunicativo y el uso y "agencia" que cada individuo sea capaz de crearse condicionan, sin duda, el impacto. Como se decía, estas son consideraciones que, al menos de momento, están fuera del control de constitucionalidad que lleva a cabo el Tribunal Constitucional.

5.2. La STC 76/2019 sobre *targetización* política

La STC 76/2019, de 22 de marzo, es otro ejemplo de como el Tribunal Constitucional utiliza los instrumentos propios del Derecho constitucional analógico para afrontar, en este caso, el análisis de la reforma de la Ley Orgánica de Régimen Electoral General (LOREG) por la que se incorporaba la posibilidad de los partidos políticos de recopilar datos personales relativos a las opiniones políticas de la ciudadanía en el marco de sus actividades electorales y utilizarlos para llevar a cabo *targeting* político[65]. La reforma incorporaba en el orde-

---

[64]   Las cifras que ofrece Statista https://es.statista.com/estadisticas/520056/usuarios-de-twitter-en-espana/#statisticContainer (consultado por última vez el 3 de septiembre de 2020).

[65]   A este respecto, D. Jové señalaba como la nueva Ley de protección de datos in embargo, la sintonía que, hasta el último trámite ante el Senado, había acompañado todo el proceso se vio truncada cuando desde blogs especializados –como el de Jorge García Herrero– se comenzó a dar la voz de alarma, y se generalizó cuando la prensa comenzó a hacerse eco de las consecuencias que podía tener la aprobación de la nueva Ley de Protección de Datos y, de manera específica, la Disposición Final Tercera (apartado 2) en la que se añade un artículo 58 bis a la Ley Orgánica 5/1985, de 19 de junio, del Régimen Electoral General, en D. Jové "Datos personales y partidos políticos", en *Agenda Pública*, publicado el

namiento jurídico español esta técnica que, como se dijo más arriba, permite a los partidos políticos utilizar medios tecnológicos (correo electrónico, móvil u otros) para realizar el envío de propaganda electoral personalizada[66]. Hasta la fecha, como explica M. Arenas, el silencio de la LOREG había sido colmado por algunas instrucciones de la Junta Electoral Central (JEC), en las que se consideraba válido el envío de propaganda electoral a través de las nuevas tecnologías y que le eran "aplicables las prescripciones establecidas por la legislación vigente en materia de campaña electoral, o de campaña de propaganda en un referéndum"[67]. En 2007 la JEC se refería ya a "se entiende por nuevas tecnologías de información y de la comunicación electrónicas, cualquier tipo de equipos, sistemas, programas o dispositivos electrónicos que permitan la difusión de información, ideas u opiniones, sea mediante páginas web, foros, «chats», correo electrónico u otros medios en Internet, sea mediante mensajes de telefonía móvil (SMS) u otros análogos". La Instrucción de la JEC de 2011 se publica después de la reforma operada por la Ley Orgánica 2/2011, de 28 de enero, de la LOREG respecto, especialmente, del régimen jurídico de las campañas electorales, y más concretamente, el de los límites temporales a los que deben someterse las candidaturas en las actividades de captación del voto (nuevo art. 53 LOREG). Entre las actividades que la JEC sí consideraba permitida, se incluía la difusión de propaganda electoral entre la convocatoria de las elecciones y el inicio de la campaña electoral a través del "envío de correos electrónicos o de mensajes *sms*, o la distribución de contenidos por radiofrecuencia (*bluetooth*) para dar a conocer a los candidatos o el programa electoral, siempre que no implique la con-

---

1 de febrero de 2019, http://agendapublica.elpais.com/datos-personales-y-partidos-politicos/ (consultado por última vez el 3 de septiembre de 2020).

[66] Cfr. M. Arenas Ramiro, "Partidos políticos, opiniones políticas e internet: la lesión del derecho a la protección de datos personales" *Teoría y Realidad Constitucional*, nº 44, 2019, p. 351.

[67] Cfr. M. Arenas Ramiro, "Partidos políticos", *op.cit.*, pp. 351-352, que se refiere al Acuerdo de 3 junio de 1991 de la JEC y Instrucción 4/2007, de 12 de abril, de la JEC, sobre la utilización de las nuevas tecnologías de la información y de la comunicación electrónicas como instrumento de propaganda electoral; y la Instrucción 3/2011, de 24 de marzo, de la JEC, sobre interpretación de la prohibición de realización de campaña electoral incluida en el artículo 53 de la LOREG.

tratación de un tercero para su realización". Asimismo, "la creación o utilización de páginas web o sitios web de recopilación de textos o artículos (blogs) de las formaciones políticas o de los candidatos, o la participación en redes sociales (Facebook, Twitter, Tuenti, etc.), siempre que no suponga ningún tipo de contratación comercial para su realización".

Las instrucciones de la JEC, sin embargo, no eran la fuente de Derecho exigida por la Constitución para regular cuestiones que, como se ha visto, pueden afectar a los derechos fundamentales de las personas. Este vacío legislativo orgánico lo vino a colmar la Disposición Final 3ª, apartado dos, de la Ley Orgánica 3/2018 de 5 de diciembre de protección de datos personales y garantía de los derechos digitales (LOPDGDD)[68] por la que se incorporaba el apdo. 1 del art. 58 bis LOREG con el siguiente contenido: "La recopilación de datos personales relativos a las opiniones políticas de las personas que lleven a cabo los partidos políticos en el marco de sus actividades electorales se encontrará amparada en el interés público únicamente cuando se ofrezcan garantías adecuadas"[69]. Este apartado fue anulado por la STC 76/2019, por los motivos que se verán a continuación. El Defensor del Pueblo interpuso recurso de inconstitucionalidad ante el Tribunal Constitucional contra el citado art.

---

[68]   La nueva Ley Orgánica 3/2018 de 5 de diciembre de Protección de Datos personales y garantía de los derechos digitales es la norma estatal dictada como consecuencia de la aprobación del Reglamento General de Protección de Datos (RGPD), de aplicación directa a todos los estados de la Unión Europea desde el 25 de mayo de 2018. El Reglamento es, hoy en día, el marco normativo europeo en la materia. No obstante, habilita a las legislaciones nacionales a incluir las previsiones del RGPD para favorecer la claridad y coherencia del conjunto y a dotar de contenido específico a aquellos espacios en los que el Reglamento deja cierto margen de maniobra normativo a los Estados.

[69]   Explica D. Jové que la tramitación de la Ley Orgánica de Protección de Datos Personales y Garantía de los Derechos Digitales (LOPDGDD), en vigor desde el día 6 de diciembre. En ella se adapta la legislación europea sobre protección de datos, y se aprovecha para reconocer toda una amalgama de garantías para el ejercicio de derechos en la esfera digital. Si bien el procedimiento legislativo de la ley se fueron superando sin mayor problema, y sin que hubiera despertado interés mediático, en el último trámite ante el Senado, se empezaron a dar voces de alarma desde medios digitales especializados antes las consecuencias que podía la Disposición Final Tercera (apartado 2) que añadía el art. 58 bis, apdo 1) LOREG en los derechos fundamentales de la ciudadanía. Cfr. D. Jové, "Datos personales y partidos políticos", *op.cit.*

58. bis 1) LOREG en base a los argumentos siguientes, en síntesis llevada a cabo por el propio TC en STC 76/2019, FJ 2:

(i)   no ha determinado por sí misma la finalidad del tratamiento, más allá de la genérica mención al "interés público";

(ii) no ha limitado el tratamiento regulando pormenorizadamente las restricciones al derecho fundamental, indicando por ejemplo las fuentes de las que pueden recogerse los datos personales y las operaciones que pueden realizarse con ellos; y

(iii) no ha establecido ella misma las garantías adecuadas para proteger los derechos fundamentales afectados. Debido a esas insuficiencias, el precepto impugnado habría incurrido en una doble y simultánea vulneración, la de los arts. 18.4 y 53.1 CE, por infringir la reserva de ley y por no respetar el contenido esencial del derecho fundamental a la protección de datos personales.

Cómo se observará, para determinar si efectivamente el contenido de la reforma incorporada por la LOPDGDD era en este punto inconstitucional, tal y como defendía al Defensor del Pueblo, el Tribunal se ciñó en su análisis a verificar si había sido respetados los elementos esenciales para el desarrollo y posible restricción de los derechos fundamentales previstos en el artículo 53. 1 CE.

El Tribunal Constitucional recoge, en primer lugar, la normativa europea prevista en el Reglamento Europeo de Protección de Datos, adoptado a la realidad española en aquellos aspectos que el propio Reglamento permitía en la nueva LOPDGDD de 2018. Según el Tribunal:

> *"el art. 58 bis LOREG, cuyo apartado 1 es el objeto del presente recurso de inconstitucionalidad, contiene una modificación normativa introducida por el legislador orgánico para hacer posible un tratamiento de datos que, de no existir dicha habilitación, estaría prohibido tanto por el Derecho de la Unión como por nuestro ordenamiento jurídico, tal como se refleja en los arts. 9.1 RGPD y 9.2 LOPDyGDD"[70].*

El TC pone el acento en la doble singularidad de la norma impugnada determinada por, en primer lugar, los sujetos habilitados, los partidos políticos, un tipo de asociación privilegiada a la que se

---

[70]   STC 76/2019, F.J. 4 *in fine*.

otorga una especial posición constitucional en nuestro sistema democrático; en segundo lugar, el objeto de la habilitación legislativa, los datos personales que son una categoría especial de datos, particularmente sensibles. Estos dos elementos son determinantes a la hora de establecer los parámetros de enjuiciamiento en el control de constitucionalidad.

Parte el TC de la sentencia 292/2000 para la definición del contenido del derecho "poder de disposición y de control sobre los datos personales que faculta a la persona para decidir cuáles de esos datos proporcionará a un tercero, sea el Estado o un particular, o cuáles puedes este tercero recabar, y que también permite al individuo saber quién posee esos datos personales y para qué, pudiendo oponerse a esa posesión o uso", y que estos poderes de disposición y control sobre los datos personales, que constituyen parte del contenido del derecho fundamental a la protección de datos, "se concretan jurídicamente en la facultad de consentir la recogida, la obtención y el acceso a los datos personales, su posterior almacenamiento y tratamiento, así como su uso o usos posibles, por un tercero, sea el Estado o un particular". A su vez, "ese derecho a consentir el conocimiento y el tratamiento, informático o no, de los datos personales, requiere como complementos indispensables, por un lado, la facultad de saber en todo momento quién dispone de esos datos personales y a qué uso los está sometiendo, y, por otro lado, el poder oponerse a esa posesión y usos", "exigiendo del titular del fichero que le informe de qué datos posee sobre su persona, accediendo a sus oportunos registros y asientos, y qué destino han tenido, lo que alcanza también a posibles cesionarios; y, en su caso, requerirle para que los rectifique o los cancele"[71].

Recuerda el TC que el art. 18. 4 CE no es solo un derecho fundamental autónomo, sino que posee un carácter instrumental, además, respecto de la libertad ideológica. A su vez, la libertad ideológica del art. 16 CE contiene una doble dimensión, positiva y negativa, que permite exteriorizar las propias ideas pero, también, guardar silencio sobre ellas. Si bien es cierto que el derecho fundamental a la protección de datos personales no es absoluto y, por tanto, puede ser limitado, para hacerlo deben respetarse la reserva de ley orgánica; además, debe

---

[71] STC 292/2000, F.J. 7.

responder a un fin de interés general; por último, los requisitos y el alcance de la restricción deben estar suficientemente precisados en la ley y deben respetar el principio de proporcionalidad.

Respecto de la finalidad constitucionalmente legítima, el TC concluye que el legislador no cumple con la obligación constitucional de determinar cuál es la finalidad concreta de la medida restrictiva de derechos. El legislador no especifica, ni en el artículo impugnando ni en ninguna otra parte de la LOPDGDD, el interés público esencial que fundamenta la restricción del derecho, siendo insuficiente la invocación genérica de un determinado interés público. Tampoco resulta suficiente la referencia al funcionamiento del sistema democrático que aduce el abogado del Estado. Y si no se identifica suficientemente la finalidad constitucionalmente legítima del tratamiento de datos, tampoco se podrá determinar la proporcionalidad de la medida prevista, de acuerdo con los principios de idoneidad, necesidad y proporcionalidad en sentido estricto[72].

La segunda tacha de inconstitucionalidad se basa en la falta de certeza de la injerencia en el derecho fundamental a la protección de datos. El Tribunal Constitucional concluye, aquí también de acuerdo con el con el Defensor del Pueblo, que el precepto impugnado, al no hacer referencia alguna a los presupuestos y condiciones del tratamiento de datos personales relativos a las opiniones políticas, resulta insuficiente para determinar si las operaciones que pueden llevar a cabo los partidos políticos serán o no el fruto previsible de la razonable aplicación de lo decidido por el legislador.

En cuanto al tercer elemento de preocupación, la falta de garantías adecuadas frente a la recopilación de datos personales autorizada en el artículo 58 bis, 1) LOREG, el TC considera que debe aclarar, primero, la duda suscitada con respecto al alcance de su doctrina sobre las garantías adecuadas, que consiste en determinar si estas garantías frente al uso de la informática deben contenerse en la propia ley que autoriza y regula ese uso o pueden encontrarse también en otras fuentes normativas. La conclusión a la que llega, como no podía ser de otra forma, es que las garantías adecuadas deben estar incorporadas en la propia regulación legal del tratamiento, ya sea directamente o

---

[72]   STC 76/2019, F.J. 17 a).

por remisión expresa y perfectamente delimitada, a fuentes externas que posean el rango normativo adecuado. Solo ese entendimiento es compatible con la doble exigencia que dimana del art. 53.1 CE para el legislador de los derechos fundamentales: la reserva de ley y el respeto del contenido esencial de dichos derechos fundamentales[73].

A este respecto cobra especial relevancia el análisis de la dimensión cualitativa de la reserva de ley que lleva a cabo el Tribunal. Retomando lo dicho en la STC 292/2000, FJ 15, el Tribunal determina que, en relación con "el tratamiento de datos personales, la jurisprudencia de este Tribunal le exige al legislador que, además de cumplir los requisitos anteriormente mencionados, también establezca garantías adecuadas de tipo técnico, organizativo y procedimental". Y es en este aspecto donde la previsión normativa contenida en el nuevo art. 58 bis. apdo. 1) LOREG no cumple con los estándares constitucionales. En efecto, "las opiniones políticas son datos personales sensibles cuya necesidad de protección es, en esa medida, superior a la de otros datos personales. Una protección adecuada y específica frente a su tratamiento constituye, en suma, una exigencia constitucional, sin perjuicio de que, como se ha visto, también represente una exigencia derivada del Derecho de la Unión Europea. Por tanto, el legislador está constitucionalmente obligado a adecuar la protección que dispensa a dichos datos personales, en su caso, imponiendo mayores exigencias a fin de que puedan ser objeto de tratamiento y previendo garantías específicas en su tratamiento, además de las que puedan ser comunes o generales".

En definitiva, en el art. 58 bis apdo. 1) se plasman "tres vulneraciones del art. 18.4 CE en conexión con el art. 53.1 CE, autónomas e independientes entre sí, todas ellas vinculadas a la insuficiencia de la ley y que solo el legislador puede remediar, y redundando las tres en la infracción del mandato de preservación del contenido esencial del derecho fundamental que impone el art. 53.1 CE, en la medida en que, por una parte, la insuficiente adecuación de la norma legal impugnada a los requerimientos de certeza crea, para todos aquellos a los que

---

[73] No son válidas, pues, ni la justificación de las enmiendas a la ley, no la remisión genérica al Reglamento Europeo de Protección de Datos ni a la LOPDGDD, ni la Circular 1/2019 de la Agenda Española de Protección de Datos.

recopilación de datos personales pudiera aplicarse, un peligro, en el que reside precisamente dicha vulneración y, por otra parte, la indeterminación de la finalidad del tratamiento y la inexistencia de "garantías adecuadas" o las "mínimas exigibles a la Ley" constituyen en sí mismas injerencias en el derecho fundamental de gravedad similar a la que causaría una intromisión directa en su contenido nuclear"[74].

Más allá del análisis puramente jurídico constitucional, quedan abiertas otras cuestiones a las que han tarde o temprano tendrá que hacer frente nuestro legislador y, en su defecto, el Tribunal Constitucional[75]. Actualmente, la comunicación de los partidos políticos con el electorado se lleva a cabo tomando como base los datos recogidos en el censo electoral. Estos datos sirven para el envío de la correspondiente propaganda electoral durante el tiempo limitado de la duración de campaña, regulada por la LOREG. Pero, fuera de este periodo, los partidos sólo pueden hacer envíos a aquellas personas que hayan dado su consentimiento expreso[76] y que normalmente serán afiliados o simpatizantes. No obstante, habrá que plantearse como se gestiona la recopilación de datos que llevan a cabo empresas y plataformas, entidades jurídicas muchas veces no sometidas o no sometidas al 100% a la legislación española, a veces, incluso ni siquiera a la legislación de la Unión Europea, en lo relativo a la garantía de los derechos y libertades. Esto es, cómo garantizar la recopilación de los datos personales por parte de dichas empresas, contratadas por los partidos, y cómo regular y controlar el uso que, en su caso, los partidos puedan llevar a cabo de esta información. En principio, hoy en día, en la compra expresa de datos a empresas del sector está altamente limitado por el Reglamento Europeo, pero (o por lo que) generalmente los partidos se conforman con los servicios que directamente provee Facebook o Google.

En todo caso, de acuerdo con la legislación aplicable en España, las bases de datos que tengan hechas los partidos políticos no pueden cruzarse con datos de otras bases, y, en todo caso, los partidos deben ofrecer a las personas incorporadas en dichas bases de dato las opcio-

---

[74]   STC 76/2019, F.J. 9.

[75]   En este sentido, también M. Arenas Ramiro "Partidos Políticos", *op.cit.*, p,351

[76]   Cfr. M. Arenas Ramiro, "Partidos Políticos", *op.cit.*, p. 353.

nes de alta o baja previstas en la ley. Por último, en todo caso, debe tenerse en cuenta que recopilar datos e incorporarlos en una base y tratar dichos datos son dos actividades diferenciadas[77].

Otro reto que habrá que afrontar es lo que sucede a través de las redes sociales, sobre todo de aquellas que son encriptadas, como *Whatsapp* o *Telegram*[78]. Al ser encriptadas no se conoce la actividad ni el contenido que se promociona, y tampoco cabe controlar, por tanto, los potenciales delitos electorales que puedan llegar a cometerse (fotografiar la papeleta para poder cobrar por el voto, por ejemplo). Incluso cabría imaginarse, si no se ha hecho ya, campañas contrarias a una determinada candidatura, que se propague por estas redes (de ahí, por ejemplo, los nuevos instrumentos incorporados por *Whatsapp* para evitar reenvíos masivos de mensajes); campañas de desinformación a través de estas redes encriptadas, entre otros. De hecho, algo muy simple como hacer campaña en la jornada de reflexión tampoco podría ser controlado ya que, de nuevo, nadie tendría acceso a dicha información (cosa diferente es determinar si hoy en día la jornada de reflexión tiene algún tipo de sentido).

VI. NOTAS FINALES

Como se señaló al principio, estas páginas pretenden ser una reflexión sobre el impacto que internet y, en general, el fenómeno de digitalización en sentido amplio está teniendo ya en nuestros sistemas de Derecho democráticos. Para ello se han puesto de manifiesto algunos de los peligros ya detectados por la doctrina y las instituciones. Es cierto que algunos de los peligros apuntados pueden darse igualmente en el mundo analógico. Sin embargo, como se ha señalado, la potencialidad comunicativa e informativa que ofrece internet impli-

---

[77]   M. Arenas Ramiro, "Partidos Políticos", *op.cit.*, p. 358.

[78]   Una síntesis sobre algunos de los retos que genera el uso de estas redes puede verse en "¿Qué hace tu partido en mi 'whatsapp'?" y "Hackear las elecciones de whatsapp en whatsapp", ambos por A. Fernández Gibaja en *Agenda Pública*, publicados el 25 de noviembre de 2018 y el 25 de marzo de 2019, respectivamente, http://agendapublica.elpais.com/que-hace-tu-partido-en-mi-whatsapp/ y http://agendapublica.elpais.com/hackear-las-elecciones-de-whatsapp-en-whatsapp/ (consultados por última vez el 3 de septiembre de 2020).

ca reconocer que los peligros expuestos pueden ser de una magnitud hasta ahora desconocida. La relevancia del impacto de las redes y la inteligencia artificial en el desarrollo democrático de nuestras sociedades es una realidad insoslayable que ha venido para quedarse y, por tanto, parece oportuno tratarlo como un fenómeno digno de ser constitucionalizado. Porque, como ha pretendido mostrarse, las dimensiones objetivas y subjetivas de los derechos fundamentales afectados están experimentado cambios ya en estos momentos. La libertad de expresión está siendo limitada por plataformas privadas con ánimo de lucro que actúan como controladores de contenidos, lo que, en términos constitucionales, supone romper con el monopolio estatal de las restricciones a los derechos. Esto implica un cambio de paradigma de las relaciones entre el Estado y la ciudadanía y entre ciudadanos entre sí. El efecto horizontal de los derechos fundamentales está más presente que nunca y, sin embargo, se le siguen aplicando unos criterios todavía propios de la realidad analógica en la que el Estado seguía siendo el garante ordinario de los derechos.

Por otra parte, en la era de la información *on line*, en el que la desinformación y otros desórdenes informativos están a orden del día, quizá debería hacerse una reflexión profunda y un cambio en la posición activa en que normalmente se sitúa a la ciudadanía como emisora de contenidos; por ello, en general la libertad de información se entiende como ejercicio de la actividad periodística de dar noticas. Ahora bien, quizá haya llegado el momento de que la ciudadanía reivindique el derecho a recibir de información veraz. La ciudadanía debe tener la capacidad para poder exigir de sus representantes y de los medios un compromiso con la veracidad jurídica, que implique que los poderes públicos no mentirán en el ejercicio de sus cargos y que la información que circula y que les llega cumple con los criterios de veracidad de los hechos narrados. Uno de los instrumentos necesarios que se apuntan para favorecer el derecho a recibir información veraz es el de la alfabetización digital de la ciudadanía; el otro, la transparencia de los criterios que delimitan el alcance de la actividad informativa. Estos son elementos de suficiente entidad como para tener reconocimiento constitucional.

Es cierto que se ha avanzado en la protección jurídica de los derechos digitales de la ciudadanía, tanto normativa como judicialmente.

Sin embargo, dado su calado, la Constitución debe dar un paso y reconocer el fenómeno digital como realidad que afecta a las instituciones del Estado y a los derechos de los ciudadanos, como mínimo, en su esfera democrática de actuación. Seguramente, en un futuro no muy lejano, deberá recoger, también, un pacto social digital acorde a los nuevos tiempos.

VII. BIBLIOGRAFÍA CITADA

Arenas Ramiro, M. "Partidos políticos, opiniones políticas e internet: la lesión del derecho a la protección de datos personales", *Teoría y Realidad Constitucional*, nº 44, 2019.

Balaguer Callejón, F. "La Constitución del algoritmo. El difícil encaje de la Constitución", en Libro Homenaje a J.J. Gomes Canotilho, Editora Fórum, Belo Horizonte, 2021.

Barata J. "FB ya tiene un Tribunal Supremo: qué podrá hacer (y qué no) su nuevo 'comité de sabios'", en *El Confidencial*, publicado el 6 de mayo de 2002, https://blogs.elconfidencial.com/tecnologia/tribuna/2020-05-16/facebook-tribunal-supremo-juzgar-contenidos_2595031/

_____ "Alemania privatiza el control legal de los contenidos", en *Agenda Pública*, publicado el 18 de marzo de 2020, http://agendapublica.elpais.com/alemania-privatiza-el-control-legal-de-los-contenidos/.

_____ "Llibertat d'expressió i plataformes digitals: reptes de la regulació de continguts en un entorn global", Revista Catalana de Dret Públic, nº 61, 2020.

Barberá, P. "Internet y política: consecuencias políticas y sociales de la revolución digital", *Revista de las Cortes Generales*, nº 108, Primer semestre, 2020.

Bayer, J., "Double harm to voters: data-driven micro-targeting and democratic public discourse", en *Internet Policy Review*, no. 9.1. 2020, disponible en https://policyreview.info/articles/analysis/double-harm-voters-data-driven-micro-targeting-and-democratic-public-discourse.

Boix Palop, A., "La construcción de los límites a la libertad de expresión en las redes sociales", *Revista de estudios políticos*, (Ejemplar dedicado a: Democracia y Derecho en la era de Internet: balance y perspectivas), nº 173, 2016.

Canals Ametller, D. "El proceso normativo ante el avance tecnológico y la transformación digital (inteligencia artificial, redes sociales y datos masivos", *Revista General de Derecho Administrativo*, nº 50, 2019.

____"La seguridad en el ciberespacio", en Ciberseguridad. Un nuevo reto para el Estado y los Gobiernos Locales, Wolters Kluwer, Madrid, 2021.

Carrillo, M., "Encuesta sobre la libertad de expresión", *Teoría y Realidad Constitucional*, nº 44, 2019.

Corredoira y Alfonso L., Cotino Hueso, L., (dir.) *Libertad de expresión e información en Internet. Amenazas y protección de los derechos personales*, CEPC, 2013.

Culliford, E. y Paul, K. "With fact-checks, Twitter takes on a new kind of task", publicado el 6 de mayo de 2020, https://www.reuters.com/article/us-twitter-factcheck/with-fact-checks-twitter-takes-on-a-new-kind-of-task-idUSKBN2360U0 .

De la Sierra Morón, S. "Inteligencia artificial y justicia administrativa: una aproximación desde la teoría del control de la administración pública", *Revista General de Derecho Administrativo*, nº 53, 2020.

Fernández Albertos, *Antisistema. Desigualdad económica y precariado político*, Catarata, 2018.

Fernández Gibaja, A., "¿Qué hace tu partido en mi 'whatsapp'?" en *Agenda Pública*, publicados el 25 de noviembre de 2018, http://agendapublica.elpais.com/que-hace-tu-partido-en-mi-whatsapp/.

____"Hackear las elecciones de whatsapp en whatsapp", en *Agenda Pública*, el 25 de marzo de 2019, http://agendapublica.elpais.com/hackear-las-elecciones-de-whatsapp-en-whatsapp/.

____"Trump: asalto al poder desde las trincheras de las redes sociales", en *Agenda Pública*, publicado el 22 de enero de 2017, http://agendapublica.elpais.com/trump-asalto-al-poder-0desde-las-trincheras-de-las-redes-sociales/.

Fernández Segado, F. *La libertad de imprenta en las cortes de Cádiz. El largo y dificultoso camino previo a su legalización*, Dykinson, 2014.

Ferrero Turrión, R., "Movilizaciones en Bielorrusia, el secreto de su éxito", en *Esglobal,* 21 de agosto de 2020, https://www.esglobal.org/movilizaciones-en-bielorrusia-el-secreto-de-su-exito/

Fuertes, M. Neutralidad de la Red, ¿realidad o utopía?, Marcial Pons, Madrid, 2014.

Jové, D., "Datos personales y partidos políticos", en *Agenda Pública*, publicado el 1 de febrero de 2019, http://agendapublica.elpais.com/datos-personales-y-partidos-politicos/.

Majó-Vázquez, R. K. Nielsen & González-Bailón, S. "The Backbone Structure of Audience Networks: A New Approach to Comparing Online

News Consumption Across Countries", en *Political Communication*, 2019.

Majó-Vázquez, S., "No diga 'fake news', diga desinformación", en *Agenda Pública*, 25 de octubre de 2018, http://agendapublica.elpais.com/no-diga-fake-news-diga-desinformacion/.

Maués, A., "Bolsonaro corroe la democracia, publicado", en *Agenda Pública*, el 23 de enero de 2020, http://agendapublica.elpais.com/bolsonaro-corroe-la-democracia/.

Mcluhan, M., *The Gutenberg Galaxy*, University of Toronto Press, 1962.

Niklas, J., y Dencik, L., "European artificial intelligence policy: mapping the institutional landscape", *Working paper*, publicado en el marco del Proyecto DATAJUSTICE: 'Data Justice: Understanding datafication in relation to social justice' financiado por European Research Council (grant no. 759903), 2020, en https://datajusticeproject.net/wp-content/uploads/sites/30/2020/07/WP_AI-Policy-in-Europe.pdf.

Presno Linera, M. A. y Teruel lozano, G.M. *La libertad de expresión en América y en Europa*, Juruá ed., 2017.

Queralt Jiménez, A. "Con las libertades de expresión e información no se juega", en "Libertades en tela de juicio", en *Juezas y Jueces para la Democracia*, 7 de junio de 2019, disponible en http://www.juecesdemocracia.es/2019/06/07/40-aniversario-la-constitucion-espanola-2/.

Redondo, M., "Cambridge Analytica: ¿hay alguien ahí?", en *Agenda Pública*, publicado el 4 de mayo de 2018, http://agendapublica.elpais.com/cambridge-analytica-hay-alguien-ahi/.

Rodríguez A., "Encuesta sobre la libertad de expresión", *Teoría y Realidad Constitucional*, n° 44, 2019.

Tedesco, L., y Diamint, R. "Cuba: más conectada y más aislada", en *Agenda Pública*, 9 de julio de 2020, http://agendapublica.elpais.com/cuba-mas-conectada-y-mas-aislada/.

Teruel Lozano, G. M., "Fundamental rights in the digital society: towards a Constitution for the cyberspace", *Revista chilena de Derecho*, n° 46, 2019.

Teruel. L., "Trump: asalto al poder desde las trincheras de las redes sociales", en *Agenda Pública*, publicado el 22 de enero de 2017, http://agendapublica.elpais.com/trump-asalto-al-poder-0desde-las-trincheras-de-las-redes-sociales/.

Uría Martínez J., "Encuesta sobre la libertad de expresión", *Teoría y Realidad Constitucional*, n° 44, 2019.

Vázquez Alonso, V. J., "Twitter no es un foro público pero el perfil de Trump sí lo es. Sobre la censura privada de y en las plataformas digitales en los EEUU", en *Estudios de Deusto,* [S.l.], v. 68, n° 1, jul. 2020. Disponible en: http://revista-estudios.revistas.deusto.es/article/view/1832/2256.

VV.AA., "Reuters Institute, Digital News Report 2020", en https://reutersinstitute.politics.ox.ac.uk/sites/default/files/2020-06/DNR_2020_FINAL.pdf

VV.AA: "Polarisation and the news media in Europe. A literature review of the effect of news use on polarisation across Europe", Panel for the Future of Science and Technology, Dirección General de Servicios de Estudios Parlamentarios del Parlamento Europeo, publicado en marzo de 2019, https://op.europa.eu/es/publication-detail/-/publication/914380a0-8e62-11e9-9369-01aa75ed71a1/language-en/format-PDF/source-106246145.

Wardle, C., Derakhshan, H., *Information disorder: Toward an interdisciplinary framework for research and policy making*, publicado el 27 de septiembre de 2017, https://rm.coe.int/information-disorder-toward-an-interdisciplinary-framework-for-researc/168076277c.

Las consecuencias sociales de la gran recesión. Un análisis político-constitucional con perspectiva de futuro[1]

Carmen Montesinos Padilla

SUMARIO: I. CRISIS Y CONSTITUCIÓN. LAS BRIDAS EUROPEAS AL MODELO ESPAÑOL DE CONSTITUCIÓN ECONÓMICA 1.1. La Unión Europea ante la gran recesión 1.2. Las implicaciones sociales de la contención del déficit II. EL DERECHO. LA CONSTITUCIONALIZACIÓN DE LA CRISIS 2.1. La exclusión de los derechos sociales como canon de control 2.2. La re-centralización del spending power como mecanismo de erosión de los servicios sociales III. EL REVÉS. LA EXPULSIÓN DE LA CRISIS COMO FUNDAMENTO PREFERENTE DE LEGITIMIDAD CONSTITUCIONAL 3.1. La justicia tributaria como elemento de solidaridad 3.2. La función social de la propiedad como salvoconducto para el disfrute de una vivienda digna IV. ¿CONTROL DE LA POLÍTICA O REFORMA DE LA CONSTITUCIÓN? APUNTES PARA ABORDAR UNA CRISIS SOCIOECONÓMICA INEVITABLE 4.1. La política 4.2. La Constitución V. BIBLIOGRAFÍA CITADA.

I. CRISIS Y CONSTITUCIÓN. LAS BRIDAS EUROPEAS AL MODELO ESPAÑOL DE CONSTITUCIÓN ECONÓMICA

La idea de Constitución económica sugiere un conjunto de normas básicas destinadas a proporcionar el marco jurídico fundamental para la estructura y funcionamiento de la actividad económica[2]. Un

---

[1] Este trabajo se ha realizado en el marco del Proyecto "Reforma constitucional: dimensión institucional y territorial" (20639/JLI/18) financiado por la Fundación Séneca-Agencia de Ciencia y Tecnología de la Región de Murcia a través de la convocatoria Jóvenes Líderes en Investigación del Subprograma de Apoyo y Liderazgo Científico y la Transición a la Investigación Independiente (Programa Fomento de la Investigación Científica y Técnica 2018).

[2] Sentencia Tribunal Constitucional (STC) 1/1982, Fundamento Jurídico (FJ) 1.

marco para un orden de los bienes, fuerzas y procesos económicos[3], en el que el ejercicio de los derechos "encuentra su lugar en concurrencia y cooperación, en intercambio y aglomeración, conjuntamente o en disputa"[4]. Y en el caso concreto de España, la Constitución de 1978 (CE) se decantó por un modelo caracterizado por su ductilidad y apertura[5]. Lo inacabado de nuestro sistema ha dado así cabida no solo a una plétora de teorizaciones sobre el mejor o peor encaje de las diferentes alternativas en contienda, sino también, y sobre todo, a la puesta en práctica de diversos sub-modelos económicos[6]. Sin duda, el color político del Gobierno de turno ha influido notoriamente[7]. Ahora bien, los confines de nuestra Constitución económica hace tiempo que son los que se decide que sean desde la Unión Europea (UE). La reforma del art. 135 CE da buena cuenta de ello[8]. Pero las imposiciones supranacionales en la materia, en tanto que producto de "un

---

[3]   *Vid.*, A. Torres del Moral, *Principios de Derecho constitucional español*, 6ª ed., Publicaciones UCM, Madrid, 2010, p. 596.

[4]   *Vid.*, P. Häberle. *Siete tesis para una teoría constitucional del mercado*, en *Revista de Derecho Constitucional Europeo*, nº 5, 2006, p. 14.

[5]   A una flexibilidad e indeterminación intencionadas se refiere M. Bassol Coma. *La Constitución económica*, en *Revista de Derecho Político*, nº 36, 1992, pp. 277-290. De hecho, la neutralidad de nuestra Constitución económica fue ya evocada por Díez-Picazo en su Voto Particular (VP) a la STC 37/1981, al advertir que el reconocimiento de la libertad de empresa en el marco de la economía de mercado permite un sistema de economía plenamente liberal, una economía intervenida y una economía planificada.

[6]   *Vid.*, J. Cancio Meliá. *La constitución económica: promesas incumplibles*, en *Revista Jurídica Universidad Autónoma de Madrid*, nº 7, 2002, pp. 49-101.

[7]   En este sentido, D. López Garrido. *Apuntes para un estudio sobre la Constitución económica*, en *Revista del Centro de Estudios Constitucionales*, nº 15, 1993, p. 81.

[8]   Esta reforma supuso la constitucionalización del principio de equilibrio presupuestario, otorgando prioridad absoluta al pago de los créditos para satisfacer los intereses y el capital de la deuda. Los límites de déficit y del volumen de deuda solo podrán superarse en caso de catástrofes naturales, recesión o situaciones de emergencia extraordinaria, debiendo dichas excepciones ser apreciadas por la mayoría absoluta del Congreso. Tanto el Estado, como las Comunidades Autónomas (CCAA) tendrán que ser autorizados por ley para emitir deuda o contraer crédito. La Ley Orgánica 2/2012, de 27 de abril, de Estabilidad Presupuestaria y Sostenibilidad Financiera, establece las normas y los instrumentos para garantizar el cumplimiento de los límites del déficit estructural, los objetivos de limitación de la deuda pública y los elementos esenciales del Tratado de Estabilidad, Coordinación y Gobernanza.

gobierno de Europa desde la economía"[9], no siempre son fáciles de conciliar con nuestro modelo de Estado social[10].

La técnica del consenso, de la que es resultado la neutralidad económica de la CE, ha dado lugar a múltiples teorizaciones sobre el modelo subyacente a la consagración de la libertad de empresa y la propiedad privada, la subordinación de la riqueza al interés general y el reconocimiento al Estado de competencias para intervenir en la actividad económica[11]. Se han identificado así autores de "tendencia liberalizante", que reconocen en nuestra Magna Carta una suerte de Constitución económica material construida a partir de una lectura económica de los derechos civiles y políticos, y una interpretación en clave liberal de los de contenido socio-económico[12]. En contraposición, la literatura de "tendencia socializante" insiste en la subordinación de la propiedad a su función social y en una iniciativa pública perseguidora de fines distintos al mero afán de lucro[13]. En todo caso, es el modelo de economía social de mercado el que, con carácter general, la doctrina deduce de los mandatos de la Constitución de 1978[14]. La razón no es difícil de entender si partimos del reconocimiento de España como un Estado social y democrático de Derecho[15], en el que los poderes públicos deben asumir la solidaridad como un objetivo en

---

[9]   F. Balaguer Callejón. *Crisis económica y crisis constitucional en Europa*, en *Revista Española de Derecho Constitucional*, nº 98, 2013, p. 104.

[10]   En este sentido, A. Lasa López. *La ruptura de la Constitución material del Estado social: La constitucionalización de la estabilidad presupuestaria como paradigma*, en *Revista de Derecho Político*, nº 90, 2014, p. 240.

[11]   *Vid.*, J. Cancio Meliá. *Op. cit.*

[12]   Por todos, M. Herrero de Miñón. *La Constitución económica: de la ambigüedad a la integración*, en *Revista Española de Derecho Constitucional*, nº 57, 1999, pp. 11-32.

[13]   Por todos, M. García-Pelayo. *Consideraciones sobre las cláusulas económicas de la Constitución*, Tomo III, Centro de Estudios Constitucionales, Madrid, 1991, pp. 2861-2862.

[14]   Por ejemplo, R. Entrena Cuesta. *El principio de libertad de empresa*, en F. Garrido Falla (coord.), *El modelo económico de la Constitución española*, Vol. I, Instituto de Estudios Económicos, Madrid, 1981, p. 13.

[15]   En este sentido, L.I. Gordillo Pérez ORDILLO PÉREZ, J.R. Canedo Arrillaga. *La constitución económica de la Unión Europea. Bases de un modelo en constante evolución*, en *Cuadernos de Derecho Transnacional*, vol. 5, nº 1, 2013, p. 167.

sí mismo[16]. Como señalara en otro lugar, la ausencia de un modelo acabado no justifica la apertura de nuestro ordenamiento a cualquier sistema económico[17]. El margen de libertad no deja de ser estrecho si nos atenemos a nuestra forma de Estado, a los valores superiores de nuestro ordenamiento y al amplio catálogo de derechos constitucionalmente consagrados[18].

La protección y efectiva realización de los derechos sociales son el cauce natural para la plasmación real de la solidaridad nacional en un modelo de Estado, el social de Derecho, en el que la justicia y el bienestar han de asumirse como objetivos políticos. Sin embargo, en la práctica, la definición constitucional de España como un Estado social no siempre ha servido para establecer unas fronteras intransitables para la economía. De hecho, la experiencia vivida durante los últimos años nos ha demostrado una cuestionable subyugación de los objetivos propios de nuestro Estado del bienestar a un modelo de economía orientada o dirigida por las condiciones y necesidades del mercado[19]. Y en esta opción ha tenido mucho que ver nuestra condición de Estado miembro de la UE y la consecuente subordinación de nuestra actividad legislativa, y de nuestras políticas públicas, a una Constitución económica europea de corte eminentemente or-

---

[16]   Sobre la vinculación del nacimiento del Estado del bienestar con la búsqueda de la reducción de la desigualdad generada por el mercado, R. Muñoz de Bustillo Llorente. *Mitos y realidades del Estado del Bienestar*, Alianza Editorial, Madrid, 2019, pp. 31-35 y 159.

[17]   C. Montesinos Padilla. *Estabilidad presupuestaria, déficit público y medidas anti-crisis. El impacto de la política económica europea e la doctrina del Tribunal Constitucional español en materia de derechos sociales*, en *Revista Peruana de Derecho Constitucional*, nº 11, 2019 pp. 340-341.

[18]   Desde luego, no es este lugar para abordar las teorizaciones sobre la forma social del Estado. Ahora bien, resulta interesante recordar las cuatro dimensiones a las que la doctrina suele aludir para definirlo como un Estado de bienestar, un Estado regulador de las actividades económicas del mercado y de las relaciones laborales, un Estado empresario y un Estado encargado de los conflictos sociales. J. García Roca. *Taking social rights seriously: principle of financial sustainability. A budgetary impact statement*, en *Annuaire International des Droit de l' Homme*, vol. VII, 2012-2013, pp. 213-242.

[19]   G. Moreno González *La economía social de mercado: El polémico concepto de la Constitución económica europea*, en J.L. García Guerrero, M.L. Martínez Alarcón (dirs.), *Constitucionalizando la globalización*, Tirant lo Blanch, Valencia, 2018, p. 802.

doliberal[20]. Un modelo de gobernanza económica que nos mostró sus afilados dientes en el Tratado de Maastricht, para después mordernos con despiadada ferocidad durante la llamada crisis de la zona euro[21].

1.1. La Unión Europea ante la Gran Recesión

La Gran Recesión europea desembocó en un intervencionismo del Estado claramente instrumental a unos intereses muy alejados de los propios de los ciudadanos[22]. La contención selectiva en el gasto público, auspiciada desde la UE, trajo consigo la degradación de la equidad, la igualdad, la justicia y la solidaridad[23]. Buscar la raíz del problema en el ámbito doméstico es una simplificación no carente de un sesgo interesado, sobre todo cuando se pretende explicar la crisis como consecuencia de un presunto manejo irresponsable del gasto público. Aludir a la deuda pre-crisis como su principal causante es una falacia, como una falacia lo es también la defensa de los recortes sociales como única solución posible[24]. El sobreendeudamiento nacional no fue tanto la causa, como la consecuencia de una crisis de origen mucho más complejo e inexorablemente vinculado a unas cada vez más dinámicas interconexiones a nivel mundial[25].

---

[20] Sobre el perfil ordoliberal de la "Constitución económica de la UE", I. Gordillo. *Constitución económica, ordoliberalismo y Unión Europea. De un Derecho económico nacional a uno europeo*, Revista de Derecho UNED, nº 23, 2018, pp. 249-283.

[21] La entrada en vigor del Tratado de Maastricht ha sido interpretada por muchos como el inicio de una política económica claramente neoliberal, a la que se daría rienda suelta con el inicio, en 1999, de la tercera fase de la Unión Económica y Monetaria. *Vid.* J. Cancio Meliá. *Op. cit.*, pp. 67-72.

[22] El uso de la locución "Gran Recesión" varía en la literatura especializada. Así, también ha sido utilizada para identificar la crisis financiera global. *Vid*, M. Roberts. *La larga depresión. Cómo ocurrió, por qué ocurrió y qué ocurrirá a continuación*, El Viejo Topo, Madrid, 2017, p. 88.

[23] GREEN, J., *Is globalization over?*, Polity Press, Cambridge, 2019, p. 14. Sobre la UE como "motor para la liberalización económica", OFFE, C., *Europa acorralada. ¿Tiene la UE capacidad política para superar su actual crisis*, Revista Española de Derecho Constitucional, nº 98, 2013, p. 15.

[24] F. Balaguer Callejón. *Crisis económica y crisis constitucional en Europa. Op. cit.*, p. 95.

[25] W. Streeck. *¿Cómo terminará el capitalismo? Ensayos sobre un sistema en decadencia*, J. Amaroto *et al* (trads.), 2ª Ed., Traficantes de Sueños, Madrid,

La crisis de la Eurozona no fue un acontecimiento distinto y separado de la desencadenada por el mercado inmobiliario en Estados Unidos. En ambos casos lo que sufrimos fue una implosión del crédito interbancario[26]. Los europeos hicimos de la deuda el eje sobre el que articular nuestro propio relato pero, en puridad, en el origen de la crisis no se encontraba un déficit público excesivo, sino un sistema financiero sobreapalancado, que dependía en exceso de la financiación basada en el mercado a corto[27]. Así, cuando en la primera década del presente siglo el incumplimiento de los pagos de los créditos hipotecarios comenzó a generalizarse en Estados Unidos, el precipitado de una crisis mundial no era difícil de prever. La opción de los bancos comerciales y de inversión por la financiación del negocio de las hipotecas mediante pagarés de empresas titulizados, impulsó la salida al exterior de la crisis inmobiliaria. Y quienes lideraban no eran los asiáticos, sino los europeos. Resulta así comprensible que, solo un año después de que BNP Paribas explicara la congelación de sus fondos a resultas de la evaporación de liquidez en determinados segmentos del mercado hipotecario estadounidense, Irlanda comenzara a garantizar depósitos y pasivos de sus grandes bancos nacionales[28].

La crisis hipotecaria fue de este modo cambiando de naturaleza, como de piel cambian las serpientes[29]. Pero frente a su carácter sistémico, el acuerdo inicial al que se llegó en Europa fue el de la adopción de medidas de mera coordinación[30]. En la reunión extraordinaria del

2017, p. 32.

[26] A. Tooze. *Crash. Cómo una década de crisis financiera ha cambiado el mundo*, Y. Fontal *et al.* (trads), Editorial Planeta, Barcelona, 2018, pp. 20-21.

[27] Conviene recordar aquí la teoría de la "garantía implícita", basada en la existencia de un vínculo indisoluble entre el riesgo de quiebra de las entidades de crédito y el de quiebra del Estado donde se ubican. Vid., G. Chozas Vinuesa. *De la crisis de deuda soberana a la constitución de un common backstop para la unión bancaria*, en *Revista General de Derecho Europeo*, nº 49, 2019, pp. 189-192.

[28] A. Tooze. *Op. cit.*, pp. 56-89.

[29] D. López Garrido *La Edad de Hielo. Europa y Estados Unidos ante la Gran Crisis: el rescate del Estado de bienestar*, RBA, Barcelona, 2014, p. 59.

[30] Frente a la primera solicitud de soporte financiero, la UE adoptó una serie de decisiones que acabaron por definir el marco de asistencia a los países de la Eurozona: contribución del Fondo Monetario Internacional (FMI) y programas basados en una fuerte condicionalidad, en el crecimiento mediante la austeridad y en la estrecha supervisión de la temida Troika. A.J. Menéndez. *La mutación*

12 de octubre de 2008 no se alcanzó un acuerdo sobre una respuesta común, sino que la Comisión europea otorgó licencia a los Estados para emitir garantías de deuda a todos los bancos[31]. Además, con el Plan Europeo de Recuperación Económica, aprobado en diciembre de 2008, se puso ya de manifiesto cuál sería la postura comunitaria en el debate entre las medidas de estímulo y el control de la deuda[32]. En una cumbre de la UE celebrada el 25 de marzo de 2010, la canciller alemana forzó la intervención del Fondo Monetario Internacional (FMI), conjuntamente con la UE y el Banco Central Europeo (BCE). El apoyo, ofrecido bajo elevados tipos de interés y tasas administrativas, se brindaba con carácter preventivo. Pero en abril de 2010 el Gobierno heleno tuvo que pedir ayuda. La austeridad había llegado para quedarse. El 2 de mayo se acordó conceder asistencia a Grecia condicionada a un durísimo plan de ajuste estructural[33]. Cuatro días más tarde, el Parlamento griego se reunió para votar el programa de austeridad más draconiano jamás propuesto a una democracia moderna[34]. Tan solo una semana después de su firma, el Consejo extraordinario de Asuntos Económicos y Financieros decidió adoptar un conjunto global de medidas para mantener la estabilidad en la UE. Entre las mismas, la creación del Mecanismo de Estabilidad Financiera[35]. Finalmente, la reunión del Eurogrupo en Luxemburgo el 7 de

---

constitucional de la Unión Europea, Revista Española de Derecho Constitucional, nº 96, 2012, p. 52.

[31] Las operaciones monetarias impulsadas por el Banco Central Europeo (BCE) no aportaban liquidez en divisas, por lo que, frente a una temida reducción de sus préstamos en Estados Unidos de los europeos, la Reserva Federal prestó 850.000 millones de dólares a través de líneas swap al Banco de Inglaterra, el Banco Nacional Suizo y el propio BCE. A. Tooze. Op. cit., pp. 210-231.

[32] 17271/08 CONCL 5, Bruselas, 12 de diciembre de 2008.

[33] La asistencia se articuló mediante préstamos bilaterales, independientes del Derecho comunitario y concedidos por los Estados conjuntamente con el FMI, consistentes en créditos completamente reembolsables que se limitaban a cubrir las necesidades de financiación de Grecia durante tres años y cuyos tipos de interés eran muy superiores al coste de financiación que soportarían los acreedores.

[34] A. Tooze. Op. cit., pp. 349-360.

[35] Creado por el Reglamento (UE) nº 407/2010 del Consejo, de 11 de mayo, con fundamento en el art. 122 del Tratado de Funcionamiento de la UE, en virtud del mismo la Comisión podría contraer empréstitos en los mercados de capitales o con instituciones financieras de hasta 60.000 millones de euros. Pero de dichos créditos serían deudores los Estados, de modo que la UE solo sería

junio de 2010 aprobó unas orientaciones para las políticas fiscales de los Estados miembros a través de las que se concretaron los confines de la "doctrina de la austeridad"[36], una opción en modo alguno neutral, pues hizo recaer la responsabilidad en los ciudadanos[37].

El refuerzo del Pacto para la Estabilidad y el Crecimiento acordado por Francia y Alemania en octubre de 2010[38] soliviantó al BCE, que amenazó con retirar su apoyo al sistema bancario irlandés[39]. Pero a pesar de las exorbitadas condiciones, Dublín tuvo que aceptar. La asistencia solicitada en noviembre de 2010 fue aprobada por el ECOFIN, que el día 28 acordó que las emisiones de deuda de todos los Estados de la zona euro incorporasen cláusulas de acción colectiva a partir de junio de 2013[40]. Por su parte, los dos tercios del plan de res-

---

garante en caso de mora. Se utilizó para proporcionar asistencia a Irlanda y Portugal (2011-2014) y para préstamos puente a corto a Grecia (2015). Por su parte, el 7 de junio de 2010 se creó el Fondo Europeo de Estabilidad Financiera mediante un acuerdo intergubernamental. Su objetivo era captar fondos para conceder créditos, en actuación conjunta con el FMI, si bien no disponía de una flexibilidad suficiente como para comprar bonos en los mercados secundarios. El Estado solicitante de asistencia debía adoptar el programa financiero negociado por la Comisión, el BCE y el FMI, y aprobado por el Eurogrupo. El 14 de mayo se anunció el *Securities Market Programme* (ECB/2010/5), programa clausurado en septiembre de 2012.

[36] Recomendación del Consejo de 13 de julio de 2010 sobre directrices generales para las políticas económicas de los Estados miembros y de la Unión (2010/410/UE).

[37] D. López Garrido. *La Edad de Hielo. Europa y Estados Unidos ante la Gran Crisis: el rescate del Estado de bienestar. Op. cit.*, p. 105.

[38] Adoptado en 1997 en el marco de la tercera fase de la Unión Económica y Monetaria, el Pacto fue concebido para garantizar que los Estados mantuvieran unas finanzas saneadas tras la introducción del euro. En virtud del referido acuerdo, se impondrían sanciones a los Estados que presentaran déficits superiores al 3% PIB o deudas por encima del 60% PIB y se institucionalizaría el Fondo Europeo de Estabilidad Financiera.

[39] El 19 de noviembre Trichet expuso al Primer Ministro de Irlanda, en una carta confidencial, las condiciones en las que el BCE estaba dispuesto a hacer extensiva su ayuda a los bancos irlandeses: Dublín debía solicitar inmediatamente la ayuda y someterse a las instrucciones de la Troika. Asimismo, debía aceptar un programa urgente de consolidación fiscal, reformas estructurales y reorganización del sector financiero. Los bancos debían ser enteramente recapitalizados y la devolución de la financiación a corto plazo del BCE para la banca irlandesa debía estar garantizada al 100%.

[40] A.J. Menéndez. *Op. cit.*, p. 60.

cate de Portugal, aprobado en mayo de 2011, se desembolsaron con cargo al Mecanismo y el Fondo Europeos de Estabilidad Financiera. Y en febrero de 2012 el Eurogrupo llegó a un acuerdo sobre el segundo rescate a Grecia. El desbloqueo fue posible gracias al compromiso, adoptado por el Consejo Europeo de 8 y 9 de diciembre de 2011, de aprobación del *Fiscal Compact*, que se vinculó con el Mecanismo Europeo de Estabilidad (MEDE) y sus controvertidos Memoranda de Entendimiento[41]. El Tratado de Estabilidad, Coordinación y Gobernanza entró finalmente en vigor en enero de 2013[42]. Pero la senda de consolidación fue asumida por nuestro país mucho antes. España no tuvo que solicitar un rescate bajo el modelo seguido por Grecia, Irlanda y Portugal pero, tras la precipitada y controvertida reforma del art. 135 CE, acabó solicitando ayuda para la banca el 25 de junio de 2012[43]. El precio que tuvimos que pagar fue demasiado alto.

---

[41] Creado por un tratado intergubernamental firmado por los países de la zona euro el 2 de febrero de 2012, el MEDE emite títulos de deuda para financiar préstamos y otras formas de ayuda financiera ocupando el lugar de su predecesor, el Fondo Europeo de Estabilidad Financiera. Toda la información en: https://www.esm.europa.eu/ (fecha de última consulta: 9/11/2020).

[42] Este Tratado integró dos objetivos fundamentales. Por un lado, una política de prevención, mediante la cual los Estados deben presentar un programa anual de estabilidad o convergencia y un programa de reformas para lograr finanzas públicas saneadas en el medio plazo. Y, por otro, una política de corrección económica, que implica que el Consejo, en caso de que un Estado no cumpla con el déficit presupuestario del 3%, emitirá recomendaciones cuyo incumplimiento puede resultar en la imposición de sanciones. El TECG incorporó una cláusula que exigía que los Estados se comprometieran a mantener una situación presupuestaria de equilibrio o superávit. Y estos requisitos presupuestarios debían incorporarse a los respectivos sistemas legales "a través de disposiciones de fuerza vinculante y carácter permanente, preferiblemente constitucionales, o garantizados de otra manera para ser respetados y cumplidos en todos los procesos presupuestarios nacionales" (art. 3.2 TECG). *Vid.*, J. García Roca, M.A. Martínez Lago. *Estabilidad presupuestaria y consagración del freno constitucional al endeudamiento*, Thomson Reuters, Cizur Menor, 2013, pp. 55-60.

[43] Cuatro días después, en la madrugada del 29 de junio, los presidentes de la Comisión y del Consejo Europeo anunciaron a la prensa un acuerdo sobre un plan que permitiría el apoyo del MEDE para la deuda de todos los países que cumplieran las normas de gobierno fiscal adoptadas en diciembre. La cumbre de junio de 2012 representó un punto de inflexión. Fue unos días más tarde, el 26 de julio, cuando Draghi advirtió que el BCE estaba dispuesto a hacer lo que fuera necesario para salvar el euro. El *Bundesbank* fue el único en votar en contra, pero en septiembre el BCE formalizó su programa de Transacciones Monetarias Directas que, junto al Pacto Fiscal y el MEDE, lograron poner freno

1.2. Las implicaciones sociales de la contención del déficit

No fueron pocos quienes, frente a la alternativa europea de la austeridad, instaron a una mutualización de los costes de la crisis[44]. Sin embargo, la oposición a un mecanismo de tal entidad, evidenciada de nuevo en el contexto de la pandemia de la Covid-19, fue rotunda desde el principio. Si bien es cierto que la insistencia no fue del todo en vano, pues las negociaciones hacia la institucionalización de un mecanismo de mutualización se abrieron en cierto modo con el inicio del proceso de creación de la Unión Bancaria[45], el condicionamiento de las ayudas financieras y las exigencias de consolidación fiscal, asestaron un duro golpe a nuestros Estados del bienestar. En el contexto de la crisis, los Estados miembros, sin capacidad para devaluar su propia moneda, optaron por medidas presupuestarias de emergencia que, asentadas en políticas europeas y recomendaciones internacionales, causaron importantes regresiones en la distribución de la riqueza[46]. Medidas que, además, fueron un fracaso en toda regla, pues en la Eurozona no solo se acentuaron las diferencias en crecimiento, renta y empleo, sino que igual divergencia pudo apreciarse en cuanto a la financiación de la deuda, que no dejó de incrementarse[47]. Así ocurrió en España, donde las reformas estructurales, amparadas por la controvertida reforma del art. 135 CE, no fueron más que un eufemismo de la degradación del Estado social a través de políticas

---

a una fase muy aguda de la crisis. Con posterioridad fueron muy diversas las medidas adoptadas para reforzar la gobernanza económica en la zona del euro. Entre muchas otras: Reglamento (UE) n.º 473/2013 del Parlamento Europeo y del Consejo, de 21 de mayo de 2013, sobre disposiciones comunes para el seguimiento y la evaluación de los proyectos de planes presupuestarios y para la corrección del déficit excesivo de los Estados miembros de la zona del euro; o el Reglamento (UE) n.º 472/2013 del Parlamento Europeo y del Consejo, de 21 de mayo de 2013, sobre el reforzamiento de la supervisión económica y presupuestaria de los Estados miembros de la zona del euro cuya estabilidad financiera experimenta o corre el riesgo de experimentar graves dificultades.

[44]   Por todos, S. Holland. *Contra la hegemonía de la austeridad*, Arpa Editores, España, 2016.

[45]   *Vid.*, G. Chozas Vinuesa. O*p. cit.*

[46]   C. Offe. *Op.cit.*, pp. 16-25.

[47]   R. De Arriba. *Crisis, política económica y desigualdad en España*, *Papeles de Europa*, vol. 27, nº 2, 2014, p. 77.

públicas difícilmente conciliables con los derechos constitucionalmente reconocidos[48].

El equilibrio presupuestario y la contención del déficit dieron lugar a una insostenible erosión del Estado del bienestar en nuestro país[49] a través de una cuestionable restricción en la financiación de derechos sociales[50] y un simultáneo impulso del concierto como modo de integración de la iniciativa privada en el sistema de servicios sociales[51]. En un primer momento, nos enfrentamos a la crisis con un breve periodo de expansión materializado en el Plan Español para el Estímulo de la Economía y el Empleo[52]. Sin embargo, a partir de la primavera de 2010, el Ejecutivo central optó decididamente por la austeridad. La consolidación fiscal se inició con subidas de impuestos, la reducción de los sueldos de los empleados públicos y la congelación de las pensiones[53]. Y la austeridad se intensificó notablemente

---

[48]   Sobre los aspectos más cuestionables de la reforma del art. 135 CE *vid.*, por todos, Varios. *La reforma del art. 135 CE. Encuesta sobre la reforma constitucional, Revista Española de Derecho Constitucional*, n° 93, 2011, pp. 159-210.

[49]   En abril de 2015, la Asociación Estatal de Directoras y Gerentes en Servicios Sociales advirtió sobre las fatídicas consecuencias de la desregulación laboral, de una fiscalidad débil y regresiva y de los sucesivos recortes y retrocesos en materia de educación, sanidad y servicios sociales. Toda la información en: https://www.directoressociales.com/prensa/352-y-si-ya-hemos-salido-de-la-crisis.html (fecha de última consulta: 9/11/2020).

[50]   Por ejemplo, entre 2009 y 2016, en valores absolutos, hubo una reducción del gasto sanitario de 5.341 millones de euros. En valores nominales, la dotación presupuestaria de la educación cayó 4.778 millones de euros de 2009 a 2016. *Vid.* Defensor del Pueblo. *Informe anual 2017 y debates en las Cortes Generales. Crisis económica y desigualdad*, Defensor del Pueblo, Madrid, 2018, pp. 69-74.

[51]   A. Ezquerra Huerva. *Las repercusiones de la crisis económica en el sector de los servicios sociales*, en *Revista Jurídica de Asturias*, n° 40, 2017, pp. 93-98.

[52]   J. Uxó, P. Paúl, J. Salinas. *El programa Español para el estímulo fiscal ante la crisis: Justificación, características y comparación internacional*, en *Documento de trabajo* n. 9/2009: http://www2.uah.es/iaes/publicaciones/DT_09_09.pdf (fecha de última consulta: 9/11/2020).

[53]   De conformidad con las indicaciones de Bruselas, se estableció un objetivo de deducción del déficit hasta el 3% en 2013.

con el cambio de Gobierno en noviembre de 2011[54]. A partir de dos polémicas reformas laborales se facilitó el despido, se flexibilizó la capacidad de las empresas para modificar las condiciones laborales y se redujeron las indemnizaciones por despido improcedente[55]. Por su parte, las reformas del sistema de pensiones tuvieron por objeto principal la contención del gasto mediante la reducción de la cuantía y la obstaculización del acceso al sistema[56]. El copago, la expulsión de los "sin papeles" del sistema de salud pública y la exclusión de numerosos medicamentos de uso común del Sistema Nacional de Salud, fueron las principales medidas adoptadas en materia sanitaria[57]. En educación se aumentó el volumen de alumnado por aula, se redujo la plantilla de profesorado, se limitaron las becas y se incrementó el precio de la matrícula universitaria y en formación profesional[58]. Además, la llamada Ley de Dependencia[59] fue herida de gravedad al reducirse la cuantía de las aportaciones económicas básicas del Estado

---

[54] Según el Programa de Estabilidad 2012-2015, los recortes aprobados entre 2012 y 2013 en sanidad, educación y prestaciones por desempleo alcanzaron los 10.000 millones de euros: https://www.hacienda.gob.es/CDI/programas%20de%20estabilidad/programa%20de%20estabilidad%202012-2015.pdf (fecha de última consulta: 9/11/2020).

[55] Reformas operadas por el Real Decreto-ley 10/2010, de 16 de junio, sustituido con posterioridad por la Ley 35/2010, de 17 de septiembre, de medidas urgentes para la reforma del mercado de trabajo; y Ley 3/2012, de 6 de julio, de medidas urgentes para la reforma del mercado laboral.

[56] Ley 27/2011, de 1 de agosto, sobre actualización, adecuación y modernización del sistema de Seguridad Social; Real Decreto-ley 5/2013, de 15 de marzo, de medidas para favorecer la continuidad de la vida laboral de los trabajadores de mayor edad y promover el envejecimiento activo; Ley 23/2013, de 23 de diciembre, reguladora del Factor de Sostenibilidad y del Índice de Revalorización del Sistema de Pensiones de la Seguridad Social.

[57] Real Decreto-ley 16/2012, de 20 de abril, de medidas urgentes para garantizar la sostenibilidad del Sistema Nacional de Salud y mejorar la calidad y seguridad de sus prestaciones.

[58] Real Decreto-ley 14/2012, de 20 de abril, de medidas urgentes de racionalización del gasto público en el ámbito educativo. Con posterioridad, Ley Orgánica 8/2013, de 9 de diciembre, para la mejora de la calidad educativa.

[59] Ley 39/2006, de 14 de diciembre, de promoción de la autonomía personal y de atención a las personas en situación de dependencia.

y suspenderse el pago de determinadas prestaciones ya reconocidas[60]. Todo ello sin olvidar el drama social de los desahucios[61].

Como advirtiera el Defensor del Pueblo en su Informe de 2017, el objetivo de reducción del déficit situó al gasto social en el punto de mira. Las políticas sociales recortaron sus magnitudes y reordenaron sus prioridades sin que ello se tradujera en una atenuación de la deuda[62]. Sin embargo, los recortes en los derechos no eran la única vía posible. Existían otras alternativas para la consecución del equilibrio presupuestario, como el incremento de los ingresos a través de una mayor presión recaudatoria o una robusta política contra el fraude fiscal[63]. Pero fue la austeridad la ruta que las instituciones comunitarias y los organismos financieros internacionales impusieron a los Gobiernos nacionales, entre ellos el español, que a pesar de correr el riesgo de desviarse de la senda marcada por las lindes del Estado social, utilizó la crisis y la reforma del art. 135 CE como anclajes para asegurar la legalidad constitucional de sus actuaciones. La crisis se convirtió así en parámetro de control de constitucionalidad y en fundamento para la restricción de las competencias autonómicas en el ámbito social.

---

[60]   Con carácter previo al Real Decreto-Ley 20/2012, el Real Decreto Ley 8/2010, de 20 de mayo, por el que se adoptaban medidas extraordinarias para la reducción del déficit público, modificó la Disposición Final Primera de la Ley de Dependencia al efecto de suprimir, en relación con las nuevas solicitudes, la retroactividad de la eficacia del otorgamiento. Con posterioridad, la atención a la dependencia fue afectada, entre otras, por el Real Decreto 1051/2013, de 27 de diciembre, por el que se regulan las prestaciones del Sistema para la Autonomía y Atención a la Dependencia.

[61]   Según Amnistía Internacional, entre 2008 y 2014 se pusieron en marcha 578.546 ejecuciones hipotecarias; de ellas, 25.811 terminaron en un desalojo en 2013 y 28.877 más en 2014. Vid. Amanistía Internacional, *Derechos desalojados. El derecho a la vivienda y los desalojos hipotecarios en España*, Amnistía Internacional España, Madrid, 2015, p. 13. Disponible en: https://grupos.es.amnesty.org/uploads/media/informe_vivienda_jun_15_Derechos_desalojados.pdf (fecha de última consulta: 9/11/2020). En relación al arrendamiento, debe tenerse en cuenta la Ley 4/2013, de 4 de junio, de medidas de flexibilización y fomento del mercado del alquiler de viviendas.

[62]   Defensor del Pueblo. *Op. cit.*, p. 64.

[63]   F. Balaguer Callejón. *Crisis económica y crisis constitucional en Europa. Op. cit.*, p. 96.

II. EL DERECHO.
LA CONSTITUCIONALIZACIÓN DE LA CRISIS

En España, la destrucción de puestos de trabajo, el endurecimiento de las condiciones de acceso a las prestaciones por desempleo y la creciente precariedad laboral, supusieron una gran pérdida de poder adquisitivo por las familias, cada vez menos protegidas ante el riesgo de pobreza. El empobrecimiento de la población desembocó, a su vez, en una profunda desigualdad, que se acrecentó a resultas de la contracción de la inversión en derechos constitutivos de servicios públicos básicos, como son la educación o la sanidad. El golpe a los hogares con menor renta fue, sencillamente, devastador. Y esta desigualdad fue producto de unas políticas muy específicas, respaldadas por los compromisos de déficit y deuda con la UE, que dañaron de forma casi irremediable la cohesión social. La crisis y el principio de estabilidad presupuestaria se convirtieron de este modo en el sostén jurídico para la perversión de nuestro Estado social, en el asidero sobre el que los sucesivos Gobiernos, y el propio Tribunal Constitucional (TC), cimentaron la legalidad constitucional de políticas que, sencillamente, nos hicieron retroceder. La implicación del supremo intérprete de la Constitución era, en todo caso, de esperar. Y ello no solo por las amenazas que, con la disciplina de la austeridad, se cernían sobre los derechos y las competencias autonómicas en materia de servicios sociales, sino también por el control de la disciplina fiscal que le encomendó la Disposición Adicional Tercera de la Ley Orgánica 2/2012, de Estabilidad Presupuestaria y Sostenibilidad Financiera[64].

2.1. La exclusión de los derechos sociales como canon de control

En el contexto de la crisis, el Ejecutivo español hizo de la austeridad su estandarte, apoyándose para ello en los compromisos asumidos con las instituciones europeas y en la funcionalidad de los recortes para mejorar la eficiencia y competitividad de la economía. Así lo hizo para defender la supresión tanto de la paga extraordinaria de los funcionarios, como de la posibilidad de que las Administracio-

---

[64]   *Vid.* nota nº 7.

nes Públicas realizasen aportaciones a planes de pensiones de empleo o contratos de seguros colectivos[65]. Y en sus Sentencias 81/2015 y 215/2015, el TC no titubeó al negar que el régimen general de derechos pudiera verse afectado. Contravención igualmente descartada en sus previos pronunciamientos en materia laboral.

El carácter presuntamente coyuntural y la proporcionalidad de las medidas adoptadas por la Ley 3/2012 en materia de contratación y autonomía negocial[66], fueron los principales argumentos barajados en la STC 119/2014[67] para declarar su conformidad con los derechos al trabajo y la negociación colectiva[68]. Doctrina reiterada en la STC 8/2015 que, entre otras cosas, avaló la sustracción de la posibilidad de continuar la actividad laboral más allá de la edad legal de jubilación, de la potestad negociadora de los actores sociales[69]. En palabras del

---

[65]   Reales Decretos-Leyes 20/2011, de 30 de diciembre, de medidas urgentes en materia presupuestaria, tributaria y financiera para la corrección del déficit público y 20/2012, de 13 de julio, de medidas para garantizar la estabilidad presupuestaria y de fomento de la competitividad.

[66]   *Vid.* nota nº 54.

[67]   Con carácter previo, el TC dictó su Auto 43/2014 en respuesta a una cuestión de inconstitucionalidad promovida por el Juzgado de lo Social núm. 34 de Madrid, por presunta vulneración de los arts. 86.1 CE y 9.3 y 24.1 CE, en relación con el art. 35.1 CE.

[68]   En cuanto a la nueva modalidad de contrato de apoyo a emprendedores, el Parlamento de Navarra alegó una distorsión del régimen estatutario al desapoderar a la autonomía colectiva negocial de toda intervención y decisión respecto al periodo probatorio, instituir un régimen diferenciado de duración exorbitada, y facultar al empresario al despido sin derecho a indemnización y con exoneración de control judicial. Por lo que a la reforma de la negociación colectiva respecta, se defendió una ruptura del modelo vigente ya que la autonomía de los agentes sociales era neutralizada al privarles de su poder sobre los convenios supra-empresariales e instituir un arbitraje obligatorio. El órgano autonómico alegó que con el referido "descuelgue" se establecía un nuevo modelo de negociación que relegaba a un papel secundario a los convenios estatales, autonómicos y provinciales. Con todo ello se vulneraban, a juicio del recurrente, los arts. 14, 35 y 37 CE.

[69]   La Sentencia resolvió un recurso de inconstitucionalidad interpuesto por los Grupos Parlamentarios Socialista y La Izquierda Plural del Congreso en relación a los preceptos legales relativos, entre otras cuestiones, a la facultad empresarial de modificar las condiciones de trabajo previstas en acuerdos colectivos; el pago de los salarios de tramitación en caso de despido improcedente; la inaplicación de la suspensión del contrato o reducción de jornada por causas económicas, técnicas, organizativas o de producción a trabajadores de la Administración pú-

magistrado Valdés Dal-Ré, la crisis se elevó así a la categoría de canon de constitucionalidad, entregando al legislador ordinario unas facultades asimilables, en materia de derechos, a las atribuidas al constituyente[70]. Y en este sentido se movió también la STC 61/2018, que descartó que la regulación de la jubilación anticipada por el Real Decreto-Ley 5/2013[71], pudiera incumplir el límite material impuesto al legislador de urgencia *ex* art. 86.1 CE[72]. Ahora bien, la decisión no debiera haber sorprendido, pues en esta última resolución el TC no hizo sino reiterar la doctrina sentada en su polémica Sentencia sobre la reforma sanitaria.

En su Sentencia 139/2016, el TC concluyó que el Ejecutivo español había ofrecido una justificación suficiente de la reforma del Sistema Nacional de Salud[73], con la que se pretendía impedir que la crítica situación del sistema sanitario se volviera irreversible[74]. Además de confirmar la conexión de sentido entre la situación de urgencia y las medidas adoptadas, en este caso el TC descartó que el derecho a la salud del art. 43 CE pudiera entenderse comprendido entre los límites materiales impuestos al Ejecutivo *ex* art. 86 CE. Se dejaban así de

---

blica; y la nulidad de las cláusulas de los convenios colectivos que posibiliten la extinción del contrato por el cumplimiento de la edad de jubilación.

[70] Sus principales argumentos, a los que se adhirieron los magistrados Asua Batarrita y Ortega Álvarez, ya habían sido expuestos en su VP a la STC 119/2014.

[71] *Vid.* nota n.º55.

[72] El recurso fue estimado parcialmente. En opinión del TC, el Gobierno justificó suficientemente la extraordinaria y urgente necesidad de las medidas relativas a la regulación de la jubilación anticipada, la jubilación parcial y el régimen de aportaciones económicas en los despidos colectivos.

[73] *Vid.*, nota n.º 56. Interpusieron recurso el Parlamento de Navarra (4123/2012), el Consejo de Gobierno del Principado de Asturias (4530-2012) y de la Junta de Andalucía (4585/2012) y los Gobiernos de Canarias (433/2013), Cataluña (414/2013) y del País Vasco.

[74] El Parlamento de Navarra había alegado el incumplimiento del presupuesto habilitante *ex* art. 86 CE en tanto que, en su opinión, de la norma objeto de control (Decreto-Ley 16/2012) no podría sino predicarse una vocación de permanencia. Pero también se cuestionó el cumplimiento de los límites materiales que impone el referido precepto pues, a su entender, la nueva normativa afectaba tanto al régimen de las Comunidades Autónomas (CCAA), como al propio derecho a la salud, respecto del que se alegó un trato discriminatorio debido a la exigencia de la condición de asegurado. A ello se añadió que la exclusión de los inmigrantes en situación de irregularidad debía examinarse a la luz de la estrecha vinculación entre el art. 43 CE y otros derechos fundamentales.

lado "las cuestiones centrales del asunto"[75], reconducibles todas ellas a una evidente ruptura de la tendencia universalizadora de la sanidad en España. Además, el supremo intérprete de la CE negó que existiera obstáculo alguno para que el Decreto-Ley controvertido pudiera regular materias para las que las Comunidades Autónomas (CCAA) tuvieran competencias cuando en dicho ámbito incidiera una competencia legislativa del Estado[76]. La tendencia a la re-centralización era ya manifiesta. Pero teniendo en cuenta tanto el modelo de financiación autonómica, como las respuestas de la UE a la crisis, el despliegue por la política económica de su "vis centralizadora" era previsible[77].

2.2. La re-centralización del spending power como mecanismo de erosión de los servicios sociales

Según el Preámbulo de la Ley 4/2013[78], en el marco de la crisis económica la flexibilización del alquiler resultaba trascendental para hacer frente al elevado número de viviendas en propiedad, vacías y sin ningún uso[79]. Esta fue la justificación para una ley que contó con

---

[75]   G.F. Ferrari. *Los derechos sociales en el constitucionalismo de la crisis*, *Teoría y Realidad Constitucional*, n.º 43, 2019, p. 365.

[76]   Consecuentemente, las normativas vasca, navarra y valenciana sobre el derecho de acceso a la asistencia sanitaria pública, fueron finalmente tumbadas por las SSTC 134/2017, 17/2018 y 145/2017. En opinión de los magistrados Valdés Dal-Ré y Asua Batarrita, la Sentencia no analizó en profundidad las razones determinantes de la regulación de las distintas materias tratadas, limitándose a remitirse a los objetivos genéricos de la reforma. En el mismo sentido se pronunciaron en cuanto a la conexión de sentido entre la situación descrita y las medidas adoptadas al advertir que el Ejecutivo no había demostrado, mediante una conveniente provisión de cifras, el impacto real de la reforma en términos de reducción del gasto. Para los magistrados discrepantes esta era la primera vez que el TC excluía los principios rectores de los límites materiales al legislador de urgencia. Una exclusión de difícil justificación que, por afectar a la esencia del art. 43 CE, debería haber llevado a la estimación del recurso.

[77]   M. González Pascual. *Constitución Española y Gobernanza Económica Europea; desnudez y crisis del Estado Constitucional*, *Revista Vasca de Administración Pública*, n.º 109-II, 2017, p. 25.

[78]   *Vid.* nota n.º 60.

[79]   La Ley 4/2013 fue recurrida por el Grupo Parlamentario Socialista, que alegó una presunta vulneración del principio de irretroactividad de las normas restrictivas de derechos *ex* art. 9.3 CE, en tanto que la misma suprimió las ayudas de

el beneplácito de un Ejecutivo que, sin embargo, recurrió el Decreto-Ley andaluz 6/2013[80], que incluía la expropiación temporal de las viviendas vacías para dedicarlas a su función social. La STC 93/2015 declaró inconstitucional la norma andaluza por su incompatibilidad con la regulación estatal y el consecuente menoscabo del ejercicio que el Estado había hecho de su competencia exclusiva de ordenación general de la economía. Argumentación rebatida por la magistrada Asua Batarrita, para quien la Sentencia mayoritaria no justificaba con precisión ni el carácter básico de los preceptos de la Ley estatal[81], ni que la norma autonómica la contradijera de forma insalvable. Expresó así su preocupación frente a las posibles consecuencias de una doctrina que, en su opinión, abría las puertas a la asunción por el Estado de la solución de problemas sociales incluso en el ámbito de materias de competencia exclusiva de las CCAA. En definitiva, apuntó a lo que el magistrado Xiol Ríos, en su Voto Particular (VP) a la misma Sentencia, calificó de un peligroso proceso de re-centralización por la vía de una mutación de la jurisprudencia constitucional sobre el art. 149.1.13 CE[82]. Un proceso que, en sus consecuencias, no supondría sino la obstrucción a las autoridades autonómicas en el ejercicio de sus competencias en materia de servicios sociales frente a los más necesitados. Así lo quiso evidenciar también el magistrado discrepante en las SSTC 62/2016 y 54/2018, que resolvieron dos recursos interpuestos por el Gobierno central contra la modificación del Código de consumo de Cataluña[83].

---

subsidio al préstamo reconocidas dentro del marco de los Planes Estatales de Vivienda. En su Sentencia 216/2015, el TC concluyó que la disposición impugnada no proyectaba sus efectos hacia el pasado. La Sentencia contó con un VP del magistrado Xiol Ríos, que reiteró en las SSTC 267 y 268/2015.

[80]   Decreto-Ley 6/2013, de 9 de abril, de medidas para asegurar el cumplimiento de la Función Social de la Vivienda.

[81]   Ley 1/2013, de 14 de mayo, de medidas para reforzar la protección a los deudores hipotecarios, reestructuración de deuda y alquiler social.

[82]   El Decreto-ley 6/2013 fue derogado por la Ley 4/2013, de 1 de octubre, de la Comunidad Autónoma de Andalucía, cuya constitucionalidad fue igualmente impugnada ante el TC, como también lo fueron la Ley 2/2014, de 20 de junio, de modificación de la Ley de vivienda de Canarias; la Ley 3/2015, de 18 de junio, de vivienda de Euskadi o la Ley Foral 24/2013 de Navarra, de 2 de julio, de medidas urgentes para garantizar el derecho a la vivienda.

[83]   La STC 62/2016 resolvió el recurso interpuesto contra el Decreto-ley de Cata-

La STC 62/2016 sustentó la estimación sobre la base de tres argumentos principales. Por un lado, en el encuadramiento en las competencias básicas en materia de planificación económica de la suspensión de la interrupción del suministro eléctrico y de gas a las personas en situación de vulnerabilidad económica y de la imposición de un deber de aplazamiento y/o fraccionamiento de la deuda pendiente con la empresa suministradora. Por otro, en la existencia de una normativa estatal de protección de consumidores en situación de pobreza energética limitada a las tarifas de último recurso y el bono social[84]. Y, por último, en una contradicción insalvable entre la normativa básica estatal y la regulación autonómica[85]. Pero el magistrado Xiol Ríos advirtió un error sustantivo en el encaje competencial, al entender que las medidas controvertidas debían encuadrarse en las materias de consumo y servicios sociales. Para el magistrado discrepante, la normativa autonómica tenía como finalidad la atención social a problemas concretos de las personas más vulnerables, argumento replicado en su VP a la STC 54/2018[86], en el que apuntó la incompatibilidad

---

luña 6/2013, de 23 de diciembre, por el que se modificó la Ley 22/2010, de 20 de julio, del Código de consumo de Cataluña. Según el Abogado del Estado, los preceptos impugnados incurrían en inconstitucionalidad mediata derivada de la contravención de la Ley 24/2013, de 26 de diciembre, del sector eléctrico y de la Ley 34/1998, de 7 de octubre, del sector de los hidrocarburos. Por su parte, en la Sentencia 54/2018, el TC resolvió el recurso interpuesto por el Presidente del Gobierno contra la Ley 20/2014, de 29 de diciembre, de modificación de la Ley 22/2010, de 20 de julio, del Código de consumo de Cataluña, para la mejora de la protección de las personas consumidoras en materia de créditos y préstamos hipotecarios, vulnerabilidad económica y relaciones de consumo.

[84]   En lo que al ámbito energético respecta, se hace referencia a una evolución normativa que se extendería desde la aprobación del Real Decreto-ley 6/2009, de 30 de abril, por el que se adoptaban determinadas medidas en el sector energético y se aprobaba el bono social, hasta la Ley 24/2013, de 26 de diciembre, del Sector Eléctrico.

[85]   En opinión de los magistrados Valdés Dal-Ré y Asua Batarrita, dicho silogismo redundó en "una preocupante erosión de las competencias legislativas autonómicas", cuyo ejercicio ya no estaría solo limitado por el contenido de las normas básicas, sino también por "una peculiar prohibición de desarrollo y de diferenciación", incluso en aquellos casos en los que las normas del Estado ni siquiera hubieran llegado a materializarse.

[86]   Los reproches de inconstitucionalidad se centraron, entre otras cuestiones, tanto en la imposibilidad de considerar la prohibición de suspensión del suministro y el aplazamiento de la deuda como facultades de desarrollo de la normativa estatal básica, como en la vulneración de las competencias del Estado por las disposiciones

entre un "sistema aporofóbico" y un régimen político constitucional, social y democrático[87].

En pocas palabras, durante la crisis, la interpretación de los títulos competenciales resultó "contagiada por los condicionantes financieros"[88]. La estabilidad económica y el equilibrio presupuestario sirvieron de prisma desde el que mirar tanto la competencia estatal sobre la ordenación económica, como las competencias autonómicas en materia de política social. Todo ello con el resultado indiscutible de la expansión de la primera, en detrimento de las segundas.

---

relativas a la creación de un fondo de atención solidaria de suministros básicos y la regulación de cláusulas abusivas en los contratos de créditos y préstamos hipotecarios. En este caso, el TC reiteró la doctrina de su Sentencia 62/2016, recordando la anulación de las disposiciones autonómicas sobre la suspensión de la interrupción de suministros y el régimen de aplazamiento o fraccionamiento de la deuda. Ahora bien, en lo que al sector eléctrico respecta, el TC enfatizó en el desarrollo que de la legislación nacional habían hecho los Reales Decretos-Leyes 7/2016, de 23 de diciembre, por el que se reguló el mecanismo de financiación del coste del bono social y otras medidas de protección al consumidor vulnerable de energía eléctrica, y 897/2017, de 6 de octubre, que reguló la figura del consumidor vulnerable, el bono social y otras medidas de protección para los consumidores domésticos de energía eléctrica. Matiz en absoluto desdeñable pues, como apuntaron Xiol Ríos y Balaguer Callejón, dicha normativa cumplía con un mandato europeo hasta ahora eludido por las autoridades estatales. En todo caso, este desarrollo no modificó un ápice la postura de la mayoría en cuanto al encaje competencial de la protección frente a posibles suspensiones de suministros. El TC también declaró inconstitucionales las medidas autonómicas que regulaban la mediación, la definición de cláusulas abusivas y la prohibición de la concesión de créditos o préstamos en caso de evaluación negativa de solvencia de la persona consumidora. No obstante, se declaró la constitucionalidad de las disposiciones de la normativa catalana por las que se creó el fondo de atención solidaria de suministros básicos.

[87] Según el VP, las medidas controvertidas son una competencia compartida, pues las cuestiones referidas a la interrupción del suministro son materialmente encuadrables en la regulación de la calidad del suministro energético. En cuanto a la calificación de básica de la legislación estatal, el VP, como lo hiciera en la STC 62/2016, señala la no consideración por la mayoría de la doctrina sentada en las SSTC 4/2013 y 32/2016.

[88] M. González Pascual. *Op. cit.*, p. 26.

III. EL REVÉS. LA EXPULSIÓN DE LA CRISIS COMO FUNDAMENTO PREFERENTE DE LEGITIMIDAD CONSTITUCIONAL

Hasta aquí se ha intentado demostrar que, durante los años de auge de la crisis, el TC se posicionó a favor de una interpretación reduccionista del Estado social. Lo contrario era difícil si atendemos a los límites a los que se encuentra sometido en el ejercicio de sus competencias jurisdiccionales. A pesar de ello, la funcionalidad de la Gran Recesión como motivo de descargo para los recortes no siempre fue avalada por el supremo intérprete de nuestra Constitución. La crisis llegó incluso a ser expulsada como posible fundamento constitucional en supuestos de palmaria injusticia social. Así ocurrió en el caso de la "amnistía fiscal" aprobada por el Gobierno en 2012. Además, en los últimos años, la jurisprudencia constitucional parece haber experimentado un giro interesante, pues a pesar de la comprensible auto-contención ante decisiones eminentemente políticas, frente al inicial embelesamiento frente a unas impostadas exigencias de austeridad como único medio para embridar la crisis, el TC ahora parece prestar más atención a sus devastadoras consecuencias sociales.

3.1. *La justicia tributaria como elemento de solidaridad*

La Disposición Adicional Primera del Real Decreto-Ley 12/2012[89] creó una declaración tributaria mediante la que el contribuyente podía reconocer la titularidad de derechos procedentes de rentas no declaradas, estableciéndose frente a la misma un gravamen de sujeción voluntaria. En opinión del Grupo Parlamentario recurrente la normativa de urgencia, al sustituir el Impuesto sobre la Renta de las Personas Físicas (IRPF), el Impuesto sobre Sociedades (IS) y el Impuesto sobre la Renta de No Residentes por el pago de una prestación única del 10% del valor de los bienes o derechos no declarados, no solo afectaba la capacidad económica en un sistema tributario justo *ex* art. 31.1 CE, sino que suponía la creación de un gravamen *ex novo*, contrario a los límites materiales impuestos por el art. 86.1 CE.

---

[89]   Real Decreto-ley 12/2012, de 30 de marzo, por el que se introducen diversas medidas tributarias y administrativas dirigidas a la reducción del déficit público.

Merece la pena recordar aquí que las alegaciones del Abogado del Estado se centraron en los efectos positivos de las políticas económicas adoptadas hasta el momento para hacer frente a la grave crisis y garantizar unas finanzas públicas saneadas, apelando por ello a la consideración de la gravedad de la coyuntura económica por el propio TC. A juicio del Abogado del Estado, la Disposición Adicional impugnada no perturbaba el deber de contribuir en los términos del art. 86.1 CE en tanto que, al limitarse a prever un proceso de regularización que afectaba a un grupo limitado de contribuyentes, no modificaba la esencia de ninguno de los impuestos aludidos. Además, en su opinión, la exención o bonificación estaría constitucionalmente justificada como excepción adoptada en línea con las recomendaciones internacionales y al amparo del art. 135 CE. Sin embargo, las consideraciones del TC fueron sustancialmente distintas.

El TC comenzó la fundamentación de su Sentencia 73/2017 recordando que el IRPF y el IS constituyen figuras impositivas primordiales para conseguir que el sistema atienda tanto a la justicia tributaria (art. 31.1 CE), como a los objetivos de redistribución de la renta y de solidaridad (arts. 131.1 y 138.1 CE). Sin embargo, al sustituir y extinguir las obligaciones tributarias pendientes por aquellos impuestos en todos sus eventuales componentes, la Disposición recurrida alteraba "el modo de reparto de la carga tributaria que debe levantar la generalidad de los contribuyentes, en unos términos que resultan prohibidos por el artículo 86.1 CE". La gravedad de la crisis y, en consecuencia, la necesidad de ajustar el déficit público para cumplir con el mandato del art. 135 CE, podría justificar la aprobación de medidas dirigidas al aumento de los ingresos o a la reducción de los gastos públicos, pero ello siempre "dentro de los límites y con respeto a las exigencias que la Constitución impone". Sin embargo, en opinión del TC, la normativa cuestionada intentó "legitimar como una opción válida la conducta de quienes, de forma insolidaria, incumplieron su deber de tributar de acuerdo con su capacidad económica". Efectivamente, observamos aquí un giro interesante, pues el TC parece recobrar sus facultades fiscalizadoras sobre la proporcionalidad de las medidas que pueden repercutir efectos regresivos sobre los derechos sociales y sobre el deber de respeto de la solidaridad. Y a ello debemos añadir, como apuntamos más arriba, una conveniente toma en consideración de las consecuencias socioeconómicas de la crisis como mecanismo de atenuación de la tendencia de re-centralización competencial.

3.2. La función social de la propiedad como salvoconducto para el disfrute de una vivienda digna

En el recurso al que dio respuesta la STC 16/2018, relativa a la Ley Foral navarra 10/2010[90], el Abogado del Estado alegó que todas las disposiciones impugnadas, centradas en el interés social del destino de la vivienda a su uso habitacional[91], suponían una infracción de las competencias estatales en materia de planificación general de la economía (art. 149.1.13 CE) y de ordenación del crédito y la banca (art. 149.1.11 CE), teniendo las mismas la "virtualidad de poner en verdadero peligro" la reestructuración del sistema financiero y la consecución de la estabilidad de las entidades de crédito.

El fundamento de las alegaciones era evidente y respondía con claridad a la opción de nuestros poderes públicos frente a la crisis económica. Ninguna duda cabe al respecto si atendemos a la documental utilizada por el Abogado del Estado para apoyar su posición, debiendo destacar entre su contenido el informe del Banco de España de octubre de 2013, en el que se aludía a la observación de la Comisión Europea sobre "el potencial impacto negativo de iniciativas autonómicas de protección de los deudores hipotecarios" para las actividades de la Sociedad de gestión de activos procedentes de la reestructuración bancaria (SAREB)[92]. Una vez más, salvar a los bancos para

---

[90]   Ley Foral 10/2010, de 10 de mayo, del derecho a la vivienda en Navarra, en la redacción dada por la Ley Foral 24/2013, de 2 de julio, de medidas urgentes para garantizar el derecho a la vivienda en Navarra.

[91]   Las disposiciones impugnadas, por un lado, declaraban de interés social la cobertura de la necesidad de vivienda de personas que se encontraran en situación de emergencia social y estuvieran incursas en procedimientos de desahucio instados por entidades financieras o de gestión de activos. Por otro, establecían un régimen sancionador que tipificaba como infracción muy grave la conducta consistente en no dar efectiva habitación a la vivienda, siempre que su titular fuera una persona jurídica.

[92]   Según el Informe, la expropiación forzosa del uso de las viviendas obtenidas en garantía de créditos hipotecarios sobre el sector bancario supondría la reducción de "la eficacia de la garantía para enjugar las pérdidas derivadas del impago del prestatario, con el efecto inmediato de la reducción en el valor de la deuda que

salvar al Estado, eso sí, a costa de los ciudadanos más vulnerables[93]. Sin embargo, el TC descartó una invasión competencial advirtiendo que los instrumentos administrativos previstos para evitar la existencia de viviendas deshabitadas debían entenderse encuadrados en el marco de la política de fomento en materia de vivienda. Reconoció así la competencia de las CCAA para incidir en la función social del derecho de propiedad mediante "regulaciones orientadas a atender intereses generales relacionados con la garantía del disfrute de una vivienda digna"[94]. Y esta doctrina fue reiterada en las SSTC 32/2018[95] y 43/2018[96], que concluyeron que con el reconocimiento del deber del destino efectivo de la vivienda al uso residencial como contenido esencial del derecho a la propiedad, el legislador autonómico daba respuesta a "un fin de relevancia constitucional como es garantizar el derecho a disfrutar de una vivienda digna y adecuada"[97].

---

podría recuperarse" y la posible exigencia por las entidades de "mayores primas de riesgo para la concesión de préstamos hipotecarios en el futuro para compensar pérdidas".

[93] Los argumentos del Letrado de Navarra se centraron en la coexistencia de un enorme parque de viviendas vacías y un creciente número de personas que no podían hacer realidad su derecho a la vivienda. Recordó así que la previsión de actuaciones expropiatorias no se identifica necesariamente "con una eventual desnaturalización del derecho de propiedad", ni las normas recurridas habrían de considerarse contrarias al art. 149.1.8 CE, pues si Navarra era competente para legislar en materia de vivienda, podría legislar sobre su propiedad y función social. Además, en base a la "notoriedad de la utilización de las viviendas como bien de inversión que se predica en las personas jurídicas", entendía justificado "un elemento diferenciador que cualifica(ra) el incumplimiento por las personas jurídicas".

[94] Según el TC dicha incidencia se produjo con pleno respeto al marco constitucional pues ni había quedado acreditado que el legislador estatal hubiera dictado una norma que reservase al propietario la decisión de tener la vivienda permanentemente habitada, ni la previsión de la normativa foral en virtud de la cual incurrirán en una infracción muy grave las personas jurídicas que tuvieran en su patrimonio viviendas deshabitadas, interfería de modo significativo en las medidas estatales de política económica adoptadas para fortalecer la solvencia de las entidades de crédito.

[95] Resolvió recurso contra la Ley del Parlamento de Andalucía 4/2013, de 1 de octubre, de medidas para asegurar el cumplimiento de la función social de la vivienda.

[96] Resolvió recurso contra la Ley 2/2003, de 30 de enero, de vivienda de Canarias y de medidas para garantizar el derecho a la vivienda.

[97] La STC 32/2018 declaró incompatible con la normativa estatal la medida relati-

Especial atención merece también la STC 80/2018, que resolvió el recurso interpuesto contra la Ley valenciana 2/2017[98]. En este caso, el TC volvió a declarar la inconstitucionalidad de las disposiciones autonómicas relativas a la expropiación del uso de las viviendas objeto de un procedimiento de ejecución. Sin embargo, desestimó las impugnaciones referidas a la apreciación de un incumplimiento de la función social de la propiedad cuando una vivienda estuviera deshabitada de forma permanente e injustificada[99]. Además, en cuanto a las disposiciones vinculadas a la llamada pobreza energética, concluyó la constitucionalidad del mandato a las Administraciones Públicas de garantizar el acceso a los suministros básicos de agua, gas y electricidad como elemento integrante del derecho a la vivienda[100]. Y otro ejemplo de interés en cuanto al cambio de perspectiva del TC lo encontramos en su reciente Sentencia 14/2020, en la que consideró que el elevado número de hogares con problemas para afrontar el pago de

---

va a la expropiación del uso de las viviendas objeto de un procedimiento de ejecución. Sin embargo, esta interferencia competencial no fue apreciada en cuanto a las disposiciones autonómicas que definían las viviendas deshabitadas, incluían el deber del uso habitacional como parte del contenido esencial del derecho de propiedad de la vivienda y tipificaban como infracción muy grave no dar efectiva habitación a la vivienda. Esta doctrina fue acogida por la STC 43/2018.

[98]　Ley 2/2017, de 3 de febrero, por la función social de la vivienda de la Comunidad Valenciana.

[99]　La normativa valenciana preveía la posibilidad de suscripción de un contrato de alquiler, financiado por la Generalitat, entre el adjudicatario del remate de un procedimiento hipotecario y el titular de la vivienda, en los supuestos de personas en situación de emergencia social. Una vez declarada inconstitucional la expropiación de uso, el TC consideró que la previsión como infracción de la negativa a suscribir del contrato de alquiler, ni interfería de modo significativo en la efectividad de las medidas estatales de política económica, ni vulneraba la competencia estatal en materia de legislación procesal. El TC declaró inconstitucional la previsión de una acción pública ante los tribunales para exigir el cumplimiento de la normativa sobre vivienda, en tanto que considerada como disposición que ampliaba, sin justificación, una categoría jurídica regulada por el Derecho procesal general.

[100]　En opinión del TC, de dicha previsión "no se deriva repercusión alguna sobre el régimen económico del sistema eléctrico pues el mismo únicamente establece un genérico mandato de protección", como tampoco podrían deducirse consecuencias en ese sentido de la posibilidad de que las compañías de suministro celebren acuerdos o convenios para la concesión de ayudas a fondo perdido a las personas y unidades de convivencia en situación de riesgo de exclusión residencial, o de la aplicación de descuentos en el coste de los consumos mínimo.

sus viviendas, situados en una posición de especial vulnerabilidad a resultas de los desahucios auspiciados por la crisis económica, constituía una situación de emergencia social lo suficientemente acreditada como para justificar el recurso a la legislación de urgencia[101]. El TC, reprochando a la parte recurrente la impugnación de la concurrencia del presupuesto de hecho habilitante sobre una "valoración esencialmente política", apreció además una suficiente conexión de sentido entre la situación de urgencia y muchas de las medidas adoptadas[102], incluso en aquellos casos en los que, como ocurría en relación con los desahucios, las acciones emprendidas eran complemento de otras medidas ya implementadas[103]. La crisis volvió así a actuar de parámetro de control, pero ahora desde el prisma de sus devastadoras consecuencias socioeconómicas.

---

[101]   La Sentencia resolvió un recurso interpuesto por el Grupo Parlamentario Popular contra el Real Decreto-Ley 7/2019, de 1 de marzo, de medidas urgentes en materia de vivienda y alquiler. En opinión del recurrente, la adopción de la legislación impugnada respondió a una "urgencia política electoralista", no pudiéndose además apreciar la necesaria conexión de sentido en lo relativo a la realización de obras de mejora de la accesibilidad, la coordinación de los juzgados con los servicios sociales en los procedimientos de desahucio, el plazo otorgado al Ministerio de Fomento para presentar el informe sobre la dinamización la oferta de vivienda en alquiler y la regulación de la duración de los convenios de ejecución de infraestructuras de transporte terrestre, aéreo y marítimo.

[102]   Junto al sistema de indicadores de precios y la suspensión obligatoria del procedimiento de desahucio, el TC constata la constitucionalidad de la modificación del tipo de gravamen de impuestos especiales sobre el consumo y de la reducción de la base imponible para determinadas adquisiciones gravadas por el impuesto de sucesiones y donaciones. Sin embargo, se declara la nulidad del precepto que introduce medidas destinadas a promover la oferta de vivienda en alquiler y el relativo a los convenios administrativos en materia de infraestructuras.

[103]   En palabras del TC, "(l)as reformas introducidas en el régimen de desahucios por falta de pago de arrendamientos respecto del sistema establecido en la Ley 5/2018 guardan la debida relación de congruencia con la situación de extraordinaria y urgente necesidad que se quiere revertir. A la comunicación a los servicios sociales ya presente en el artículo 441.1 bis de la Ley de enjuiciamiento civil, redactado por la Ley 5/2018, se añade ahora la suspensión obligatoria del procedimiento por tiempo de uno o tres meses, según el arrendador sea persona física o jurídica (nuevo art. 441.5)".

IV. ¿CONTROL DE LA POLÍTICA O REFORMA DE LA CONSTITUCIÓN? APUNTES PARA ABORDAR UNA CRISIS SOCIOECONÓMICA INEVITABLE

La jurisprudencia hasta aquí analizada nos demuestra la necesidad de repensar esa tendencia tan nuestra de confiar casi en exclusiva a los tribunales, muy especialmente a la jurisdicción constitucional, la protección de los derechos. El sometimiento del Poder Judicial a la ley explica los límites a los que se enfrenta la justicia ordinaria en la tuición de los derechos frente a la economía. Y aunque con las debidas matizaciones a resultas de su exclusivo sometimiento a la CE y la Ley Orgánica que rige su funcionamiento, la situación no es muy distinta si nos referimos a las funciones de tutela de la jurisdicción constitucional. En el caso concreto de España, los recelos del TC no son difíciles de entender si nos atenemos tanto a la neutralidad de nuestro modelo de Constitución económica, como a la configuración constitucional de muchos derechos como principios rectores de la política social y económica. Y todo ello sin olvidar que la reforma del art. 135 CE consagró una suerte de "razón de Estado" que ha venido a dar cobertura constitucional a las medidas anti-crisis desde el punto de vista de su urgencia y necesidad[104]. No se cuestiona aquí, por tanto, el principio de división de poderes, ni la independencia de jueces y magistrados, ni su esencial función de tutela. Muy por el contrario, se quiere poner de relieve su estrecho margen de actuación a resultas tanto de su estricto sometimiento a la ley y la Constitución, como del escrupuloso cumplimiento de sus funciones. Todo lo cual, en el actual marco de la nueva crisis socioeconómica, en esta ocasión derivada de una emergencia sanitaria sin precedentes, nos lleva a volver a poner el foco de atención tanto en el control de la política, como en la posibilidad de una reforma de la Constitución.

Como se ha apuntado en páginas precedentes, la búsqueda del equilibrio presupuestario fue utilizada en España como pretexto para

---

[104] P. Pérez Tremps. *Las reformas de la Constitución hechas y no hechas*, Tirant lo Blanch, Valencia, 2018, p. 82. El propio TC, en su Sentencia 75/2011 (FJ 4), ha reconocido que no puede interferir en las valoraciones del legislador en cuanto a "decisiones singularizadas susceptibles de alterar el equilibrio económico financiero del conjunto del sistema".

operar una progresiva degradación del Estado del bienestar[105]. Pero, insistimos, ni los recortes sociales eran la única vía de escape a la crisis iniciada en 2008[106], ni la reforma del art. 135 CE significa necesariamente que la crisis socioeconómica derivada de la pandemia de la Covid-19 deba afrontarse con las mismas políticas[107]. Así lo demuestran tanto las recientes oscilaciones de las políticas públicas en nuestro país[108], como el viraje de las instituciones comunitarias, los Estados miembros y el propio FMI ante la debacle económica y social derivada de la emergencia sanitaria del coronavirus[109]. Como

---

[105] O. Salazar Benítez. *La Constitución domesticada: algunas reflexiones críticas sobre la reforma del artículo 135 CE, Teoría y Realidad Constitucional*, n º 29, 2012, pp. 423-424.

[106] En palabras de Balaguer Callejón, "en la pretensión de reducir a una las respuestas a la crisis hay, desgraciadamente, una profunda actitud antidemocrática". F. Balaguer Callejón. *Una interpretación constitucional de la crisis económica, Revista de Derecho Constitucional Europeo*, n º 19, 2013, p. 453.

[107] P. Biglino Campos. *Principios rectores, legislador y Tribunal Constitucional, Revista Española de Derecho constitucional*, n º 119, 2020, p. 56.

[108] En este sentido podemos destacar la "contrarreforma" sanitaria operada por el Real Decreto-Ley 7/2018, de 27 de julio. Con carácter previo se adoptaron también algunas medidas destinadas a suspender el desalojo de familias consideradas pertenecientes a "colectivos especialmente vulnerables" (Real Decreto-ley 27/2012, de 15 de noviembre, de medidas urgentes para reforzar la protección a los deudores hipotecarios y Real Decreto-ley 1/2015, de 27 de febrero, de mecanismo de segunda oportunidad, reducción de carga financiera y otras medidas de orden social).

[109] El 13 de marzo de 2020, la Comisión europea adoptó su *Communication on a Coordinated economic response to the COVID-19 outbreak*, en la que se anunciaban las distintas alternativas disponibles para hacer frente a la crisis socioeconómica derivada de la pandemia a través de ayudas directas a empresas y consumidores (https://ec.europa.eu/commission/presscorner/detail/en/ ip_20_459 fecha de última consulta: 9/11/2020). Seis días después, aprobó un Marco temporal de garantías y salvaguardas para bancos y corporaciones (https://ec.europa.eu/commission/presscorner/detail/en/IP_20_496 , fecha de última consulta: 9/11/2020). Las medidas incorporadas en el mismo fueron ampliadas el 3 de abril a otros ámbitos, incluida la protección del empleo mediante el aplazamiento de pagos de impuestos y/o suspensiones de contribuciones a la seguridad social y subsidios salariales para los trabajadores (https://ec.europa.eu/commission/presscorner/detail/en/IP_20_570 fecha de última consulta: 9/11/2020). Finalmente, el 8 de mayo, la canciller alemana y el presidente francés anunciaron la propuesta de un fondo de recuperación de la economía europea a través de subvenciones no reembolsables. La noticia desbancaba así súbitamente a la que, durante semanas, se había considerado como la única opción viable: la asistencia mediante créditos condicionados. En julio de 2020 los dirigentes de la UE

ha señalado Estefanía, frente a una historia de recetas económicas de *rigor mortis* de las instituciones comunitarias y las organizaciones financieras internacionales, el actual discurso es "keynesiano neto y compasivo". Pero el "pendulazo práctico" no nos salva de la vuelta a las antípodas[110]. Urge así poner diques de contención para evitar que el río de la austeridad vuelva a desbordarse desdibujando, hasta hacerlas imperceptibles, las lindes de nuestro Estado social.

4.1. La política

Las consecuencias sociales de los recortes y los ímprobos esfuerzos de las instituciones comunitarias y de (la mayoría de) los países europeos por impulsar la expansión en el gasto frente a la crisis de la Covid-19[111], nos demuestran lo artificial del discurso del impulso de la economía sobre la base de la austeridad. Pero para evitar que, más pronto que tarde, volvamos a tropezar en la misma piedra, el debate sobre las actuaciones a emprender frente a la actual crisis socioeconómica, y frente a las que estuvieran por venir, debe abordarse tanto desde la perspectiva de la necesaria articulación de una "unión monetaria bien diseñada"[112], como desde la óptica de la política estatal.

A lo largo de la Gran Recesión, la Comisión, el FMI y el BCE no exigieron que las evaluaciones de impacto en los derechos formaran parte de las actividades estatales orientadas a obtener asistencia crediticia. Y esta desconexión entre los derechos y los actores clave en términos de regulación financiera, mercados de bonos y globalización, demostró ser un enorme obstáculo para que los derechos tuvieran

---

aprobaron el *NextGenerationEU* (https://ec.europa.eu/info/live-work-travel-eu/health/coronavirus-response/recovery-plan-europe_es fecha de última consulta: 9/11/2020), un instrumento de recuperación dotado con 750.000 millones de euros que destinará al presupuesto de la UE nueva financiación obtenida en los mercados financieros durante el periodo 2021-2024.

[110] J. Estefanía. *El pendulazo*, en *Diario El País*, 21 de junio de 2019.

[111] En el caso de España, así lo demuestra, por muy criticable que pueda resultar, el Real Decreto-ley 20/2020, de 29 de mayo, por el que se establece el ingreso mínimo vital.

[112] A Kluth. *We have a constitutional crisis in the European Union*, en *Agenda Pública*, 14 de mayo de 2020: http://agendapublica.elpais.com/a-kluth-we-have-a-constitutional-crisis-in-the-eu/ (fecha de última consulta: 9/11/2020).

tracción en el contexto de la crisis[113]. El enfoque debe cambiar. Y es posible que así sea teniendo en cuenta el tipo de condicionamientos que parece que nos deparan las medidas adoptadas, y por adoptar, en el seno de las instituciones comunitarias para la reconstrucción socioeconómica ante la crisis del coronavirus[114]. Pero considerada la persistente separación entre economía y política que todavía reina en la UE[115], es imperativo garantizar una efectiva protección de los derechos sociales desde la perspectiva interna[116]. Recordemos que los mismos son también una manifestación del poder constituyente y que, precisamente por ello, han de limitar la acción del legislador y del resto de los poderes públicos. El Estado social, en definitiva, es Constitución, y como tal también delimita la acción política[117].

Como ya señalamos, seguir confiando en los tribunales plantea muchos problemas, no solo por el carácter reactivo de la actividad jurisdiccional sino, y sobre todo, por su comprensible resistencia a entrar en el ámbito de la economía[118]. Máxime cuando se trata de la

---

[113]   A. Nolan. *Not Fit For Purpose? Human Rights in Times of Financial and Economic Crisis*, en *European Human Rights Law Review,* Issue 4, 2015, pp. 360-371.

[114]   Según las áreas definidas en las propuestas de la Comisión, los planes de reformas estructurales de los Estados habrán de centrarse en inversiones en línea con el *Green Deal* y en la transformación digital de la economía. M. Gil Tertre, M., *Next Generation Spain: Practical Advice*, en *Agenda Pública,* 7 de junio de 2020: http://agendapublica.elpais.com/next-generation-spain-practical-advice/ (fecha de última consulta: 9/11/2020).

[115]   R. Youngs. *La UE ante la pandemia: Una vez más, cooperación económica sin democracia*, en *Agenda Pública,* 3 de junio de 2020: http://agendapublica.elpais.com/la-ue-ante-la-pandemia-una-vez-mas-cooperacion-economica-sin-democracia/ (fecha de última consulta: 9/11/2020).

[116]   Recordemos que los mismos son una exigencia del Estado social, pero también del Estado democrático y de Derecho. Como con meridiana claridad expone Ponce Solé, "(n)o es posible hablar de un auténtico Estado de derecho si este no es democrático, y para que lo sea realmente, los ciudadanos deben gozar de un mínimo vital que preserve su dignidad". J. Ponce Solé *Reforma constitucional y derechos sociales: la necesidad de un nuevo paradigma en el derecho público español*, en *Revista Española de Derecho Constitucional,* n °111, 2017, p. 70.

[117]   Biglino Campos. *Op. cit.,* pp. 62-63.

[118]   Sobre el limitado papel de los tribunales en materia de derechos sociales, M. Langford . *Judicial Review in National Courts*, en M. Langford (coord.), *Economic, Social and Cultural Rights in International Law: Contemporary Issues and Challenges*, Oxford University Press, Oxford, 2014, p. 447.

jurisdicción constitucional y nos movemos en el resbaladizo terreno de la neutralidad económica, por mucho margen que pueda procurar el principio de proporcionalidad[119]. Baste con recordar la jurisprudencia aquí analizada, en la que, aunque con alguna excepción, el TC se ha mostrado hostil ante la posibilidad de demarcar los límites para el legislador en tiempos de crisis. Como decíamos, lo que hace falta es hacer política, y hacerla a favor de quienes más lo necesitan.

Desde luego, la crisis de la Covid-19 nos ha hecho cambiar la perspectiva. Desde la óptica supranacional, la causa es evidente. La pandemia no entiende de fronteras. A nivel doméstico, la explicación transita por otros derroteros. En España, la situación de emergencia sanitaria ha puesto de manifiesto el valor de los servicios públicos relacionados, entre otros, con la sanidad, la educación, la vivienda y la protección social. Simultáneamente, nos ha recordado los elevados niveles de pobreza y desigualdad, (re)descubriéndonos las múltiples brechas (tecnológicas, formativas, salariales) entre estratos sociales cada vez más alejados entre sí. Es por ello el momento de que nuestros representantes se replanteen preguntas ya suscitadas durante los años de auge de la Gran Recesión. La coyuntura de la crisis y el equilibrio presupuestario, ¿dejan margen para la financiación de programas sociales? Los confines de la "reserva de lo posible", ¿es una cuestión de hecho o de preferencias políticas?[120] La irreversibilidad de los derechos sociales, ¿puede actuar como límite (político) al le-

---

[119] Ruiz-Rico se refiere a la oportunidad que ofrecen los mecanismos de control de constitucionalidad para "la demarcación de una frontera o línea divisoria" en cuanto al contenido de los derechos sociales indisponibles para la actividad legislativa. G. Ruiz-Rico Ruiz. *El desarrollo de la Constitución social*, en *Revista de Derecho Político*, n °100, pp. 805-812. Para contrastar su posición con la del TC español, es recomendable la lectura de las Sentencias del TC portugués 396/2011, 353/2012 y 10/2015.

[120] Para ejemplificar la carga de opción política que soporta la noción germana de la "reserva de lo posible", Delgado del Rincón nos recuerda que unos meses después de la adopción del ya referido Real Decreto-Ley 20/2012, de 13 de julio, de medidas para garantizar la estabilidad presupuestaria y de fomento de la competitividad, el Ejecutivo español aprobó el Real Decreto ley 26/2012, de 7 de septiembre, por el que se concede un crédito extraordinario en el presupuesto del Ministerio de Defensa para atender al pago de obligaciones correspondientes a programas especiales de armamento (1.782.770.890 euros). DELGADO DEL RINCÓN, L.E., *El Estado social y la fragilidad de los derechos sociales en tiempos de crisis económica*, en *Estudios de Deusto*, vol. 61, n° 2, 2013, pp. 51-52.

gislador o constituye un impedimento (económico) insostenible para la gobernabilidad del Estado? En caso de admitir la regresión, ¿hasta dónde puede considerarse justificada?[121] ¿Queremos una interpretación constitucional de la(s) crisis o una interpretación económica de la Constitución?[122].

En opinión de quien suscribe, la distribución de recursos es una decisión eminentemente política. Y los efectos de esta decisión sobre el desarrollo económico del país y la salud de su sistema democrático, dependen de cómo se resuelva la tensión entre la economía de mercado y la forma social del Estado. Si no estamos dispuestos a superar la artificiosa dicotomía entre derechos de abstención y de prestación, quizás debamos darle la vuelta a la tortilla y recordar, con Barber, que para que una "democracia comercialmente productiva" sea exitosa, se impone una "participación inteligente en los asuntos de la comunidad" garantizando una vivienda digna, una nutrición adecuada, atención médica, educación para los hijos, algo de ahorro y una vejez segura[123]. Parafraseando a Murillo de la Cueva, la economía "no queda al margen de la dirección política que corresponde trazar al Gobierno", función que si bien habrá de cohonestarse con nuestros compromisos europeos en materia presupuestaria, habría de orientarse de forma y manera que favorezca los intereses públicos[124].

4.2. La Constitución

La Gran Recesión y la forma de afrontarla nos vuelven a situar, en todo caso, ante la ya recurrente disyuntiva sobre la conveniencia o no de una reforma constitucional. Desde luego, en los últimos años se transitó desde "una verdadera resistencia numantina a reformar

---

[121] Las regresiones sociales en el contexto de crisis económicas son admitidas por la profesora González Pascual. Vid., M. González Pascual. Op. cit., p. 32.

[122] Vid., F. Balaguer Callejón. Una interpretación constitucional de la crisis económica. Op. cit., pp. 449-459.

[123] S.A. Barber. Welfare & Constitution, Princeton University Press, New York, 2003, p. 107.

[124] P.L. Murillo de la Cueva. La Constitución en tiempos de crisis, en Varios (dirs), Setenta años de Constitución Italiana y cuarenta años de Constitución Española. Vol. I. Balances y perspectivas en la Europa constitucional, BOE-CEPC, Madrid, 2020, p. 85.

la Constitución", a la convicción de que sin reforma constitucional, el país "irremediablemente se vendría abajo"[125]. Posiblemente no sea este el mejor momento para acometer tan ardua y discutida tarea, pero no podemos olvidar que los pactos constitucionales no pueden tener vigencia y eficacia indefinida[126]. Y respecto de lo que aquí más interesa, son diversas las alternativas que se plantean.

La posibilidad de modificar el ya reformado art. 135 CE estuvo presente desde el principio, y la proposición presentada a la Mesa del Congreso en marzo de 2018 partía de dos hechos aquí constatados[127]. Por un lado, la restricción de la capacidad de las autoridades nacionales para impulsar la economía y desarrollar el Estado social que suponen las estrictas limitaciones al déficit y la deuda. Por otro, su efecto limitador de la autonomía financiera y la responsabilidad fiscal de las CCAA[128]. Para revertir la situación se proponía una reforma del art. 135 CE a partir de la cual dar prioridad al gasto en servicios públicos fundamentales. Sin eliminar el principio de estabilidad, se trataba de reforzar los mecanismos de garantía de la educación, la sanidad y los servicios sociales, suprimiendo la preferencia absoluta en el pago de la deuda[129]. Pero es importante explorar las posibilidades que nos ofrecen otros preceptos. Por ejemplo, la garantía de los derechos sociales podría verse reforzada mediante la incorporación en el art. 31 CE de una cláusula de dedicación del máximo de recursos disponibles[130]. Al

---

[125]   A. Torres del Moral. *La Constitución española, objeto de culto y de acoso, en su XL aniversario*, en *ibídem*, pp. 55-57.

[126]   J. García Roca (ed.), *Pautas para una reforma constitucional. Informe para el debate*, Thomson Reuters Aranzadi, Cizur Menor, 2014, p. 18.

[127]   El texto de la proposición se encuentra disponible en el siguiente enlace: http://www.congreso.es/public_oficiales/L12/CONG/BOCG/B/BOCG-12-B-229-1. PDF (fecha de última consulta: 9/11/2020).

[128]   En este sentido se ha pronunciado también la doctrina. *Vid.*, entre muchos otros, M. Carrillo. *La crisis y los derechos sociales en las políticas públicas de la Generalitat*, en *Revista Catalana de Dret Públic*, n º 56, 2018, pp. 21-22

[129]   En la misma fecha, la Mesa del Congreso admitió a trámite la Proposición de Ley Orgánica complementaria a la Proposición de reforma del artículo 135 de la Constitución Española presentada por el Grupo Parlamentario Confederal de Unidos Podemos-En Comú Podem-En Marea. Disponible en http://www.congreso.es/public_oficiales/L12/CONG/BOCG/B/BOCG-12-B-230-1.PDF (fecha de última consulta: 9/11/2020).

[130]   C. Montesinos Padilla. *El derecho a la vivienda (o del porqué y del cómo refor-*

mismo objetivo podría contribuir además la constitucionalización de los principios de universalidad, indivisibilidad e interdependencia de los derechos[131]. El precepto de anclaje de esta última reforma sería el art. 10 de nuestra Magna Carta, en el que de este modo se consagraría lo que, de forma subrepticia, se deriva de su tenor literal: la imposibilidad de un tratamiento de los derechos como compartimentos estancos.

Es cierto que el texto constitucional de 1978 permite, por la vía de la exégesis, avanzar en el ámbito de los derechos sociales. Así, en su versión vigente, el art. 10.2 CE habría de servir de sustento constitucional para la protección de derechos sociales, como el derecho a la vivienda y el derecho a la salud, por su indisoluble conexión con derechos civiles, como el derecho a la vida y la integridad física. Ello sin olvidar que, a pesar de la cuestionable redacción del art. 53.3 CE, los principios rectores de la política social y económica son jurídicamente exigibles, lo que posibilita su vindicación a través del recurso y la cuestión de inconstitucionalidad[132]. Sin embargo, la experiencia ha demostrado que la vía de la interpretación sigue siendo insuficiente. Parece por ello conveniente, si no la plena supresión de la concepción escisionista de los derechos, sí al menos una cierta actualización mediante el traspaso de ciertos principios rectores a su plena consideración como plenos derechos fundamentales[133]. Se plantea así la posibilidad de un reconocimiento expreso como derechos subjetivos de, entre otros, los derechos a la salud y la seguridad social, e incluso el derecho a la vivienda, aunque ello sin obviar la posibilidad de una simultánea incorporación de algunos derechos nuevos, como un derecho de acceso a servicios sociales que garanticen una protección

---

mar la *Constitución en materia de derechos sociales)*, *Revista Aranzadi Doctrinal*, n.º 2, 2019.

[131] Frente a la excesiva deferencia del TC español frente al legislador, durante los años de auge de la crisis, la jurisdicción lusa llegó a declarar la inconstitucionalidad de importantes reformas, como la legislación sobre recalificación y despido objetivo de los empleados públicos (Sentencia 474/2013) o los recortes sobre las pensiones de los funcionarios públicos (Sentencia 863/2013).

[132] P. Biglino Campos. *Op. cit.*, pp. 73-83.

[133] *Vid.*, J. García Roca. (ed.), *Pautas para una reforma constitucional. Informe para el debate. Op. cit.*, pp. 37-40.

de la dependencia[134]. Además de delimitar los confines de un mínimo indisponible para el legislador, una reforma en tal sentido permitiría extender el ámbito material del recurso de amparo tanto a derechos del Capítulo III del Título I CE, como a derechos cuyo cumplimiento nos es exigido desde las esferas comunitaria e internacional[135].

Mayores dudas suscita la consagración, en nuestra Norma de Normas, de la irreversibilidad de los derechos sociales, considerada por parte de la doctrina como una "restricción formal y absoluta opuesta a cualquier cambio de política en las leyes y reglamentos"[136]. No creemos, sin embargo, que esta sea la única interpretación posible. El principio de progresividad de los derechos sociales efectivamente no puede concebirse, ni utilizarse, como "un candado constitucional" a la función presupuestaria del Parlamento[137]. No obstante, no se trata esta de una cuestión de blancos o negros. Desde un punto de vista jurídico, no puede aceptarse su irreversibilidad absoluta. Pero tampoco su contrario. La Constitución debe trazar las líneas rojas intransitables para el legislador. De este modo, sería interesante conectar la fiscalización de la diligencia en el ámbito social con la consagración, a nivel constitucional, de un derecho ya reconocido en el ámbito supranacional (art. 41 de la Carta de Derechos Fundamentales de la UE), el derecho a una buena administración[138].

---

[134]   J.C. Gavara de Cara. *Los derechos fundamentales: Valoración y posibles modificaciones*, en T. Freixes Sanjuán, J.C., Gavara de Cara. *Repensar la constitución. Ideas para una reforma de la Constitución de 1978: reforma y comunicación dialógica. Parte Primera*, BOE-CEPC, Madrid, 2016, pp. 39-71.

[135]   J. García Roca (ed.), *Pautas para una reforma constitucional. Informe para el debate. Op. cit.*, pp. 39-40.

[136]   J. Vida Soria. *Artículo 41. Seguridad Social*, O. Alzaga (ed.), *Comentarios a la Constitución española de 1978*, Cortes Generales-Editoriales de Derecho Reunidas, Madrid, 1983, p. 113.

[137]   J. García Roca. *Taking social rights seriously: principle of financial sustainability. A budgetary impact statement, op cit.* Rodríguez de Santiago apunta, en sentido similar, la dependencia de las conquistas sociales respecto de las posibilidades reales. *Vid.,* J.M. Rodríguez de Santiago. *Art. 53. La forma de vincular los preceptos del capítulo tercero del título primero de la Constitución española*, M. Rodriguez-Piñero y Bravo Ferrer, E. Casas Baamonde (dirs.), *Comentario a la Constitución española. XL Aniversario*, BOE, Madrid, pp. 1488-1493.

[138]   J.C. Gavara de Cara. *op. cit.* También desde el punto de vista del control de la política, se plantea la posibilidad de una ampliación competencial del TC que le atribuya funciones de fiscalización de la constitucionalidad de las omisiones

En todo caso, la *vis atractiva* de la reforma del art. 135 CE tampoco puede empañar otras conclusiones que, a efectos de una futura modificación del texto constitucional, pueden extraerse de este trabajo. Las sentencias constitucionales aquí abordadas apuntan a un entendimiento excesivamente amplio tanto de la legislación básica del Estado, como de la competencia transversal que la Constitución atribuye al Ejecutivo central sobre planificación general de la actividad económica. Una aproximación a la distribución de competencias que, en términos generales, se ha traducido en una clara limitación de las autonómicas sobre la gestión de los servicios sociales[139]. Consecuentemente, se plantea la posibilidad de una revisión de los arts. 131 y 149.1.13 CE que, entre otras cosas, afronte la obsolescencia de la habilitación al Estado para la planificación económica general, y permita una participación efectiva de las CCAA en el diseño de la política económica del Estado[140]. Ello sin olvidar, claro está, la compleja cuestión de la reforma del diseño del modelo de financiación autonómica[141]. La empresa no es fácil, como tampoco lo es la decisión de

legislativas, e incluso de amparo directo frente a las leyes. Aunque, eso sí, hablaríamos entonces de una modificación legislativa, la de la Ley Orgánica del TC, y no de una reforma constitucional. El profesor Gavara de Cara se refiere, como posible modelo de inspiración, al control de la insuficiencia normativa a partir del principio de la prohibición de defecto de protección o infraprotección de los derechos fundamentales (*Untermassverbot*).

[139]   M. Carrillo. *Op. cit.*, p. 30.

[140]   En este sentido, GARCÍA VITORIA, I., *La reforma de la Constitución Económica*, en *Agenda Pública*, 6 de diciembre de 2018: http://agendapublica.elpais.com/la-reforma-de-la-constitucion-economica/ (fecha de última consulta: 9/11/2020).

[141]   A este respecto se ha apuntado la necesidad de reformas que definan un nuevo equilibrio entre la autonomía financiera de las CCAA, la coordinación con la Hacienda Estatal y la solidaridad entre todos los españoles (art. 156.1 CE) para hacer posible que tanto el Estado como las CCAA puedan ejercer sus competencias de manera eficiente, así como una modificación del referido precepto para "ensalzar que la autonomía se produce tanto en la vertiente del gasto como en la de los ingresos". Se ha planteado así la revisión de los recursos tributarios autonómicos para garantizar la sostenibilidad del modelo; la necesidad de aclarar las competencias estatales y autonómicas de conformidad con la doctrina del TC; la posibilidad de configurar especialidades dentro de las CCAA de régimen común en función de los propios Estatutos de Autonomía; la concreción de la solidaridad vertical mediante asignaciones de nivelación y el Fondo de Compensación Interterritorial; una definición más clara (art. 158 CE) de los objetivos que persiguen los instrumentos de solidaridad financiera; la necesidad de especificar que todas las CCAA deben participar en el sistema de solidaridad interterritorial;

restringir o no la capacidad de incidencia de los decretos-leyes sobre los derechos sociales. Una revisión comparada de su utilización en el contexto de ambas crisis, la de 2008 y la de 2020, nos hace dudar hasta a quienes lo teníamos más claro. Quizás, con la mirada puesta en indeseables regresiones, la solución radique en poner el límite en su contenido esencial pero, y volvemos así al principio, el *prius* necesario para ello es aceptar que los derechos sociales también deben tener garantizado un núcleo resistente a la actividad legislativa[142]. Recordemos que ese reducto indisponible ha sido reconocido por el propio TC en relación con el art. 41 CE[143]. Podríamos por ello pensar que la jurisdicción constitucional tiene mucho que decir en cuanto a su concreción. Ahora bien, la delimitación de ese núcleo esencial puede ser efectivamente más difícil cuando se trate de principios respecto de los cuales la propia CE ofrezca un más amplio margen al desarrollo legislativo. El riesgo es evidente ante situaciones de auténtica escasez de recursos. Y es precisamente por ello por lo que volvemos a la propuesta del trasvase de ciertos derechos desde su catalogación como principios rectores, a su consideración constitucional como verdaderos derechos subjetivos. Y para ello, para delimitar los contornos infranqueables para el legislador, el recurso al Derecho Internacional de los Derechos Humanos nos parece inevitable[144]. Ahora bien, dicha

---

aclarar la aplicación del llamado "principio de ordinalidad"; y, dentro de una ineludible reforma del Senado, la inclusión de referencias a su participación en la aprobación de las leyes financieras del Estado. No obstante, no existe una posición unánime acerca de la posibilidad de trasladar a la CE una regulación detallada de los elementos esenciales del sistema de financiación autonómica (tributos de titularidad exclusiva del Estado, porcentajes de cesión de los impuestos cedidos...). *Vid.*, J. García Roca (ed.), *Pautas para una reforma constitucional. Informe para el debate. Op. cit.*, pp. 115-124.

[142] Entre la literatura que defiende la existencia de esa suerte de contenido esencial de los derechos sociales, E. Carmona Cuenca, ¿Los derechos sociales de prestación son derechos fundamentales?, en Varios, *Estudios sobre la Constitución española: Homenaje al profesor Jordi Solé Tura*, Vol. 2, CEPC, Madrid, 2008, p. 1115.

[143] *Vid.*, C. Montesinos Padilla. *Op. cit.*, p. 27 y STC 37/1994.

[144] Montesinos Padilla, C., *Inconsistencias y asimetrías en la internacionalización de la Constitución española (o de porqué revitalizar el discurso de los derechos sociales, en Varios. Setenta años de Constitución Italiana y cuarenta años de Constitución Española. Vol. I. Balances y perspectivas en la Europa constitucional. Op. cit.*, pp. 305-321.

delimitación no podrá ser excesivamente específica. La opción por "el realismo mágico en los textos constitucionales" corre el riesgo de no tardar en frustrar las expectativas de los ciudadanos[145]. Sería por ello necesario actuar con pragmatismo y autocontención.

V. BIBLIOGRAFÍA CITADA

Amnistía Internacional. *Derechos desalojados. El derecho a la vivienda y los desalojos hipotecarios en España*, Amnistía Internacional España, Madrid, 2015 2https://grupos.es.amnesty.org/uploads/media/informe_vivienda_jun_15_Derechos_desalojados.pdf

Balaguer Callejón F. *Crisis económica y crisis constitucional en Europa*, Revista Española de Derecho Constitucional, nº 98, 2013.

____*Una interpretación constitucional de la crisis económica*, Revista de Derecho Constitucional Europeo, nº 19, 2013.

Barber, S.A. *Welfare & Constitution,* Princeton University Press, New York, 2003.

Bassols Coma, M. *La Constitución económica*, Revista de Derecho Político, n º 36, 1992.

Biglino Campos, P. *Principios rectores, legislador y Tribunal Constitucional*, Revista Española de Derecho constitucional, nº 119, 2020.

Cancio Meliá, J. *La constitución económica: promesas incumplibles*, Revista Jurídica Universidad Autónoma de Madrid, nº 7, 2002.

Carmona Cuenca E. *¿Los derechos sociales de prestación son derechos fundamentales?*, en VARIOS, *Estudios sobre la Constitución española: Homenaje al profesor Jordi Solé Tura*, Vol. 2, CEPC, Madrid, pp. 1103-118, 2008.

Carrillo, M. *La crisis y los derechos sociales en las políticas públicas de la Generalitat*, Revista Catalana de Dret Públic, nº 56, 2018.

Chozas Vinuesa, G. *De la crisis de deuda soberana a la constitución de un common backstop para la unión bancaria*, Revista General de Derecho Europeo, nº 49, 2019.

De Arriba R. *Crisis, política económica y desigualdad en España*, en *Papeles de Europa*, vol. 27, nº 2, 2014.

---

[145] J. García Roca. *Taking social rights seriously: principle of financial sustainability. A budgetary impact statement. Op cit.*

Defensor del Pueblo *Informe anual 2017 y debates en las Cortes Generales. Crisis económica y desigualdad*, Defensor del Pueblo, Madrid, 2018

Delgado del Rincón, L.E. *El Estado social y la fragilidad de los derechos sociales en tiempos de crisis económica*, en *Estudios de Deusto*, vol. 61/2, pp. 43-68, 2013.

Entrena Cuesta, R. *El principio de libertad de empresa*, en F. Garrido Falla (coord.), *El modelo económico de la Constitución española*, Vol. I, Instituto de Estudios Económicos, Madrid, pp. 103-164, 1981.

Estefanía J. *El pendulazo*, en *Diario El País*, 21 de junio de 2019.

Ezquerra Huerva A., *Las repercusiones de la crisis económica en el sector de los servicios sociales*, *Revista Jurídica de Asturias*, n °40, 2017.

Ferrari G.F. *Los derechos sociales en el constitucionalismo de la crisis*, *Teoría y Realidad Constitucional*, n ° 43, 2019.

García- Pelayo M., *Consideraciones sobre las cláusulas económicas de la Constitución*, Tomo III, Centro de Estudios Constitucionales, Madrid, 1991.

García Roca J. *Pautas para una reforma constitucional. Informe para el debate*, Thomson Reuters, Cizur Menor, 2014.

_____ *Taking social rights seriously: principle of financial sustainability. A budgetary impact statement*, en *Annuaire International des Droit de l' Homme*, vol. VII, pp. 213-242, 2012-2013,

García-Roca, J. y Martínez Lago M.A. *Estabilidad presupuestaria y consagración del freno constitucional al endeudamiento*, Thomson Reuters, Cizur Menor, 2013.

García Vitoria I. *La reforma de la Constitución Económica*, en *Agenda Pública*, 6 de diciembre de 2018: http://agendapublica.elpais.com/la-reforma-de-la-constitucion-economica/

Gavara de Cara, J.C. *Los derechos fundamentales: Valoración y posibles modificaciones*, en Freixes Sanjuaán, T. y Gavara de Cara J.C., *Repensar la constitución. Ideas para una reforma de la Constitución de 1978: reforma y comunicación dialógica. Parte Primera*, BOE-CEPC, Madrid, pp. 39-71, 2016.

Gil Tertre, M. *Next Generation Spain: Practical Advice*, en *Agenda Pública*, 7 de junio de 2020: http://agendapublica.elpais.com/next-generation-spain-practical-advice/

González Pascual, M. *Constitución Española y Gobernanza Económica Europea; desnudez y crisis del Estado Constitucional*, *Revista Vasca de Administración Pública*, n° 109-II, 2017.

Gordillo, I. *Constitución económica, ordoliberalismo y Unión Europea" De un Derecho económico nacional a uno europeo*, Revista de Derecho UNED, n° 23, 2018.

Gordillo Pérez L.I. y Canedo Arrllaga J.R. *La constitución económica de la Unión Europea. Bases de un modelo en constante evolución*, Cuadernos de Derecho Transnacional, vol. 5, n° 1, 2013.

Green, J. *Is globalization over?* Polity Press, Cambridge, 2019.

Háberle P. *Siete tesis para una teoría constitucional del mercado*, Revista de Derecho Constitucional Europeo, n. 5, 2006.

Holland S. *Contra la hegemonía de la austeridad*, Arpa Editores, España, 2016.

Herrero de Miñon, M. *La Constitución económica: de la ambigüedad a la integración*, Revista Española de Derecho Constitucional, n. 57, 1999.

Kluth A. *We have a constitutional crisis in the European Union*, en *Agenda Pública*, 14 de mayo de 2020: http://agendapublica.elpais.com/a-kluth-we-have-a-constitutional-crisis-in-the-eu/

Langford, M. *Judicial Review in National Courts*, en LANGFORD, M. (co-ord.), *Economic, Social and Cultural Rights in International Law: Contemporary Issues and Challenges*, Oxford University Press, Oxford, 2014.

Lasa López, A. *La ruptura de la Constitución material del Estado social: La constitucionalización de la estabilidad presupuestaria como paradigma*, Revista de Derecho Político, n° 90, 2014.

López Garrido, D. *La Edad de Hielo. Europa y Estados Unidos ante la Gran Crisis: el rescate del Estado de bienestar*, RBA, Barcelona, 2014.

_____*Apuntes para un estudio sobre la Constitución económica*, Revista del Centro de Estudios Constitucionales, n° 15, 1993.

Menéndez A.J. *La mutación constitucional de la Unión Europea*, Revista Española de Derecho Constitucional, n° 96, 2012.

Montesinos Padilla, C., *Inconsistencias y asimetrías en la internacionalización de la Constitución española (o de porqué revitalizar el discurso de los derechos sociales*, en Varios (dirs.), *Setenta años de Constitución Italiana y cuarenta años de Constitución Española. Vol. I. Balances y perspectivas en la Europa constitucional*, BOE-CEPC, Madrid, pp. 305-321, 2020.

_____*Estabilidad presupuestaria, déficit público y medidas anti-crisis. El impacto de la política económica europea e la doctrina del Tribunal Constitucional español en materia de derechos sociales*, Revista Peruana de Derecho Constitucional, n ° 11, 2019.

_____*El derecho a la vivienda (o del porqué y del cómo reformar la Constitución en materia de derechos sociales)*, Revista Aranzadi Doctrinal, n ° 2, 2019.

Moreno González, G., *La economía social de mercado: El polémico concepto de la Constitución económica europea*, en García Guerrero J.L., Martínez Alarcón, M.L. (dirs.), *Constitucionalizando la globalización*, Tirant lo Blanch, Valencia, pp. 791-812, 2018.

Muñoz de Bustillo Llorente, R., *Mitos y realidades del Estado del Bienestar*, Alianza Editorial, Madrid, 2019.

Murillo de la Cueva, P.L., *La Constitución en tiempos de crisis*, en Varios (dirs), *Setenta años de Constitución Italiana y cuarenta años de Constitución Española. Vol. I. Balances y perspectivas en la Europa constitucional*, BOE-CEPC, Madrid, pp. 65-86, 2020.

Nolan A., *Not Fit For Purpose? Human Rights in Times of Financial and Economic Crisis*, en *European Human Rights Law Review*, Issue 4, pp. 360-371, 2015.

Offe, C. *Europa acorralada. ¿Tiene la UE capacidad política para superar su actual crisis*, *Revista Española de Derecho Constitucional?*, n. 98, 2013.

Pérez Tremps P. *Las reformas de la Constitución hechas y no hechas*, Tirant lo Blanch, Valencia, 2018.

Pomce Solé, J. *Reforma constitucional y derechos sociales: la necesidad de un nuevo paradigma en el derecho público español*, *Revista Española de Derecho Constitucional*, n ° 111, 2017.

Roberts, M. *La larga depresión. Cómo ocurrió, por qué ocurrió y qué ocurrirá a continuación*, El Viejo Topo, Madrid, 2017.

Rodriguez de Santiago J.M. *Art. 53. La forma de vincular los preceptos del capítulo tercero del título primero de la Constitución española*, en Rodríguez-Piñero y Bravo Ferrer, M., Casas Baamonde, E. (dirs.), *Comentario a la Constitución española. XL Aniversario*, BOE, Madrid, pp. 1488-1493.

Ruiz-Rico, G. *El desarrollo de la Constitución social*, *Revista de Derecho Político*, n.100.

Salazar Benítez O. *La Constitución domesticada: algunas reflexiones críticas sobre la reforma del artículo 135 CE*, *Teoría y Realidad Constitucional*, n ° 29, 2012.

Streeck, W. *¿Cómo terminará el capitalismo? Ensayos sobre un sistema en decadencia*, Amaroto, J. et al (trads.), 2ª Ed., Traficantes de Sueños, Madrid, 2017.

Tooze, A. *Crash. Cómo una década de crisis financiera ha cambiado el mundo*, Fontal, Y., et al. (trads), Editorial Planeta, Barcelona, 2018.

Torres del Moral A. *La Constitución española, objeto de culto y de acoso, en su XL aniversario*, en Varios (dirs), *Setenta años de Constitución Italiana y cuarenta años de Constitución Española. Vol. I. Balances y perspectivas en la Europa constitucional,* BOE-CEPC, Madrid, 2020, pp. 53-64.

____*Principios de Derecho constitucional español,* 6ª ed., Publicaciones UCM, Madrid, 2010

Uxó, J. Paúl P., y Salinas, J. *El programa Español para el estímulo fiscal ante la crisis: Justificación, características y comparación internacional,* en *Documento de trabajo,* n. 9/2009: http://www2.uah.es/iaes/publicaciones/DT_09_09.pdf

Vida Soria, J. *Artículo 41. Seguridad Social,* en O. Alzaga (ed.), *Comentarios a la Constitución española de 1978,* Cortes Generales-Editoriales de Derecho Reunidas, Madrid, pp. 103-132, 1983.

Varios. *La reforma del art. 135 CE. Encuesta sobre la reforma constitucional, Revista Española de Derecho Constitucional,* n° 93, 2011.

Youngs, R. *La UE ante la pandemia: Una vez más, cooperación económica sin democracia,* en *Agenda Pública,* 3 de junio de 2020: http://agendapublica.elpais.com/la-ue-ante-la-pandemia-una-vez-mas-cooperacion-economica-sin-democracia/

La supresión de la disposición transitoria cuarta de la Constitución[1]

Ignacio González García

SUMARIO: I. LA RECURRENTE POLÉMICA SOBRE LA DEROGACIÓN DE LA DISPOSICIÓN TRANSITORIA CUARTA: LA POSICIÓN DE LOS ACTORES POLÍTICOS. II. LA APARIENCIA DE VIGENCIA DE LA DISPOSICIÓN TRANSITORIA CUARTA EN SU ELABORACIÓN Y DESARROLLO NORMATIVO. III. LOS ARGUMENTOS DE LA MAYORÍA DE LA DOCTRINA A FAVOR DE LA VIGENCIA DE ESTE PRECEPTO. IV. POR QUÉ YA NO ES DERECHO APLICABLE. 4.1. El Informe del Consejo de Estado sobre la reforma constitucional como punto de partida. 4.2. La relevancia de la calificación como "transitoria". 4.3. Los problemas de articulación del proceso previsto en la disposición transitoria cuarta, una vez constituidas ambas Comunidades Autónomas. V. ¿Y ENTONCES...? VI. BIBLIOGRAFÍA CITADA

I. LA RECURRENTE POLÉMICA SOBRE LA DEROGACIÓN DE LA DISPOSICIÓN TRANSITORIA CUARTA: LA POSICIÓN DE LOS ACTORES POLÍTICOS

El debate/conflicto político acerca de la eventual incorporación de Navarra al País Vasco o, por mejor decir, sobre el tipo y la intensidad de la relación jurídico-política entre ambos territorios –cualquiera que pudiera ser la concreta fórmula que la articule- es, lógicamente, muy anterior a la entrada en vigor de la Constitución. No podemos remontarnos aquí a los orígenes remotos de la controversia[2], pero sí

---

[1]   Este trabajo se ha realizado en el marco del Proyecto "Reforma constitucional: dimensión institucional y territorial" (20639/JLI/18), del que el autor es IP, financiado por la Fundación Séneca-Agencia de Ciencia y Tecnología de la Región de Murcia a través de la convocatoria Jóvenes Líderes en Investigación del Subprograma de Apoyo y Liderazgo Científico y la Transición a la Investigación Independiente (Programa Fomento de la Investigación Científica y Técnica 2018).

[2]   *Vid.*, sobre el particular, por todos, J.C. Alli Aranguren. *La autonomía de Navarra. Historia, identidad y autogobierno*, Gobierno de Navarra, Pamplona, 2018.

debemos referirnos mínimamente a cómo se abordó esta cuestión en la Constitución Española de 1931, en la medida en que se trata del antecedente inmediato.

Con la proclamación de la II República Española, antes todavía de la entrada en vigor de la Constitución de 1931, comenzaron los trabajos de elaboración de un Estatuto de Autonomía para Navarra. Se prepararon hasta tres proyectos estatutarios: uno que recogía la autonomía de Navarra en solitario, otro que integraba Navarra y el País Vasco, y un tercero rotulado como *Constitución Política Interior de Navarra*[3]. El 10 de agosto de 1931 la Asamblea de Ayuntamientos navarros, recogiendo la alianza entre carlistas y conservadores enfrentados al anticlericalismo de la República, optó por el segundo de ellos: el proyecto de Estatuto vasco-navarro. Una vez promulgada la Constitución, se inició su tramitación de acuerdo con el procedimiento constitucional correspondiente, que otorgaba la iniciativa a las Diputaciones y los municipios. Sin embargo, el 19 de junio de 1932, por escasa diferencia de votos en una nueva asamblea de representantes municipales vasco-navarros, se rechazó la opción de una Navarra incorporada a la autonomía vasca, siguiendo el proyecto de Estatuto su tramitación tan sólo con las tres provincias del País Vasco. Ese Estatuto de Autonomía vasco, refrendado el 5 de noviembre de 1933, recogía una disposición final que preveía la posible incorporación de Navarra al País Vasco, previo cumplimiento de los trámites referidos en el artículo 12 de la Constitución (aprobación por 2/3 de los municipios navarros y plebiscito favorable de las 2/3 partes del censo)[4]. Esa

---

[3]   *Vid.*, al respecto, por todos, J.A. Razquin Lizarraga. *Fundamentos Jurídicos del Amejoramiento del Fuero. Derechos Históricos y régimen foral de Navarra*, Gobierno de Navarra, Pamplona, 1989, pp. 195 y ss.

[4]   Extracto del texto de la disposición final: "Si la provincia de Navarra, previo cumplimiento de los requisitos exigidos en el artículo 12 de la Constitución, decidiera incorporarse a la Región Autónoma que se constituye por el presente Estatuto, podrá hacerlo introduciéndose en el texto de éste las siguientes modificaciones: 1º Las palabras País Vasco se sustituirán por las de País Vasco-Navarro. [...] 3º Se añadirá la palabra Navarra junto al nombre de las otras tres provincias. [...] 6º Se introducirán todas las demás modificaciones o adiciones de detalle que sean pertinentes, teniendo presente el texto del Proyecto de Estatuto del País Vasco-Navarro que se sometió a la Asamblea celebrada en Pamplona el 19 de junio de 1932. Con objeto de apresurar todo lo posible la constitución de la región autónoma del País Vasco-Navarro, las Comisiones Gestoras de Álava,

previsión fue finalmente eliminada en la tramitación del proyecto de Estatuto en las Cortes (1 de octubre de 1936). Vemos, pues, cómo ya en aquella etapa la posibilidad de integrar en una misma autonomía a las cuatro provincias forales era un elemento principal del debate territorial[5].

Con la entrada en vigor de la Constitución Española de 1978 y, con ella, de su disposición transitoria cuarta, que establece un procedimiento especial para la eventual incorporación de Navarra al régimen preautonómico vasco o a la Comunidad Autónoma que lo sustituya, el debate vivió algunos años de especial intensidad hasta que Navarra se constituyó como Comunidad Foral no incorporada a la Comunidad Autónoma del País Vasco con la aprobación de la Ley Orgánica de Reintegración y Amejoramiento del Régimen Foral de Navarra (16 de agosto de 1982). A partir de ese momento, sólo puntualmente, al hilo de algún concreto acontecimiento, retomó algún efímero protagonismo en el debate político nacional.

Así sucedió, por ejemplo, con el fallido Acuerdo de Cooperación entre la Comunidad Autónoma del País Vasco y la Comunidad Foral de Navarra para la creación de un Órgano Permanente de Encuentro para Políticas Comunes, remitido a las Cortes Generales el 26 de junio de 1996, para la "coordinación e impulso en materias de interés común", cuyas decisiones habrían de articularse "cuando sea preciso a través de los correspondientes convenios de colaboración y acuerdos de cooperación, de conformidad con el ordenamiento jurídico vigente" (art. 5°.6)[6]. El debate sobre el contenido y alcance de este pacto fue notablemente intenso en las Cortes Generales, que debían autorizarlo en virtud de lo previsto en el artículo 145.2 CE[7]. El Grupo Popular en el Senado presentó once enmiendas –condicionamientos

---

Guipúzcoa y Vizcaya invitarán a la de Navarra a que haga saber dentro del presente mes de marzo su voluntad de incorporarse, a fin de que el plebiscito pueda ser convocado mancomunadamente por las cuatro Comisiones Gestoras, conforme a lo determinado en el artículo 8 del Decreto de 8 de diciembre de 1931".

[5]   Vid. J.L. De la Granja Sáinz. "El nacimiento de Euskadi: el Estatuto de 1936 y el primer Gobierno vasco". *Historia Contemporánea*, n° 35, 2007, pp. 427-450.

[6]   Vid. el texto íntegro en el BOCG, Senado, Serie I, n° 27, de 26 de junio de 1996.

[7]   Vid. I. González García. *Parlamento y convenios de cooperación*, CEPC, Madrid, 2011, pp. 384-393.

a la autorización, para ser más precisos- al Acuerdo de cooperación, la mayor parte de ellos dirigidos a salvaguardar la prohibición del artículo 145.1 CE, haciendo hincapié en que no se atribuyera ni al órgano permanente ni a su secretariado "ningún tipo de decisión autónoma ni de ejecución", "facultades decisorias" o "funciones ejecutivas en el ámbito de las Administraciones Públicas", en pro de evitar la formación de una "federación encubierta" con voluntad política "independiente de la voluntad futura de los Gobiernos y Parlamentos respectivos" y con potestades, por tanto, "decisorias", lo que supondría configurar "una institución supra o intercomunitaria de dudoso encaje constitucional"[8]. No obstante, el cambio en el Gobierno de la Comunidad Autónoma de Navarra tras la victoria electoral de UPN cambió el rumbo de las cosas, pues el nuevo Ejecutivo navarro elevó a la Mesa del Senado su voluntad de retirar la solicitud de autorización realizada por el anterior Gobierno autonómico, concluyendo así el trámite y no formalizándose finalmente el Acuerdo de Cooperación[9], lo que devolvió al cuestión vasco-navarra otra vez al cajón del olvido.

El interés por esta cuestión se reaviva a partir de que los actores políticos empiezan a plantear en el primer lustro de los años 2000 la posibilidad de abordar una reforma de la Constitución que incluyera, entre otras, la revisión –siquiera parcial- del su Título VIII. Lo más relevante, a los efectos que aquí interesan, es que todos esos actores políticos, tanto los que se han venido mostrando a favor de mantener la disposición transitoria cuarta como aquéllos que han propuesto su derogación, dan por sentado que estamos ante un precepto que sigue vigente y que es, por tanto, plenamente aplicable. Esto es, que salvo que la disposición sea expresamente derogada tras un proceso de reforma constitucional, Navarra podría acogerse al procedimiento que en ella se recoge para incorporarse a la Comunidad Autónoma del País Vasco.

Así, ya en 2004 el Presidente de UPN y del Gobierno de Navarra manifestó que no era "lógico que la Comunidad más histórica de España esté sometida de forma permanente a una espada de Damocles, por lo que en un momento, que espero que no pase, en el que la ciu-

---

[8]   Vid. todos ellos en el BOCG, Senado, Serie I, nº 66, de 11 de octubre de 1996.
[9]   Vid. BOCG, Senado, Serie I, nº 116, de 17 de diciembre de 1996.

dadanía se vuelva loca y se consiga una mayoría absoluta en el Parlamento, decida configurar otra realidad con Euskadi. No lo podemos consentir."[10] Estas declaraciones las hizo en el contexto de la tramitación en el Parlamento de Navarra de una iniciativa de IU, finalmente rechazada exclusivamente con los votos de UPN, que proponía que el Parlamento Foral se pronunciara expresamente a favor del mantenimiento de la disposición transitoria cuarta de la Constitución en un eventual escenario de reforma constitucional[11].

Pero es, principalmente, a partir de la propuesta de reforma constitucional del Gobierno (2005) y el posterior informe del Consejo de Estado en relación a la misma (2006), uno de cuyos contenidos era la incorporación al Texto Constitucional de la denominación de las diecisiete Comunidades Autónomas, lo que podría afectar colateralmente a los preceptos del Título VIII que regulan el acceso a la autonomía y a las correspondientes disposiciones transitorias, cuando la controversia sobre la incorporación de Navarra al País Vasco vuelve a primera línea del debate político.

Incluso llegó a convertirse esta cuestión en protagonista de la campaña electoral de las elecciones generales de 2011, durante la cual la Presidenta del Gobierno de Navarra, Yolanda Barcina, pidió públicamente al candidato del Partido Popular, Mariano Rajoy, que cerrara "de una vez esa puerta entreabierta a una hipotética absorción de Navarra por Euskadi" porque "Navarra no es transitoria, Navarra el para siempre", a lo que el Sr. Rajoy contestó que se comprometía a que "Navarra siga siendo Navarra, a defender el régimen foral de Navarra" y a "quitar" la disposición transitoria cuarta si hubiera un proceso

---

10   Diario de Noticias, de 10 de mayo de 2004.

11   "1. Las Cortes de Navarra declaran que los navarros y navarras tienen derecho a decidir sobre su futuro de forma directa y democrática, dentro de los cauces políticos establecidos. Por ello, rechazan cualquier reforma de la Constitución Española que suponga la supresión del único mecanismo de decisión directa de la ciudadanía navarra, mediante referéndum, que se contiene en la misma. 2. Las Cortes de Navarra expresan que cualquier reforma constitucional debe pasar por la confirmación y ampliación del derecho democrático de los ciudadanos y ciudadanas de la Comunidad Foral a decidir libre y directamente el futuro institucional de Navarra" (D.SS. Parlamento de Navarra, n° 26, sesión 23, de 25 de junio de 2004, p. 2).

de reforma constitucional en el futuro[12]. Afirmación que, en términos similares, repitió durante el debate de su investidura ante las críticas que al respecto le hizo la representante de Geroa Bai, Sra. Barkos[13].

La Presidenta del Ejecutivo navarro insistió durante esa legislatura en la derogación de la disposición transitoria cuarta de la Constitución[14], si bien recibió siempre la misma respuesta: ese asunto sólo se abordaría en el eventual –e improbable- marco de una reforma constitucional más amplia. No obstante, el debate, lejos de perder fuerza, acrecentó su presencia en la campaña electoral de las elecciones generales de 2015, donde prácticamente todas las fuerzas políticas –muchas por primera vez- incluyeron alguna alusión específica a la disposición transitoria cuarta de la Constitución. Así, Ciudadanos proponía la "derogación expresa" de todos los preceptos constitucionales que son "meras disposiciones transitorias para acceder a la autonomía y que ya no son de aplicación (artículos 143, 144, 146, 148, 151, 152.1), además de todas las disposiciones transitorias propiamente dichas"[15]; UPyD abogaba también por "suprimir la disposición transitoria cuarta que afecta a Navarra, dado que su transitoriedad venció cuando ésta se constituyó como Comunidad Autónoma"[16]. Por el contrario, Podemos manifestó que "la transitoria cuarta está perfecta ahí"[17]; el PNV también solicitaba el mantenimiento de este precepto[18]; y EH Bildu, aun insatisfechos con la disposición por entenderla "un embudo con apariencia de libertad de elección", también propusieron su mantenimiento como único "res-

[12]   Diario ABC digital, de 13 de noviembre de 2011, vía EFE.

[13]   D.SS. Congreso de los Diputados, nº 3, de 20 de diciembre de 2011.

[14]   "La única Comunidad que está cuestionada, pese a ser una de las más históricas, sea Navarra, la disposición transitoria cuarta debe desaparecer ya, pues es el momento de reconocer que Navarra es una de las Comunidades claves de España y que no tiene que estar cuestionado su futuro con una posible integración a alguien con el que nunca estuvo unida a lo largo de la Historia", Diario El Mundo (22/01/2012). "La disposición transitoria cuarta habría que quitarla ya, porque no puede ser que Navarra sea la única Comunidad que pueda unirse a otra", Diario La Información (01/12/2014).

[15]   https://www.ciudadanos-cs.org/programa-electoral2015

[16]   https://upyd.es/wp-content/uploads/2016/10/Programa-UPyD-definitivo.pdf

[17]   Europa Press, 26 de noviembre de 2014.

[18]   https://www.eaj-pnv.eus/es/documentos/17970/programa-electoral-2015

quicio para construir de igual a igual su relación con los territorios vascos hermanos"[19].

A mantener la actualidad del problema contribuyó, sin duda, el hecho de que en 2015 Navarra pasó a ser gobernada por Geroa Bai en cuatripartito con Podemos, Bildu e IU, toda vez que UPN no alcanzó en las urnas la mayoría absoluta, poniéndose así fin a diecinueve años de Ejecutivos liderados por esta formación política claramente partidaria de la derogación de la disposición transitoria cuarta de la Constitución. La nueva Presidenta del Gobierno navarro llevaba desde 2012 negociando una estrategia común para favorecer la anexión de Navarra al País Vasco con PNV y Bildu, lo que terminó cristalizando en el año 2016 en el llamado *Protocolo General de Colaboración entre la Comunidad Autónoma del País Vasco y la Comunidad Foral de Navarra* –no articulado como Acuerdo de Cooperación para evitar su sometimiento a la preceptiva autorización de las Cortes Generales- cuyo objeto declarado no es otro que "reflejar en él la voluntad expresa y firme determinación para, no sólo mantener, sino también incrementar el espíritu de colaboración y cooperación que ha caracterizado las relaciones entre ambas Comunidades [...] y definir concretos cauces formales de relación"[20].

Por supuesto, a partir de 2017 el conflicto secesionista en Cataluña eclipsa casi cualquier otra cuestión relativa a la organización territorial del Estado, pero los principales partidos del espectro político estatal han seguido manteniendo en sus programas electorales alusiones expresas a esta disposición transitoria cuarta[21], cuya mención es

---

[19]   Diario de Navarra, 12 de diciembre de 2015.

[20]   http://www.navarra.es/home_es/Actualidad/Sala+de+prensa/Noticias/2016/05/04/protocolo+colaboracion+pais+vasco.htm

[21]   Sirva como ejemplo el programa electoral de Ciudadanos para los procesos de elecciones generales de 2019: "Suprimiremos la disposición transitoria cuarta que prevé la posibilidad de anexión de Navarra por el País Vasco. Enumeraremos las Comunidades Autónomas constituidas y daremos por cerrado su proceso de conformación". https://www.ciudadanos-cs.org/programa-electoral. También las declaraciones del candidato del Partido Popular durante la campaña electoral: "El anexionismo por parte del País Vasco a Navarra es humillante. Navarra no es apéndice de nadie, tiene una historia lo suficientemente rica como para que cualquier autonomía venga a deciros que tenéis que ser un mero apéndice (19/11/2019, https://www.eldiario.es/politica/casado-navarra-suma-pais-vasco_1_1589135.html).

casi ya inexcusable cada vez que se alude a una eventual reforma de la Constitución territorial o se debaten cuestiones de política general. Más recientemente, *v.g.*, la entonces portavoz del Grupo Popular en el Congreso de los Diputados, Cayetana Álvarez de Toledo, afirmó en alusión a los apoyos indirectos de Bildu al PSN y al PSOE para formar Gobierno en Navarra y en el Estado que "Pedro Sánchez anexiona Navarra a la indignidad de su proyecto"[22].

Así pues, nos encontramos ante una cuestión controvertida en lo político, la posible incorporación de Navarra al País Vasco, cuya eventual articulación a través de la disposición transitoria cuarta ningún actor político niega. Tanto los defensores de una Navarra autónoma –y, por tanto, piden la derogación del precepto constitucional- como los que pretenden integrar Navarra en la Comunidad Autónoma del País Vasco –y, consecuentemente, abogan por el mantenimiento de este cauce constitucional- entienden que, pese a su calificación de "transitoria" la citada disposición todavía goza de vigencia y puede ser activada[23].

II. LA APARIENCIA DE VIGENCIA DE LA DISPOSICIÓN TRANSITORIA CUARTA EN SU ELABORACIÓN Y DESARROLLO NORMATIVO

La disposición transitoria cuarta de la Constitución Española establece literalmente lo siguiente: *1. En el caso de Navarra, y a efectos de su incorporación al Consejo General Vasco o al régimen autonómico que le sustituya, en lugar de lo que establece el artículo 143 de la Constitución, la iniciativa corresponde al Órgano Foral competente, el cual adoptará su decisión por mayoría de los miembros que lo componen. Para la validez de dicha iniciativa será preciso, además, que la decisión del Órgano Foral competente sea ratificada por referéndum expresamente convocado al efecto, y aprobado por mayoría de los votos válidamente emitidos. 2. Si la iniciativa no prosperase, solamen-*

---

[22]   https://www.europapress.es/navarra/noticia-alvarez-toledo-pp-afirma-san-chez-anexiona-navarra-indignidad-investidura-chivite-20190801125157.html

[23]   Con la sola excepción de UPyD, fuerza hoy extraparlamentaria, como hemos visto en páginas anteriores.

te se podrá reproducir la misma en distinto período del mandato del Órgano Foral competente, y en todo caso, cuando haya transcurrido el plazo mínimo que establece el artículo 143.

Al margen de otro tipo de consideraciones sobre algunos importantes extremos de esta regulación y a los que aludiremos después a lo largo de este trabajo, debemos empezar por señalar aquí que la literalidad del segundo inciso del precepto, que establece dos condicionantes temporales a la repetición del procedimiento, podría favorecer la interpretación de que, salvados esos dos límites, lo previsto en este disposición transitoria tiene –pese a su denominación- vocación de permanencia indefinida, pudiéndose recurrir a ella cuantas veces los sujetos legitimados entiendan por conveniente.

Lamentablemente, los trabajos parlamentarios de elaboración de esta disposición no nos arrojan demasiada luz al respecto[24]. El precepto se incorporó como disposición transitoria tercera a través de la enmienda 778 al Anteproyecto de Constitución por los grupos parlamentarios en el Congreso de UCD, PSOE y PNV, con un contenido prácticamente idéntico al finalmente aprobado[25]. La ponencia se limitó a numerar los párrafos, fue aprobada por unanimidad por la Comisión Constitucional y se incorporó al Dictamen ya como dispo-

---

[24]   *Vid.* un estudio detallado de los mismos en I. Urretavizcaya Añorga. "La disposición transitoria cuarta de la Constitución: antecedentes, contenido material y vigencia. El término incorporación: problemas de aplicación". *Revista Vasca de Administración* Pública, n° 34, 1992, pp. 176-185; y J.J. Echevarría Pérez-Agua. *La constitucionalización de la foralidad (1975-1978)*, CEPC, Madrid, 2020.

[25]   "En el caso de Navarra y a los efectos de su incorporación al Consejo General Vasco o el Régimen Autonómico que lo sustituya, en lugar de lo que establece el artículo 129 del Anteproyecto de Constitución, la iniciativa corresponde al órgano foral competente, el cual adoptará su decisión por mayoría de los miembros que lo componen. Para la validez de dicha iniciativa, será preciso, además, que la decisión del órgano foral competente sea ratificada por referéndum, expresamente convocada al efecto y aprobado por mayoría de votos válidamente emitidos. Si la iniciativa no prosperase, solamente se podrá reproducir la misma en distinto período de mandato del órgano foral competente y, en todo caso, cuando haya transcurrido el plazo mínimo que definitivamente fije el artículo 129, a los efectos de esta enmienda" (BOC, de 5 de enero de 1978). Este texto recoge esencialmente lo ya avanzado por los respectivos Reales Decretos-Leyes 1 y 2/1978, de 4 de enero, creadores de los entes preautonómicos vasco y navarro. *Vid.*, al respecto, A. Pérez Calvo y M.M. Razquin Lizarraga. *Manual de Derecho Público de Navarra*, Gobierno de Navarra, Pamplona, 2000, pp. 47 y 48.

sición transitoria 4ª[26]. El Senado también aprobó el texto remitido por el Congreso, con la sola adaptación del número del precepto al que se remite, pese a los intentos de UCD por introducir alguna enmienda que reforzara el papel decisorio de las instituciones navarras e incluyera la posibilidad de separación posterior del País Vasco si la incorporación se llegara a producir[27]. El dato más interesante a los efectos que aquí interesan lo ofrecía la enmienda 778 bis[28], presentada por UCD en el Congreso, cuyo texto recogía el acuerdo del Consejo Parlamentario de Navarra, de 30 de diciembre de 1977:

> "Disposición adicional. En congruencia con su vigente régimen foral la incorporación de Navarra al Consejo General del País Vasco o al régimen autonómico vasco se regirá por el procedimiento establecido en el Real Decreto-Ley 2/1978, de 4 de enero, en cuya virtud, mediante acuerdo entre la Diputación Foral y el Gobierno, se regularán los siguientes extremos:
>
> a) Determinación del órgano foral competente para acordar la referida decisión.
> b) Necesidad de acuerdo del órgano foral competente.
> c) Ratificación del pueblo navarro mediante referéndum en el caso de que la decisión del órgano competente sea favorable a la incorporación.
>
> *Este procedimiento quedará sin efecto en el caso de que Navarra, con arreglo a los preceptos constitucionales, adquiera el carácter de territorio autónomo,* en cuyo caso se estará a lo que el propio Estatuto regule en relación a los requisitos que deben observarse para su modificación.
>
> En el supuesto de que Navarra no utilice la vía constitucional a que se refiere el apartado anterior, la iniciativa para la incorporación al régimen autonómico vasco sólo podrá producirse conforme a lo que disponga el acuerdo entre la Diputación Foral y el Gobierno, a que se refiere el Real Decreto-Ley 2/1978, de 4 de enero, que deberá contemplar cláusulas que aseguren la necesaria estabilidad de la decisión del pueblo navarro"[29].

---

[26] Informe de la Ponencia (BOC, de 17 de abril de 1978), Dictamen de la Comisión (BOC, de 1 de junio de 1978).

[27] Dictamen del Pleno del Senado (BOC, de 13 de octubre de 1978).

[28] BOC, de 4 de enero de 1978.

[29] La cursiva es mía.

La enmienda no se llegó a debatir pues fue retirada por los proponentes, sabedores de que no había mayoría suficiente para aprobarla y satisfechos con las garantías que la disposición transitoria cuarta finalmente daba a la capacidad de decisión de los navarros sobre su incorporación o no al País Vasco. Se podría pretender ver aquí, en la no aprobación de una enmienda que establecía el cese de la vigencia de la disposición transitoria cuarta en la constitución de Navarra como Comunidad Autónoma independiente del País Vasco, la voluntad del constituyente de dar carácter permanente al precepto, lo que, a nuestro criterio, sería un exceso interpretativo en la medida en que la enmienda no sólo contenía esa previsión, los motivos de la retirada son otros que no tienen que ver son ella y, puesto que fue retirada, ni siquiera fue objeto de debate y votación.

Sea como fuere, ya entonces se apuntaba la clave del problema: si la disposición transitoria cuarta se podía seguir entendiendo vigente una vez que Navarra se constituyera en Comunidad Autónoma por otra vía, sin incorporarse a la preautonomía o autonomía vasca. Ninguna duda cabe, por el contrario, hasta que tal cosa no sucediera. De hecho, hubo un intento fracasado de incorporación vía disposición transitoria cuarta en diciembre de 1979, dos años y medio antes de la aprobación de la actual LORAFNA[30].

Debemos, pues, examinar qué es lo que estipulan los Estatutos de Autonomía vasco y navarro, respectivamente, en relación con esta previsión constitucional. Como era esperable, el Estatuto de Autonomía del País Vasco, el primero de los dos en aprobarse[31], recoge la opción prevista en la Constitución de incorporar Navarra a su territorio, aludiendo a la misma en sus artículos 2.1 y 2.2[32] y estableciendo

---

[30] El diputado foral de Euskadiko Eskerra, Sr. Casajús Martínez, presentó en el Parlamento Foral una moción instando la activación del procedimiento previsto en la disposición transitoria cuarta de la Constitución. Se debatió y rechazó en Comisión de Régimen Foral el 17 de diciembre de 1979 con 4 votos a favor (grupos abertzales), 4 abstenciones (PSOE) y 7 votos en contra (UPN y UCD). *Vid.* Diario de Sesiones del Parlamento Foral de Navarra, nº 6, Comisión de Régimen Foral, pp. 4 a 21.

[31] Ley Orgánica 3/1979, de 18 de diciembre.

[32] Art. 2 EAPV: "1. Álava, Guipúzcoa y Vizcaya, así como Navarra, tienen derecho a formar parte de la Comunidad Autónoma del País Vasco. 2. El territorio de la Comunidad Autónoma del País Vasco quedará integrado por los Territorios

el procedimiento correspondiente en el artículo 47.2[33], sin que en él se advierta dato alguno que indique limitación temporal en la aplicación de tales estipulaciones. Por su parte, Navarra realizó el acceso a la autonomía a través de la vía prevista en la disposición adicional primera de la Constitución[34], con la aprobación de la LORAFNA. Esta norma sólo se refiere expresamente a la posibilidad de incorporación a la Comunidad Autónoma del País Vasco en su lacónica disposición adicional segunda[35], que establece, por una parte, que el órgano foral competente al que se refiere la disposición transitoria cuarta de la Constitución es el Parlamento foral, como es lógico; y, por otra parte, que también le corresponde a la Cámara navarra la iniciativa para la posterior segregación de Navarra de la Comunidad Autónoma del País Vasco, en caso de que se hubiera llevado a cabo la incorporación. Dejando ahora al margen el análisis técnico de esta muy cuestionable estipulación, parece claro que el legislador estatutario navarro ha

---

Históricos que coinciden con las provincias, en sus actuales límites, de Álava, Guipúzcoa y Vizcaya, así como la de Navarra, en el supuesto de que esta última decida su incorporación de acuerdo con el procedimiento establecido en la disposición transitoria cuarta de la Constitución".

[33] Art. 47.2 EAPV: "En el caso de que se produjera la hipótesis prevista en la disposición transitoria cuarta de la Constitución, el Congreso y el Senado, en sesión conjunta y siguiendo el procedimiento reglamentario que, de común acuerdo determinen, establecerán, por mayoría absoluta, qué requisitos de los establecidos en el artículo 46 se aplicarán para la reforma del Estatuto, que deberán en todo caso incluir la aprobación del órgano foral competente, la aprobación mediante Ley Orgánica, por las Cortes Generales, y el referéndum del conjunto de los territorios afectados". Regulación de esa actuación conjunta de las Cortes Generales que el Parlamento estatal no ha elaborado, pese a haber dictado sendas Resoluciones para la normación de los procedimientos especiales de reforma estatutaria (*Resolución de la Presidencia del Congreso de los Diputados 16/03/1993, sobre procedimiento de tramitación de reforma de los Estatutos de Autonomía, modificada por Resolución de la Presidencia, de 25 de septiembre de 2018; y Norma Supletoria del Senado sobre el procedimiento de tramitación de reforma de los Estatutos de Autonomía, de 30 de septiembre de 1993*). Sobre las múltiples deficiencias técnicas del precepto del Estatuto vasco, vid., entre otros, J. Tomás Villarroya. "Proceso autonómico y observancia de la Constitución", *Revista de Derecho Constitucional*, nº 15, 1985, p. 61.

[34] Por todas, STC 16/1984, de 6 de febrero.

[35] Disposición adicional segunda LORAFNA: "El Parlamento será el órgano foral competente para: a) Ejercer la iniciativa a que se refiere la Disposición transitoria cuarta de la Constitución. b) Ejercer, en su caso, la iniciativa para la separación de Navarra de la Comunidad Autónoma a la que se hubiese incorporado".

entendido vigente y aplicable la disposición transitoria cuarta de la Constitución aun después de que Navarra se hubiera constituido en Comunidad Autónoma independiente por otra de las vías de acceso a la autonomía que prevé nuestra Carta Magna.

Posteriormente no se han aprobado reformas estatutarias que hayan afectado a estas previsiones, pero sí ha habido relevantes propuestas fallidas o todavía actualmente en curso. Nos referimos al conocido como *Plan Ibarretxe*[36] y a la propuesta de reforma del Estatuto de Autonomía del País Vasco que se encuentra en tramitación en el Parlamento de esa Comunidad Autónoma.

En el primero de ellos no se aludía expresamente a la disposición transitoria cuarta de la Constitución ni al procedimiento que en ella se establece, pero sí se recogía (art. 6.3) una alusión a la eventual fusión o federación de ambas Comunidades Autónomas en términos imprecisos: "Si en el futuro, los ciudadanos y ciudadanas de la Comunidad de Euskadi y los de la Comunidad Foral de Navarra decidieran libremente conformar una estructura política conjunta, se establecerá, de común acuerdo, un proceso de negociación política entre las Instituciones respectivas para articular un nuevo marco de organización y de relaciones políticas que, en último término, deberá ser ratificado por la ciudadanía de ambas Comunidades".

Por lo que se refiere al proyecto de reforma de Estatuto de Autonomía del País Vasco, que lleva ya siete largos años de tramitación en el Parlamento de esa Comunidad Autónoma, tan sólo destacar que el *Documento de Bases sobre el Nuevo Estatus Político del País Vasco acordado en la Ponencia de Autogobierno* (06/07/2018) recoge en su preámbulo que "Euskal Herría es un pueblo con identidad propia [...] con tres ámbitos institucionales diferenciados: la Comunidad Autónoma del País Vasco que comprende los territorios de Araba, Bizkaia y Gipuzkoa, la Comunidad Foral de Navarra que integra a Nafarroa y el territorio gestionado por la Mancomunidad de Iparralde", de modo que "el nuevo texto articulado contemplará la posibilidad de establecer relaciones con la Comunidad Foral de Navarra [...] siempre desde el máximo respeto a la voluntad de sus instituciones

---

[36] Propuesta de Estatuto Político de la Comunidad de Euskadi, de 25 de octubre de 2003.

respectivas y atendiendo a la normativa sobre la materia de los distintos territorios [...], incluída la posibilidad de establecer estructuras u órganos institucionales permanentes y comunes" (base 2.7). Pero todavía no se ha avanzado hacia mayores concreciones.

III. LOS ARGUMENTOS DE LA MAYORÍA DE LA DOCTRINA A FAVOR DE LA VIGENCIA DE ESTE PRECEPTO

A la vista de los datos que, en apariencia, nos ofrece el ordenamiento jurídico, una parte muy importante de la doctrina constitucionalista de nuestro país se ha mostrado favorable -de modo más o menos expreso- a entender que, por supuesto, la disposición transitoria cuarta de la Constitución es Derecho vigente y, consecuentemente, el procedimiento de incorporación de Navarra al País Vasco que en ella se recoge podría activarse por los sujetos llamados a hacerlo en cualquier momento.

Así lo afirma, por ejemplo, Medina Guerrero, quien pese a admitir que "las normas del Título VIII reguladoras de la *iniciativa autonómica* [son ya hoy] superfluas -en cuanto normas materialmente transitorias-" añade que, en el contexto de una eventual reforma de la Constitución sólo "procedería la erradicación de las normas contenidas en los artículos 143, 144 a y c, y 151.1 [así como de] las disposiciones transitorias 1ª, 2ª, 3ª, 5ª y 7ª", pero no de la disposición transitoria cuarta por cuanto lo que en ella se recoge "abre una opción a la que se puede recurrir permanentemente". Así las cosas, una "eventual supresión de la transitoria cuarta no sería una mera operación de desbroce de lo superfluo", como sí ocurre con los demás preceptos aludidos. Se apoya este autor para reforzar su afirmación en el desarrollo que la propia LORAFNA ha hecho de esta disposición, en la opinión "casi unánime" de la doctrina y en la jurisprudencia del Tribunal Constitucional[37]. Desde luego, que la LORAFNA entendió vigente el meca-

---

[37]   M. Medina Guerrero. "La inclusión de las Comunidades Autónomas -y Ciudades Autónomas- en el Texto Constitucional (o sobre la conveniencia de preservar el principio dispositivo en la concreción de la denominación de las Comunidades Autónomas", en F. Rubio Llorente y J. Álvarez Junco (Dtres.). *El informe del Consejo de Estado sobre la reforma constitucional. Texto del Informe y debates*

nismo de incorporación de Navarra al País Vasco que recoge la disposición transitoria cuarta más allá del momento de la constitución de ese territorio en Comunidad Foral por una vía distinta de acceso a la autonomía es un dato difícilmente rebatible -cuestión distinta será, como veremos, plantear la hipotética inconstitucionalidad de la disposición adicional 2ª de la LORAFNA-, pero las referencias a la práctica unanimidad doctrinal y a la jurisprudencia del Tribunal Constitución conviene matizarlas[38].

Por lo que hace a la posición de la doctrina, es bien cierto que es mayoritario el sector doctrinal que aboga por el carácter permanente del precepto constitucional, pero no cabe desconocer que algunos autores -ciertamente minoritarios pero muy relevantes, como veremos- se han posicionado de un modo distinto. A los primeros podríamos agruparlos del siguiente modo:

Aquéllos que han afirmado que una reforma de la Constitución que fijara y cerrara el mapa autonómico obligaría también a derogar la disposición transitoria cuarta, so pena trocar entonces el contenido de la disposición transitoria cuarta en una suerte de vía especial de reforma constitucional, por lo que, *a contrario*, debemos entender

---

académicos, Consejo de Estado y CEPC, Madrid, 2006, pp. 616 y 617.

[38] Este autor cita exclusivamente una sentencia del Tribunal Constitucional (94/1985), a la que después nos referiremos, y como única referencia doctrinal a Tomás y Valiente en su trabajo "Informe del Tribunal Constitucional español presentado en la VI Conferencia de Tribunales Constitucional Europeos, en AA.VV. *Tribunales Constitucionales Europeos y autonomías territoriales*, CEC, Madrid, 1985, p. 156. Sin embargo, en ese texto Tomás y Valiente no adopta una posición definitiva sobre el asunto. Es verdad que da por vigente la disposición transitoria cuarta, pero abre la puerta a otras interpretaciones: "La primera peculiaridad de Navarra consiste en la opción para incorporarse al País Vasco que ofrece la Disposición Transitoria 4ª de la Constitución, y que reitera el Estatuto de Autonomía Vasco. Esta opción es la deseada por los partidos del nacionalismo vasco, y en particular por el PNV. Hasta ahora, Navarra no ha querido hacer uso de ella y ha optado por mantenerse como Comunidad aislada. Quizá alguna de las singularidades procedimentales que se le han aplicado pueda ser interpretada como fruto de una política de los sucesivos Gobiernos de la nación para favorecer la permanencia de Navarra en esta línea. Quizá pudiera especulativamente dudarse de la escrupulosa constitucionalidad del peculiar acceso de Navarra a su actual régimen autonómico; en cualquier caso, como nadie impugnó ante el Tribunal Constitucional ninguna de las normas que lo han desarrollad y como, obviamente, el Tribunal carece de iniciativa, ésta es una cuestión opinable, pero sin resolución jurisdiccional posible".

que, sin reforma constitucional, la disposición transitoria cuarta goza todavía de vigencia. Sirva como ejemplo la postura de Tajadura Tejada, quien propone "la supresión de las siete disposiciones transitorias de la Constitución Española. De entre todas ellas reviste una especial importancia política la supresión de la cuarta en la medida en que contiene un procedimiento para la extinción de una Comunidad Autónoma, Navarra. La Disposición Transitoria Cuarta pierde toda virtualidad desde el momento en que la existencia de Navarra, como Comunidad Autónoma distinta del País Vasco queda garantizada por el propio Texto Constitucional [hipotéticamente reformado] que fija el mapa autonómico"[39].

Aquellos otros que dan por hecho la vigencia de la disposición constitucional, esto es, admiten implícitamente su vigencia[40]. La mayor parte de ellos lo hacen al hilo del análisis, normalmente muy crítico, del desarrollo que de ese precepto han hecho los Estatutos de Autonomía del País Vasco y Navarra[41].

---

[39] J. Tajadura Tejada. "Inclusión de las Comunidades Autónomas en la Constitución", en F. Rubio Llorente y J. Álvarez Junco (Dtres.). *El informe del Consejo de Estado sobre la reforma constitucional. Texto del Informe y debates académicos*, Consejo de Estado y CEPC, Madrid, 2006, p. 643. Todavía más claramente se ha pronunciado en un artículo de prensa en El Correo (15/11/2011): "La consecuencia jurídico-política más importante de la citada disposición transitoria es la 'provisionalidad' de la autonomía de Navarra. A diferencia del resto de las Comunidades cuya extinción no está en modo alguno prevista, en el caso de Navarra se prevé un procedimiento para su liquidación [...] lo que importa subrayar es que este 'derecho al suicidio' que se reconoce a Navarra, es una singularidad que la debilita y le coloca en una posición de inferioridad respecto a las demás Comunidades cuya vocación de continuidad y permanencia no se discute a nivel constitucional".

[40] *Vid.*, *v.g.*, V.J. Calafell Ferrá. "La garantía del territorio de las Comunidades Autónomas ante la reforma de la Constitución. (Un apunto a la propuesta de cerrar el mapa político de España)", en AA.VV. *Autonomías y Organización territorial del Estado: presente y perspectivas de futuro, XXVII Jornadas de Estudio de la Abogacía General del Estado (26, 27, 28 de octubre de 2005)*, Ministerio de Justicia-BOE, Madrid, 2006, p. 122; más recientemente, J.J. Solozábal Echavarría. "La cuestión Navarra", en *El Imparcial* (12/06/2019).

[41] *Vid.*, *v.g.*, C. Aguado Renedo. *El Estatuto de Autonomía y su posición en el ordenamiento jurídico*, CEC, Madrid, 1996, pp. 133 y 470; R.Jiménez Asensio. "La reforma del Estatuto de Autonomía del Parlamento Vasco", *Revista de Estudios Políticos*, nº 46-47, 1985, pp. 519-520; A. Pérez Calvo. "Comentario a la disposición transitoria cuarta", en O. Alzaga Villaamil (Dtor.). *Comentarios a la Constitución Española de 1978*, Edersa, Madrid, 1999, pp. 672 y ss.

Y otros muchos, en efecto, se han manifestado expresamente a favor de entender la disposición transitoria cuarta como una norma con vocación de permanencia, pese a su calificación[42]. Los argumentos que utilizan aluden fundamentalmente al desarrollo que de la misma ha hecho la LORAFNA, la STC 94/1985 a la que luego aludiremos y a la existencia de un plazo no preclusivo para activar el procedimiento[43]. Así, afirma Alli Aranguren:

"El procedimiento para la integración es abierto y repetible cada cinco años, como plazo para volver a hacerlo, no como obligación de repetirlo en ese plazo. Desde el navarrismo se sostuvo que, por tratarse de una disposición transitoria, su naturaleza era temporal y había caducado, porque en el Parlamento Foral, previo al Parlamento de Navarra constituido conforme al Amejoramiento, un parlamentario plateó en 1979 iniciar el proceso y su propuesta fue rechazada ya se había agotado la posibilidad de volver a hacerlo. La Constitución contempla la posibilidad de repetirlo transcurridos cinco años, lo que implica que no caduca, que pueda hacerse por ser un límite, no una obligación. [...] se puede reproducir el proceso permitiendo que el pueblo navarro pueda, de nuevo, decidir siendo, por tanto, de vigencia permanente mientras no se derogue expresamente en una reforma singular de la Constitución, que arrastraría a su regulación por la LORAFNA en cuanto invoca la disposición transitoria cuarta de la Constitución. La ubicación entre las transitorias no cambia su contenido, aunque hubiese estado mejor ordenado como disposición adicional"[44].

---

[42] *Vid.*, por todos, J.A. Razquin Lizarraga. *Op.cit.*, p. 412: "La disposición transitoria cuarta tiene vocación indefinida o de permanencia a pesar de su calificación como transitoria".

[43] K. Larunbe Biurrun. "Apuntes sobre el territorio de la Comunidad Autónoma", en AA.VV. *Estudios sobre el Estatuto de Autonomía del País Vasco. Actas de las II Jornadas de Estudio sobre el Estatuto de Autonomía, celebradas en San Sebastián (11-14 de diciembre de 1990)*, IVAP, Oñati, 1991, Tomo I, p. 79: "Finalmente quiero señalar que si las previsiones de la Disposición Transitoria Cuarta de la Constitución –permanentemente abiertas, como se desprende de su tenor, y sin que sus previsiones hayan vencido por transcurso de plazo alguno o por la aparición de la Ley Orgánica 13/19821982- se cumplieran, de acuerdo con lo preceptuado en el artículo 47.2 del Estatuto Vasco y en la disposición transitoria segunda de la Ley Orgánica 13/1982 y teniendo presente la existencia de las dos Comunidades Autónomas con sus respectivas peculiaridades, no sólo se produciría una reforma estatutaria, sino un nuevo Estatuto de Autonomía prácticamente".

[44] J.C. Alli Aranguren. *Op.cit.* pp. 411 y 412. En el mismo sentido ya se había pronunciado I. Urretavizcaya Añorga. *Op.cit.* p. 189: "Ahora bien, el hecho de que tal tipo de disposiciones se denominen como transitorias, ¿puede cuestionar que su vigencia esté sometida a un término o una condición resolutoria' Para la mayoría

Uno de los importantes escollos interpretativos que deben salvar estos autores es que la disposición transitoria cuarta de la Constitución utiliza el término "incorporación" de Navarra al ente preautonómico vasco o a la Comunidad Autónoma que lo sustituya. Esa expresión parece aludir, lógicamente, a una Navarra todavía no constituida (por otra vía distinta) en Comunidad Autónoma propia o incorporada a otra autonomía distinta del País Vasco. Una vez que Navarra es Comunidad Foral, difícilmente podríamos hablar de "incorporación" a la Comunidad Autónoma vasca. Es por ello que, quienes defienden la vigencia de la disposición constitucional, abogan por interpretar ese término en sentido muy amplio, entendiendo que cabría la creación *ex novo* de una Comunidad Autónoma distinta que integrara los territorios vascos y navarros, amparada en la citada disposición, lo que, a nuestro juicio, como veremos en las páginas siguientes, constituye un exceso interpretativo difícilmente justificable. De esta opinión, Ugartamendía Eceizabarrena, quien afirma que "una vez aprobado el régimen autonómico para Navarra, ya no pueda hablarse de *incorporación*, sino de constituir una nueva Comunidad Autónoma con territorio, población y Estatuto distintos de los anteriores"[45]. En el mismo sentido, Santamaría Pastor admite que "la incorporación de Navarra al País Vasco exigiría una reforma del Estatuto de Guernica y de la propia LORAFNA y, quizá, la elaboración de un texto unitario para la nueva Comunidad Autónoma (o Foral); y sería esta nueva normativa la que debiera pronunciarse de manera definitiva acerca de la forma de ejercicio del *ius secessionis* por parte de la actual Navarra"[46].

---

de la doctrina, la temporalidad debe considerarse una cuestión secundaria o externa a la hora de calificar una norma: en este caso, lo que importa no es tanto su denominación, sino el contenido de la misma y desde una óptica jurídica proyectada sobre la disposición que analizamos, no parece deducirse que esté sometida a un plazo de vigencia pasado el cual deviene inaplicable para siempre; bien es cierto que el apartado segundo prevé la suspensión del procedimiento de iniciativa durante cinco años tras haber fracasado la iniciativa anterior, por ello no impide, que transcurridos los cinco años, vuelva a plantearse nuevamente dicha iniciativa y así sucesivamente".

[45]   J.I. Ugartamendía Eceizabarrena. "Disposición transitoria cuarta", en P. Pérez Tremps y A. Sáinz Arnáiz (Dtres.). *Comentario a la Constitución Española. Libro-homenaje a Luis López Guerra*, Tirant lo Blanch, Valencia, 2018, Tomo II, p. 2358.

[46]   J.A. Santamaría Pastor. "Disposición adicional segunda", en J.A. Santamaría

Finalmente, dentro de este grupo de autores que se han pronunciado expresamente a favor de la vigencia de este precepto constitucional, sorprende la argumentación de Del Burgo, buen conocedor del proceso de elaboración del mismo, quien, yendo al eje de la cuestión (la subordinación de la disposición transitoria cuarta al artículo 143 de la Constitución, al que se remite de modo expreso), afirma, en primer lugar, que "todas las normas procedimentales del proceso de creación de las Comunidades Autónomas, aunque figuran en el título VIII y, por tanto, son formalmente permanentes, en realidad son transitorias, pues han agotado su eficacia" y, más concretamente, "la disposición transitoria cuarta es, en realidad, una excepción al procedimiento del artículo 143 y sólo para el caso de una hipotética incorporación a Euskadi"; para, a continuación, de modo claramente incongruente, aseverar que "si Navarra, previo cumplimiento de lo establecido en esta disposición constitucional, hubiera acabado por incorporarse a la Comunidad Autónoma vasca, nos encontraríamos ante una norma puramente transitoria. Pero mientras tal hipótesis no llegue a producirse, la disposición tiene carácter permanente"[47]. Como más tarde señalaremos, si admitimos que el artículo 143 ya no es Derecho vigente, no es posible justificar que la disposición transitoria cuarta que lo excepciona pueda gozar todavía de eficacia jurídica alguna.

Esta última idea nos permite enlazar con ese otro sector doctrinal –minoritario pero relevante- que ha venido defendiendo la ausencia de vigencia de la disposición transitoria cuarta de la Constitución, partiendo de este argumento. Así, Balaguer Callejón ha afirmado que "de nada sirven ya los preceptos relativos a la iniciativa del proceso autonómico como el 143 [...]. Tampoco tiene sentido mantener en la Constitución las que el propio texto constitucional define como disposiciones transitorias y que, en realidad, establecen modulaciones en los procedimientos anteriores"[48]. En la misma línea, De Carreras

Pastor (Dtor.), *Comentarios al Estatuto de Autonomía de la Comunidad Autónoma de Navarra*, INAP, Madrid, 1992, p. 772.

[47]   J.I. Del Burgo Tajadura. "Navarra en el futuro constitucional", *Cuadernos de Pensamiento Político*, FAES, nº 4, 2004, pp. 84 y 85.

[48]   F. Balaguer Callejón. "Reformas constitucionales relativas al Título VIII en relación con la recepción constitucional de la denominación oficial de las Comunida-

Serra, en alusión a las normas procedimentales del Título VIII y a las disposiciones transitorias, esgrime que todas ellas "regulan el acceso a la autonomía, más exactamente, el ejercicio del derecho a la autonomía establecido en el artículo 2 de la Constitución. [...] se trata de normas todavía válidas pues no han sido derogadas, ni expresa ni tácitamente, aunque su eficacia se agotó por el mejor ejercicio del derecho a la autonomía, que era su único contenido normativo"[49]. Y hace ya varias décadas, Cruz Villalón apuntaba en idéntica dirección: "Que en la Constitución de 1978 hay una serie de preceptos de carácter procedimental que tienen que ver con la constitución de la estructura territorial del Estado y que, por tanto, están pensados para ser utilizados en una única ocasión, para el proceso de constitución de las Comunidades Autónomas, es decir, lo que se llamó el *proceso autonómico*. Ello supone que estos preceptos tienen la misma naturaleza que otros preceptos destinados a la puesta en marcha de los órganos constitucionales, como por ejemplo, la disposición transitoria 9ª para el Tribunal Constitucional. Son, pues, materialmente, 'derecho transitorio', aunque no esté recogido formalmente en las disposiciones transitorias. En este sentido, puede afirmarse que así como la Ley de 4 de enero de 1977 fue una 'ley para la reforma política', por lo que coherentemente perdió su vigencia tras la realización de esa reforma política, del mismo modo la Constitución actual, en esta parte, fue una 'ley para la descentralización del Estado', y sólo para eso"[50].

Por lo que se refiere a la jurisprudencia del Tribunal Constitucional, lógicamente son muchas las sentencias que aluden al proceso autonómico y a sus diferentes vías de acceso, pero tan sólo la STC 94/1985, de 29 de julio, que resolvió el conflicto positivo de competencia núm. 22/1982 relativo a la utilización por parte del Gobierno Vasco del escudo de armas de Navarra, dedica algunas líneas expresamente a

---

des Autónomas", en F. Rubio Llorente y J. Álvarez Junco (Dtres.). *El informe del Consejo de Estado sobre la reforma constitucional. Texto del Informe y debates académicos*, Consejo de Estado y CEPC, Madrid, 2006, pp. 571 y 572.

[49]   F. De Carreras Serra. "Reformar la Constitución para estabilizar el modelo territorial", en AA.VV. *La reforma constitucional: ¿hacia un nuevo pacto constituyente? Actas de las XIV Jornadas de la Asociación de Letrados del Tribunal Constitucional*, Tribunal Constitucional-CEPC, Madrid, 2009, p. 98.

[50]   P. Cruz Villalón. "La constitución territorial del Estado", *Autonomies*, nº 13, 1991, p. 64.

la disposición transitoria cuarta de la Constitución. Por lo que no se puede afirmar que haya una jurisprudencia claramente consolidada en un sentido o en otro. En ese pronunciamiento encontramos, en primer lugar, una reflexión general sobre el carácter preclusivo de las disposiciones transitorias -bien que referida a la disposición transitoria 5ª LOTC, al hilo de la legitimación de una de las partes en el proceso- que parecería avalar la tesis de una vigencia necesariamente limitada en el tiempo de este tipo de preceptos:

> "La transformación en transitoria de la que originariamente fue disposición adicional, al margen de cuál haya sido la intención subjetiva de sus autores, lleva, en todo caso, a asignar a dicha disposición un sentido diferente al pretendido por el Gobierno vasco. El de posibilitar la legitimación de la Diputación Foral y del Parlamento de Navarra, bien con anterioridad a la actualización del régimen foral de este territorio, ya que, una vez realizada la actualización, tal legitimación debería entenderse implícitamente derivada de su propia situación jurídico-constitucional, o bien con anterioridad a la hipotética incorporación de Navarra al País Vasco, en el caso de que ésta llegara a realizarse. De lo contrario, dicha legitimación debería haberse sancionado, *no en una disposición transitoria, sino en una disposición adicional, que en principio, y a diferencia de aquélla, tiene vocación de vigencia indefinida*"[51].

Sin embargo, posteriormente, la misma sentencia se refiere a la disposición transitoria cuarta de la Constitución de modo colateral pero inequívocamente favorable a entenderla todavía vigente, aun con posterioridad a la aprobación de la LORAFNA tres años antes, lo que sirve a la doctrina mayoritaria para afirmar que la jurisprudencia constitucional también avala su tesis:

> "Ese proyecto de unión política de los cuatro territorios históricos, que es constitucional y estatutariamente legítimo, por cuanto la Norma Fundamental prevé la posible incorporación de Navarra en la disposición transitoria 4ª y así se recoge en el artículo 2.2 del Estatuto vasco, no puede plasmarse, sin embargo, en el momento presente, en un emblema oficial identificador, como tal, de la Comunidad Autónoma vasca. En tanto Navarra constituya una Comunidad Foral con régimen, autonomía e instituciones propias y la Comunidad Autónoma del País Vasco abarque los territorios históricos de Álava, Guipúzcoa y Vizcaya, la utilización del 'Laurak-Bat' como emblema oficial por el Gobierno vasco carece de apo-

---

[51]   La cursiva es mía.

yo constitucional y estatutario y, en la medida en que integra el símbolo identificador de Navarra antes de que ésta, haciendo uso de la iniciativa que le atribuye la mencionada disposición transitoria 4ª, haya manifestado su voluntad de integración, invade y lesiona la competencia que corresponde a la Comunidad Foral de Navarra en relación con su propio símbolo".

Así, pues, si bien que con todos los matices que hemos indicado, ciertamente parece que la jurisprudencia y la mayor parte de la doctrina avalan también la idea de que la disposición transitoria cuarta de la Constitución, pese a su calificación de *transitoria* y pese a su subordinación al artículo 143 de la propia Constitución -de contenido materialmente transitorio-, es un precepto con vocación de permanencia que, salvo derogación expresa, podría ser activado en cualquier momento por el Parlamento Navarro para iniciar su *incorporación* a la Comunidad Autónoma del País Vasco. Tesis que, a continuación, venimos a rebatir.

IV. POR QUÉ YA NO ES DERECHO APLICABLE

4.1. El Informe del Consejo de Estado sobre la reforma constitucional como punto de partida

Como es bien conocido, el Consejo de Estado tuvo ocasión de pronunciarse a petición del Gobierno sobre una hipotética reforma constitucional que, entre otras cosas, incorporara a la Constitución la denominación oficial de las Comunidades Autónomas, lo que, más allá de su valor simbólico, podía tener importantes consecuencias jurídicas en relación con el cierre de mapa autonómico y la virtualidad del principio dispositivo. En concreto, se solicita al Consejo que se pronuncie sobre "qué consecuencias jurídicas produce la constitucionalización de la existencia de las Comunidades Autónomas en la Constitución y qué preceptos del texto constitucional convendría modificar para reflejarlas"[52].

---

[52]   *Vid.* F. Rubio Llorente y J. Álvarez Junco (Dtres.). *El informe del Consejo de Estado sobre la reforma constitucional. Texto del Informe y debates académicos*, Consejo de Estado y CEPC, Madrid, 2006, p. 127.

El Consejo de Estado sienta un criterio que nos parece fundamental como punto de partida para cualquier argumentación entorno a la disposición transitoria cuarta: tal y como ya avisó Cruz Villalón -antes citado-, los preceptos constitucionales que concretan el principio dispositivo en procedimientos y vías de acceso a la autonomía (incluídas las correspondientes disposiciones transitorias) han agotado completamente su eficacia una vez se ha consumado ese acceso. En palabras del propio Consejo recogidas en la parte introductoria del texto:

> "En el estadio inicial y transitorio, el principio dispositivo se manifestó en aquellos preceptos (artículos 143, 144, 148, 151 y disposiciones transitorias 1ª a 7ª) que concedieron a las provincias [...] la potestad de impulsar la creación y organización de Comunidades Autónomas. [...] El principio dispositivo desaparecerá de la Constitución con la derogación de los artículos que lo consagraron. Ahora bien, esa derogación no entraña, en puridad, consecuencia jurídica apreciable. Los preceptos que se vayan a derogar *eran ya inaplicables desde que concluyó el proceso de organización política del territorio nacional en Comunidades Autónomas.* Desde entonces se habían agotado las posibilidades 'creadoras' del principio dispositivo"[53].

Parece, pues, claro que el Consejo de Estado opta por entender que las disposiciones transitorias relativas al proceso autonómico no son ya Derecho aplicable, como tampoco lo es el propio artículo 143 al cual modulan o excepcionan. Ahora bien, ya en la parte del informe referida concretamente a estas disposiciones, el Consejo de Estado da un giro de guión difícilmente justificable, afirmando que las disposiciones transitorias 4ª y 5ª, a diferencia de las demás, son las "únicas que no se circunscriben a un tiempo determinado", por lo que "en consecuencia, requieren un análisis separado y un tratamiento distinto"[54], sugiriendo así que esos dos preceptos pudieran no haber agotado sus efectos. Desde luego, es muy discutible que las disposiciones transitorias 1ª, 2ª y 3ª se puedan entender referidas a un "tiempo determinado" y la disposición transitoria 4ª no lo esté. De hecho, en nuestro criterio, está referida *al mismo tiempo determinado*: el momento en que se articula la iniciativa autonómica. Tal es así que, las tres primeras transitorias establecen excepciones al régimen general

---

[53]   F. Rubio Llorente y J. Álvarez Junco (Dtres.). *Op.cit.*, p. 128. La cursiva es mía.

[54]   F. Rubio Llorente y J. Álvarez Junco (Dtres.). *Op.cit.*, p. 155.

de la iniciativa recogido en el artículo 143 y, a continuación, la disposición transitoria 4ª comienza diciendo "en el caso de Navarra",
aludiendo claramente a la misma realidad[55].

Aun así, cuando a continuación el informe se refiere concretamente
a la disposición transitoria cuarta, afirma que "está construida en su
apartado 2 sobre los supuestos del artículo 143, que ha quedado sin
vigencia"[56], lo que, por un lado, no deja de sorprender pues también
el apartado 1º de la disposición -el que se refiere a la incorporación de
Navarra al País Vasco- está también expresamente referido al mismo
precepto 143 de la Constitución; y, por otro lado, ya nos serviría en
cualquier caso para justificar la no vigencia de la disposición, pues no
hace otra cosa que introducir una excepción a la regla general del 143
que ya ha perdido toda eficacia.

---

[55]   Disp. Tran. 1ª: "En los territorios dotados de un régimen provisional de autonomía, sus órganos colegiados superiores, mediante acuerdo adoptado por la
mayoría absoluta de sus miembros, podrán sustituir la iniciativa que en el apartado 2 del artículo 143 atribuye a las Diputaciones Provinciales o a los órganos
interinsulares correspondientes." Disp. Tran. 2ª: "Los territorios que en el pasado
hubiesen plebiscitado afirmativamente proyectos de Estatuto de autonomía y
cuenten, al tiempo de promulgarse esta Constitución, con regímenes provisiona-
les de autonomía podrán proceder inmediatamente en la forma que se prevé en
el apartado 2 del artículo 148, cuando así lo acordaren, por mayoría absoluta,
sus órganos preautonómicos colegiados superiores, comunicándolo al Gobierno.
El proyecto de Estatuto será elaborado de acuerdo con lo establecido en el artículo 151, número 2, a convocatoria del órgano colegiado preautonómico." Disp.
Tran. 3ª: "La iniciativa del proceso autonómico por parte de las Corporaciones
locales o de sus miembros, prevista en el apartado 2 del artículo 143, se entiende
diferida, con todos sus efectos, hasta la celebración de las primeras elecciones
locales una vez vigente la Constitución." Disp. Tran. 4ª: "1. En el caso de Navarra, y a efectos de su incorporación al Consejo General Vasco o al régimen
autonómico vasco que le sustituya, en lugar de lo que establece el artículo 143
de la Constitución, la iniciativa corresponde al Órgano Foral competente, el cual
adoptará su decisión por mayoría de los miembros que lo componen. Para la
validez de dicha iniciativa será preciso, además, que la decisión del Órgano Foral
competente sea ratificada por referéndum expresamente convocado al efecto, y
aprobado por mayoría de los votos válidos emitidos. 2. Si la iniciativa no prosperase, solamente se podrá reproducir la misma en distinto período del mandato
del Organo Foral competente, y en todo caso, cuando haya transcurrido el plazo
mínimo que establece el artículo 143."

[56]   F. Rubio Llorente y J. Álvarez Junco (Dtres.). *Op.cit.*, p. 155.

La acrobacia argumental se completa indicando seguidamente que "aun sin entrar en consideraciones acerca de la posibilidad de aplicar este procedimiento cuando ya Navarra ha dejado de ser provincia foral para transformarse en Comunidad" -es decir, sin entrar a resolver el problema que aquí nos ocupa-, el mantenimiento de este precepto en el escenario de una reforma de la Constitución que consagrara la existencia de las Comunidades Autónomas lo transformaría en una suerte de "procedimiento singular de reforma de la Constitución" que lo convertiría en algo muy distinto a lo que ahora es, lo que, en nuestra opinión, no hace sino reforzar la absoluta vinculación de esta disposición al artículo 143 cuya ausencia de eficacia admite expresamente el Consejo de Estado.

En definitiva, el Consejo de Estado sienta unas bases claras sobre las que interpretar el alcance temporal de los preceptos que regulan el acceso a la autonomía pero evita intencionadamente llegar a una conclusión -por otro lado, evidente- respecto de la disposición transitoria cuarta, dejando así todavía abierto el debate.

4.2. La relevancia de la calificación como "transitoria"

Como acabamos de ver, el Informe del Consejo de Estado sienta una premisa fundamental que compartimos plenamente: la disposición transitoria cuarta es excepción a la regla general del artículo 143 de la Constitución, precepto éste que ya no está vigente. Esa relación de regla general /excepción entre ambas normas es unánimemente admitida por la doctrina, incluso por aquellos que -como vimos en páginas anteriores- defienden la plena eficacia de la disposición transitoria cuarta. De este modo, el debate se ve desplazado hacia la vigencia o falta de vigencia del propio artículo 143, en la medida en que difícilmente podría argumentarse que sigue gozando de vigor la excepción a una regla general cuyos efectos ya cesaron.

En nuestro criterio, ninguna duda cabe de que todos los preceptos constitucionales reguladores del acceso a la autonomía, entre ellos el artículo 143, han perdido ya toda eficacia. El principio dispositivo no ha perdido de forma completa su virtualidad, por cuanto el diseño institucional y competencial del modelo autonómico sigue a disposición del legislador estatutario, pero en su vertiente instrumental de acceso a la autonomía se encuentra ya agotado, toda vez que el conjunto del territorio estatal está ya dividido en Comunidades Autónomas[57]. Hacemos de este modo nuestro el argumento de De Carreras:

> "En la primera vertiente, el principio dispositivo actúa a través de las distintas vías de acceso a la autonomía. Estas distintas vías están configuradas en los artículos 143, 144, 146, 148, 151 y las siete primeras disposiciones transitorias. En estos distintos procedimientos de acceso, el sujeto legitimado para ejercer el derecho a la autonomía es la provincia [...]. Una vez estas vías han sido utilizadas, los preceptos constitucionales mencionados pierden eficacia ya que, aun los incluidos en el Título VIII, tienen un carácter meramente instrumental con el único fin de constituirse en Comunidades Autónomas y, por tanto, una vez conseguido este fin, cesa la eficacia de sus preceptos [...]. El principio dispositivo en su vertiente primera, en el acceso a la autonomía, ha agotado sus posibilidades de actuación y, por tanto, ha quedado desactivado. Sin embargo, no se han agotado sus efectos en la otra vertiente, en la posible diversidad de contenidos competenciales e instituciones de las Comunidades Autónomas".

Así las cosas, éste solo argumento ya sería suficiente para sostener nuestra tesis, pero resulta, además, que la calificación que nuestra Constitución da a esta disposición -y a otras también referidas al proceso autonómico- de "transitoria" no es irrelevante. Algo debe significar cuando el constituyente ha optado, por el contrario, por calificar como "adicionales" otras disposiciones de contenido territorial como las disposiciones adicionales primera, tercera y cuarta[58]. Y es razonable entender que esa diferente calificación tiene que ver

---

[57] Sobre la doble dimensión del principio dispositivo y el alcance de la vigencia de ambas, *vid.*, por todos, E. Fossas Espadaler. *El principio dispositivo en el Estado Autonómico*, IVAP-Marcial Pons, Madrid, 2007, pp. 99 y ss.

[58] Disposición adicional 1ª: "La Constitución ampara y respeta los derechos históricos de los territorios forales. La actualización general de dicho régimen foral se llevará a cabo, en su caso, en el marco de la Constitución y de los Estatutos de Autonomía". Disposición adicional 3ª: "La modificación del régimen económico y fiscal del archipiélago canario requerirá el informe previo de la Comunidad Autónoma o, en su caso, del órgano provisional autonómico". Y disposición adicional 4ª: "En las Comunidades Autónomas donde tengan su sede más de una Audiencia Territorial, los Estatutos de Autonomías respectivos podrán mantener las existentes, distribuyendo las competencias entre ellas, siempre de conformidad con lo previsto en la ley orgánica del Poder Judicial y dentro de la unidad e independencia de éste".

con la proyección temporal que se pretende dar a cada mandato normativo[59].

Es bien cierto que no estamos ante una norma de Derecho transitorio en estricto sentido técnico, esto es, no se trata de una norma llamada a facilitar el tránsito entre dos regímenes diferentes, regulando los diversos alcances de la retroactividad de la nueva norma[60]. El constituyente utiliza en término transitorio -en todas las disposiciones que así califica, no sólo la cuarta- en un sentido coloquial o literal, pretendiendo destacar el carácter estrictamente temporal, caduco, perecedero de tales preceptos[61]. Estamos, en realidad, ante la transitoriedad del objeto de la norma, su *ratio legis* se extingue una vez que Navarra, en lugar de optar por la vía de acceso a la autonomía habilitada por la disposición transitoria cuarta, se acoge a la vía de la disposición adicional primera. Se trata de un precepto, como todos los que regulan al proceso autonómico, de efecto constitutivo, esto es, en palabras de Aráiz Los Arcos, "norma que establece una serie de requisitos para que un determinado sustrato sociológico logre personalidad jurídica. Cumplidos los requisitos que la norma establece, la

---

[59]   Así lo entendió también G. Trujillo Fernández en su trabajo "Homogeneidad y asimetría en el Estado Autonómico: contribución a la determinación de los límites constitucionales de la forma territorial del Estado", *Documentación Administrativa*, nº 232/233, 1992/1993, p. 118: "En otros casos, tales singularidades pueden fundarse en expresas excepciones al régimen constitucional común, como sucede en los supuestos que se contemplan en las disposiciones constitucionales adicionales 1ª y 3ª respecto de los territorios forales y de Canarias, respectivamente. El carácter 'adicional' y no transitorio de estas disposiciones expresa claramente el propósito constitucional de permanencia de las excepciones al régimen común".

[60]   Sobre la naturaleza del Derecho transitorio, *vid.*, por todos, desde la óptica del Derecho Constitucional, J. Tajadura Tejada. "Tiempo y Derecho: fundamento y límites de la retroactividad de la ley", *Revista de Derecho Político*, nº 108, 2020, pp. 41-69; y L.M. Díez-Picazo. *La derogación de las leyes*, Civitas, Madrid, 1990, pp. 182 y ss. Y, también por todos, desde la óptica de la Filosofía del Derecho, R. Hernández Marín. "Derecho y tiempo", en su *Compendio de Filosofía del* Derecho, Marcial Pons, Madrid, 2012, pp. 187-275; y J.J. Iniesta Delgado. "Aplicación del Derecho cambiante", *Doxa: Cuadernos de Filosofía del Derecho*, nº 42, 2019, pp. 165-191.

[61]   *Vid.* https://dle.rae.es/transitorio. En el mismo sentido, J.R. Calero Rodríguez. "La decisión de Navarra", en L.F. Medrano y Blasco (Dtor.). *Estudio sobre la extinción de la Disposición Transitoria cuarta de la Constitución*, Castuera, Navarra, 1988, p. 93.

336 Ignacio González García

entidad sociológica nace a la vida jurídica con personalidad distinta e independiente de las mismas personas individuales que la componen y una vez sucedido esto la norma agota sus efectos"[62]. Éste es el sentido de la transitoriedad de la disposición analizada. La misma línea argumental entendemos que siguió el Tribunal Constitucional en su STC 89/1984, de 26 de septiembre, relativa a la revocación por la Diputación de León de su acuerdo de iniciativa autonómica para la incorporación a la futura Comunidad Autónoma de Castilla y León:

> "Los actos a que se refiere el artículo 143 son, como el propio precepto indica, actos de iniciativa, actos de primera impulsión del proceso que agotan sus efectos cuando ésta ha entrado en su siguiente fase [elaboración del Estatuto de Autonomía]. [...] Los Ayuntamientos y las Diputaciones impulsan un proceso, pero no disponen de él, por la doble razón de que, producido válidamente el impulso, son otros los sujetos activos del proceso y otro también el objeto de la actividad que en éste se despliega".

Esta concepción de las cosas es compatible, por supuesto, con el hecho de que esta disposición recoja unos plazos –paralelos a los del artículo 143- para la reiteración de la iniciativa en caso de que hubiera fracasado un intento anterior. Tanto los plazos del 143 como los de la disposición transitoria cuarta para reiterar la iniciativa autonómica vienen a garantizar que entre un intento y otro medie un espacio suficiente y razonable para que los sujetos legitimados reformulen en los términos que pudieran ser pertinentes una iniciativa antes fracasada, pero no se puede inferir de los mismos que las iniciativas puedan reiterarse indefinidamente: el éxito de una iniciativa anterior que culmina en la constitución de una Comunidad Autónoma, evidentemente, deja sin efecto estas previsiones temporales.

---

[62] G. Aráiz Los Arcos. "Prólogo", en L.F. Medrano y Blasco (Dtor.). *Estudio sobre la extinción de la Disposición Transitoria cuarta de la Constitución*, Castuera, Navarra, 1988, p. 15.

4.3. Los problemas de articulación del proceso previsto en la disposición transitoria cuarta, una vez constituidas ambas Comunidades Autónomas

La disposición transitoria cuarta prevé, a nuestro entender, sólo dos escenarios diferentes: la incorporación de Navarra -todavía no constituida en Comunidad Foral- bien al ente preautonómico del País Vasco, bien a la Comunidad Autónoma vasca ya constituida. Si aceptáramos la tesis de la permanencia indefinida de la disposición, habría que añadir otras dos opciones más: la incorporación a la Comunidad Autónoma del País Vasco de una Navarra ya constituida en Comunidad Foral uniprovincial, o de una Navarra previamente incorporada a otra Comunidad Autónoma pluriprovincial distinta.

De todas ellas, la que menos problemas de articulación presentaba, a priori, era la primera de ellas, esto es, que la provincia de Navarra se hubiera incorporado al ente preautonómico vasco y, de ese modo, iniciar posteriormente junto con las demás provincias vascas el acceso a la autonomía, lo que le hubiera permitido participar en la elaboración del Estatuto de Autonomía correspondiente como un territorio más. Aun así aquí se habría encontrado el problema de que el País Vasco no habría podido acogerse a la dispensa prevista en la disposición transitoria segunda de la Constitución, por no cumplir Navarra con los particularísimos requisitos establecidos por la misma, de modo que le acceso a una autonomía plena de esa hipotética Comunidad Autónoma vasco-navarra no habría tenido más vía posible que el cumplimiento de los condicionantes impuestos por el artículo 151 CE[63].

---

[63] Según algunos autores, esta circunstancia es la que explica precisamente que la disposición transitoria cuarta haya previsto también la posible incorporación de Navarra a la Comunidad Autónoma del País Vasco ya constituida -habiéndose acogido esta última ya a la disposición transitoria segunda-. Vid., por todos, E. Linde Paniagua. "Procedimientos de creación de Comunidades Autónomas", Documentación Administrativa, n° 182, 1979, pp. 347-348: "La disposición transitoria cuarta o, si se prefiere, el supuesto que se contempla en ella, no es operativo, sino en el caso de comprenderlo conjuntamente con el contemplado en la disposición transitoria segunda [...]. Efectivamente, como el procedimiento de acceso a la autonomía que se contempla en la disposición transitoria segunda sólo es operativo para los territorios que en el pasado hubieran plebiscitado afirmativamente proyectos de Estatutos de Autonomía [...], caso en el que no se

La segunda de ellas, la incorporación de la provincia de Navarra a la Comunidad Autónoma del País Vasco ya constituida, presenta no pocos problemas de articulación técnica. No podemos detenernos ahora en ellos, pero sí señalar que las mayorías de aprobación, el ámbito del referéndum, las diferencias de orden competencial o los posibles efectos extraterritoriales de los Estatutos de Autonomía en cuestión, entre otros extremos, han sido objeto de vivos debates doctrinales[64].

Pero, lógicamente, si añadimos también la tercera y cuarta opción, esto es, la posibilidad de que Navarra ya integrada en otra Comunidad Autónoma pluriprovincial o constituida en Comunidad Foral uniprovincial, como es el caso, pudiera incorporarse a la Comunidad Autónoma del País Vasco, los problemas técnicos se multiplican. Sencillamente, porque la disposición transitoria cuarta de la Constitución no está pensada para ello, pese a que tanto el Estatuto de Autonomía del País Vasco como la LORAFNA hayan recogido tal posibilidad. De hecho, incluso aquellos autores que más claramente defienden la vigencia de esta disposición admiten que, en tales supuestos, ya no estaríamos ante una "incorporación" sino ante una "fusión" de Comunidades Autónomas[65], lo que, en nuestro criterio, es una realidad jurídica bien distinta no regulada ni por la disposición transitoria cuarta ni por ningún otro precepto constitucional.

¿Cómo se articula esa operación? ¿Es preciso reformar ambos Estatutos de Autonomía? ¿Hay que elaborar un nuevo Estatuto conjunto *ex novo*? ¿Existe cauce procedimental para ello? ¿Hay alguna fórmula confederativa viable que permitiera el mantenimiento de la personalidad jurídica propia de ambas Comunidades Autónomas[66]?

---

encuentra Navarra, pero sí Álava, Guipúzcoa y Vizcaya, evidentemente Navarra no se puede adherir al procedimiento que en la citada disposición transitoria segunda se contempla [...] sino que puede incorporarse una vez constituida la Comunidad Autónoma".

[64]   *Vid.*, por todos, I. Urretavizcaya Añorga. *Op.cit.*, pp. 199-208.

[65]   I. Urretavizcaya Añorga. *Op.cit.*, p. 209.

[66]   Los pocos autores que defienden la ausencia de vigencia de la disposición transitoria cuarta han alegado que la prohibición de federación de Comunidades Autónomas recogida en el artículo 145.1 CE impediría la incorporación de ninguna Comunidad Autónoma a otra, en el entendido de que quien prohíbe lo menos –la federación- prohíbe lo más –la fusión de Comunidades Autónomas-. *Vid.*, por

Para ninguno de estos interrogantes encontramos soluciones doctrinales satisfactorias. ¿Qué ocurre entonces con los preceptos de ambos Estatutos, que no sólo recogen la posibilidad de incorporar a una Navarra ya constituida en Comunidad Autónoma sino que prevén también una eventual reversión de ese proceso una vez ya culminado? Aquí debemos recordar algo que, pese a ser evidente, conviene remarcar. Pese a la peculiar naturaleza del Estatuto de Autonomía como fuente que desarrolla (algunos) contenidos materialmente constitucionales, no son Constitución en sentido estricto, ni siquiera *leyes constitucionales* al modo italiano, por lo que no es discutible que son normas tan sometidas y subordinadas al contenido de la Constitución como las demás. Es por ello que "no es la Constitución la que ha de interpretarse de conformidad con los Estatutos de Autonomía, sino los Estatutos de Autonomía los que han de interpretarse de conformidad con la Constitución"[67]. No podemos compartir, pues, el argumento de que el Estatuto de Autonomía vasco y la LORAFNA han dotado de carácter permanente al procedimiento previsto en la disposición transitoria cuarta. Ambos preceptos van más allá de lo constitucionalmente posible y, en el caso del Estatuto navarro, estamos ante una norma que nace al amparo de un precepto constitucional que, precisamente en el momento de la entrada en vigor de la LORAFNA, perdía cualquier tipo de eficacia.

---

todos, J.R. Calero Rodríguez. *Op.cit.*, p. 98. Nosotros no compartimos este punto de vista, por cuanto entendemos que se trata de dos realidades diferenciables. Lo que prohíbe el artículo 145.1 CE es la creación de un tercer nivel interpuesto entre el Estado y las Comunidades Autónomas que asumiera competencias de titularidad autonómica. La fusión de dos Comunidades Autónomas es una realidad jurídica distinta. De hecho, la Constitución de los Estados Unidos de América establece una prohibición paralela a la de nuestro artículo 145.2 CE (artículo 1, sección 10ª), pero recoge también la posibilidad, compatible con la anterior prohibición, de que dos o más Estados miembros de la Federación se fusionasen en uno solo, con la autorización del Congreso federal (artículo 4, sección 3ª). *Vid.*, sobre esta cuestión, I. González García. *La prohibición constitucional de federación entre Comunidades Autónomas, Cuadernos de Alzate*, nº 40, 2009, pp. 91-102.

[67] M. Aragón Reyes. "La construcción del Estado Autonómico", *Cuadernos Constitucionales de la Cátedra Fadrique Furió Ceriol*, nº 54/55, 2006, p. 93.

V. ¿Y ENTONCES...?

Si llegamos a la conclusión de que el procedimiento de incorporación de Navarra al País Vasco ya no es Derecho aplicable, deberíamos interrogarnos sobre si hay algún cauce constitucional que permita genéricamente la incorporación de cualquier Comunidad Autónoma a otra o, por mejor decir, la fusión de dos Comunidades Autónomas ya constituidas. Desde luego, no hay una vía prevista para ello en la Constitución. Los Estatutos de Autonomía no recogen tampoco esta posibilidad, excepción hecha de los ya derogados artículos 58 del Estatuto de Autonomía de Cantabria, 44 del Estatuto de Autonomía de La Rioja y disposición transitoria séptima del Estatuto de Autonomía de Castilla y León[68]. A nuestro entender, más allá de que los Estatutos de Autonomía puedan prever determinadas fórmulas de alteración de los límites territoriales de su Comunidad Autónoma, particularmente, de los llamados *enclaves territoriales*, en uso de la atribución contenida en el artículo 147.3 CE para fijar el territorio de la Comunidad Autónoma[69], la disolución de dos o más Comunidades Autónomas para constituir una nueva Comunidad Autónoma que las integre es una operación que va mucho más allá de la capacidad normativa de un Estatuto de Autonomía, ni siquiera en el caso de que todos los Estatutos concernidos regularan esta cuestión y lo hicieran de forma compatible o coincidente[70]. Tampoco cabe entender que, di-

---

[68] *Vid.* Texto original de las Leyes Orgánicas 8/1981, de 30 de diciembre; 3/1982, de 9 de junio; y 4/1983, de 25 de febrero; respectivamente.

[69] *Vid.*, sobre esta cuestión, C. Aguado Renedo. "La jurisprudencia constitucional sobre la delimitación del ámbito territorial de la Comunidad Autónoma de Castilla y León", *Autonomíes*, n° 11, 1989, pp. 109-120; y, del mismo autor, "La jurisprudencia constitucional sobre la delimitación del ámbito territorial de la Comunidad Autónoma de Castilla y León (y II)", *Autonomíes*, n° 14, 1992, pp. 99-118.

[70] *Vid.*, en esta misma línea, en referencia a la transitoriedad del conjunto de normas del Título VIII CE que regulan el acceso a la autonomía, P. Cruz Villalón. *Op.cit.*, p. 68: "No hay que hacer recaer sobre los Estatutos un peso que debe recaer sobre la Constitución. Y es conveniente pensar en esta reforma como en un supuesto enteramente peculiar, como una reforma en cierto modo postulada por la propia Constitución. La Constitución, de este modo, quedaría, en primer lugar, limpia de todo lo que en ella aún hay de 'derecho transitorio', de todo lo que tiene de 'norma para la descentralización', de todo el derecho de un 'proceso autonómico' que ya es un fenómeno histórico. Y en su lugar hay que hacer decir a la Constitución que éste es un Estado políticamente descentralizado, porque si hay cosas que una Constitución debe decir son precisamente cosas de este tipo".

suelta una Comunidad Autónoma por la derogación de su Estatuto de Autonomía, podrían de nuevo las provincias retomar el protagonismo del proceso autonómico reactivando las también caducas previsiones del artículo 143 CE y concordantes. Las Comunidades Autónomas son ya el sujeto político de la autonomía y son, por tanto, los sujetos de Derecho Público llamados a vehicular su propia configuración. Precisamos, pues, un precepto constitucional que de modo expreso establezca el cauce que permita la fusión de dos Comunidades Autónomas ya constituidas. Mientras no lo tengamos, esa posibilidad sencillamente no existe, ni para Navarra, ni para el País Vasco, ni para ninguna Comunidad Autónoma.

VI. BIBLIOGRAFÍA CITADA

Aguado Renedo, C. *El Estatuto de Autonomía y su posición en el ordenamiento jurídico*, CEC, Madrid, 1996.

_____"La jurisprudencia constitucional sobre la delimitación del ámbito territorial de la Comunidad Autónoma de Castilla y León", *Autonomíes*, n° 11, 1989.

_____"La jurisprudencia constitucional sobre la delimitación del ámbito territorial de la Comunidad Autónoma de Castilla y León (y II)", *Autonomíes*, n° 14, 1992.

Alli Aranguren, J.C. *La autonomía de Navarra. Historia, identidad y autogobierno*, Gobierno de Navarra, Pamplona, 2018.

Aragón Reyes, M. "La construcción del Estado Autonómico", *Cuadernos Constitucionales de la Cátedra Fadrique Furió Ceriol*, n° 54/55, 2006.

Aráiz Los Arcos, G. "Prólogo", en L.F. Medrano y Blasco (Dtor.). *Estudio sobre la extinción de la Disposición Transitoria cuarta de la Constitución*, Castuera, Navarra, 1988.

Calafell Ferrá, V.J. "La garantía del territorio de las Comunidades Autónomas ante la reforma de la Constitución. (Un apunto a la propuesta de cerrar el mapa político de España)", en AA.VV. *Autonomías y Organización territorial del Estado: presente y perspectivas de futuro, XXVII Jornadas de Estudio de la Abogacía General del Estado (26, 27, 28 de octubre de 2005)*, Ministerio de Justicia-BOE, Madrid, 2006.

Calero Rodríguez, J.R. "La decisión de Navarra", en L.F. Medrano y Blasco (Dtor.). *Estudio sobre la extinción de la Disposición Transitoria cuarta de la Constitución*, Castuera, Navarra, 1988.

Cruz Villalón, P. "La constitución territorial del Estado", *Autonomies*, n° 13, 1991.

De Carreras Serra, F. "Reformar la Constitución para estabilizar el modelo territorial", en AA.VV. *La reforma constitucional: ¿hacia un nuevo pacto constituyente? Actas de las XIV Jornadas de la Asociación de Letrados del Tribunal Constitucional*, Tribunal Constitucional-CEPC, Madrid, 2009.

De la Granja Sáinz, J.L. "El nacimiento de Euskadi: el Estatuto de 1936 y el primer Gobierno vasco". *Historia Contemporánea*, n° 35, 2007.

Del Burgo Tajadura, J. I. "Navarra en el futuro constitucional", *Cuadernos de Pensamiento Político*, FAES, n° 4, 2004.

Díez-Picazo, L.M. *La derogación de las leyes*, Civitas, Madrid, 1990.

Echevarría Pérez-Agua, J.J. *La constitucionalización de la foralidad (1975-1978)*, CEPC, Madrid, 2020.

Fossas Espadaler, E. *El principio dispositivo en el Estado Autonómico*, IVAP-Marcial Pons, Madrid, 2007.

González García, I. *La prohibición constitucional de federación entre Comunidades Autónomas, Cuadernos de Alzate*, n° 40, 2009.

____ *Parlamento y convenios de cooperación*, CEPC, Madrid, 2011.

Jiménez Asensio, R. "La reforma del Estatuto de Autonomía del Parlamento Vasco", *Revista de Estudios Políticos*, n° 46-47, 1985.

Hernández Marín, R. "Derecho y tiempo", en su *Compendio de Filosofía del Derecho*, Marcial Pons, Madrid, 2012.

Iniesta Delgado, J.J. "Aplicación del Derecho cambiante", *Doxa: Cuadernos de Filosofía del Derecho*, n° 42, 2019.

Larunbe Biurrun, K. "Apuntes sobre el territorio de la Comunidad Autónoma", en AA.VV. *Estudios sobre el Estatuto de Autonomía del País Vasco. Actas de las II Jornadas de Estudio sobre el Estatuto de Autonomía, celebradas en San Sebastián (11-14 de diciembre de 1990)*, IVAP, Oñati, 1991, Tomo I.

Linde Paniagua, E. "Procedimientos de creación de Comunidades Autónomas", *Documentación Administrativa*, n° 182, 1979.

Medina Guerrero, M. "La inclusión de las Comunidades Autónomas -y Ciudades Autónomas- en el Texto Constitucional (o sobre la conveniencia de preservar el principio dispositivo en la concreción de la denominación de las Comunidades Autónomas", en F. Rubio Llorente y J. Álvarez Junco (Dtres.). *El informe del Consejo de Estado sobre la reforma constitucional. Texto del Informe y debates académicos*, Consejo de Estado y CEPC, Madrid, 2006.

Pérez Calvo, A. "Comentario a la disposición transitoria cuarta", en O. Alzaga Villaamil (Dtor.). *Comentarios a la Constitución Española de 1978*, Edersa, Madrid, 1999.

Pérez Calvo, A. y Razquin Lizarraga, M.M. *Manual de Derecho Público de Navarra*, Gobierno de Navarra, Pamplona, 2000.

Razquin Lizarraga, J.A. *Fundamentos Jurídicos del Amejoramiento del Fuero. Derechos Históricos y régimen foral de Navarra*, Gobierno de Navarra, Pamplona, 1989.

Tajadura Tejada, J. "Inclusión de las Comunidades Autónomas en la Constitución", en F. Rubio Llorente y J. Álvarez Junco (Dtres.). *El informe del Consejo de Estado sobre la reforma constitucional. Texto del Informe y debates académicos*, Consejo de Estado y CEPC, Madrid, 2006.

____ "Tiempo y Derecho: fundamento y límites de la retroactividad de la ley", *Revista de Derecho Político*, n° 108, 2020.

Tomás Villarroya, J. "Proceso autonómico y observancia de la Constitución", *Revista de Derecho Constitucional*, n° 15, 1985.

Tomás y Valiente, F. "Informe del Tribunal Constitucional español presentado en la VI Conferencia de Tribunales Constitucional Europeos, en AA. VV. *Tribunales Constitucionales Europeos y autonomías territoriales*, CEC, Madrid, 1985.

Trujillo Fernández, G. "Homogeneidad y asimetría en el Estado Autonómico: contribución a la determinación de los límites constitucionales de la forma territorial del Estado", *Documentación Administrativa*, n° 232/233, 1992/1993.

Santamaría Pastor, J.A. "Disposición adicional segunda", en J.A. Santamaría Pastor (Dtor.), *Comentarios al Estatuto de Autonomía de la Comunidad Autónoma de Navarra*, INAP, Madrid, 1992.

Ugartemendía Eceizabarrena, J.I. "Disposición transitoria cuarta", en P. Pérez Tremps y A. Sáinz Arnáiz (Dtres.). *Comentario a la Constitución Española. Libro-homenaje a Luis López Guerra*, Tirant lo Blanch, Valencia, 2018, Tomo II.

Urretavizcaya Añorga, I. "La disposición transitoria cuarta de la Constitución: antecedentes, contenido material y vigencia. El término incorporación: problemas de aplicación", *Revista Vasca de Administración Pública*, n° 34, 1992.

La derogación del prescindible artículo 153 de la Constitución[1]

Ignacio González García

I. INTRODUCCIÓN

El punto de partida del análisis de esta previsión Constitucional
en el contexto de una reforma de nuestra Norma Fundamental es
notablemente diferente al planteado respecto de la disposición transitoria cuarta. El precepto referido en el capítulo anterior sí introdujo
en 1978 un mandato normativo no previsto en ningún otro artículo
de la Constitución que, como hemos visto, estuvo -a nuestro criterio-
vigente tan sólo hasta creación de la Comunidad Foral de Navarra *ex*
disposición adicional segunda a través de la aprobación de la LORA-
FNA. Por el contrario, lo que pretendemos demostrar en este trabajo
es que el artículo 153 de la Constitución no añade ningún mandato

---

[1] Este trabajo se ha realizado en el marco del Proyecto "Reforma constitucional:
dimensión institucional y territorial" (20639/JLI/18), del que el autor es IP, financiado por la Fundación Séneca-Agencia de Ciencia y Tecnología de la Región de
Murcia a través de la convocatoria Jóvenes Líderes en Investigación del Subprograma de Apoyo y Liderazgo Científico y la Transición a la Investigación Independiente (Programa Fomento de la Investigación Científica y Técnica 2018).

normativo autónomo. El precepto reitera decisiones del constituyente que ya se encuentran recogidas en otros artículos de la Constitución. Se lleva a cabo aquí una suerte de síntesis -incompleta y que, como veremos, induce a confusión- de cuáles son el conjunto de controles a los que la actividad de las Comunidades Autónomas está sometida. No se puede afirmar, pues, que estamos ante un precepto carente de vigencia, pero sí ante una previsión superflua y redundante que convendría eliminar. Por este motivo, a diferencia de lo que ocurre en el caso anterior, utilizamos el término *derogación* y no *supresión* en el título del trabajo.

II. LOS CONTROLES DEL ESTADO SOBRE LA ACTIVIDAD DE LAS COMUNIDADES AUTÓNOMAS: NATURALEZA Y TIPOS

Todos los Estados de configuración territorial compleja recogen en sus Textos Constitucionales mecanismos que sirvan para hacer compatibles la unidad del Estado con la autonomía de las partes en las que se divide. Esto es, instrumentos a través de los cuales buscar una correcta integración de los diferentes centros de poder político, a fin de que el reparto territorial del poder establecido no devenga en disfuncional. Así, por un lado, se prevén mecanismos de colaboración y coordinación, tanto verticales como horizontales, para el ejercicio mancomunado de competencias; y, por otro lado, se crean instrumentos de control y vigilancia que salvaguarden, en último término, el interés general del Estado[2].

---

[2] *Vid.*, en el mismo sentido, E. González Hernández: "La presencia de diferentes entidades político-territoriales sobre un mismo espacio supone la necesidad de prever fórmulas de integración, que pueden ser de dos tipos: de tipo positivo a través de la instauración de procedimientos cooperativos y de colaboración o coordinación entre las diferentes entidades territoriales; y, en segundo lugar, de tipo negativo, pues no siempre es factible la interacción positiva en términos de colaboración o cooperación. Dicho de otro modo, puede suceder (quizás con más frecuencia de lo deseable) que las relaciones entre el Estado y entes territoriales autónomos se desarrollen en términos de confrontación o vigilancia de la actuación de aquéllos, a pesar de haberles reconocido previamente autonomía política", en "El control estatal sobre las Comunidades Autónomas: la reforma estatutaria y el supuesto control extraordinario del artículo 155 CE. La fiscalización subsidiaria del Tribunal Constitucional", *Anuario Parlamento y Constitu-*

Ya muy tempranamente nuestro Tribunal Constitucional, principal protagonista de esa labor de control de la actividad autonómica[3], afirmó que la autonomía política de las Comunidades Autónomas constitucionalmente garantizada era compatible con un sistema de controles del Estado sobre la actividad de aquéllas, siempre y cuando tales controles no fueran de mera oportunidad política ni situaran a las mismas en una situación de subordinación jerárquica frente al Estado: "[...] el principio de autonomía es compatible con la existencia de un control de legalidad sobre el ejercicio de las competencias, si bien entendemos que no se ajusta a tal principio la previsión de controles genéricos e indeterminados que sitúen a las Comunidades Autónomas en una posición de subordinación o dependencia cuasi-jerárquica de la Administración del Estado" (STC 4/1981), por lo que, al determinar el contenido y alcance de las potestades de control del Estado sobre la actividad de las Comunidades Autónomas hay que tener presente que "la autonomía exige [...] que el Estado no pueda impugnar la validez o eficacia de dichas actuaciones sino a través de los mecanismos constitucionalmente previstos" (STC 76/1983).

Por tanto, el reconocimiento de la autonomía política de los territorios que se constituyan en Comunidad Autónoma y el sometimiento al imperio de la Ley de toda actividad ejercida por los sujetos de poder público –estatales o autonómicos- trae como consecuencia inexorable que los instrumentos de control del Estado sobre la actividad de las Comunidades Autónomas sean ejercidos bien directamente por órganos de naturaleza jurisdiccional, bien por otro tipo de sujetos

---

ción, nº 11, 2008, p. 162.

[3]   R. Punset Blanco lo ha expresado con meridiana claridad al advertir que "el Tribunal Constitucional, en efecto, en tanto que órgano jurisdiccional a quien cumple pronunciarse sobre la conformidad de las leyes y demás normas y actos del Estado y de las Comunidades Autónomas con el orden de competencias diseñado por la Constitución, opera al mismo tiempo como una instancia de control de la actividad de los entes territoriales políticamente autónomos y como un capital instrumento garantista de su esfera de autonomía"; en "Comentario al artículo 2", en J.L. Requejo Pagés (Coord.), *Comentarios a la Ley Orgánica del Tribunal Constitucional*, TC-BOE, Madrid, 2001, p. 97. *Vid.*, sobre las concretas dificultades técnicas que el Tribunal Constitucional tiene que enfrentar en el ejercicio de esta función, P. Cruz Villalón, "La dificultad del Tribunal Constitucional como garante de la autonomía territorial", *Revista Jurídica de la Universidad Autónoma de Madrid*, nº 19, 2009, pp. 101-111.

(Gobierno y Parlamento, fundamentalmente) pero revisables en último término por un órgano jurisdiccional, pues son también controles de legalidad y no de mera oportunidad política[4].

Así, el constituyente de 1978 llevó al Texto Constitucional –aunque de modo poco sistemático- un amplio y diverso elenco de controles estatales sobre la actividad de las Comunidades Autónomas que, dejando ahora aquí a un lado las responsabilidades penales individuales en las que pueden incurrir los funcionarios o cargos públicos al frente de los órganos autonómicos actuantes, podríamos dividir en dos grandes bloques:

a) Controles ordinarios o generales: el control jurisdiccional de los actos administrativos y normas reglamentarias autonómicas, la resolución de los conflictos competenciales, el control de constitucionalidad de las normas con rango de ley de la Comunidad autónoma, las impugnaciones de todo tipo de actos, disposiciones y resoluciones autonómicas vía artículo 161.2 CE, la actividad fiscalizadora del Defensor del Pueblo y el control transversal que por vulneración de derechos fundamentales se puede realizar a través del recurso de amparo.

b) Controles sectoriales o especiales: los previstos en cada caso en las leyes marco y en las leyes orgánicas de transferencia y delegación, el control del Tribunal de Cuentas, los controles establecidos en el artículo 145.2 CE sobre la actividad coo-

---

[4] Tradicionalmente, se ha venido distinguiendo entre controles jurisdiccionales y controles no jurisdiccionales, en alusión al tipo de órgano que impulsa la acción de control, pero debemos insistir en que, en ningún caso, estamos ante controles de oportunidad política por parte de los órganos estatales. *Vid.*, E. González Hernández: "Parece incuestionable la significativa importancia de los controles de tipo jurisdiccional en el conjunto de fórmulas de control sobre las Comunidades Autónomas. [...] únicamente se atribuyen competencias al Gobierno, y ello previo dictamen del Consejo de Estado, cuando se trata de funciones delegadas. Lo demás va a para al Tribunal Constitucional, cuando se requiera constatar la constitucionalidad de las disposiciones normativas con fuerza de ley; a la Jurisdicción Contencioso-administrativa para las normas reglamentarias de la Administración autonómica: o el Tribunal de Cuentas en el caso del control económico y presupuestario. En definitiva, la forma habitual de control de la actuación de las Comunidades Autónomas es el recurso a los tribunales", en "El control estatal..." *op.cit.*, pp. 165-166. *Vid.*, en el mismo sentido, F. Sosa Wagner, "El control de las Comunidades Autónomas por el Estado en la Constitución Española", *Documentación Administrativa*, n° 182, 1979, p. 150.

perativa horizontal de las Comunidades Autónomas, las leyes de armonización, el conocido control excepcional del artículo 155 CE y las declaraciones de Estado de excepción y sitio ex artículo 116 CE, eventualmente circunscritas a un concreto territorio autonómico.

Así, pues, ya sólo en una primera aproximación al Texto Constitucional podemos advertir que los controles estatales sobre la actividad de las Comunidades Autónomas no son sólo los previstos en el artículo 153 CE y que lo controles que sí se recogen en tal precepto vienen ya establecidos y más extensamente regulados en otras disposiciones constitucionales. Así, son tan sólo cuatro los mecanismos de supervisión allí referidos: 1. El control por el Tribunal Constitucional de la constitucionalidad de las disposiciones normativas autonómicas con rango de ley (art. 153.a). 2. El control por el Gobierno, previo dictamen del Consejo de Estado, del ejercicio de las funciones delegadas a que se refiere el artículo 150.2 de la Constitución (art. 153.b). 3. El control por la jurisdicción contencioso-administrativa de la actividad de la Administración autonómica y de sus normas reglamentarias (art. 153.c). 4. El control por el Tribunal de Cuentas de la actividad económica y presupuestaria de las Comunidades Autónomas (art. 153.d). Los vemos, a continuación, muy brevemente.

III. LOS CONCRETOS MECANISMOS DE CONTROL RECOGIDOS EN ESTE PRECEPTO

3.1. *El control de constitucionalidad de las disposiciones normativas con fuerza de Ley de las Comunidades Autónomas*

Un rasgo esencial que distingue a los Estados unitarios descentralizados –como el nuestro- de los Estados plenamente federales es el hecho de que los entes territoriales autónomos no disponen de un órgano que controle la adecuación de sus disposiciones legales a la Constitución y, en su caso, a su propio Estatuto de Autonomía, encomendándose esta función en exclusiva al Tribunal Constitucional. Sucede, además, que la configuración abierta –parcialmente desconstitucionalizada- de nuestro particular modelo de Estado autonómico ha redoblado el valor y la trascendencia de los pronunciamientos del Tribunal Constitucional en esta materia, convirtiéndose en guía y árbitro del proceloso desarrollo del iter autonómico[5].

Por "disposiciones normativas con fuerza de ley", como objeto de este control de constitucionalidad, debemos de entender: leyes autonómicas elaboradas por el Parlamento, Decreto-leyes y Decretos legislativos en aquellas Comunidades Autónomas cuyo Estatuto de Autonomía haya recogido estas figuras normativas como fuente del subordenamiento autonómico, los Reglamentos parlamentarios, las Normas Forales fiscales de las Juntas Generales de los Territorios Históricos (Álava, Guipúzcoa y Vizcaya) y los propios Estatutos de Autonomía, los cuales serán objeto o parámetro de este control de constitucionalidad, según proceda en cada caso[6].

Especialmente discutida en los últimos años ha sido la incorporación del Decreto-ley al subsistema de fuentes autonómico, así como su concreta configuración estatutaria y reglamentaria, que ha reproducido y acrecentado los notables déficits de control jurisdiccional y parlamentario de la paralela figura estatal, hasta el punto de vaciar casi completamente las posibilidades reales de fiscalización del Decreto-ley autonómico por parte del Tribunal Constitucional y de los correspondientes Parlamentos territoriales. Y ello pese a que, como ha señalado la STC 93/2015, de 14 de marzo, el carácter unicameral de los Parlamentos autonómicos y la mayor brevedad de los plazos de sus procedimientos legislativos de urgencia facilitan dar una respuesta normativa más celérica que la de las Cortes Generales, por lo que habría procedido limitar mucho más la potestad del Ejecutivo autonómico

---

[5]   Vid., por todos, en relación con la última fase del proceso autonómico, G. Fernández Farreres, "Estado autonómico y Tribunal Constitucional. Reflexiones sobre la vinculación del legislador estatutario a la Constitución y a la jurisprudencia constitucional", Asamblea: Revista parlamentaria de la Asamblea de Madrid, nº 1, 2006, pp. 335-356; en relación con la primera fase del proceso autonómico, F.J. Pérez Royo, "Reflexiones sobre la contribución de la jurisprudencia constitucional a la construcción del Estado Autonómico", Revista de Estudios Políticos, nº 49, 1986, pp. 7-32.

[6]   Vid., sobre el objeto y el parámetro de control, P. Pérez Tremps, Sistema de Justicia Constitucional, Civitas, Madrid, 2016, pp. 53-63.

para apreciar la concurrencia del presupuesto que lo habilita para utilizar este tipo normativo[7].

Los cauces a través de los que se puede activar este control por el Tribunal Constitucional de las disposiciones normativas con fuerza de ley de las Comunidades Autónomas son diversos y están ya previstos en otros preceptos constitucionales: 1. En primer lugar, lógicamente, el recurso de inconstitucionalidad (art. 161.1.a CE), normalmente con apelación por el Presidente del Gobierno a los efectos suspensivos del artículo 161.2 CE, si bien conviene advertir que los órganos institucionales de la propia Comunidad Autónoma o de otras Comunidades Autónomas no están legitimados para interponerlo (art. 32 LOTC)[8]. 2. En segundo lugar, la cuestión de inconstitucionalidad (art. 163 CE), siempre que se cumplan los requisitos previstos en los artículos 35 a 37 LOTC, como instrumento que permite conciliar la doble víncula-

---

[7]   Vid., sobre este extremo, A. De la Iglesia Chamarro, "El Decreto-ley autonómico: ¿una fuente más o nuevo problema constitucional?", en AA.VV. *La Constitución Política de España: estudios en homenaje a Manuel Aragón Reyes*, CEPC, Madrid, 2016, pp. 161-178; e I. González García, "La trascendencia constitucional del deficiente control del Decreto-ley autonómico", *Revista Española de Derecho Constitucional*, nº 111, 2017, pp. 99-124.

[8]   La razón fundamental por la que el legislador orgánico desestimó la posibilidad de que las CCAA pudieran impugnar las leyes de otras CCAA hay que buscarla en un intento por evitar que el TC se convirtiera en un verdadero *campo de batalla* política autonómica, donde las CCAA utilizaran este recurso de forma sistemática para dirimir eventuales agravios comparativos, por ejemplo, en materia de financiación. Sin embargo, esta explicación no justifica que los órganos de una CA no puedan recurrir la inconstitucionalidad de sus propias leyes. Al no estar legitimados para hacerlo, la posibilidad de depurar eficazmente el ordenamiento jurídico autonómico se reduce notablemente. Es lógico pensar que el Estado pueda estar poco atento a las eventuales vulneraciones de los EEAA por una Ley autonómica en los casos en que no exista una infracción constitucional directa. Ello es especialmente grave si tenemos en cuenta que, como ya hemos advertido, es el TC quien realiza en exclusiva, en ausencia de Tribunales propios de las CCAA que realicen esta función, el control de constitucionalidad de las normas autonómicas, tanto cuando infrinjan directamente los preceptos constitucionales, como cuando vulneren únicamente las estipulaciones estatutarias. *Vid.*, sobre esta controvertida cuestión, L. González del Campo, "La legitimación de los Ejecutivos autonómicos para impugnar leyes de su propia asamblea un conflicto interpretativo entre Constitución y Ley Orgánica del Tribunal Constitucional doblemente resuelto a favor de esta. Comentario a la Sentencia del Tribunal Constitucional 176/2019, de 18 de diciembre. Recurso de inconstitucionalidad núm. 1195-2019. (BOE núm. 21, de 24 de enero de 2020)", *Revista de las Cortes Generales*, nº 108, 2020, pp. 355-376.

ción del juez ordinario a la Constitución y a la ley –autonómica, en este caso-. 3. El conflicto de competencias que tuviera como objeto una ley autonómica (art. 161.1.c CE) o, derivada del mismo, la autocuestión de inconstitucionalidad que pudiera plantearse frente al Estatuto de Autonomía (art. 67 LOTC). 4. Las autocuestiones de inconstitucionalidad contra leyes autonómicas que pudieran traer causa de un recurso de amparo (art. 161.1.b CE y art. 55.2 LOTC) o de un conflicto en defensa de la autonomía local (art. 161.1.d CE y art. 75.quinquies.6 LOTC).

3.2. El control gubernamental de las funciones delegadas vía artículo 150.2 CE

El control por parte del Gobierno, previo dictamen -preceptivo pero no vinculante- del Consejo de Estado[9], sobre el ejercicio por las Comunidades Autónomas de funciones delegadas por vía de las leyes orgánicas de transferencia y delegación, ha de entenderse referido exclusivamente tan sólo al caso de transferencia de funciones ejecutivas, como se infiere fácilmente de la propia redacción del artículo 153 CE, de la interpretación sistemática de este precepto con los apartados 1 y 2 del artículo 150 CE y de la lógica de reparto de poderes entre Legislativo y Ejecutivo[10].

Además, no cabe entender tampoco que en ese supuesto de delegación de funciones ejecutivas a las Comunidades Autónomas el artículo 153 CE atribuya en exclusiva al Gobierno la potestad de control. Y ello por dos motivos poco rebatibles: 1. Porque el artículo 150.2 CE deja a disposición del legislador orgánico la determinación, caso por caso, de quién y cómo ejercerá ese control. 2. Porque, en último térmi-

---

[9]   Vid. artículo 22.5 de la LO 3/1980, de 22 de abril, del Consejo de Estado; y la STC 204/1992, que excluye expresamente la participación de los órganos consultivos de las CCAA en esta función.

[10]   J.A. Montilla Martos, *Las leyes orgánicas de transferencia y delegación*, Temas Clave de la Constitución Española, Tecnos, Madrid, 1998; E. García de Enterría, "Las leyes del artículo 150.2 de la Constitución como instrumento de ampliación del ámbito competencial autonómico", *Revista de Administración Pública*, n°. 116, 1988, pp. 7-30; J.L. Villar Palasí, y E. Suñé Llinás: "Comentario al artículo 150", en Alzaga Villaamil, O. (Dtor.), *Comentarios a la Constitución Española de 1978*, vol. XI, Edersa, Madrid, 1999, pp. 321-355.

no, el ejercicio más intenso de esa facultad de control –la revocación de la delegación– no podría articularse sino a través de la correspondiente ley orgánica, es decir, estaría en manos de las Cortes Generales, no del Gobierno. Lo que no podría hacer el legislador al configurar las condiciones del control de las funciones delegadas sería eliminar completamente toda intervención gubernamental en tal proceso.

El análisis del articulado de la LO 5/1987, de 30 de julio, de delegación de facultades del Estado en las CCAA en relación con los transportes por carretera y por cable y de la STC 118/1996 –que resolvió el recurso de inconstitucionalidad interpuesto contra ella– nos permite esbozar las principales características de esta intervención gubernamental, requisito de validez de la Ley Orgánica de delegación: es una intervención del Gobierno en su conjunto como órgano colegiado, no discrecional y necesitada de Dictamen previo del Consejo de Estado preceptivo y no vinculante. El Gobierno, que podrá solicitar de la CA en cuestión cuanta información sobre el particular necesite, requerirá formalmente a la misma en caso de incumplimiento y, si en el plazo de dos meses ésta mantuviera su actitud, podrá acordar la revocación de la delegación sin necesidad de suspensión previa. A pesar de que ésa es la literalidad del artículo 19 de la LO 5/1987, entendemos que el artículo 153.b CE no prevé la revocación por parte del Gobierno ni veda la intervención de las Cortes Generales, por lo que no nos parece revocable un acto jurídico –sustanciado en una Ley Orgánica– atributivo de competencias –aunque éstas sean ejecutivas– por el Gobierno mediante una norma reglamentaria o un mero acuerdo del Consejo de Ministros[11].

Más allá de ello, ¿es aplicable este control *ex* artículo 153.b a las leyes de transferencia?, y, a la viceversa, ¿es alguna técnica de control propia de las leyes de transferencia aplicable a los casos de delegación? A favor de la aplicación de este tipo de control a los supuestos de transferencias se esgrime, por parte de un sector doctrinal[12],el hecho de que, durante el *iter* de elaboración de nuestra Constitución,

---

[11]   De esta misma opinión, J.A. Montilla Martos, *Las leyes orgánicas de transferencia y delegación*, *op.cit.*, p. 186.

[12]   *V.g.* E. García López, "El marco del Estado autonómico y la naturaleza, significado y efectos de los preceptos contenidos en el artículo 150 de la Constitución", *Revista de Derecho Político*, n°. 17, 1983, p. 109.

cuando se introdujo el artículo 153.b, el artículo 150.2 todavía hablaba únicamente de Leyes Orgánicas de delegación y que, posteriormente, cuando se añadió el término "transferencia", sólo un despiste del constituyente explica la falta de adecuación del artículo 153.b a la nueva redacción del 150.2. Entendemos, sin embargo, que esta interpretación está basada exclusivamente en un juicio de valor sobre el que no se puede cimentar una interpretación contraria a la clarísima literalidad del precepto constitucional, tesis que –de forma implícita- sostuvo también el Tribunal Constitucional en la ya citada STC 118/1996.

Así las cosas, sin olvidar nunca que el Parlamento estatal podría siempre hacer un control de oportunidad política de la delegación, el Gobierno estaría apoderado tan sólo para verificar la adecuación del ejercicio de esas funciones delegadas a las condiciones establecidas para ello en la ley orgánica correspondiente. A tal efecto, el Gobierno podría solicitar de la Comunidad Autónoma en cuestión cuanta información precise para realizar ese juicio de adecuación, requerir formalmente a la misma en caso de incumplimiento de las condiciones de ejercicio y, transcurrido el plazo previsto sin que el requerimiento fuera atendido, proponer a las Cortes Generales la revocación de la delegación. No podría, sin embargo, suspender por su propia iniciativa tal delegación, salvo que la ley orgánica dictada *ex* artículo 150.2 CE lo previera expresamente (STC 118/1996). En todo caso, la previsión del artículo 153 CE nada distinto dispone a lo que ya el propio artículo 150.2 CE permite.

3.3. El control de la actividad administrativa y reglamentaria autonómica por la jurisdicción ordinaria

Este tercer apartado del artículo 153 CE ilustra también claramente lo que decíamos *supra* sobre lo innecesario de este precepto, que no añade ningún mandato normativo constitucional nuevo e introduce, por el contrario, algunas imprecisiones técnicas importantes que conviene clarificar.

Evidentemente, la previsión recogida en el artículo 106.1 CE de que "los tribunales [en general y sin concretar orden jurisdiccional] controlan la potestad reglamentaria y la legalidad de la actuación administrativa, así como el sometimiento de ésta a los fines que la justifican" es habilitación constitucional suficiente para –en conexión con el artículo 24 CE- entender sometida la actividad administrativa y reglamentaria de las Comunidades Autónomas al control de los tribunales, en sentido muy amplio. Es decir, se garantiza constitucionalmente que la actividad de las Administraciones Públicas, de todas ellas (también las autonómicas), podrá ser revisada por un órgano jurisdiccional[13]. Partiendo de ahí, el artículo 153.c) CE introduce dos elementos técnicamente incorrectos o, al menos, imprecisos:

a) Establece, en primer lugar, que será concretamente la jurisdicción contencioso-administrativa la que ejercerá –parecería que de modo exclusivo- el control de la actividad autonómica mencionada. Sin embargo, es necesario matizar que no existe monopolio absoluto por parte de la jurisdicción contencioso-administrativa para controlar los actos y reglamentos autonómicos, pues: 1. El artículo 161.2 CE atribuye al Tribunal Constitucional la potestad de resolver las impugnaciones que el Gobierno de la Nación plantee contra cualquier disposición o resolución dictada por los órganos de las Comunidades Autónomas. Mecanismo de control estatal sobre la actividad no legislativa de las Comunidades Autónomas utilizada por el Ejecutivo con frecuencia y, además, con notable impacto en la relación entre el Estado y algunas Comunidades Autónomas en los últimos años. Instrumento cuya activación, como prevé la propia Constitución, lleva aparejada la suspensión automática del acto o disposición autonómica, privilegio procesal que no existe en la vía judicial ordinaria[14]. 2. Como bien es conocido, las Administraciones Públicas –también las autonómicas- no actúan siempre sometidas a Derecho Administrativo. Cuando llevan a cabo actos que están sometidos a

---

[13] *Vid.* V. Faggiani, "Artículo 106", en Y. Gómez Sánchez (Coord.), *Estudios sobre la reforma de la Constitución de 1978 en su cuarenta aniversario*, Aranzadi, Pamplona, 2018, pp. 255-257.

[14] *Vid.* F.J. García Roca, "Conflictos entre el Estado y las Comunidades Autónomas ante el Tribunal Supremo: la competencia diferenciada entre las jurisdicciones constitucional y contencioso-administrativa", *Revista Vasca de Administración Pública*, n° 62, 2002. pp. 89-134.

Derecho civil, laboral o penal, son los órdenes jurisdiccionales correspondientes los encargados de realizar el control de tales actos[15].

b) Se refiere también este artículo 153. c) CE como objeto de ese control a la actividad "de la Administración autónoma y sus normas reglamentarias". Sin embargo, debemos entender sometidos a supervisión también los actos de todos aquellos otros órganos autonómicos que pudieran quedar fuera de esa categoría, como por ejemplo los órganos de gobierno de los Parlamentos autonómicos, así como los comisionados de estas cámaras territoriales (art. 74.1.c LOPJ).

Es por todo ello que la genérica alusión del artículo 106.1 CE a los "tribunales" como sujetos de este control estatal y a la "actuación administrativa" como objeto del mismo es no sólo suficiente, sino también técnicamente más precisa que lo estipulado en el artículo 153 CE.

3.4. *El control de la actividad económica y presupuestaria autonómica por el Tribunal de Cuentas*

El artículo 136.1 CE establece, con una fórmula retórica muy abierta, que "el Tribunal de Cuentas es el supremo órgano fiscalizador de las cuentas y de la gestión económica de Estado, así como del sector público". Esa genérica alusión al *sector público* permitiría entender que, además de la correspondiente actividad estatal, la actividad económica y presupuestaria de las Comunidades Autónomas también se encuentra sometida al control del Tribunal de Cuentas. No obstante, quizás la referencia expresa del artículo 153 CE a la actividad económica y presupuestaria como objeto también de control por este órgano estatal fuera, al menos en los primeros años de vigencia de la

---

[15] *Vid.*, por todos, M. Rebollo Puig, "El control de la Administración por la jurisdicción penal", *Revista Vasca de Administración* Pública, nº 115, 2019, pp. 151-190; T. Quintana López y S. Rodríguez Escanciano: "Límites jurisdiccionales entre los órdenes contencioso-administrativo y social", *Revista Jurídica de Castilla y León*, nº 26, 2012, pp. 139-176.

Constitución, la previsión más útil o conveniente de las que establece este precepto constitucional[16].

La dependencia del Tribunal de Cuentas de las Cortes Generales y la incógnita sin despejar al momento de ser aprobada la Constitución de cuál iba a ser el concreto desarrollo competencial e institucional de cada Comunidad Autónoma que se crease, hacían entonces conveniente precisar que el control de este órgano vinculado al Parlamento estatal también debía extenderse por expreso mandato constitucional al ámbito autonómico. Posteriormente, una vez llegados al final del proceso de descentralización del Estado, parecería que los órganos análogos dependientes de los Parlamentos autonómicos, creados por las Comunidades Autónomas en legítimo ejercicio de sus potestades de autoorganización, estarían llamados a sustituir al Tribunal de Cuentas en esta función, lo que requeriría –claro está- reforma constitucional. Pero este órgano todavía debe jugar en el escenario actual un importante papel de cohesión del control del gasto del Estado en su conjunto, Comunidades Autónomas y entidades locales incluidas.

Además, según STC 18/1991, sus funciones y las de los órganos análogos de las Comunidades Autónomas son compatibles y complementarias, sin perjuicio de la supremacía última del control estatal por el Tribunal de Cuentas[17]. Tales funciones se dividen en: a) Enjuiciamiento contable, de naturaleza jurisdiccional y revisable por el Tribunal Supremo (STC 215/2000), que tiene por objetivo determinar la responsabilidad de los sujetos que recaudan, intervienen, administran o custodian fondos públicos. b) Función fiscalizadora, que da lugar a informes y memorias remitidas a las Cortes Generales y/o a los Parlamentos autonómicos, a través de la cual se revisa la adecuación a los principios de legalidad, eficiencia y economía establecidos en la Constitución (art. 31.2 y 3) y en el resto del ordenamiento jurídico de la actividad económico-financiera de las Comunidades Autónomas.

---

[16] *Vid.*, por todos, J.M. Vera Santos, *El Tribunal de Cuentas y los órganos de control externo de las Comunidades Autónomas*, CEPC, Madrid, 2001.

[17] *Vid.* J.M. Gorordo Bilbao, "El Tribunal de Cuentas del Estado español y los órganos autonómicos de control externo en las previsiones constitucionales, estatutarias y/o legales de las Comunidades Autónomas", *Auditoría Pública. Revista de los Órganos de Control Externo*, nº 45, 2008, pp. 15-28.

IV. UN ARTÍCULO INNECESARIO E INCOMPLETO: LAS LÓGICAS PRECAUCIONES DEL CONSTITUYENTE QUE LO EXPLICAN

A la vista de lo anterior, parecería que estamos ante un precepto tan redundante como innecesario, pues esos cuatro mecanismos de control se encuentran ya establecidos en otros preceptos de la Constitución, por lo que seguirían existiendo aun si derogáramos este artículo 153. No tiene, pues, naturaleza constitutiva. Pero resulta, además, que la literalidad de su redacción puede generar alguna importante confusión. Reza el precepto, en términos aparentemente taxativos, que "el control de la actividad de los órganos de las Comunidades Autónomas se ejercerá por...", lo que inmediatamente nos suscita algún interrogante: ¿acaso se trata de una lista tasada y excluyente? ¿no hay más controles ni más actividad sometida a control que la allí referida? ¿son acaso el resto de instrumentos de control que recoge la Constitución de distinta condición o naturaleza?

Muchas son las explicaciones que la doctrina ha querido buscar a esta previsión como modo de justificar su inclusión y mantenimiento en el Texto Constitucional: que aquí se recogen los controles de naturaleza ordinaria y fuera del mismo los especiales o extraordinarios[18]; que se haya pretendido con él hacer hincapié en que las Comunidades Autónomas también son Administraciones Públicas sujetas al imperio de la ley y, por tanto, sometidas a los mismos controles que el resto de órganos del Estado[19]; o que se haya querido dejar claro que las eventuales facultades de control que los propios Estatutos de Autonomía pudieran atribuir a sus órganos institucionales no excluirán en modo alguno el control estatal de la actividad autonómica[20].

---

[18] *Vid.*, por todos, E. González Hernández, "El control estatal sobre las Comunidades Autónomas". *Op. cit.*, p. 165.

[19] *Vid.*, por todos, J.M. Gil-Robles y Gil-Delgado, "Artículo 153. El control de la actividad de las Comunidades Autónomas por los órganos del Estado", en O. Alzaga Villaamil, *Comentarios a la Constitución Española de 1978*, Edersa, Madrid, 1999, p. 436.

[20] *Vid.*, por todos, R. Entrena Cuesta, "Comentario al artículo 153", en F. Garrido Falla y otros, *Comentarios a la* Constitución, Civitas, Madrid, 2001, p. 2299.

Sea como fuere, ninguna de tales interpretaciones justificaría, *per se*, esta previsión constitucional que, en su estricta literalidad, nada distinto añade a lo ya establecido en otros preceptos de la Constitución. Es por ello que, durante estas cuatro décadas de vigencia de la Norma Fundamental, ni la doctrina ni la jurisprudencia han prestado especial atención a este artículo, si bien –paradógicamente- sí ha servido a otros fines interpretativos alejados de la idea del control estatal de las Comunidades Autónomas. Por ejemplo, el hecho de que sea el único precepto constitucional que se refiere expresamente, en sentido amplio y general, a las "disposiciones normativas con fuerza de ley de las Comunidades Autónomas", ha sido un argumento más a utilizar para justificar la constitucionalidad de la reciente creación estatutaria de la figura del Decreto-ley autonómico en varias Comunidades Autónomas.

No obstante ello, pese a que, como decimos, una interpretación sistemática e integradora de todo el Texto Constitucional dejaría sin valor añadido alguno a este artículo 153 CE, debemos recabar de su *iter* parlamentario de elaboración la voluntad del constituyente cuando lo redactó, en el ánimo de que una interpretación finalista del mismo nos arroje algo más de luz sobre su razón de ser y, por tanto, de su verdadero alcance.

La génesis parlamentaria del artículo 153 CE no fue especialmente compleja puesto que muy pocas variaciones importantes sufrió el texto original recogido en el Anteproyecto de Constitución con el que empezaron a trabajar las Cortes Constituyentes. Ese primigenio precepto -entonces artículo 141- establecía ya lo siguiente: "El control de la actividad de los órganos autonómicos se ejercerá: a) El relativo a la constitucionalidad y legalidad por el Tribunal Constitucional. b) El concerniente al uso de las funciones delegadas a que se hace referencia en el artículo 139 [hoy 150.2] por el Gobierno, previo dictamen del Consejo de Estado, sin perjuicio de lo que pueda corresponder a los Tribunales. c) El de la Administración autonómica, por la jurisdicción contencioso-administrativa. d) El económico y presupuestario, con intervención del Tribunal de Cuentas"[21].

---

[21]   BOCG, nº 44, de 5 de enero de 1978.

Más allá de algunas correcciones menores en su redacción[22], los dos cambios relevantes que se introdujeron en este texto hasta su redacción definitiva fueron de marcado carácter técnico y casi inexcusables: a) Se eliminó, ya en el Informe de la Ponencia de la Comisión de Asuntos Constitucionales del Congreso, el control de "legalidad" incorrectamente atribuido al Tribunal Constitucional con la aprobación de la enmienda n° 198, Grupo Parlamentario Minoría Catalana[23]. b) Se eliminó también acertadamente, durante el debate de la Comisión vía enmienda in voce de Meilán Gil (UCD), el carácter vinculante del dictamen del Consejo de Estado que este artículo preceptúa para el supuesto del control gubernamental de funciones delegadas al que se refiere su apartado b[24]. Así pues, el Dictamen de la Comisión de Asuntos Constitucionales ya recogió –como artículo 147 todavía- el texto definitivo del hoy vigente artículo 153 CE, sin que el debate en el Pleno del Congreso ni su paso por el Senado alteraran su redacción[25].

---

[22]   *V.g.* Enmienda n° 198, Grupo Parlamentario de la Minoría Catalana (BOCG, n° 82, de 17 de abril de 1978).

[23]   Enmienda n° 198, Grupo Parlamentario de la Minoría Catalana: "Enmienda que presenta el Grupo Parlamentario de la Minoría Catalana al anteproyecto de Constitución a los efectos de modificar la redacción del apartado a) del artículo 141 del referido texto. Redacción que se propone: 'a) El relativo a la constitucionalidad por el Tribunal Constitucional'. Justificación: Se pretende excluir el término *legalidad* por cuanto carece de sentido que el Tribunal Constitucional se inmiscuya en competencias propias de la jurisdicción ordinaria. Es al poder judicial y a la jurisdicción contencioso-administrativa, concretamente, a quien corresponde el examen de la legalidad de las disposiciones emanadas del Consejo de Gobierno de los territorios autónomos" (BOCG, n° 82, de 17 de abril de 1978).

[24]   Sr. Meilán Gil: "La única innovación es la relativa al apartado b, puesto que la redacción del Informe de la Ponencia era equívoca al referirse a las funciones normativas delegadas, cuando, en realidad, debería referirse, como se hace en la enmienda oral, a funciones delegadas; y para que no haya ninguna duda de qué funciones delegadas se trata, se ha añadido la referencia al artículo 143, y entonces resulta lógico que sea el Gobierno quien controle el ejercicio de esas funciones delegadas, que el mismo Gobierno ha delegado de acuerdo con lo establecido en el artículo 143 y con la garantía, obviamente, como decía del texto de la Ponencia, del Consejo de Estado. [...] Para leer exactamente la letra b, después de las atinadas observaciones que se han hecho. Dice así: *Por el Gobierno, previo dictamen del Consejo de Estado, y el del ejercicio de las funciones delegadas al que se refiere el apartado 2 del artículo 142*", en sesión n° 22 de la Comisión de Asuntos Constitucionales y Libertades Públicas (BOCG, n° 91, de 16 de junio de 1978).

[25]   Artículo 147. El control de la actividad de los órganos de las Comunidades Au-

Sin embargo, mucho más ilustrativos resultaron, a los efectos aquí pretendidos, los debates generados en torno a otras enmiendas no incorporadas finalmente al texto:

a) Varias de ellas pretendían, sencillamente, la supresión del precepto (total o parcialmente) en la medida en que entendían sus proponentes que se trataba de una estipulación redundante que no ofrecía nuevos contenidos a unos instrumentos de control ya recogidos en otros artículos de la Constitución[26].

b) Otras incidieron en el riesgo de que, dada la redacción aparentemente taxativa del precepto, una interpretación literal del mismo pudiera llevar a entender que el constituyente pretendió excluir la actividad de las Comunidades Autónomas del ámbito objetivo del resto de instrumentos de control estatal o autonómico relacionados en otros artículos de la Constitución

---

tónomas se ejercerá: a) Por el Tribunal Constitucional, el relativo a la constitucionalidad de sus disposiciones normativas con fuerza de ley. b) Por el Gobierno, previo dictamen del Consejo de Estado, el del ejercicio de funciones delegadas a que se refiere el apartado 2 del artículo 144. c) Por la jurisdicción contencioso-administrativa, el de la administración autónoma y sus normas reglamentarias. d) Por el Tribunal de Cuentas, el económico y presupuestario (BOCG, nº 121, de 1 de julio de 1978).

[26] Singularmente, la enmienda nº 64 en el Congreso de los Diputados del Grupo Parlamentario Mixto (supresión de los apartados b, c y d): "Enmienda de sustitución del texto por otro del siguiente tenor: *El control de la constitucionalidad y la legalidad de la actuación de los órganos autonómicos se ejercerá por el Tribunal Constitucional*" (BOCG, nº 82, de 17 de abril de 1978); la enmienda nº 312 el Senado del Grupo Parlamentario de Senadores Vascos (supresión de los apartados b, c y d): "Enmienda de sustitución del texto de por otro del siguiente tenor: *El control de la constitucionalidad y legalidad de la actuación de los órganos autonómicos se ejercerá por el Tribunal Constitucional*. Justificación: A nuestro entender, procede la simplificación de este artículo por cuanto es obvio que los actos administrativos de los órganos de las Comunidades Autónomas estén sujetos a la jurisdicción contencioso-administrativa, que el Gobierno controle el ejercicio de las funciones delegadas o que el control económico y presupuestario lo ejerza el correspondiente Tribunal de Cuentas, sin que sea necesario consagrarlo de modo cauístico. A nivel de Constitución debe dejarse explicitado únicamente que el control de la legalidad y constitucionalidad de la actuación de los órganos de las Comunidades Autónomas estará sujeto al Tribunal Constitucional" (BOCG, nº 54, de 13 de septiembre de 1978); y la enmienda de supresión total del precepto nº 87 en el Senado del Grupo Parlamentario Progresistas y Socialistas Independientes (BOCG, nº 54, de 13 de septiembre de 1978).

o en futuros preceptos estatutarios, cosa que no estaba ni mucho menos en su ánimo[27].

c) Finalmente, algunas otras centraban su objetivo en sustituir al Gobierno por las Cortes Generales como sujeto titular del control de las funciones delegadas ex artículo 150.2 CE, por dos motivos principales. En primer lugar, porque si bien la redacción original de ese artículo 150.2 CE en el texto del Anteproyecto parecía dejar claro que lo único transferible por esa vía a las Comunidades Autónomas serían potestades ejecutivas (entonces artículo 139.1, BOCG, n° 44, de 5 de enero de 1978), durante su *iter* de parlamentario fue modificando de modo que se acabó abriendo la puerta también a transferencias de potestades legislativas por este medio. Y, en segundo lugar, porque, en cualquier caso, se pudieran transferir unas u otras facultades, el sujeto competente para aprobar la correspondiente ley orgánica ex artículo 150.2 CE eran las Cortes Generales, por lo que no resultaba razonable excluirlas –como así parecía hacer el artículo 153 CE- del eventual control posterior sobre la transferencia aprobada[28].

---

[27]   Principalmente, la enmiendas n° 196 en el Congreso del Grupo Parlamentario de la Minoría Catalana: "Enmienda de modificación del apartado d del artículo 141 [...] Redacción que se propone: d) El económico y presupuestario a la Asamblea de los territorios autónomos, con intervención del Tribunal de Cuentas. Justificación: De acuerdo con lo establecido en el artículo 133, corresponde a la Asamblea de los territorios autónomos la aprobación de los presupuestos, entre otros, por lo cual el control de la actividad de los órganos autonómicos por lo que hace referencia al tema económico y presupuestario, corresponde a la Asamblea y precisamente el Tribunal de Cuentas se limita a intervenir, y por este precepto constitucional se hace relación a esta intervención, dejando, no obstante sin regular o sin mencionar la competencia que en cuanto al control corresponde a la indicada Asamblea del territorio autónomo" (BOCG, n° 82, de 17 de abril de 1978). En un sentido muy similar, la enmienda n° 359 en el Congreso de los Diputados del Grupo Parlamentario Socialista (BOCG, n° 82, de 17 de abril de 1978).

[28]   *V.g.* la enmienda n° 311 en el Congreso de los Diputados del Grupo Parlamentario Socialistas de Cataluña: "[...] Texto que se propone: *El control de la actividad de los órganos autonómicos se ejercerá: a) El relativo a la constitucionalidad por el Tribunal Constitucional. b) El concerniente al uso de las delegaciones legislativas otorgadas por leyes de Bases de las Cortes Generales, a las propias Cortes, en los términos de los artículos 74 y 75, sin perjuicio del que pueda corresponder a los Tribunales. c) El de la Administración autonómica, por la jurisdicción con-*

V. COROLARIO

Es, pues, precisamente al hilo de los debates sobre estas últimas enmiendas donde se puede advertir claramente que la intención del constituyente con este artículo 153 CE era, sencillamente, por un lado, precisar que las actividades autonómicas allí aludidas estaban también sometidas –al igual que sus homólogas estatales- al control del Tribunal Constitucional, la jurisdicción contencioso-administrativa y el Tribunal de Cuentas, en la medida en que tal circunstancia no se había hecho explícita en aquellos otros preceptos constitucionales reguladores de estos tres instrumentos de control; y, por otro lado, concretar que, además de las Cortes Generales, el Gobierno está habi-

---

tencioso-administrativa. *d) El económico y presupuestario, previa intervención del Tribunal de Cuentas, por las Cortes Generales o por las Asambleas de los Territorios Autónomos, según sus respectivas competencias"*. Motivación: "[...] El contenido de la letra b del artículo 141 del anteproyecto es inaceptable, porque si de ninguna manera debe corresponder al Gobierno controlar una legislación delegada que no ha delegado él, sino a las Cortes, menos aceptable es que ese control lo efectúe, mediante un dictamen vinculante, un órgano consultivo como es el Consejo de Estado. Dicho control debe ejercerse por el propio órgano que delega, como ocurre en las delegaciones legislativas otorgadas por el Gobierno. Todo ello sin perjuicio de la competencia de los Tribunales" (BOCG, nº 82, de 17 de abril de 1978). Particularmente ilustrativa en este sentido fue la intervención de Martín Retortillo durante el debate en la Comisión Constitucional del Senado en defensa su enmienda *in voce*, que fue rechazada en ese trámite (BOCG, nº 54, de 13 de septiembre de 1978) y también como voto particular ante el Pleno (BOCG, nº 157, de 6 de octubre de 1978): "[...] en la letra b nos encontramos con algo que estimamos sin duda incoherente, por cuanto dice que será el Gobierno quien controlará el ejercicio de las funciones delegadas a que se refiere el artículo 144. Nuevamente hemos topado con el artículo 144. Nuevamente hemos topado con el tema de la delegación, de las leyes de delegación, cuya incoherencia o cuyas dificultades traté de poner en evidencia ante esta Comisión no hace mucho rato. Pues bien, ¿quién realiza la delegación de estas facultades y la delegación de estas competencias? Es obvio que la ley de delegación es una ley que proviene de las Cámaras, es una ley que proviene del Parlamento. Entonces, si la delegación proviene de las Cámaras, del Parlamento, ¿por qué se alude al Gobierno en este apartado? [...] No se entiende realmente por qué tiene que ser el Gobierno quien controle una delegación que ha sido realizada necesariamente por el órgano soberano, por el Parlamento. El Gobierno tal vez podrá poner en marcha el procedimiento, advertir, hacer alguna denuncia, actuar como se quiera, pero, en definitiva, si es que hay algún control sobre esta actividad, sin perjuicio de las modalidades de control que nos hemos cuidado de establecer en los preceptos anteriores, si es que hay algún control, éste debería corresponder, sin ninguna duda, al órgano que ha delegado, es decir, al Parlamento".

litado para ejercer el control derivado de la delegación prevista en el artículo 150.2 CE. Motivo por el cual en este artículo 153 CE no se hace referencia a otros controles de órganos del Estado sobre determinados ejercicios competenciales autonómicos cuyo precepto regulador –v.g. artículo 145.2 CE- sí recoge expresamente tales extremos. No obstante, si bien es cierto que los artículos 161.1.a CE, 106.1 CE y 136.2 CE no se refieren de modo expreso a que la actividad de las Comunidades Autónomas esté sujeta a su control, también es verdad que de todos ellos se puede inferir ese dato sin necesidad de que se explicite en otro precepto diferente. Y aun habiendo sido necesario o, al menos, clarificador, hacerlo expreso, sobre todo en el caso del control previsto en el artículo 150.2 CE, su lugar natural es, lógicamente, cada uno de esos preceptos y no en otro artículo distinto y separado. Razón por la que resultaría más que razonable la derogación de este artículo 153 CE en cualquier eventual proceso de reforma constitucional que pueda llevarse a cabo en el futuro.

VI. BIBLIOGRAFÍA CITADA

Cruz Villalón, P.: "La dificultad del Tribunal Constitucional como garante de la autonomía territorial", *Revista Jurídica de la Universidad Autónoma de Madrid*, n° 19, 2009.

De la Iglesia Chamarro, A.: "El Decreto-ley autonómico: ¿una fuente más o nuevo problema constitucional?", en AA.VV. *La Constitución Política de España: estudios en homenaje a Manuel Aragón Reyes*, CEPC, Madrid, 2016.

Entrena Cuesta, R.: "Comentario al artículo 153", en Garrido Falla, F. y otros, *Comentarios a la* Constitución, Civitas, Madrid, 2001.

Faggiani, V.: "Artículo 106", en Gómez Sánchez, Y. (Coord.), *Estudios sobre la reforma de la Constitución de 1978 en su cuarenta aniversario*, Aranzadi, Pamplona, 2018.

Fernández Farreres, G.: "Estado autonómico y Tribunal Constitucional. Reflexiones sobre la vinculación del legislador estatutario a la Constitución y a la jurisprudencia constitucional", *Asamblea: Revista parlamentaria de la Asamblea de Madrid*, n° 1, 2006.

García de Enterría, E., "Las leyes del artículo 150.2 de las Constitución como instrumento de ampliación del ámbito competencial autonómico", *Revista de Administración Pública*, n° 116, 1988.

García López, E.: "El marco del Estado autonómico y la naturaleza, significado y efectos de los preceptos contenidos en el artículo 150 de la Constitución", *Revista de Derecho Político*, n° 17, 1983.

García Roca, F.J.: "Conflictos entre el Estado y las Comunidades Autónomas ante el Tribunal Supremo: la competencia diferenciada entre las jurisdicciones constitucional y contencioso-administrativa", *Revista Vasca de Administración Pública*, n° 62, 2002.

Gil-Robles y Gil-Delgado, J.M.: "Artículo 153. El control de la actividad de las Comunidades Autónomas por los órganos del Estado", en Alzaga Villaamil, O., *Comentarios a la Constitución Española de 1978*, Edersa, Madrid, 1999.

González del Campo, L.: "La legitimación de los Ejecutivos autonómicos para impugnar leyes de su propia asamblea un conflicto interpretativo entre Constitución y Ley Orgánica del Tribunal Constitucional doblemente resuelto a favor de esta. Comentario a la Sentencia del Tribunal Constitucional 176/2019, de 18 de diciembre. Recurso de inconstitucionalidad núm. 1195-2019. (BOE núm. 21, de 24 de enero de 2020)", *Revista de las Cortes Generales*, n° 108, 2020.

González García, I.: "La trascendencia constitucional del deficiente control del Decreto-ley autonómico", *Revista Española de Derecho Constitucional*, n° 111, 2017.

González Hernández, E.: "El control estatal sobre las Comunidades Autónomas: la reforma estatutaria y el supuesto control extraordinario del artículo 155 CE. La fiscalización subsidiaria del Tribunal Constitucional", *Anuario Parlamento y Constitución*, n° 11, 2008.

Gorordo Bilbao, J.M: "El Tribunal de Cuentas del Estado español y los órganos autonómicos de control externo en las previsiones constitucionales, estatutarias y/o legales de las Comunidades Autónomas", *Auditoría Pública. Revista de los Órganos de Control Externo*, n° 45, 2008.

Montilla Martos, J.A., *Las leyes orgánicas de transferencia y delegación*, Temas Clave de la Constitución Española, Tecnos, Madrid, 1998.

Pérez Royo, F.J.: "Reflexiones sobre la contribución de la jurisprudencia constitucional a la construcción del Estado Autonómico", *Revista de Estudios Políticos*, n° 49, 1986.

Pérez Tremps, P., *Sistema de Justicia Constitucional*, Civitas, Madrid, 2016.

Punset Blanco, R., "Comentario al artículo 2", en Requejo Pagés, J.L. (Coord.), *Comentarios a la Ley Orgánica del Tribunal Constitucional*, TC-BOE, Madrid, 2001

Quintana López, T. y Rodríguez Escanciano, S. "Límites jurisdiccionales entre los órdenes contencioso-administrativo y social", *Revista Jurídica de Castilla y León*, nº 26, 2012.

Rebollo Puig, M.: "El control de la Administración por la jurisdicción penal", *Revista Vasca de Administración* Pública, nº 115, 2019.

Sosa Wagner, F.: "El control de las Comunidades Autónomas por el Estado en la Constitución Española", *Documentación Administrativa*, nº 182, 1979.

Vera Santos, J.M., *El Tribunal de Cuentas y los órganos de control externo de las Comunidades Autónomas*, CEPC, Madrid, 2001.

Villar Palasí, J.L. y Suñé Llinás, E.: "Comentario al artículo 150", en Alzaga Villaamil, O. (Dtor.), *Comentarios a la Constitución Española de 1978*, vol. XI, Edersa, Madrid, 1999.

Reformar la Constitución Española en lectura única: ¿es siempre posible?[1]

Mª Pilar García Rocha

I. LAS REFORMAS EFECTUADAS EN LA CONSTITUCIÓN ESPAÑOLA

La Constitución Española de 1978 ha sufrido hasta la fecha dos reformas y, aunque ambas modificaciones trataban temas con distinto contenido y alcance, las dos se tramitaron por el procedimiento legislativo abreviado de lectura única[2].

La primera de ellas tuvo lugar en 1992 y se llevó a cabo simultaneando la tramitación especial en lectura única con el procedimiento de reforma constitucional previsto en el artículo 167 CE[3]. En aquel

---

[1] Este trabajo se ha realizado en el marco del Proyecto "Reforma constitucional: dimensión institucional y territorial" (20639/JLI/18) financiado por la Fundación Séneca-Agencia de Ciencia y Tecnología de la Región de Murcia a través de la convocatoria Jóvenes Líderes en Investigación del Subprograma de Apoyo y Liderazgo Científico y la Transición a la Investigación Independiente (Programa Fomento de la Investigación Científica y Técnica 2018).

[2] El Tribunal Constitucional en el Auto 9/2012, de 13 de enero, avaló los procedimientos utilizados, limitándose a observar la inexistencia de prohibición alguna en los Reglamentos de las Cámaras referente, tanto a la utilización de los procedimientos de urgencia y de lectura única en su aplicación a los proyectos de reforma constitucional, como a su acumulación.

[3] La primera proposición de modificación de nuestro Texto Fundamental tuvo

momento el Tratado de Maastricht establecía que todo ciudadano de
la Unión Europea que residiera en un Estado miembro del que no fuera
nacional, tenía que tener derecho a ser elector y elegible en las elecciones municipales del Estado en el que tuviera su residencia⁴. Nuestra
Constitución sí reconocía el derecho de estos ciudadanos a ser electores
pero no contemplaba su derecho a ser elegibles. El Tribunal Constitucional español manifestó la existencia de contrariedad en este aspecto
entre el articulado del Tratado de Maastricht y el de nuestra Consti-
tución⁵ y ordenó, a través de una declaración vinculante para nuestro

---

lugar en julio de 1992. El objeto de esta reforma lo constituía el párrafo segundo
del artículo 13. En el Congreso de los Diputados se simultaneó la tramitación
especial en lectura única con el procedimiento de reforma constitucional previsto en el artículo 167 CE, mientras que, en el Senado, fruto de la *vis* autónoma
de la que gozan cada una de las Cámaras, únicamente se siguieron las reglas
de tramitación del artículo 167 CE (Diario de Sesiones del Senado, Diputación
Permanente, IV Legislatura, número 2, de 21 de julio de 1992). La aplicación de
esta simultaneidad dotó a las Cámaras de la flexibilidad necesaria para aprobar
en solo unos días la reforma constitucional emprendida, a saber, desde el 7 de
julio de 1992, en que la proposición de ley se presentó en el Congreso de los Diputados, hasta el 30 de julio de 1992, fecha en la que obtuvo el beneplácito del
Senado. Nuestras Cámaras Legislativas ofrecieron una respuesta a la altura de
las exigencias demandadas por las circunstancias políticas del momento.

⁴   El 7 de febrero de 1992 se firmó en Maastricht el Tratado de la Unión Europea
por el que, entre otros, se modificaba el Tratado Constitutivo de la Comunidad Económica Europea. El artículo 8.B de este Tratado prescribía que tras su
aprobación todo ciudadano de la Unión Europea que residiera en un Estado
miembro del que no fuera nacional tendría que tener derecho a ser elector y
elegible en las elecciones municipales del Estado miembro en el que residiera. El
Gobierno de España, en la reunión del Consejo de Ministros celebrada el 24 de
abril de 1992, acordó iniciar el procedimiento previsto en el artículo 95.2 de la
Constitución al objeto de que el Tribunal Constitucional se pronunciara sobre la
eventual contradicción entre la Constitución Española y el articulo 8. B citado.
El pronunciamiento del Tribunal Constitucional, de fecha 1 de julio de 1992, de-
claraba que "la estipulación contenida en el futuro artículo 8 B, apartado 1, del
Tratado Constitutivo de la Comunidad Económica Europea, tal y como quedará
redactado por el Tratado de la Unión Europea, es contraria al artículo 13.2 de la
Constitución en lo relativo a la atribución del derecho de sufragio pasivo en elecciones municipales a los ciudadanos de la Unión Europea que no sean nacionales
españoles y que el procedimiento de reforma constitucional, que debe seguirse,
para obtener la adecuación de dicha norma convencional a la Constitución, es el
establecido en su artículo 167".

⁵   La Declaración del Tribunal Constitucional 1/1992, de 1 de julio, establecía que
"la estipulación contenida en el futuro artículo 8 B, apartado 1, del Tratado
Constitutivo de la Comunidad Económica Europea, tal y como quedará redac-

legislador[6], incluir en el art. 13.2 CE el reconocimiento de este derecho. Desde ese momento, España ya podía ratificar dicho Tratado.

La segunda reforma de nuestra Carta Magna tiene lugar en 2011. La crisis financiera acaecida en 2008 a nivel global y la consecuente e inmediata presión de los mercados de capitales impulsan a la Unión Europea a poner en funcionamiento una serie de mecanismos para controlar el gasto público y afianzar la estabilidad presupuestaria[7]. Así las cosas, para que el ordenamiento jurídico español se adapta a la normativa europea en esta materia era necesario modificar sustancialmente la redacción del artículo 135 de nuestra Constitución[8].

---

tado por el Tratado de la Unión Europea, es contraria al artículo 13.2 de la Constitución en lo relativo a la atribución del derecho de sufragio pasivo en elecciones municipales a los ciudadanos de la Unión Europea que no sean nacionales españoles y que el procedimiento de reforma constitucional, que debe seguirse, para obtener la adecuación de dicha norma convencional a la Constitución, es el establecido en su artículo 167" (BOE, núm. 177, de 24 de julio de 1992).

[6]   El 7 de julio de 1992 los Grupos Parlamentarios Socialista, Popular, Catalán (*Convergència i Unió*), Izquierda Unida, Iniciativa per Catalunya, CDS, Vasco (PNV) y Mixto presentaron conjuntamente una proposición de reforma del artículo 13, apartado 2 de la Constitución, solicitando su tramitación por el procedimiento de urgencia. La Mesa de la Cámara, en su reunión de 8 de julio, adoptó el acuerdo de admitir a trámite la proposición y someterla a la deliberación del Pleno a efectos de su toma en consideración y, previa audiencia de la Junta de Portavoces, proponer al Pleno su tramitación por el procedimiento de lectura única (Boletín Oficial de las Cortes Generales, Congreso de los Diputados, IV Legislatura, Serie B, número 147-1, de 9 de julio de 1992). El Pleno del Congreso, en su reunión del día 13 de julio de 1992, acordó tomar en consideración esta Proposición, así como su tramitación directa y en lectura única (Diario de Sesiones, Congreso de los Diputados, Pleno y Diputación Permanente, núm. 2015, de 13 de julio de 1992).

[7]   A pesar de ser conscientes de que el incremento del gasto público obstaculizaba el crecimiento económico y, teniendo en cuenta que el Tratado Constitutivo de la Comunidad Europea recogía en su artículo 26 que los Estados miembros deberían evitar un déficit público excesivo, no fue hasta el Tratado de Maastricht cuando se estableció el principio de equilibrio presupuestario, donde se determinaba que, el déficit público no debía superar el 3% del Producto Interior Bruto (PIB) en cada país, con la finalidad de que a largo plazo se consiguiera superávit o un déficit cero. Se obligaba a renunciar progresivamente a los Estados a financiar monetariamente el déficit público y, a partir de ese momento, la Comisión Europea tendría la competencia para supervisar la evolución de la situación presupuestaria y el nivel de endeudamiento público de los Estados miembros para conseguir una situación de constante equilibrio o de superávit.

[8]   A pesar de que la relevancia de la materia sobre la que versaba esta reforma y su extrema complejidad podían plantear serias dudas sobre la viabilidad de la tramitación en lectura única, el Pleno del Congreso de los Diputados adoptó la

El origen y el desarrollo de esta crucial reforma del sistema financiero español tiene lugar en un escenario ciertamente complicado siendo objeto de intensos debates políticos y arduas críticas[9]. Planteadas así las cosas y, teniendo como objeto paliar la delicada situación económica que se atravesaba en este momento, la Unión Europea ejerce una fuerte presión sobre los Estados miembros y les exige un compromiso sólido con el equilibrio financiero y la estabilidad presupuestaria[10].

El Tratado Constitutivo del Mecanismo Europeo de Estabilidad (TMEDE)[11], a través del cual nace el Mecanismo Europeo de Estabilidad (MEDE) como institución financiera internacional, implementaba lo previsto en el nuevo artículo 136.3 del Tratado de Funcionamiento de la Unión Europea (TFUE) y, al asumir aquel Tratado competencias propias de los Estados que lo firmaban, era preceptivo que los Textos Fundamentales de los países miembros de la eurozona atribuyeran esa competencia al TMEDE[12], razón por la cual el Estado español tenía que introducir el principio de estabilidad presupuestaria en su Carta Magna y, para ello, era necesario modificar el artículo 135 CE[13].

---

decisión de utilizar el procedimiento en lectura única en virtud de la literalidad de los preceptos reglamentarios que no establecían veto material alguno para su utilización.

[9]   *Vid.*, sobre el particular, A. Bar Cendón, "La reforma constitucional y la gobernanza económica de la Unión Europea". *Teoría y Realidad Constitucional*, nº 30, 2012, pp. 60.; M. Medina Guerrero. "La reforma del artículo 135 CE". *Teoría y Realidad Constitucional*, nº 29, 2012, pp. 131 y ss.

[10] El 25 de marzo de 2011, el Consejo Europeo modificó el artículo 136 del Tratado de Funcionamiento de la Unión Europea estableciendo un mecanismo de estabilidad para los Estados miembros cuya moneda era el euro como un instrumento de estabilización, asistencia financiera y garantísta para los mercados de capitales.

[11] El 2 de febrero de 2012 España ratificó Tratado Constitutivo del Mecanismo Europeo de Estabilidad (MEDE), entre el Reino de Bélgica, la República de Finlandia, la República de Estonia, Irlanda, la República Helénica, el Reino de España, la República Francesa, la República Italiana, la República de Chipre, la República Federal de Alemania, el Gran Ducado de Luxemburgo, Malta, el Reino de los Países Bajos, la República de Austria, la República Portuguesa, la República de Eslovenia y la República Eslovaca. Tratado que entró en vigor en España el 27 de septiembre de 2012.

[12] *Vid.*, al respecto, C. Serrano Lea y B. Montero Zuleta "El pacto de Estabilidad y Crecimiento. Las finanzas públicas en la zona euro". *Boletín Económico de ICE*, nº 2905, 2007.

[13] *Vid.*, M.P. Blanco Corral *et. al.* "El Pacto de Estabilidad de la Unión Europea

A la vista de la situación descrita y con la necesidad de que esta reforma constitucional fuera aprobada dentro de los límites temporales concedidos a los Estados miembros para acometerla, se abandona en nuestro país la fórmula de consenso constituyente, seña de identidad de nuestro sistema, por cuanto que esta segunda modificación del Texto Fundamental solo fue avalada por el partido en el Gobierno y por el principal partido de la oposición. No se atendió, por tanto, a las posiciones defendidas en su tramitación por el resto de Grupos Parlamentarios.

Planteada de este modo la necesaria modificación de nuestro Texto Fundamental, el Pleno del Congreso de los Diputados aprobó el 30 de agosto de 2011 la toma en consideración y la tramitación por el procedimiento de lectura única de la proposición de reforma del art. 135 CE[14] y a continuación, la Mesa de la Cámara Baja acordó, atendiendo a lo establecido en los artículos 93 y 126.5 RCD -por remisión del artículo 146.1 RCD-, su tramitación por el procedimiento de urgencia. El 7 de septiembre de 2011, tuvo lugar en el Pleno del Senado el debate sobre el Dictamen de la proposición de reforma que estudiamos[15] y, de los 236 votos emitidos, 233 fueron a favor y 3 lo fueron en contra alcanzándose, pues, la necesaria mayoría prescrita en el artículo 167.1 CE para su aprobación. La Cámara Alta no introdujo variaciones al documento que la Cámara Baja le había remitido[16] consistiendo la modificación en la adhesión del siguiente párrafo al artículo 135 CE:

> *"Los Estados miembros cuya moneda es el euro podrán establecer un mecanismo de estabilidad que se activará cuando sea indispensable para salvaguardar la estabilidad de la zona euro en su conjunto. La concesión*

---

y los Principios de Autonomía y Suficiencia de la Hacienda Autonómica en España". *Hacienda Pública y convergencia europea: X Encuentro de Economía Pública*, Santa Cruz de Tenerife, 2003.

[14]   DS, Pleno del Congreso de los Diputados, núm. 269, de 30 de agosto de 2011.

[15]   En la tramitación seguida en la Cámara Alta se presentaron 29 enmiendas: ocho enmiendas presentadas por el Grupo Parlamentario *Convergència i Unió*, cuatro enmiendas por el Grupo Parlamentario de Senadores Nacionalistas, dos enmiendas por el Grupo Parlamentario Mixto y quince enmiendas por el Grupo Parlamentario *Entesa Catalana de Progrés* (BOCG, Senado, núm. 106, de 6 septiembre de 2011).

[16]   BOCG, Senado, núm. 108, de 8 de septiembre de 2011.

de toda ayuda financiera necesaria con arreglo al mecanismo se supeditará a condiciones estrictas".

Aprobado, pues, el documento en el Congreso de los Diputados y en el Senado por la mayoría exigida en el artículo 167.1 CE para los procedimientos de reforma ordinaria de la Constitución -tres quintos- se dio apertura al plazo preceptivo de 15 días para que una décima parte de los miembros de cualquiera de las dos Cámaras solicitaran la celebración de un referéndum sobre la reforma iniciada. Transcurrido este plazo sin que hubiera tenido lugar dicha solicitud, debido muy posiblemente al apremio temporal que anteriormente señalábamos, esta modificación no se sometió a referéndum[17] y Su Majestad el Rey procedió a su sanción y promulgación el 27 de septiembre de 2011, siendo publicada la modificación ese mismo día en el Boletín Oficial del Estado[18].

II. ¿ES LEGÍTIMO ACOMETER UNA REFORMA CRUCIAL DE LA CONSTITUCIÓN POR EL PROCEDIMIENTO DE LECTURA ÚNICA?

Como es bien sabido, los Reglamentos del Congreso de los Diputados y del Senado prevén en sus artículos 150 y 129, respectivamente, que para aquellas iniciativas legislativas cuya naturaleza lo aconseje o la simplicidad de su formulación lo permita, se posibilite que dicha iniciativa pueda ser debatida y votada directamente en el Pleno prescindiendo así de su estudio en Comisión[19].

---

[17]   Una vez que el texto fue aprobado en ambas Cámaras por mayoría de tres quintos exigida en el art. 167 CE para los procedimientos de reforma ordinaria de la Constitución, se dio apertura al preceptivo plazo de 15 días para que una décima parte de los miembros de cualquiera de las dos Cámaras pudiera solicitar la celebración de un referéndum sobre la reforma iniciada. Transcurrido este plazo sin que se hubiese solicitado, el Jefe del Estado sancionó y promulgó la citada reforma el 27 de septiembre de 2011, siendo publicado ese mismo día el texto definitivo del artículo 135 de la Constitución (BOE, núm. 233, de 27 de septiembre de 2011).

[18]   BOE, núm. 233, de 27 de septiembre de 2011.

[19]   Art. 150 Reglamento del Congreso de los Diputados (RCD). "1. Cuando la naturaleza del proyecto o proposición de ley tomada en consideración lo aconsejen o su simplicidad de formulación lo permita, el Pleno de la Cámara, a propuesta de

Teniendo en cuenta la relevancia y la trascendencia de la reforma constitucional en materia financiera que tuvo lugar en el año 2011 es obligado cuestionarse si fue legítimo acometer una modificación de tan importante calado a través de un cauce procedimental abreviado como es el procedimiento de lectura única. Cabe preguntarse si estaba justificado optar por una vía procedimental que prescindía del estudio en Comisión para realizar una modificación del Texto Fundamental de esa magnitud; si la *naturaleza* de esta reforma aconsejaba verdaderamente su tramitación en lectura única; o si la *formulación* de esta modificación era tan sencilla que posibilitaba que su debate tuviera lugar directamente en el Pleno.

Para intentar responder a todas estas cuestiones es necesario estudiar de una parte la posición que al respecto ha mantenido la doctrina; atender, de otro lado, a los vectores que sobre el particular se han seguido en la práctica parlamentaria; y analizar, en última instancia, los pronunciamientos efectuados en esta materia por el Tribunal Constitucional. Procedemos, pues, a ello.

2.1. Las distintas perspectivas doctrinales adoptadas

El procedimiento legislativo ordinario en general[20] y los procedimientos legislativos abreviados en particular[21] han sido objeto de numerosos estudios por parte de la doctrina, pero hasta la fecha, los expertos en esta materia no han prestado especial atención al procedimiento legislativo en lectura única, y aquellos autores que hasta el momento han estudiado este cauce procedimental abreviado, y en

---

la Mesa, oída la Junta de Portavoces, podrá acordar que se tramite directamente y en lectura única"; y art. 129 del Reglamento del Senado (RS): 1. Cuando la naturaleza de un proyecto o de una proposición de ley, remitidos por el Congreso de los Diputados, lo aconseje, o su simplicidad de formulación lo permita, el Pleno de la Cámara, a propuesta de la Mesa, oída la Junta de Portavoces, podrá acordar que se tramite directamente y en lectura única.

[20] *Vid.*, P. García-Escudero Márquez. "El procedimiento legislativo ordinario en las Cortes Generales: regulación, fases y tipos". *Teoría y Realidad Constitucional*, n° 16, 2005.

[21] *Vid.*, M. A. García Martínez. *El procedimiento legislativo*, Congreso de los Diputados, Madrid, 1897; y Y. Gómez Lugo. *Los procedimientos legislativos especiales en las Cortes Generales*, Congreso de los Diputados, Madrid, 2008.

especial, los presupuestos habilitantes del mismo, han coincidido en señalar la existencia de consenso doctrinal en algunos extremos[22].

Así, se ha puesto de manifiesto que la definición establecida por los Reglamentos Parlamentarios de las circunstancias habilitantes para tramitar una iniciativa en lectura única es excesivamente abierta y, además, se subraya que estas normas reglamentarias reconocen unos límites muy amplios para apreciar la concurrencia o no de aquellos presupuestos a los órganos de nuestras Cámaras que deciden sobre este tipo de tramitación. También observamos que existe acuerdo doctrinal sobre la condición alternativa de los presupuestos habilitantes establecidos para este tipo procedimental, así como sobre las diferencias que existen entre ellos. Se posibilita de esta forma el que no tengan necesariamente que concurrir ambas circunstancias en la misma iniciativa para que se pueda dar apertura a su tramitación en lectura única.

A pesar del consenso doctrinal en los extremos expuestos, sorprende sobremanera que el vacío que existe con respecto a los límites de estos presupuestos habilitantes siga sin ser integrado. En el escaso número de trabajos elaborados sobre el particular observamos como un sector doctrinal ha identificado ambos presupuestos haciéndolos equivaler, en ocasiones concretas, con la idea de un amplio consenso político de partida sobre el contenido de la iniciativa a tramitar[23] y, en otras, con razones de *urgencia* política para su aprobación[24]. Otro sector doctrinal ha admitido que el acuerdo y la necesidad de una rápida tramitación son las razones que podrían impulsar la puesta en marcha de esta vía procedimental, subrayando, además, que las normas parlamentarias que regulan este cauce abreviado deberían haber exceptuado de este tipo de trámite a "aquellas iniciativas de cierta importancia y repercusión para no contradecir la naturaleza y funcionalidad de la labor parlamentaria", sin precisar nada más sobre el particular[25].

---

[22]   *Vid.*, P. García-Escudero. *Op. cit.*, pp. 211 y ss.

[23]   *Ibidem*, pp. 238; y M. Araujo Díaz de Terán. "Comentario al artículo 150", en *Comentarios al Reglamento del Congreso de los Diputados*, M.R. Ripollés Serrano (Coord.), Congreso de los Diputados, Madrid, 2012, pp. 1064 y ss.

[24]   *Vid.*, F. Santaolalla López. *Derecho Parlamentario Español*. Dyckinson, Madrid, 2013, pp. 286.

[25]   *Vid.*, M.A., García Martínez. *Op.cit.*, pp. 299-300.

Sin llegar a concretar qué se debe entender por *naturaleza o simplicidad de formulación* de la iniciativa a tramitar, y enfocado desde otra perspectiva, algún autor ha puesto de relieve el carácter excepcional de la tramitación en lectura única[26]. De esta posición entendemos que, consecuentemente, debe derivarse una interpretación necesariamente restrictiva del contenido y del alcance de ambas circunstancias habilitadoras tanto por el órgano encargado de adoptar la decisión final, el Pleno de la Cámara, como por el órgano al que le corresponde la respectiva función de control, el Tribunal Constitucional.

Si bien que sus obras han abordado esta temática desde puntos de partida y perspectivas distintas, Gómez Lugo y García-Escudero Márquez son las autoras que más han estudiado este tipo procedimental abreviado. Únicamente tenemos puntos de encuentro con la posición de Gómez Lugo en su argumento inicial[27], esto es, al sostener que el procedimiento legislativo en lectura única es una "técnica procedimental a través de la cual se pretende conseguir una respuesta rápida del Parlamento ante propuestas legislativas que no presentan grandes dificultades para consensuar o acordar su aprobación, agilizando los trámites". Con respecto a la definición del primero de los presupuestos habilitantes que elabora esta autora: "Textos lo suficientemente consensuados por las fuerzas políticas que hacen innecesaria la discusión y votación que tienen lugar en sede de Comisión, por lo que la tramitación se acelera suprimiendo esta fase"[28], nuestro encuentro es parcial por cuanto que Gómez Lugo considera que son textos pactados o consensuados tanto aquellos documentos a los que nuestro ordenamiento jurídico les reconoce, de manera excepcional, la con-

---

[26] Así, P. Biglino Campos afirma en voz "Procedimiento Legislativo", en *Organización General y Territorial del Estado*, Civitas, Navarra, 2011, pp. 162, que "a pesar de la ambigüedad de la fórmula utilizada para caracterizar los casos en los que resulta de aplicación, este procedimiento debe considerarse excepcional, dado que supone que la ley sea debatida y aprobada directamente por el Pleno de la Cámara, sin que sea posible presentar enmiendas al articulado ni que actúen las Comisiones. Esta interpretación que es necesaria por la obligación de garantizar la participación de los miembros de la Asamblea y, especialmente de la minoría, puede además deducirse de la STC 103/2008".

[27] *Vid.*, Y. Gómez Lugo. "La tramitación legislativa en lectura única", *InDret. Revista para el análisis del Derecho*, nº 4, 2007, p. 5.

[28] *Ibidem*, p. 7.

dición de norma pactada, necesitando únicamente obtener un voto de ratificación de las Cortes Generales, como aquellos otros textos de naturaleza ordinaria que ya han sido negociados y consensuados por una mayoría de fuerzas políticas en sede extraparlamentaria antes de llegar a las Cámaras Legislativas para ser tramitados[29]. Nuestro criterio es coincidente en este extremo con el que mantiene, de forma implícita, el Tribunal Constitucional en la STC 27/2000, de 31 de enero, donde se defiende la posibilidad de establecer -y por tanto debería llevarse a cabo- una firme división entre ambos tipos de normas.

Con respecto al resto de líneas argumentales que sostiene esta autora en esta materia, nuestra discrepancia es plena ya que no entendemos que la *simplicidad de formulación* de las iniciativas legislativas "puede interpretarse referida a proyectos o proposiciones de ley sobre cuyo contenido sólo se discute su aprobación o rechazo en bloque, sin entrar en grandes cuestiones de detalle, o bien textos muy breves que aconsejan una agilización en los trámites"[30]. La idea del amplio consenso previo sobre el contenido de la iniciativa es recurrente en su tesis y presenta incongruencias al situarnos ante dos circunstancias habilitantes diferenciadas y alternativas. Además, procede a sumar como elemento de identificación subsidiaria del segundo presupuesto la *brevedad* sin tener en cuenta que, *simplicidad de formulación* y *brevedad* del texto son realidades entre las que no existe una plena identificación. Estas características pueden coincidir o no en determinados supuestos ya que, como es bien sabido, un texto legislativo puede tener una formulación sencilla y no ser exiguo y, al contrario, puede ser sucinto y al tiempo presentar una formulación extremadamente complicada.

---

[29]   Así, la autora, *ibidem*, nota 10, p. 8, utiliza indistintamente para sostener su argumento ejemplos de la práctica que responden a esas dos realidades claramente diferenciables. *V.g.*, de un lado, la Ley Orgánica 1/2001, de 26 de marzo, por la que se modifica la Ley Orgánica 13/1982, de 10 de agosto, de Reintegración y Amejoramiento del Régimen Foral de Navarra (LORAFNA) y la Ley 25/2003, de 15 de julio, por la que se aprueba la modificación del Convenio Económico entre el Estado y la Comunidad Autónoma de Navarra; y, de otro lado, la Ley Orgánica 2/2001, de 28 de junio sobre Composición del Consejo General del Poder Judicial, por la que se modifica la Ley Orgánica 6/1985, de 1 de julio del Poder Judicial y la Ley Orgánica 6/2003, de 30 de junio de modificación de la Ley Orgánica 1/1979, General Penitenciaria, de 26 de septiembre.

[30]   *Vid.*, Y. Gómez Lugo. *Op.cit.*, pp. 7-8.

Asimismo, no compartimos su posición sobre el contenido de tales iniciativas legislativas cuando sostiene que debe afectar a "materias poco relevantes"[31] impidiendo así abrir trámite de lectura única respecto de proyectos o proposiciones de ley de *especial relevancia*, con independencia de cuál fuera su *naturaleza* o sus condiciones de *formulación* ya que, según esta autora, "hay razones suficientes para sostener que la utilización de estos procedimientos legislativos especiales constituye un límite procedimental implícito para las Cámaras cuando actúan como poder de reforma constitucional" [32].

Así entendidas las cosas por Gómez Lugo, únicamente nos situamos ante materias *relevantes* que impidan la tramitación de la iniciativa en lectura única cuando se trate de reformas constitucionales -independientemente de su contenido-, por cuanto que de forma expresa exceptúa de este razonamiento las decisiones de naturaleza legislativa -ordinarias u orgánicas-, estén sometidas o no a otra especialidad procedimental *ratione materiae -v.g.*, Ley de Presupuestos Generales del Estado-. La posible caducidad de aquellas iniciativas legislativas en trámite que, por el final inminente de la Legislatura antes de su aprobación por el cauce ordinario, tengan notable apoyo social y político es el argumento que justifica tal inadmisión[33], pasando así la urgencia

---

[31]   *Ibidem*, pp. 7-8.

[32]   *Vid.*, Y. Gómez Lugo. "La tramitación de la reforma constitucional mediante procedimientos legislativos abreviados: un problema de límites procedimentales", *Teoría y Realidad Constitucional*, nº 43, 2019, p. 393.

[33]   *Ibidem*, p. 398: "Como puede constatarse, el elemento determinante para la aplicación de este procedimiento no viene delimitado por el objeto material de la iniciativa, pero tampoco por la sencillez o brevedad de los textos. Y ello, porque una propuesta legislativa puede ser breve e implicar una modificación relevante del ordenamiento jurídico y, por ello, requerir un amplio debate parlamentario que permita alcanzar acuerdos sólidos para lograr su aprobación. Igualmente carecería de sentido excluir *a priori* del ámbito de actuación de esta técnica procedimental todas aquellas materias sometidas a reserva procedimental, ya que ello privaría a las Cámaras de un instrumento fundamental para responder a las demandas legislativas sobrevenidas. Piénsese, por ejemplo, en la necesidad de aprobar una serie de medidas relativas a materias reservadas a ley orgánica, demandas socialmente, respaldadas mayoritariamente por las fuerzas políticas ante una inminente disolución de las Cámaras, ya sea natural o anticipada. En estas circunstancias, la aplicación de esta técnica procedimental evitaría la caducidad de las iniciativas legislativas en curso y pendientes de resolución. Sin embargo, esto es aplicable a la elaboración de la ley, pero no a la tramitación de la reforma constitucional".

a ser el principal presupuesto habilitante con independencia de la *relevancia* del contenido de la norma.

Al defender que el límite al recurso al procedimiento en lectura única para las reformas de la Constitución se encuentra implícito en el propio Texto Constitucional, no sería necesario que los Reglamentos del Congreso de los Diputados y del Senado -que ni vetan ni obligan la simultaneidad-, establecieran una prohibición expresa sobre el particular, por tanto, esta línea argumental que sostiene la inadmisión a trámite en lectura única de las reformas constitucionales, parece presentar discordancias con las tesis mantenidas por Gómez Lugo al afirmar que nuestro ordenamiento jurídico "permite la tramitación simultánea o transversal" en lectura única "tanto con procedimientos especiales por razón de la materia, como con las otras dos modalidades abreviadas" y que, por tanto, "nos cuestionamos si sería conveniente que los Reglamentos Parlamentarios exceptuasen la aplicación del método de lectura única a algunas materias sometidas a procedimientos particularizados por razón material"[34].

Especial subrayado merece el que este planteamiento contravenga la jurisprudencia del Tribunal Constitucional dictada sobre la materia al establecer de forma diáfana que, la "relevancia o trascendencia constitucional" de un texto normativo "no es incompatible con su tramitación por el procedimiento de lectura única [...] al que no le está vedada materia alguna, incluida la reforma constitucional" -STC 215/2016, de 15 de diciembre que viene a reproducir jurisprudencia anterior ya consolidada-[35]. Los razonamientos que sustentan esta posición se apoyan en el hecho de que la lectura única y la reforma constitucional "responden a fundamentos diferentes y contrapuestos"[36] y, por tanto, incompatibles.

Cierto es que este tipo procedimental y este modelo de reforma responden a lógicas distintas, pero no necesariamente contrapuestas

---

[34] *Ibidem,* pp. 401-402.

[35] *Vid.*, STC 238/2012, de 13 de diciembre; y ATC 9/2012, de 13 de enero, entre otros.

[36] *Vid.*, Y. Gómez Lugo. "La tramitación de la reforma constitucional mediante procedimientos legislativos abreviados: un problema de límites procedimentales". *Op.cit.*, p. 409.

ni bajo toda circunstancia. Los procedimientos de reforma constitucional establecen unas garantías especiales con el fin de proteger la correcta articulación de la voluntad constituyente y ello no tiene por qué estar reñido en todo caso con el recurso al procedimiento abreviado en lectura única. Asimismo, esta autora pone de relieve que este procedimiento abreviado "limita el debate parlamentario y la posibilidad de presentar enmiendas" perdiéndose así "la función técnica y política de la Comisión parlamentaria"[37]. Pero siendo cierto este extremo, solo es relevante a los efectos que aquí se estudian, si de ello se derivara una lesión efectiva del *ius in officium* del parlamentario o se quebrantara la formación de la voluntad constituyente de las Cámaras, lo que, como es bien sabido, dependerá del contenido y del alcance de la reforma constitucional concreta. Sostiene también que, en toda reforma constitucional, independientemente de su contenido, se da una "falta de concurrencia de los elementos de simplicidad de la norma o de una naturaleza que justifique la adopción del procedimiento de lectura única"[38] y, como venimos subrayando, no es posible concretar esta afirmación sino caso por caso.

Considera finalmente de una parte que, las reformas de la Constitución que hasta este momento han sido aprobadas -artículos 13.2 CE y 135 CE-, no debieron ser tramitadas, por limitación constitucional implícita, por el procedimiento en lectura única. Todo ello pese a que, como su desarrollo legislativo y su nivel de conflictividad doctrinal y jurisdiccional[39] ha demostrado posteriormente, la formulación y el

---

[37] *Ibidem*, p. 409.

[38] *Ibidem*, p. 411.

[39] *Vid.*, P. García-Escudero Márquez, con la que coincidimos plenamente en "La reforma del artículo 135: ¿son suficientes trece días para la tramitación parlamentaria de una reforma constitucional", *Cuadernos de Derecho Público*, nº 38, 2009, p. 82: "Frente a la sencillez que suponía incorporar dos palabras al artículo 13 de la Constitución en 1992, es evidente que el texto de la reforma del artículo 135 no puede ser calificado de simple en su formulación, ni tampoco existía acuerdo unánime sobre su tramitación que augurara la no presentación de enmiendas o en escaso número, que no requirieran de un debate en Comisión. No parece, por tanto, que la lectura única fuera el procedimiento más adecuado. De hecho, puede decirse que su rigidez ha resultado contraproducente para los autores de la iniciativa -en la medida que les ha impedido llevar a término algunas negociaciones políticas emprendidas entre los dos grupos mayoritarios

alcance de ambas reformas es notablemente distinto. Y, de otro lado, se observan incongruencias en las tesis por ella defendidas cuando, en una primera instancia, afirma que en estos pronunciamientos del Alto Tribunal no se "ha enfocado correctamente la cuestión suscitada, ya que presupone que el criterio material es determinante y único para la aplicación del procedimiento de lectura única. Sin embargo, y como se expuso anteriormente, la viabilidad de esa variante procedimental no viene delimitada por el objeto material de la iniciativa, sino por una serie de supuestos tasados en los Reglamentos Parlamentarios que, en ningún momento, el Tribunal tiene en cuenta"[40].

García-Escudero Márquez también sostiene la existencia de límites para acometer una reforma constitucional a través de este procedimiento abreviado. En este caso, se pone de manifiesto la existencia de límites formales expresos en el Reglamento del Senado. Y es que de forma distinta a lo establecido por el Reglamento de la Cámara Baja, cuyo artículo 146.1 remite subsidiariamente al trámite previsto para los proyectos y proposiciones de ley[41], el apartado primero del artículo 154 del Reglamento del Senado contempla expresamente que las iniciativas de reforma constitucional serán publicadas y se abrirá plazo de presentación de enmiendas[42]. Se establece, a continuación, en el apartado segundo que, la Comisión Constitucional elaborará un Dictamen que será elevado al Pleno[43].

---

y Convergencia i Unió- por ser más rigurosa la admisión de enmiendas transaccionales en Pleno que en Comisión".

[40]   *Vid.,* Y. Gómez Lugo. "La tramitación de la reforma constitucional mediante procedimientos legislativos abreviados: un problema de límites procedimentales". *Op. cit.,* p. 405.

[41]   Artículo 146.1 RCD: "1. Los proyectos y proposiciones de reforma constitucional a que se refieren los artículos 166 y 167 de la Constitución se tramitarán conforme a las normas establecidas en este Reglamento para los proyectos y proposiciones de ley, si bien éstas deberán ir suscritas por dos Grupos Parlamentarios o por una quinta parte de los Diputados".

[42]   Artículo 154.1 RS: "Cuando el Senado reciba un proyecto de reforma constitucional, presentado y aprobado previamente por el Congreso de los Diputados, la Mesa dispondrá su inmediata publicación y fijará el plazo para la presentación de enmiendas".

[43]   Artículo 154.2 RS: "2. La Comisión de Constitución podrá designar una Ponencia encargada de informar el proyecto y las enmiendas presentadas al mismo y elaborará el correspondiente dictamen que será elevado al Pleno de la Cámara

Se observa como el Reglamento del Senado procede a reproducir las fases del procedimiento legislativo ordinario, mientras que el Reglamento de la Cámara Baja hace únicamente una remisión a dichas fases. Y es en ese hecho diferencial donde esta autora encuentra apoyo para sostener la existencia de un límite expreso para acometer una reforma de la Constitución en el Reglamento del Senado al entender que dicho trámite sería incompatible con lo previsto para el procedimiento de lectura única[44].

En nuestro criterio, no debemos entender limitado el carácter trasversal y excepcional de los procedimientos abreviados por razón únicamente de esta circunstancia. El RS hace una referencia directa, y no a través de remisión como hace el RCD, al cometido de la Comisión o al trámite de presentación de enmiendas. Estamos, pues, ante un recurso retórico que nada añade a un mandato normativo respecto del otro. Las normas reguladoras de cada tipo de procedimiento de reforma son reglas que admiten modulación excepcional cuando concurren circunstancias extraordinarias con independencia de la materia sobre la que verse el procedimiento legislativo especial de que se trate. Distinto sería el caso si estos límites formales a los que García-Escudero se refiere estuvieran recogidos expresa o implícitamente no ya por el Reglamento Parlamentario sino por el propio Texto Constitucional al que esta norma queda sometida.

A la vista de lo expuesto, no hemos encontrado en la doctrina un concepto, ni siquiera estructurado por exclusión, de lo que debería entenderse por *naturaleza* o *simplicidad de formulación* que pudiera justificar la tramitación de una iniciativa legislativa por el procedimiento abreviado que estudiamos.

---

para su debate y votación. La Comisión y, en su caso, la Ponencia observarán los plazos que se fijen por la Presidencia, de acuerdo con la Mesa y oída la Junta de Portavoces".

[44]   *Vid.*, P. García-Escudero Márquez. "La reforma del artículo 135: ¿son suficientes trece días para la tramitación parlamentaria de una reforma constitucional". *Op. cit.*, p. 86.

2.2. Los vectores que sobre el particular se han seguido en la práctica parlamentaria

La STC 139/2017, de 29 de noviembre puso de nuevo de manifiesto que "los usos parlamentarios han constituido tradicionalmente, y siguen constituyendo, un importante instrumento normativo dentro del ámbito de organización y funcionamiento de las Cámaras, [...] siempre han sido consustanciales al régimen parlamentario y, por ende, al Estado de Derecho, de modo que son eficaces para la regulación del modo de ejercicio de los derechos y facultades parlamentarias, siempre que no restrinjan su contenido reconocido en la norma parlamentaria"[45].

En atención a la importante consideración que el Alto Tribunal otorga a la práctica parlamentaria y en el intento de aportar luz a la cuestión que analizamos es necesario acometer un análisis acerca de las actuaciones de los órganos parlamentarios que sucesivamente participan en la decisión acerca de la concurrencia o no de los presupuestos habilitantes establecidos en los Reglamentos de nuestras Cámaras para poder optar por esta modalidad procedimental abreviada. Nos referimos a la Mesa de la Cámara, a la Junta de Portavoces y al Pleno.

De los resultados de este análisis de la *praxis* parlamentaria es posible concluir, a los efectos que aquí interesan, que siempre que el órgano plenario estime oportuno que una iniciativa legislativa deba ser tramitada por lectura única, se optará, sin necesidad de motivar esta decisión, por esta vía procedimental con independencia de que confluyan en ella o no alguna de las circunstancias habilitantes establecidas por los Reglamentos del Congreso de los Diputados y del Senado en sus artículos 150 y 129 respectivamente.

Con respecto a la reforma del artículo 135 CE, el Pleno del Congreso de los Diputados decidió tramitarla en lectura única sin justificar el abandono de la vía ordinaria y sin especificar si concurrirían o no en esta iniciativa de reforma alguno de los presupuestos habilitantes establecidos reglamentariamente para optar por este cauce procedimental

---

[45]   SSTC 139/2017, de 29 de noviembre de 2017, FJ 8, *in fine*; 206/1992, de 21 de noviembre; 190/2009, de 28 de septiembre; 57/2011, de 25 de mayo; y 76/2017, de 19 de junio.

abreviado. Cierto es que la relevancia y la complejidad de la materia sobre la que versaba esta concreta modificación constitucional podían poner en cuestión la decisión del Pleno de optar por esta vía procesal abreviada, pero también lo es que ni los Reglamentos Parlamentarios establecen veto alguno para acometer una reforma constitucional en lectura única ni nuestra Carta Magna ha excluido la posibilidad de ser modificada a través de este procedimiento extraordinario.

Es, por tanto, muy importante poner de relieve que no existe testimonio documental de los motivos que justificaban que la Mesa de la Cámara y la Junta de Portavoces propusieran al Pleno optar por este tipo procedimental para tramitar esta delicada y compleja reforma constitucional; como tampoco hay constancia escrita de los informes que realizaron sobre el particular los Letrados de Cortes. Sí nos ha sido posible estudiar los documentos que recogen el contenido de los debates en sede plenaria que precedieron a la decisión definitiva de tramitar esta reforma en lectura única, pero, lamentablemente, estos textos en particular y, con respecto al resto de iniciativas tramitadas en lectura única, en general, no nos ofrecen los factores necesarios para poder evaluar las motivaciones que impulsaron las actuaciones y las decisiones de los órganos correspondientes.

Y ello es porque en la mayor parte de los supuestos estudiados, la decisión de optar por este trámite se toma por asentimiento y sin ser sometida a debate alguno[46]; en otros casos sorprende el que no haya existido discusión en el Pleno pese a que la votación contó con un notable número de opiniones en contra[47]; en los supuestos donde

---

[46]   *Vid.*, sesión plenaria núm. 138, de 24 de marzo de 1998 (DS, Congreso de los Diputados, núm. 143, 1998), en la que se aprobó por asentimiento, sin objeciones ni debate, la tramitación en lectura única de dos normas de naturaleza y complejidad totalmente distintas: la Ley Orgánica 3/1998, de 15 de junio, de modificación de la Ley Orgánica del Régimen Electoral General (BOE núm. 143, de 16 de junio de 1998); y la Ley 19/1998, de 15 de junio, por la que se aprueba la modificación del Convenio Económico entre el Estado y la Comunidad Foral de Navarra (BOE núm. 143, de 16 de junio de 1998).

[47]   *Vid.*, sesión plenaria núm. 51, de 11 de septiembre de 2012 (DS, Congreso de los Diputados, núm. 55, 2012), en la que se aprobó por 181 votos a favor, 128 votos en contra y 5 abstenciones, sin objeciones ni debate, la tramitación en lectura única de la Ley Orgánica 4/2012, de 28 de septiembre, por la que se modifica la Ley Orgánica 2/2012, de 27 de abril, de Estabilidad Presupuestaria y Sostenibilidad Financiera (BOE núm. 235, de 29 de septiembre de 2012).

un Grupo Parlamentario había presentado alguna objeción para optar por este procedimiento y exponía su motivación, habitualmente ésta estaba desconectada de la concurrencia o no de los presupuestos habilitantes establecidos[48]; y en las escasas ocasiones en las que encontramos un debate en sede plenaria, constatamos que se reproduce por parte de los representantes parlamentarios la confusión existente en sede doctrinal con respecto a la delimitación conceptual de las circunstancias que posibilitan la apertura de este tipo de trámite.

Así, por ejemplo, en el intento de rebatir o de justificar la pertinencia de esta vía procedimental hemos observado en algunos debates sobre la tramitación en lectura única alusiones a la relevancia política de la norma, a la urgencia, al consenso necesario para su aprobación -o a su ausencia- [49], y a la brevedad del texto[50], lo que indica que el legislador no tiene certeza acerca de los supuestos en los que procede -o no- tramitar una iniciativa en lectura única[51].

---

[48]   *Vid.*, la intervención del Diputado Aguilar Moreno respecto de la tramitación en lectura única de la Ley Orgánica 13/1982, de 10 de agosto, de Reintegración y Amejoramiento del Régimen Foral de Navarra: "nos oponemos a la tramitación por el sistema de lectura única previsto en el artículo 150 del Reglamento, sistema que impide toda modulación a un proyecto de Ley. Esta circunstancia es la que hace que entendamos que su empleo debe hacerse de forma restrictiva y nosotros pensamos que no era la ocasión de utilizar este mecanismo", en la sesión plenaria núm. 255, de 30 junio de 1982 (DS, Congreso de los Diputados, núm. 255, 1982).

[49]   *Vid.*, Ley Orgánica 3/2014, de 18 de junio, por la que se hace efectiva la abdicación de Su Majestad el Rey Don Juan Carlos I de Borbón.

[50]   *Vid.*, la intervención del Diputado Bermúdez de Castro Fernández: "[...] ¿alguien puede argumentar sin rubor que una ley con un único artículo de dos apartados y una disposición final solamente para la entrada en vigor es una ley de una gran complejidad técnica que no puede tramitarse mediante lectura única? Porque, no confundan, una cosa es la trascendencia política, histórica y constitucional del momento que vivimos y otra cosa es la supuesta complejidad técnica, que no existe como tal, por muchos argumentos peregrinos o de conveniencia que quieran esgrimir", en sesión plenaria núm. 192, de 11 de junio de 2014 (DS, Congreso de los Diputados, núm. 204, 2014).

[51]   *Vid.*, en términos muy similares, el debate sobre la tramitación en lectura única de la Ley Orgánica 2/2015, de 30 de marzo, por la que se modifica la Ley Orgánica 10/1995, de 23 de noviembre, del Código Penal, en materia de delitos de terrorismo, en la sesión plenaria núm. 244, de 19 de febrero de 2015 (DS, Congreso de los Diputados, núm. 261, 2015).

A diferencia de lo que suele ocurrir cuando se utilizan otros procedimientos abreviados -como el urgente- o, especiales -como la ley orgánica-, no encontramos en el Preámbulo de esta reforma constitucional las razones que justifican que el legislador recurriera a este tipo procedimental. Excepcionamos de esta omisión a las Exposiciones de Motivos de las normas de naturaleza pactada que sí aluden, lógicamente, a la primera de las circunstancias que habilitan para acudir al trámite de lectura única[52]. Lo que habitualmente recogen los Preámbulos de los textos tramitados en lectura única suele ser una referencia expresa a la urgencia que la aprobación de la norma requería cuando concurren los procedimientos de lectura única y urgencia[53]; una ausencia al tipo de trámite escogido en las iniciativas sustanciadas por este procedimiento abreviado[54]; o alguna fórmula retórica que alude a la necesidad de un cauce procedimental más rápido del ordinario cuando el legislador utiliza la lectura única pero no el trámite de urgencia[55]. A la vista de la situación expuesta, no tenemos, pues, seguridad acerca de los motivos que impulsaron al legislador a tomar esta decisión de trámite abreviado en esta concreta reforma constitucional, ni en general, en resto de tramitaciones; y, en aquellos casos en los que se intenta justificar esta opción de trámite, se

---

[52]   *Vid.*, Preámbulo de la Ley Orgánica 13/1982, de 10 de agosto, de Reintegración y Amejoramiento del Régimen Foral de Navarra: "Es, pues, rango propio del Régimen foral navarro, amparado por la Constitución que, previamente a la decisión de las Cortes Generales, órgano del Estado en el que se encarna la soberanía indivisible del pueblo español, la representación de la Administración del Estado y la de la Diputación Foral de Navarra, acuerden la reforma y modernización de dicho Régimen. Dada la naturaleza y alcance del amejoramiento acordado entre ambas representaciones, resulta constitucionalmente necesario que el Gobierno, en el ejercicio de su iniciativa legislativa, formalice el pacto con rango y carácter de Proyecto de Ley Orgánica y lo remita a las Cortes Generales para que éstas procedan, en su caso, a su incorporación al ordenamiento jurídico español como tal Ley Orgánica".

[53]   *Vid.*, Preámbulo Ley Orgánica 7/2011, de 15 de julio, de modificación del artículo 160 de la Ley Orgánica 5/1985, de 19 de junio, del Régimen Electoral General.

[54]   *Vid.*, Preámbulo de la Ley Orgánica 2/2015, de 30 de marzo, por la que se modifica la Ley Orgánica 10/1995, de 23 de noviembre, del Código Penal, en materia de delitos de terrorismo.

[55]   *Vid.*, Preámbulo Ley 13/1987, de 17 de julio, de Derivación de Volúmenes de Agua de la Cuenca Alta del Tajo, a través del Acueducto Tajo-Segura, con carácter experimental, con destino al Parque Nacional de las Tablas de Daimiel.

hace sin establecer vinculación alguna a los presupuestos habilitantes establecidos en los Reglamentos Parlamentarios del Congreso de los Diputados y del Senado. Sin embargo, a pesar de no haber encontrado en los documentos derivados de la práctica parlamentaria los motivos que impulsaron al legislador a optar por la tramitación en lectura única, sí es posible extraer de ellos conclusiones significativas para este estudio.

Cierto es que el Pleno representa la voluntad popular y que el Derecho Parlamentario goza de un significativo rasgo autodispositivo, pero la decisión del órgano plenario de tramitar una reforma constitucional en lectura única no es libre. La normativa parlamentaria establece de forma diáfana unos límites por cuanto que, si no concurren las circunstancias que nuestro ordenamiento jurídico ha establecido para poder tramitar una iniciativa por este cauce abreviado, el Pleno no puede optar por esta vía procedimental.

Como pone de manifiesto la tramitación de esta reforma constitucional, ni la relevancia de su contenido -que en este caso afectaba a valores y principios constitucionales de primera magnitud, a elementos estructurales de un órgano constitucional y a las relaciones con otros órganos constitucionales-, ni la reserva a alguna vía procedimental especial *ratione materiae*, supusieron obstáculo alguno para recurrir al procedimiento abreviado en lectura única.

Pero no solo esta reforma constitucional de contenido tan relevante y sometida a reserva procedimental *ratione materiae* ha sido tramitada en lectura única, otras proposiciones y proyectos complejos y/o relevantes, también se han sustanciado por este procedimiento abreviado. Tales son los casos, *v.g.*, de la Ley Orgánica 2/2015, de 30 de marzo, por la que se modifica la Ley Orgánica 10/1995, de 23 de noviembre, del Código Penal, en materia de delitos de terrorismo[56]; de la Ley Orgánica 15/2015, de 16 de octubre, de reforma de la Ley Orgánica 2/1979, de 3 de octubre, del Tribunal Constitucional, para la ejecución de las resoluciones del Tribunal Constitucional como garantía del Estado de Derecho[57]; de la Ley Orgánica 1/2013, de 11 de abril sobre el

---

[56]   BOE núm. 77, de 31 de marzo de 2015.

[57]   BOE núm. 249, de 17 de octubre de 2015. Prueba evidente de la notoriedad y complejidad técnica de esta norma es la abundantísima literatura científica que

proceso de renovación del Consejo General del Poder Judicial, por la que se suspende la vigencia del artículo 112 y parcialmente del 114 de la Ley Orgánica 6/1985, de 1 de julio, del Poder Judicial[58]; o la Ley Orgánica 3/2014, de 18 de junio, por la que se hace efectiva la abdicación de Su Majestad el Rey Don Juan Carlos I de Borbón[59].

También debemos significar que, con independencia de que concurran o no los correspondientes supuestos habilitantes establecidos reglamentariamente, el consenso obtenido extraparlamentariamente sobre el contenido de la norma a tramitar es la principal causa que motiva la decisión de trámite de una iniciativa en lectura única. Pero en sede doctrinal no se ha establecido la diferencia existente entre aquellas iniciativas legislativas que, *ex lege* incluso *ex constitutione*, tienen atribuida una naturaleza pactada. Con respecto a este último tipo de normas, las Cortes Generales deben formular un voto de ratificación, lo que, a nuestro juicio, sí integraría, el primer supuesto de hecho que contemplan los Reglamentos Parlamentarios, esto es, iniciativas cuya naturaleza aconseje su tramitación en lectura única; y de otra parte, nos encontramos con la tramitación de aquellas iniciativas legislativas que no poseen tal naturaleza pero que, las fuerzas políticas mayoritarias han alcanzado un acuerdo previo respecto de ellas que permite su aprobación en Cortes sin sufrir modificaciones importantes. Además, salvo que estas normas tuvieran una formulación que permitiera este tipo de trámite porque pudieran ser integradas en el segundo de los supuestos al que se refieren los Reglamentos Parlamentarios, tendrían que quedar fuera del ámbito objetivo de la lectura única.

En este primer grupo de normas de naturaleza pactada que se someten a tramitación en lectura única incluiríamos a la Ley Orgánica de Reintegración y Amejoramiento del Régimen Foral de Navarra

---

la doctrina ha producido sobre la misma. *Vid.*, por todos, I. Villaverde Menéndez. "Cumplir o ejecutar. La ejecución de sentencias del Tribunal Constitucional y su reciente reforma", *Teoría y Realidad Constitucional*, nº 38, 2016, pp. 643 y ss.; y G. Fernández Farreres. "Las nuevas facultades del Tribunal Constitucional para asegurar el cumplimiento de sus resoluciones", *Revista española de derecho constitucional*, nº 112, 2018, pp.15 y ss.

[58]   BOE núm. 88, de 12 de abril de 2013.

[59]   BOE núm. 148, de 19 de junio de 2014.

(LORAFNA) y sus reformas[60]. Como es bien conocido, el régimen jurídico de la aprobación y reforma del Estatuto de Autonomía de Navarra recoge determinadas especialidades tendentes a poner de relieve la naturaleza pactada o cuasi-pactada de la misma, en virtud de lo previsto en la disposición adicional primera de la Constitución[61].

En este sentido, y en lo referente a nuestro objeto de estudio, la Resolución de la Presidencia del Congreso de los Diputados, de 16 de marzo de 1993, sobre procedimiento a seguir para la tramitación de la reforma de los Estatutos de Autonomía[62], donde se permite expresamente en su apartado cuarto que "cualquier propuesta de reforma estatutaria se tramite directamente y en lectura única", establece en su apartado decimotercero como inexcusable en su artículo 71.2 este tipo de tramitación para las reformas de la LORAFNA[63].

---

60 Especialmente ilustrativo resulta el Preámbulo del texto vigente de la LORAF-NA: "[...] Dada la naturaleza y alcance del amejoramiento acordado entre ambas representaciones, resulta constitucionalmente necesario que el Gobierno, en el ejercicio de su iniciativa legislativa, formalice el pacto con rango y carácter de Proyecto de Ley Orgánica y lo remita a las Cortes Generales para que éstas procedan, en su caso, a su incorporación al ordenamiento jurídico español como tal Ley Orgánica [...]".

61 Disposición adicional primera de la Constitución: "La Constitución ampara y respeta los derechos históricos de los territorios forales. La actualización general de dicho régimen foral se llevará a cabo, en su caso, en el marco de la Constitución y de los Estatutos de Autonomía". Vid., al respecto, por todos, A. Pérez Calvo. "Navarra, un régimen autonómico secular". Revista de Estudios Políticos, nº 92, 1996, pp. 77 y ss.

62 Modificada por Resolución de la Presidencia, de 25 de septiembre de 2018 (BOCG, Congreso de los Diputados, Serie D, núm. 481, de 28 de septiembre de 2018).

63 Art. 71.2 LORAFNA: "La reforma del mismo se ajustará, en todo caso, al siguiente procedimiento: a) La iniciativa corresponderá a la Diputación Foral o al Gobierno de la Nación. b) Tras las correspondientes negociaciones, la Diputación Foral y el Gobierno de España formularán, de común acuerdo, la propuesta de reforma, que será sometida a la aprobación del Parlamento de Navarra y de las Cortes Generales por el mismo procedimiento seguido para la aprobación de la presente Ley Orgánica".

También, por razón de su naturaleza pactada[64] han sido sometidas al trámite legislativo en lectura las leyes estatales que recogen el contenido del Concierto Económico del País Vasco, del Convenio Económico de Navarra, las que determinan el cálculo de los cupos correspondientes y todas sus respectivas reformas[65]; y aquellas decisiones de las Cortes Generales por las que se autoriza la ratificación de un determinado Tratado Internacional[66]. Y aunque con respecto a este último tipo de decisiones el art. 156.1 RCD haya establecido expresamente que esta intervención del Parlamento "se ajustará al procedimiento legislativo común, con las particularidades que se contienen en el presente capítulo" -arts. 154-160 RCD-, no sería ésta razón suficiente para excluir la tramitación en lectura única, pues el carácter transversal que caracteriza esta vía excepcional hace que, siempre y cuando no exista incompatibilidad entre las reglas propias del régimen jurídico de la iniciativa legislativa sobre la que se sustancia y las normas de la tramitación en lectura única, puede ser proyectada sobre cualquier tipo de procedimiento legislativo.

Al posibilitar el RCD en su art. 156.3 la presentación de un modo muy limitado enmiendas al articulado, en sentido estricto, el texto del proyecto del Tratado sometido a las Cortes Generales no podría ser,

---

[64]   A. López Basaguren. "El Concierto Económico y la financiación de la Comunidad Autónoma del País Vasco. Entre mito y realidad", en *El Estado Autonómico: integración, solidaridad, diversidad*. Ministerio de Administraciones Públicas, Madrid, 2005; y F. De la Hucha y Celador. *La inserción constitucional del Convenio Económico de Navarra*, Servicio de Publicaciones de la Universidad Pública de Navarra, Navarra, 2010.

[65]   *Vid.*, Ley 14/2015, de 24 de junio, por la que se modifica la Ley 28/1990, de 26 de diciembre, por la que se aprueba el Convenio Económico entre el Estado y la Comunidad Foral de Navarra; Ley 10/2017, de 28 de diciembre, por la que se modifica la Ley 12/2002, de 23 de mayo, por la que se aprueba el Concierto Económico de la Comunidad Autónoma del País Vasco; y Ley 11/2017, de 28 de diciembre, por la que se aprueba la metodología de señalamiento del cupo del País Vasco para el quinquenio 2017-2021.

[66]   *Vid.*, Ley 3/1986, de 7 de enero, por la que se autoriza el ingreso de España en la Corporación Interamericana de Inversiones; la Ley Orgánica 1/2005, de 20 de mayo, por la que se autoriza la ratificación por España del Tratado por el que se establece una Constitución para Europa, firmado en Roma el 29 de octubre de 2004; o la Ley Orgánica 1/2008, de 30 de julio, por la que se autoriza la ratificación por España del Tratado de Lisboa, por el que se modifica el Tratado de la Unión Europea y el Tratado Constitutivo de la Comunidad Europea, firmado en la capital portuguesa el 13 de diciembre de 2007.

como tal, objeto de modificación por el Parlamento del modo que preceptúa expresamente el RS en su art. 144.1-3. Entendemos, por tanto, que esta especial naturaleza de la decisión del Parlamento sobre la ratificación -o no- por España de un Tratado Internacional de contenido ya pre-negociado con los demás países firmantes[67] también goza de las condiciones necesarias para que el órgano plenario, a propuesta de la Mesa y oída la Junta de Portavoces, decida sustancia la iniciativa en lectura única en virtud del primero de los presupuestos habilitantes a los que se refieren los artículos 150.1 RCD y 129.1 RS[68].

Puesto que son leyes sometidas también a un voto de ratificación, sería posible incluir en este grupo las leyes tramitadas en lectura única a través de las cuales se incorpora al ordenamiento jurídico el contenido de los acuerdos de cooperación celebrados entre el Estado y diferentes confesiones religiosas. Tal es el caso de la Ley 24/1992, de 10 de noviembre, por la que se aprueba el acuerdo de cooperación del Estado con la Federación de Entidades Religiosas Evangélicas de España; la Ley 26/1992, de 10 de noviembre, por la que se aprueba el acuerdo de cooperación del Estado con la Comisión Islámica de España la Ley 25 de 1992, de 10 de noviembre, por la que se aprueba el acuerdo de cooperación del Estado con la Federación de Comuni-

---

[67] Vid., J. Matía Portilla. *Los tratados internacionales y el principio democrático*, Marcial Pons, Madrid, 2018; F. Santaolalla López. "La ley y la autorización de las Cortes a los Tratados Internacionales", *Revista de Derecho Político*, nº 11, 1981; y A. Salinas de Frías. "La reafirmación del necesario control parlamentario de la actividad convencional del ejecutivo. Comentario a la Sentencia 155/2005, de 9 de junio, del Tribunal Constitucional", en *REDI*, vol. LVII, 2005.

[68] A favor de la viabilidad del trámite abreviado en lectura única para la autorización de Tratados Internacionales, Vid., F. Santaolalla López. "Decreto ley, ley y tratado internacional. Comentario a la STC 155/2005, de 9 de junio", *Teoría y Realidad Constitucional*, nº 18, p. 401, pone de manifiesto que "El art. 156.1 de su Reglamento [...] de modo excesivamente simplista, remite la tramitación de los tratados internacionales al procedimiento legislativo común, lo que podría excluir la aplicación de un procedimiento especial como es el de lectura única. Acaso una resolución interpretativa de la presidencia podría facilitar las cosas, mediante la declaración de que lo que realmente excluye el citado artículo es la tramitación de procedimientos especiales claramente inadecuados, como el de competencia legislativa de las Comisiones, posibilitando aplicar sin reparos de fondo o forma el de lectura única (pues cumple con las exigencias del artículo 94.1 de la Constitución). Por su parte, el Reglamento del Senado (art. 144) no plantea objeciones a este respecto".

dades Israelitas de España[69]. Y, en fin, incluimos también las reformas de Estatutos de Autonomía de Comunidades Autónomas creadas por la vía extraordinaria del artículo 151 CE y la disposición transitoria segunda CE que se limiten al régimen de autogobierno de la Comunidad y no afecten a las relaciones de ésta con el Estado, esto es, País Vasco, Cataluña, Galicia y Andalucía.

Aunque el apartado noveno de la Resolución de la Presidencia del Congreso de los Diputados, de 16 de marzo de 1993, antes aludida, hace referencia a una "votación de totalidad" sin hacer alusión expresa al trámite de lectura única, entendemos que en estos concretos supuestos de reformas estatutarias puede y procede la apertura de este cauce procedimental.

El resto de iniciativas parlamentarias que se han tramitado en lectura única por venir consensuadas por las fuerzas políticas mayoritarias, pero que no tienen naturaleza o condición legal de normas *pactadas* las situamos en el lado opuesto. Entendemos, en estos casos, que el consenso extraparlamentario no constituye título para suplir la labor constitucional de las Cámaras, por lo que, salvo que estas iniciativas tuvieran una formulación sencilla que permitiera acudir al trámite de lectura única a través del segundo de las circunstancias habilitantes, nos situaría por elevado que fuera el consenso previo sobre la iniciativa, ante una vulneración de los Reglamentos Parlamentarios.

Ubicamos en este grupo a las reformas estatutarias de Comunidades Autónomas restantes elaboradas a través de la vía extraordinaria y todas aquellas reformas llevadas a cabo por la vía ordinaria de los Estatutos de Comunidades Autónomas, pues, aunque estas reformas quedan sometidas a un procedimiento legislativo especial que culmina con su aprobación por ley orgánica de Cortes Generales, no estamos ante normas de naturaleza pactada ni ante una intervención meramente ratificadora del Parlamento estatal *stricto sensu*[70]. Encon-

---

[69]   BOE núm. 272, de 12 de noviembre de 1992.

[70]   *Vid.*, C. Aguado Renedo. "Acerca de la naturaleza jurídica del Estatuto de Autonomía", *Revista Española de Derecho Constitucional*, nº 49, 1997, pp. 169 y ss.; y del mismo autor, "De nuevo sobre la naturaleza jurídica del Estatuto de Autonomía, con motivo de los procesos de reforma", *Revista Parlamentaria* de la Asamblea de Madrid, nº 17, pp. 238 y ss.

tramos, así, en el estudio de la práctica parlamentaria iniciativas tramitadas en lectura única que no han sufrido modificaciones en las Cortes Generales, *v.g.*, la Ley Orgánica 6/1991, de 13 de marzo, de modificación del Estatuto de Autonomía de Castilla La Mancha, la Ley Orgánica 1/1991, de 13 de marzo, de reforma del Estatuto de Autonomía de la Región de Murcia; o la Ley Orgánica 5/1991, de 13 de marzo, de Reforma del Estatuto de Autonomía de Extremadura.

Con consensos previos extraparlamentarios como justificación exclusiva para proceder por esta vía procedimental además de las reformas estatutarias citadas, se han tramitado en lectura única una importante cantidad de leyes de contenido muy diverso. Así, por ejemplo, la Ley 32/1999, de 8 de octubre, de Solidaridad con las Víctimas del Terrorismo[71]; la Ley Orgánica 1/2013, de 11 de abril, sobre el proceso de renovación del Consejo General del Poder Judicial, por la que se suspende la vigencia del artículo 112 y parcialmente del art. 114 de la Ley Orgánica 6/1985, de 1 de julio, del Poder Judicial[72]; la Ley 29/1990, de 26 de diciembre, del Fondo de Compensación Interterritorial[73]; o la Ley 30/2011, de 4 de octubre, sobre la creación del Consejo General de Economistas[74].

De todo punto de vista es censurable la instrumentalización que hace el órgano plenario del consenso extraparlamentario como única razón que justifica el recurso al procedimiento en lectura, sin establecer para ello conexión alguna con los presupuestos habilitantes establecidos por los Reglamentos Parlamentarios, pero, además, el estudio de la práctica parlamentaria pone de relieve que en otras iniciativas legislativas tramitadas en lectura única ni siquiera gozaban de este previo consenso extraparlamentario. Este proceder de la serie plenaria pone de manifiesto un uso absolutamente discrecional de este procedimiento abreviado. Así ocurre con la Ley 16/1993, de 23 de diciembre, de incorporación al Derecho español de la Directiva 91/250/CEE, de 14 de mayo de 1991, sobre la protección jurídica de programas de ordenador; o la Ley Orgánica 2/2004, de 28 de diciem-

---

[71] BOE núm. 242, de 9 de octubre de 1999.
[72] BOE núm. 88, de 12 de abril de 2013.
[73] BOE núm. 310, de 27 de diciembre de 1990.
[74] BOE núm. 240, de 5 de octubre de 2011.

bre, por la que se modifica la Ley Orgánica 6/1985, de 1 de julio, del Poder Judicial[75].

2.3. Los pronunciamientos del Tribunal Constitucional sobre la materia

Puesto que el Tribunal Constitucional se ha manifestado en múltiples ocasiones sobre la delimitación de los presupuestos habilitantes del procedimiento legislativo en lectura única, cabría esperar que los contornos de qué se debe entender por *naturaleza* o *simplicidad de formulación* de una iniciativa legislativa y las circunstancias que permiten acudir a este procedimiento abreviado estarían delimitadas. Pero el estudio de estos pronunciamientos sobre la delimitación de ambas figuras refleja que esta delimitación ha sido parcial por considerar el Alto Tribunal que su capacidad para controlar la potestad del legislador reglamentario para configurar las circunstancias habilitantes en la norma parlamentaria y la potestad de la Mesa, la Junta de Portavoces y el Pleno, al entender si concurren o no tales circunstancias en la concreta tramitación de una iniciativa son prácticamente ilimitadas.

Derivado de estos pronunciamientos es posible concluir que el Tribunal Constitucional ha establecido que se debe hacer compatible la jurisprudencia constitucional relativa a la "autonomía parlamentaria garantizada constitucionalmente -art. 72 CE- y la propia naturaleza del art. 23.2 CE como derecho de configuración legal" puesto que obliga a "otorgar a los Parlamentos y, significativamente, a sus órganos rectores, un margen [...] que este Tribunal no puede desconocer". En concreto, "en relación con las decisiones parlamentarias referidas al acortamiento de trámites y plazos del procedimiento legislativo -bien derivadas de la declaración de la tramitación por la vía de urgencia, bien por el procedimiento en lectura única, bien por la concurrencia de causas excepcionales, o por el mero incumplimiento de los plazos establecidos reglamentariamente- este Tribunal tiene declarado que no está constitucionalizado ningún procedimiento legislativo abreviado para la tramitación de proyectos normativos caracterizados por la

---

[75]   BOE núm. 313, de 29 de diciembre de 2004.

urgencia, salvo una regla temporal para la tramitación en el Senado de los proyectos declarados urgentes por el Gobierno o por el Congreso de los Diputados (art. 90.3 CE), por lo que dicha regulación queda, entonces, encomendada a los Reglamentos de las Cámaras"[76]. Y en este entendimiento, "el Reglamento Parlamentario de cada Cámara constituye, por regla general, la exclusiva sede normativa de esta específica modalidad del procedimiento normativo, cuya regulación, no exenta de elementos comunes, presenta también contenidos dispares de unas a otras Asambleas [Cortes Generales y Parlamentos autonómicos][77]".

Una vez que las Cámaras han configurado discrecionalmente en sus Reglamentos las circunstancias que habilitan la apertura del procedimiento legislativo en lectura única, "no le es dado a este Tribunal, por respeto a la autonomía de las Cámaras sobre los procedimientos que se desarrollan en su seno, reemplazar la voluntad y el criterio de oportunidad que la Mesa del Congreso de los Diputados al proponer la tramitación de la proposición de ley por el procedimiento en lectura única, ni la del Pleno de adoptar dicha decisión"[78].

Además, por cuanto que "no existe tampoco prescripción normativa alguna que imponga al Congreso de los Diputados la sujeción a sus precedentes en relación con las decisiones sobre los procedimientos de tramitación de las iniciativas legislativas, de modo que cualquier iniciativa de reforma de un mismo texto legal haya de ser tramitada a través de idéntico tipo de procedimiento parlamentario [...]. De nuevo aquí entra en juego la libertad de opción de la Cámara sobre el procedimiento a seguir dentro del abanico de posibilidades que le brinda su Reglamento"[79], los órganos rectores de las Cámaras habrán de manifestar su criterio y su voluntad caso por caso sin estar vinculados por los precedentes. Esta situación limita considerablemente el margen de intervención del Tribunal Constitucional para corregir la decisión sobre el particular de las Cámaras, pero no lo anula, ya que sería "absurdo, e intolerable en Derecho, que todos y cada uno de los procedimientos efectivamente previstos y ordenados en el Regla-

---

[76]   STC 136/2011, de 13 de septiembre.
[77]   STC 139/2017, de 29 de noviembre.
[78]   STC 185/2016, de 3 de noviembre.
[79]   STC 215/2016, de 15 de diciembre.

mento [fueran] meramente dispositivos y sustituibles, mediante libre decisión de aquella mayoría"[80].

La capacidad de la que goza el Pleno para decidir sobre el particular no es, pues, absoluta y el Alto Tribunal cuando se encuentre ante una "notoria evidencia" de apreciación arbitraria de los mismos por parte de las Cámaras[81] podría ejercer un "control negativo"[82] de la concurrencia de los presupuestos habilitantes de la lectura única.

El Tribunal Constitucional ha establecido que estamos ante circunstancias diferentes de carácter alternativo. Sería suficiente para que el legislador pueda poder optar por este procedimiento abreviado con que solo una de ellas concurra. Y en este entendimiento el Tribunal Constitucional justifica de forma separada la no concurrencia de cada una de ellas en el rechazo de las impugnaciones planteadas contra leyes tramitadas en lectura única[83].

Con respecto a la relación que ambas circunstancias habilitantes tienen con la necesidad de una urgente tramitación[84], el Tribunal Constitucional no mantiene una postura diáfana al respecto. En unos casos ha dado respuesta separada a ambas cuestiones, sin utilizar nunca la urgencia como variable habilitante del procedimiento en lectura única[85], y en otras ocasiones, ha incluido el trámite en lectura única como especialidad del procedimiento legislativo que trae causa de la urgencia[86].

A pesar de que el acortamiento de los lapsos temporales es una consecuencia secundaria de la sustanciación del procedimiento legislativo en lectura única, y es lo que, a nuestro juicio, se infiere de la lectura completa de su doctrina sobre esta materia, la urgencia no es causa ni concausa que justifique la apertura de ese trámite procesal.

---

[80]   STC 114/2017, de 17 de octubre.

[81]   STC 119/2011, de 5 de julio.

[82]   STC 129/2013, de 4 de junio.

[83]   STC 238/2012, de 13 de diciembre.

[84]   Vid., J. Ridao Martín. "La tramitación directa de las leyes: el procedimiento de lectura única a revisión", *Revista General de Derecho Constitucional*, nº 28, 2018, p. 11.

[85]   STC 215/2016, de 15 de diciembre, FJ 5 a, b, c (lectura única) y d (urgencia).

[86]   STC 136/2011, de 13 de septiembre.

Y en el análisis de los pronunciamientos del Alto Tribunal sobre *cuando la naturaleza de la iniciativa lo aconseje*, advertimos que, más que delimitar el contenido de esa categoría, la ha definido parcialmente por vía de exclusión, estableciendo que la trascendencia política de la norma a tramitar o su relevancia, como ocurre en el caso de la reforma constitucional del artículo 135 CE, no otorgan a la misma una naturaleza que impida su tramitación en lectura única[87].

Y en este sentido, puesto que "las normas aplicables -art. 150 RCD y concordantes- no establecen materias vetadas a dicha tramitación[88], como sí sucede con el Reglamento Parlamentario de alguna Comunidad Autónoma"[89] y, puesto que ningún contenido se excluye de su ámbito de aplicación, entendemos que la referencia a la *naturaleza* del texto alude a un vector distinto al del contenido de la norma que va a ser tramitada.

La STC 27/2000, de 31 de enero supuso también una importante aportación en la delimitación de esta categoría al desestimar el recurso de amparo promovido por varios Diputados vascos contra la decisión del Parlamento vasco de no admitir a trámite las enmiendas presentadas a un proyecto de ley tramitado en lectura única que establecía las aportaciones económicas de las Diputaciones Forales a la Hacienda General del País Vasco. En este pronunciamiento se puso de manifiesto que este tipo de leyes son "leyes de aprobación, que incorporan al ordenamiento jurídico con la eficacia que les es propia, los contenidos de los acuerdos alcanzados entre las instituciones que integran el Consejo Vasco de Finanzas", por lo que "es cabalmente la naturaleza negociada y paccionada [de estas normas] la que explica y justifica la previsión [...] de un procedimiento legislativo en lectura única en el que no se admite, en consecuencia, la presentación de enmiendas". Esta resolución del Tribunal Constitucional nos permite afirmar que la excepcional figura en nuestro sistema de la ley paccionada requiere tan sólo de ratificación del

---

[87]   STC 185/2016, de 3 de noviembre.

[88]   *Vid.*, L.M. Miranda López. *Parlamento y control judicial*, Tirant Lo Blanch, Valencia, 2018, p. 199.

[89]   ATC 9/2012, de 13 de enero.

correspondiente Parlamento, es muy distinta a la de otras decisiones legislativas que llegan a la Cámara con el acuerdo de las suficientes mayorías parlamentarias.

Respecto de la equivalencia entre ambos presupuestos habilitantes y el consenso político previo y extraparlamentario de la iniciativa, el Tribunal Constitucional no ha tomado posición al respecto hasta fechas muy recientes. En la STC 238/2012, de 13 de diciembre[90], donde se impugna la tramitación de la Ley Orgánica 2/2004, de 28 de diciembre, de modificación de la Ley Orgánica 6/1985, de 1 de junio, del Poder Judicial, los recurrentes entienden que existe una presunción razonable de simplicidad política o de especial naturaleza del proyecto legislativo derivada de la falta de controversia en torno a la misma que no concurre en este caso y que impide acudir al trámite de lectura única"[91]. La sentencia que rechaza este motivo de inconstitucionalidad formal de la ley -FJ4 - no ratifica ni refuta la idea del consenso político como causa habilitante[92]. Ha sido la STC 185/2016, de 3 de noviembre[93], donde el Alto Tribunal aporta luz sobre este extremo al justificar que la necesaria mayoría para adoptar la decisión de optar por este procedimiento abreviado no es la mayoría cualificada o la unanimidad, sino la mayoría simple[94]. Este pronunciamiento unido a lo establecido en la STC 27/2000, de 31 de enero acerca de las leyes pactadas nos han servido para fundamentar los contornos de lo que se debe entender por *naturaleza* del proyecto o proposición de ley que *aconseje* su tramitación por este cauce abreviado.

Con respecto a la segunda de las circunstancias habilitantes, esto es, la *simplicidad de la formulación* del proyecto o proposición de ley tampoco encontramos, de una parte, en los pronunciamientos del Tribunal Constitucional una definición de este concepto jurídico indeterminado ya que, aunque no se identifica de forma absoluta brevedad

---

[90] Recurso de inconstitucionalidad 2169-2005, interpuesto por ochenta y dos Diputados del Grupo Parlamentario Popular en el Congreso.

[91] STC 238/2012, de 13 de diciembre, antecedente núm. 1. d). 2).

[92] *Vid.*, L.M. Miranda López. *Parlamento y control judicial. Op. cit.*

[93] En STC 129/2013, de 4 de junio, ya se apuntó en esa dirección, pero no de forma tan rotunda.

[94] STC 185/2016, de 3 de noviembre, FJ 5, c).

del texto y *simplicidad,* en un número considerable de sentencias se alude como fundamento complementario a otro principal a la limitada extensión de las iniciativas legislativas[95]. Y, de otra parte, en el intento de concretar qué tipo de formulaciones son suficientemente sencillas y cuáles no lo son, el Tribunal ha equiparando reiteradamente la idea de texto "con una estructura y un lenguaje, desde la perspectiva de cualquier observador razonable, comprensibles, sencillos e inteligibles"[96] con texto de *formulación simple.*

Los términos *razonable, comprensible, sencillo* e *inteligible* hacen alusión a condiciones de distinta naturaleza -*v.g.,* sencillo y razonable- o prácticamente sinónimas -*v.g.,* inteligible y comprensible- y poco añaden a la definición establecida en los Reglamentos Parlamentarios. Asimismo, el Tribunal no pone en conexión la sencillez o la simplicidad del texto con las consecuencias procesales y la finalidad que comporta la lectura única. Así planteadas las cosas, creemos que el parámetro para valorar hasta qué punto un texto es suficientemente sencillo como para abrir este procedimiento abreviado debe venir dado por lo imprescindible que resulte en términos de garantías constitucionales su estudio en Comisión. Establecer, por tanto, un criterio general con el que sentar jurisprudencia no resulta sencillo, pero, a nuestro juicio, la *inteligibilidad,* la *brevedad* o la *razonabilidad* del texto no son variables que nos pueden ayudar a adecuar las decisiones que este sentido adopta a lo establecido en los Reglamentos Parlamentarios el órgano plenario. Por tanto, un texto puede ser inteligible y breve y, al mismo tiempo, guardar la suficiente complejidad como para que *cualquier observador razonable* entienda que el procedimiento legislativo ordinario sea la vía para ser tramitado.

Y en este intento de elaborar la categoría jurídica de la *simplicidad de la formulación* del texto legislativo, observamos que los pronunciamientos del Alto Tribunal no están siguiendo una adecuada senda ya que, se ha declarado por sentencia que leyes de estructura, contenido, alcance y complejidad tan dispar como la Ley Orgánica 15/2015, de 16 de octubre, de reforma de la Ley Orgánica 2/1979, de 3 de octu-

---

95   STC 129/2013, de 4 de junio.
96   SSTC 153/2016, de 22 de septiembre; 215/2016, de 15 de diciembre; y 139/2017, de 29 de noviembre, entre otras.

bre, del Tribunal Constitucional, para la ejecución de las resoluciones del Tribunal Constitucional como garantía del Estado de Derecho[97], que ha sido y sigue siendo objeto controversias parlamentarias, jurisdiccionales y doctrinales y de intensos debates; o la Ley 9/2002, de 10 de julio sobre declaración de proyectos regionales de infraestructuras de residuos de singular interés para la Comunidad de Castilla León[98], que simplemente contiene una habilitación al legislador para la aprobación de este tipo de proyectos, y sin embargo ambas han pasado con éxito ese test del *observador razonable*.

III. PROPUESTA DE CATEGORIZACIÓN

Tras haber analizado las normas, los trabajos parlamentarios, la doctrina, la *praxis* y la jurisprudencia existente sobre la materia, creemos que es posible extraer aquellos elementos que quizá permitan ayudar a delimitar las circunstancias habilitantes del procedimiento en lectura única, al menos, de forma más precisa de lo que hasta la fecha se ha hecho.

En primer lugar, hemos de tener presente que la apertura que sobre estos presupuestos habilitantes ha establecido el legislador reglamentario es intencionada. Los términos tan poco concretos de su redacción persiguen otorgar unos niveles máximos de libertad a la Cámara a la hora de decidir cuál debe ser la vía procedimental más adecuada para tramitar cada iniciativa legislativa. La búsqueda de mecanismos agiles y flexibles para acometer la labor parlamentaria es el objetivo perseguido por los preceptos que regulan los procedimientos legislativos y ello debe siempre guardar armonía con las garantías que deben acompañar a las decisiones político-legislativas, de forma que al tiempo que el quehacer parlamentario no se vea mermado ni devenga en ineficaz se evite siempre el menoscabo del *ius in officium* de los parlamentarios. Así, pues, con un amplísimo margen de decisión, pero siempre limitados por los presupuestos habilitantes que recogen los Reglamentos Parlamentarios, tanto el órgano plenario como la Mesa de cada una de las Cámaras están habilitados

---

97   STC 185/2016, de 3 de noviembre.
98   STC 129/2013, de 4 de junio.

para determinar la pertinencia de tramitar una iniciativa legislativa en lectura única.

En segunda instancia, hemos de poner de manifiesto el carácter restrictivo y no expansivo que debe tener la interpretación que el Parlamento hace del alcance de ambas circunstancias habilitantes ya que, nos encontramos ante un régimen particular en el que hay una disminución de garantías procedimentales que el régimen general sí contempla. Y esta misma línea de actuación debería de guiar el juicio de constitucionalidad que realiza el Tribunal con respecto a la decisión de las Cámaras porque, aunque es cierto que la autonomía parlamentaria que garantiza nuestro Texto Fundamental limita la capacidad del Tribunal para intervenir la decisión del Parlamento, también lo es que el Tribunal se encuentra constitucionalmente obligado a intervenir cuando las sedes parlamentarias incurren en una aplicación arbitraria de sus propias normas reglamentarias.

Hemos visto como el Reglamento da una redacción excesivamente abierta a los presupuestos habilitantes y, como todos los conceptos jurídicos indeterminados, tales presupuestos, aunque expresamente no estén establecidos en la norma, tienen unos límites. La decisión del órgano plenario sobre si optar o no por el procedimiento legislativo en lectura única no es, por tanto, absolutamente libre ya que el legislador no dotó al Pleno de libertad absoluta para decidir sobre la tramitación de las iniciativas legislativas por esta vía cuando podía haberlo hecho.

Y en otro orden de cosas, es necesario significar que estudiamos dos circunstancias habilitantes de condición alternativa y no complementaria diferenciables de manera que la Cámara puede optar por este trámite abreviado con que solo una de ellas concurra en la iniciativa objeto de trámite.

También debemos poner de relieve que estos presupuestos recogidos en los Reglamentos Parlamentarios se identifican con el procedimiento de urgencia. Las motivaciones que impulsan el procedimiento legislativo de urgencia no justifican el recurso a este procedimiento abreviado y el hecho de que el procedimiento en lectura única conlleve un acortamiento de los plazos del procedimiento legislativo ordinario porque omite el estudio en Comisión, en una Cámara y/o en la otra, no supone más que una consecuencia colateral de un tipo de procedimiento que persigue otros fines y está motivado por otras causas.

La eventual *relevancia* política, social, económica o jurídica de la norma a tramitar no es lo que determina la *naturaleza* de la iniciativa legislativa ni lo que *aconseja* su tramitación en lectura única. Tampoco hay materias vetadas para proceder en lectura única ni reservas materiales a su favor. Este tipo procedimental tiene carácter transversal. En principio se puede proyectar sobre cualquier iniciativa, tenga condición de ley orgánica, ordinaria o se trate, como es este caso de una reforma del Texto Fundamental.

A nuestro juicio, las únicas leyes que poseen una *naturaleza* que *aconsejan* o exigen su tramitación en lectura única son aquellas a las que excepcionalmente nuestro ordenamiento jurídico reconoce la condición de norma *pactada*. Tal sería el caso de la LORAFNA, respecto de la cual la Resolución de la Presidencia del Congreso de los Diputados, de 16 de marzo de 1993, sobre procedimiento a seguir para la tramitación de la reforma de los Estatutos de Autonomía, establece en su apartado cuarto, precisamente por la especial y distinta naturaleza de este tipo normativo como inexcusable su tramitación en lectura única. A nuestro juicio, también entendemos que las Cámaras podrán recurrir al procedimiento en lectura única para aquellas proposiciones y proyectos de ley de idéntica condición, a saber, leyes estatales que recogen el Convenio Económico de Navarra, el Concierto Económico del País Vasco y las que determinan el cálculo de los cupos correspondientes, así como las que incorporan a nuestro ordenamiento jurídico los acuerdos de cooperación celebrados las diferentes confesiones religiosas y el Estado.

En relación al primer presupuesto habilitante que estudiamos, creemos que también podrían tramitarse en lectura única, las decisiones legislativas de las Cortes Generales que requieran, sin modificar el texto, una ratificación de conjunto, *v.g.,* Tratados Internacionales, la intervención aprobatoria de las Cortes respecto de aquellas reformas de Estatutos de Autonomía de las Comunidades Autónomas creadas por la vía extraordinaria del artículo 151 CE y la disposición transitoria 2ª CE que no afecten a las relaciones de ésta con el Estado y se limiten a la modificación del régimen de autogobierno de la Comunidad. Por el contrario, el que un tipo de iniciativa legislativa distinta de las enunciadas llegara a las Cortes Generales con un contenido consensuado por las fuerzas políticas mayoritarias en la Cámara, siendo previsible que no sufrirá importantes alteraciones, no modifica la *naturaleza* de la iniciativa, no la convierte al amparo de ninguna disposición constitucional o legislativa de nuestro ordenamiento jurídico en una *norma pactada*.

El quehacer parlamentario debe garantizar siempre la no vulneración de los derechos de participación política de las minorías y la consecución de estos acuerdos políticos extraparlamentarios no constituyen título suficiente para sustituir aquella labor. Así las cosas, si estas iniciativas no pueden acogerse al segundo de los presupuestos habilitantes porque su formulación es suficientemente sencilla como para poder ser discutidas en el Pleno, no procedería, por infracción de los límites reglamentarios de este procedimiento su apertura.

Con respecto a la segunda de las circunstancias habilitantes, no es posible identificar *simplicidad de formulación* de la iniciativa legislativa con *brevedad* del texto o con que éste resulte *comprensible, razonable* e *inteligible*, como hace el Alto Tribunal. Para ese *observador razonable* al que se refiere el Tribunal, una iniciativa legislativa puede tener una redacción suficientemente *comprensible* e *inteligible*, ser breve en su extensión y además poseer un contenido *razonable* para cualquier observador, pero estas circunstancias no garantizarán en todo caso que dicho texto permita que se prescinda de su estudio en Comisión.

A nuestro juicio, para alcanzar el verdadero significado de este concepto jurídico indeterminado es necesario abarloar la finalidad y las consecuencias procedimentales que el trámite en lectura única conlleva a las condiciones del texto presentado. Para determinar, por tanto, hasta qué punto un texto es suficientemente sencillo como para abrir este procedimiento abreviado habrá que analizar si las garantías mínimas del contenido del *ius in officium* de los parlamentarios quedan aseguradas si la tramitación tiene lugar directamente en sede plenaria.

Establecer reglas generales completas que nos puedan orientar es una tarea muy complicada, pero creemos que es posible establecer algunos parámetros por exclusión. Esto es, según nuestro criterio es posible presumir que no procederá el trámite en lectura única en determinadas iniciativas legislativas por el elevado nivel de complejidad que albergan. Éste sería el supuesto de las leyes las de Estabilidad

Presupuestaria, las leyes de Presupuestos Generales del Estado y otras referidas a distintos regímenes fiscales, siempre que nos encontremos, lógicamente, ante la tramitación de normas completas porque no podríamos hablar de una exclusión absoluta *ratione materiae* y ningún impedimento habría en recurrir a este procedimiento abreviado para sustanciar sencillas modificaciones de este tipo de leyes.

¿Podría entonces encuadrarse esta delicada reforma constitucional en la segunda de las circunstancias habilitantes: la sencillez de formulación?

Aunque es cierto que el texto de la reforma del artículo 135 CE no era muy extenso, también lo es que la temática sobre la que se trabajaba no era sencilla. Se trataba de una reforma financiera profunda y compleja. De hecho, las distintas leyes orgánicas que han desarrollado el artículo 135 de la Constitución han sido y siguen siendo en España objeto de numerosos, intensos y polémicos debates.

A día de hoy todavía es un tema que está sin resolver y que necesita de forma urgente un pronunciamiento diáfano del Tribunal Constitucional donde se definan estas categorías jurídicas indeterminadas y para ello, podrían tomarse como punto de partida las tesis personales que aquí se han defendido. Pero en todo caso, debido a que el procedimiento legislativo en lectura única es un procedimiento excepcional que debe ser aplicado de forma restrictiva por cuanto que limita las garantías que ofrece el procedimiento legislativo ordinario, cuando nos encontremos ante iniciativas que presenten dudas razonables sobre si su naturaleza o su simplicidad aconsejan ser tramitadas en lectura única, como ocurre en el caso de la reforma del artículo 135 de la Constitución Española, se debe renunciar a una tramitación que suprima una de las fases más importantes en la elaboración de una ley como es la fase de Comisión.

IV. BIBLIOGRAFÍA CITADA

Aguado Renedo, C. "Acerca de la naturaleza jurídica del Estatuto de Autonomía", *Revista Española de Derecho Constitucional*, n° 49, 1997.

_____ "De nuevo sobre la naturaleza jurídica del Estatuto de Autonomía, con motivo de los procesos de reforma", *Revista Parlamentaria* de la Asamblea de Madrid, n°17, 2007.

Araujo Díaz de Terán, M. "Comentario al artículo 150", en *Comentarios al Reglamento del Congreso de los Diputados*. Ripollés Serrano, M.R. (Coord.). Congreso de los Diputados, Madrid, 2012.

Bar Cendón, A. "La reforma constitucional y la gobernanza económica de la Unión Europea", *Teoría y Realidad Constitucional*, nº 30, 2012.

Biglino Campos, P. Voz "Procedimiento Legislativo", en *Organización General y Territorial del Estado*, Civitas, Navarra, 2011.

Blanco Corral M.P. *et. al.* "El Pacto de Estabilidad de la Unión Europea y los Principios de Autonomía y Suficiencia de la Hacienda Autonómica en España", *Hacienda Pública y convergencia europea: X Encuentro de Economía Pública*, Santa Cruz de Tenerife, 2003.

De la Hucha Celador, F. *La inserción constitucional del Convenio Económico de Navarra*, Servicio de Publicaciones de la Universidad Pública de Navarra, Navarra, 2010.

Fernández Farreres, G. "Las nuevas facultades del Tribunal Constitucional para asegurar el cumplimiento de sus resoluciones", *Revista española de derecho constitucional*, nº 112, 2018.

García Martínez, M. A. *El procedimiento legislativo*. Congreso de los Diputados, Madrid, 1897.

García-Escudero Márquez, P. "El procedimiento legislativo ordinario en las Cortes Generales: regulación, fases y tipos.", *Teoría y Realidad Constitucional*, nº 16, 2005.

_____ "La reforma del artículo 135: ¿son suficientes trece días para la tramitación parlamentaria de una reforma constitucional", *Cuadernos de Derecho Público*, nº 38, 2009.

Gómez Lugo, Y. "La tramitación legislativa en lectura única", *InDret. Revista para el análisis del Derecho*, nº 4, 2007.

_____ *Los procedimientos legislativos especiales en las Cortes Generales*, Congreso de los Diputados, Madrid, 2008.

_____ "La tramitación de la reforma constitucional mediante procedimientos legislativos abreviados: un problema de límites procedimentales", *Teoría y Realidad Constitucional*, nº 43, 2019.

López Basaguren, A. "El Concierto Económico y la financiación de la Comunidad Autónoma del País Vasco. Entre mito y realidad", en *El Estado Autonómico: integración, solidaridad, diversidad*. Ministerio de Administraciones Públicas, Madrid, 2005.

Matía Portilla, J. *Los tratados internacionales y el principio democrático*, Marcial Pons, Madrid, 2018.

Medina Guerrero M. "La reforma del artículo 135 CE", *Teoría y Realidad Constitucional,* n° 29, 2012.

Miranda López, L.M. *Parlamento y control judicial,* Tirant Lo Blanch, Valencia, 2018.

Pérez Calvo, A. Navarra, "Un régimen autonómico secular", *Revista de Estudios Políticos,* n° 92, 1996.

Ridao Martín, J. "La tramitación directa de las leyes: el procedimiento de lectura única a revisión", *Revista General de Derecho Constitucional,* n° 28, 2018.

Salinas de Frías, A. "La reafirmación del necesario control parlamentario de la actividad convencional del ejecutivo. Comentario a la Sentencia 155/2005, de 9 de junio, del Tribunal Constitucional", en *REDI,* vol. LVII, 2005.

Santaolalla López, F. "La ley y la autorización de las Cortes a los Tratados Internacionales", *Revista de Derecho Político,* n° 11, 1981.

_____ "Decreto-ley ley y tratado internacional. Comentario a la STC 155/2005, de 9 de junio", *Teoría y Realidad Constitucional,* n° 18, 2006.

_____ *Derecho Parlamentario Español.* Dyckinson, Madrid, 2013.

Serrano Lea, C. y Montero Zulueta, B., "El pacto de Estabilidad y Crecimiento. Las finanzas públicas en la zona euro", *Boletín Económico de ICE,* n° 2905, 2007.

Villaverde Menéndez, I. "Cumplir o ejecutar. La ejecución de sentencias del Tribunal Constitucional y su reciente reforma", *Teoría y Realidad Constitucional,* n° 38, 2016.